AUTEURS ET DIRECTEURS DES COLLECTIONS
Dominique AUZIAS & Jean-Paul LABOURDETTE

DIRECTEUR DES EDITIONS VOYAGE
Stéphan SZEREMETA

RESPONSABLES EDITORIAUX VOYAGE
Patrick MARINGE et Morgane VESLIN

EDITION ✆ 01 72 69 08 00
Julien BERNARD, Caroline MICHELOT,
Pierre-Yves SOUCHET, Baptiste THARREAU
et Valentin ANGRAND

ENQUETE ET REDACTION
Charline REDIN, Grégoire DECONIHOUT,
Yaïssa ARNAUD-BOLIVAR et alter

SERVICE STUDIO
Sophie LECHERTIER et Romain AUDREN

MAQUETTE & MONTAGE
Julie BORDES, Élodie CLAVIER,
Sandrine MECKING, Delphine PAGANO,
Laurie PILLOIS, Evelyne AMRI

CARTOGRAPHIE
Philippe PARAIRE, Thomas TISSIER

PHOTOTHEQUE ✆ 01 72 69 08 07
Robin BEDDAR

REGIE INTERNATIONALE ✆ 01 53 69 65 50
Karine VIROT, Camille ESMIEU, Guillaume
LABOUREUR, Romain COLLYER et Elise CADIOU

DIRECTEUR COMMERCIAL
Olivier AZPIROZ assisté de Michel GRANSEIGNE,
Victor CORREIA, Nathalie GONCALVES
et Vimla MEETTOO

RESPONSABLE RÉGIE NATIONALE
Aurélien MILTENBERGER

PUBLICITE ✆ 01 53 69 70 66
Stéphanie MORRIS, Perrine DE CARNE MARCEIN,
Caroline AUBRY, Caroline GENTELET, Virginie
SMADJA, Orianne BRIZE, Sacha GOURAND,
assistés de Sandra RUFFIEUX

INTERNET
Lionel CAZAUMAYOU, Jean-Marc REYMUND,
Cédric MAILLOUX, Anthony GUYOT, Caroline
LOLLIEROU, Florian FAZER, Christophe PERREAU

RELATIONS PRESSE ✆ 01 53 69 70 19
Jean-Mary MARCHAL

DIFFUSION ✆ 01 53 69 70 68
Eric MARTIN, Bénédicte MOULET assistés
d'Aissatou DIOP et Alicia FILANKEMBO

RESPONSABLE DES VENTES
Jean-Pierre GHEZ

DIRECTEUR ADMINISTRATIF ET FINANCIER
Gérard BRODIN

RESPONSABLE COMPTABILITE
Isabelle BAFOURD assistée de Christelle
MANEBARD, Oumy DIOUF et Jeannine DEMIRDJIAN

DIRECTRICE DES RESSOURCES HUMAINES
Dina BOURDEAU assistée de Sandra MORAIS,
Claudia MARROT

LE PETIT FUTE JAMAÏQUE 2013
■ 5e édition ■

NOUVELLES ÉDITIONS DE L'UNIVERSITÉ©
Dominique AUZIAS & Associés©
18, rue des Volontaires - 75015 Paris
Tél. : 33 1 53 69 70 00 - Fax : 33 1 53 69 70 62
Petit Futé, Petit Malin, Globe Trotter, Country Guides
et City Guides sont des marques déposées ™®©
© Photo de couverture : Jamaica Tourist Board
ISBN - 9782746964884
Imprimé en France par IMPRIMERIE CHIRAT -
42540 Saint-Just-la-Pendue
Dépôt légal : juin 2013
Date d'achèvement : juin 2013

Pour nous contacter par email,
indiquez le nom de famille en minuscule
suivi de @petitfute.com
Pour le courrier des lecteurs : country@petitfute.com

Vous avez dit la Jamaïque ? Cette île nichée au sud de Cuba, en pleine mer des Caraïbes, est malheureusement trop peu connue. La preuve : voyez la réaction de vos proches lorsque vous leur annoncerez votre départ vers l'île de Bob Marley. Caricaturée par l'imaginaire collectif, la Jamaïque est loin de ressembler à ce que certains Européens imaginent. Certes, la culture du reggae est partout ici et il ne se passe pas une journée sans que vous entendiez une mélodie du légendaire Bob à un coin de rue, dans un restaurant ou encore à la radio. Mais la Jamaïque, ce sont aussi des paysages extraordinaires et variés, des Blue Mountains, qui s'élèvent dans la brume, aux plages féeriques de Port Antonio en passant par les falaises rocheuses de Treasure Beach. Certes, vous flirterez avec la culture rasta tout votre séjour, mais vous dégusterez aussi un des meilleurs cafés du monde, vous découvrirez des saveurs uniques et vous rencontrerez des gens extraordinaires. La devise de cette île de moins de 12 000 km^2 est « *Out of many, one people* », ce qui signifie « un seul peuple issu de nombreux peuples ». La nation de la cause noire offre des rencontres inattendues et inoubliables. Chaque paroisse possède son propre caractère et son propre patois. Vous l'aurez compris, n'hésitez plus et traversez l'Océan Atlantique pour un voyage dont vous reviendrez forcément différent !

L'équipe de rédaction

REMERCIEMENTS : Une dédicace spéciale pour Michael Fox et sa fille Robyn, qui m'ont beaucoup aidé et appris sur la culture jamaïcaine ; à Benji, mon marin d'eau douce rencontré dans les Blue Mountains ; à Angie de Juju Tours et Nicole Larson, deux jeunes femmes de caractère, brillantes, rencontrées à Négril ; aux frères Shad et Otto des guest houses Mikuzi de Kingston et de Port Antonio ; aux cuisiniers de l'île entière, qui ont fait frémir mes papilles tout au long de ce séjour ; aux musiciens qui ont régalé mes oreilles de bonnes vibrations, et à tous les rastas qui ont réussi le pari de me rendre un peu plus zen. Un grand merci également à Sally Henzell pour son hospitalité, sa confiance et sa gentillesse lors de mon passage à Treasure Beach, et à tous les Jamaïcains pour leur sourire et leur joie de vivre. Une perfusion de bonheur et de bien-être. *One love !*

IMPRIM'VERT

Découvrir le guide en ligne

PEFC 10-31-1895

OFFERT
CE GUIDE VERSION NUMÉRIQUE
Retrouvez cette offre en page 230

Sommaire

Chutes de Mayfield.

La côte autour de Golden Grove.

Jamaïque

Aéroport international
de Sangster
Montego Bay
Falmouth
Runawa Bay
Montego Bay
Lucea
Bogue
Duncans
Rio Bueno
Runaway E
Cousins Cove
Hopewell
Reading
Granville
Adelphi
Rock
Discovery Bay
HANOVER
Anchovy
Johns Hall
Wakefield
Etingdon
283 m
Clarks Town
Browns Tow
Green Island
Cacoon Castle
477 m
ST. JAMES
Montpelier
TRELAWNY
Stewart Town
March Town
Dolphin Head
544 m
Birches Hill
550 m
Ramble
Cambridge
Ulster Spring
Booby Kay
The
Grange Hill
Moreland
279 m
Bethel Town
Albert Town
Alexandria
Long Bay
Great
Frome
C O R N W A L L
Warsop
Wait-A-Bit
Negril
Morass
WESTMORELAND
Troy
Cave Valley
West End
Little London
Petersfield
Darliston
Elderslie
Mount Denham
985 m
Spaldings
St John's Pt
Savanna-la-mar
Blackwood
697 m
Appleton
Balaclava
Christiana
MILE
Bluefields
Newmarket
Maggotty
Siloah
Mile Gully
GULLY
Cobblers
Franckfie
Crack Pond Pt
Whitehouse
ST. ELIZABETH
Upper
Morass
Huntley Hill
954 m
Williamsfield
M I
Middle Quarters
Lacovia
Santa Cruz
Thompson Tow
Black River
The
Great
Morass
Mandeville
Porus
MANCHESTER
Luana Pt
Mountainside
The
Great
Morass
Spur Tree
Malvern
Nain
Knockpatrick
MAYO
MOUNTAINS
Parottee Pt
Rose Hill
843 m
Junction
Cross Keys
Treasure Beach
Frenchman's Bay
Southfield
Bull
Savanna
Alligator Pond
Rest
Old Womans Point

OCÉAN ATLANTIQUE
Etats-Unis
Bahamas
Cuba
République
Dominicaine
Haïti
Porto Rico
Jamaïque
Honduras
MER CARAÏBE
Nicaragua
Costa
Rica
Panamá
Colombie
Venezuela
Trinidad
et Tobago

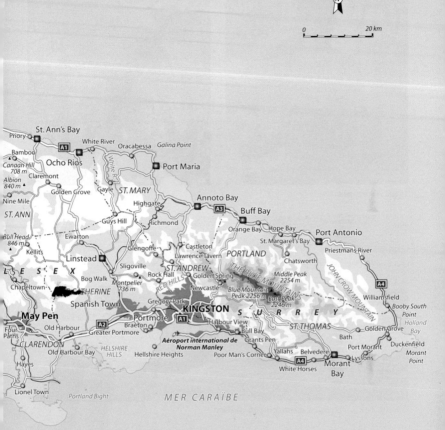

St. Ann's Bay
Priory
Bamboo
Canaan Hill 708 m
Albion 840 m
Nine Mile
ST. ANN
Bull Head 846 m
Kellits
Chapeltown
Four Paths
Hayes
Lionel Town
CLARENDON
May Pen
Old Harbour
Old Harbour Bay
HELSHIRE HILLS
Hellshire Heights
Portland Bight
Portland Point

White River
Ocho Rios
Claremont
Golden Grove
Gayle
Highgate
Guys Hill
Ewarton
Linstead
Sligoville
Bog Walk
Montpelier 736 m
Spanish Town
Gregory Park
Braeton
Greater Portmore
Portmore

Oracabessa   Galina Point
Port Maria
ST. MARY
Richmond
Glengoffe
Castleton
Lawrence Tavern
ST. ANDREW
Rock Hall   Golden Spring
RED HILLS
Newcastle
KINGSTON
Harbour View
Aéroport international de
Norman Manley
Poor Man's Corner

Annoto Bay
Buff Bay
Orange Bay   Hope Bay
St. Margaret's Bay
PORTLAND
Chatsworth
THE BLUE MOUNTAINS
Middle Peak 2254 m
Blue Mountain Peak 2256 m   East Peak 2246 m
SURREY
ST. THOMAS
Bull Bay
Grants Pen
Yallahs   Belvedere
White Horses
Morant Bay

Port Antonio
Priestmans River
JOHN CROW MOUNTAINS
Williamsfield
Booby South Point
Holland Bay
Golden Grove
Bath
Port Morant   Duckenfield
Lyssons   Morant Point

MER CARAÏBE

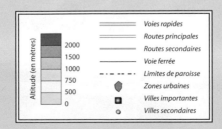

Altitude (en mètres)
2000
1500
1000
750
500
0

Voies rapides
Routes principales
Routes secondaires
Voie ferrée
Limites de paroisse
Zones urbaines
Villes importantes
Villes secondaires

0   20 km

© JAMAICA TOURIST BOARD

© JAMAICA TOURIST BOARD

Jeune vendeur de fruits.

Aras.

© JAMAICA TOURIST BOARD

Treasure Beach, une plage à la beauté encore sauvage.

© ISTOCKPHOTO.COM/NARWIK

Chutes de Dunn's River.

Les plus de la Jamaïque

Une nature magnifique

La Jamaïque, « terre des forêts et des rivières », offre au voyageur en quête de paradis un Eden à la fois sauvage et accueillant. Avec quelque 120 rivières, 237 espèces d'orchidées dont 60 endémiques, 3 000 variétés de plantes à fleurs dont 800 indigènes, 200 espèces d'oiseaux dont 25 endémiques, des forêts tropicales humides intactes et forêts tropicales d'altitude, des montagnes, des collines à perte de vue, 80 espèces de papillons endémiques, des savanes sèches, des cactus, 550 espèces de fougères, des barrières de corail, et des centaines de variétés d'animaux marins, l'île est un véritable havre pour les amoureux de la nature.

L'océan pour horizon

Avec ses mille kilomètres de côtes, la Jamaïque est une destination idéale pour se jeter à l'eau. L'île offre une grande variété de paysages côtiers, depuis l'écrin de sable fin doré bordant une mer turquoise et tiède, jusqu'aux côtes découpées par la fureur des vagues prêtes à accueillir surfeurs et véliplanchistes. La richesse de la faune marine fait par ailleurs de l'île un lieu rêvé pour la plongée sous-marine.

Les moins de la Jamaïque

▸ **Les prix.** La vie en Jamaïque coûte assez cher. Ceux qui pensent la Jamaïque comme un pays en voie de développement, où le Français serait riche, font fausse route. Il n'y a aucune possibilité de s'en sortir à moins de 50 € par jour, les produits de première nécessité, les restaurants et autres attractions étant à des prix égaux ou souvent même supérieurs à ceux pratiqués en France. L'hôtellerie représentera une importante partie de votre budget.

▸ **La pauvreté des indications.** Si l'on part seul à la découverte de l'île, mieux vaut se préparer à l'idée de passer du temps à chercher. Les sites touristiques mentionnés sur les cartes ne sont pas toujours évident à trouver dans les faits, et les routes peuvent être très mauvaises, comme dans les Blue Montains par exemple. Heureusement, il se trouvera toujours sur votre chemin un local bienveillant qui vous fournira de bon cœur des indications sur la route à suivre.

Un pêcheur sur une plage de Negril.

Le pays du reggae

Le reggae, grâce notamment au succès international de Bob Marley, a imposé la Jamaïque aux yeux du monde. Plus qu'une musique, le reggae et son dérivé moderne, le dancehall, font battre le cœur de l'île. La musique omniprésente dicte le rythme de toutes les activités du quotidien et irrigue chaque élément de la culture jamaïcaine.

Le paradis des golfeurs

C'est ainsi que le directeur du golf de Constant Spring à Kingston surnomme son île. Pas moins de 12 parcours dont quelques-uns des plus fameux sur une île tropicale grande comme la Corse. Celui de Tryall, par exemple, accueille tous les ans les championnats du monde Johnnie Walker et celui de Breezes, l'Open de Jamaïque et le trophée Heineken.

8 PHOTONAKA – FOTOLIA

Fiche technique

Argent

Monnaie

La monnaie est le dollar jamaïcain (JMD). Le dollar US (US$) est également très utilisé, surtout dans les zones touristiques.

Taux de change

▶ **Taux de change en mars 2013 :** 1 € = 125 JMD ; 100 JMD = 0,80 € ; 1 US$ = 97 JMD.

Idées de budget

Les prix dans les supermarchés, boutiques de souvenirs ou restaurants aux standards internationaux sont généralement comparables ou même supérieurs à ceux pratiqués en France. Les budgets moyens suivants correspondent aux dépenses journalières sur place, comprenant hôtel, restauration, visites et frais divers.

▶ **Petit budget :** de 45 à 70 € par jour.

▶ **Budget moyen :** de 70 à 130 € par jour.

▶ **Gros budget :** au-delà de 130 € par jour.

La Jamaïque en bref

Le pays

▶ **Capitale :** Kingston.

▶ **Superficie :** 10 830 km² (1 022 km de côtes).

▶ **Villes principales :** Montego Bay, Port Antonio, Ocho Rios, Negril, Savanna la Mar, Mandeville.

Le drapeau jamaïcain

Hissé pour la première fois le 6 août 1962, jour de l'indépendance nationale, au stade national de Kingston, il est composé d'une croix diagonale dorée (pour le soleil) qui forme des triangles verts (la terre) et noirs (la couleur de la race majoritaire). Le drapeau symbolise la devise : « *Hardships there are, but the land is green and the sun shines* » (« Il y a des souffrances mais la terre est verdoyante et le soleil brille »).

▶ **Indépendance :** 6 août 1962.

▶ **Régime politique :** démocratie parlementaire.

▶ **Chef de l'Etat :** la reine Elizabeth II, représentée par un gouverneur général, Patrick Linton Allen (depuis février 2009).

▶ **Chef du gouvernement :** Portia Simpson-Miller (depuis janvier 2012), du Parti national du peuple jamaïcain.

© JAMAICA TOURIST BOARD

Le plus vieux pont de fer du Nouveau Monde à Spanish Town.

Emblèmes nationaux

▶ **L'écusson jamaïcain.** Un homme et une femme taïno (tribu amérindienne qui occupait l'île avant sa découverte par Christophe Colomb) encadrant un écusson portant une croix rouge marquée de cinq ananas dorés. L'ensemble est dominé par une couronne royale elle-même surmontée d'un crocodile. Le tout est souligné par la devise nationale : « *Out of many, one people* » soit « Un seul peuple issu de nombreux peuples ».

▶ **La fleur nationale** est la *Lignum vitae*, une délicate petite fleur endémique d'un bleu pâle. L'arbre qui porte cette fleur pousse dans les régions de forêts sèches et donne un bois très dur souvent utilisé pour la construction de bateaux.

▶ **L'oiseau national** est le *doctor bird*, un petit oiseau-mouche que l'on ne trouve que sur l'île. Il possède le beau plumage des oiseaux des zones tropicales avec des couleurs pareilles à celles d'un arc-en-ciel qui changent avec les mouvements de l'oiseau. En vol, sa vitesse de pointe est prodigieuse et peut atteindre 90 km/h. Il se reconnaît à sa queue composée de deux panaches.

▶ **L'arbre national** est le *blue mahoe* qui pousse très vite et peut atteindre des hauteurs impressionnantes (plus de 20 m) ; il porte des fleurs dont la couleur change au fur et à mesure de sa croissance, du jaune pâle au rouge profond en passant par toutes les nuances orange. Cette essence est souvent utilisée pour le mobilier et la sculpture.

▶ **Le fruit national** est *ackee*, qui fut introduit dans l'île par les premiers navires venus d'Afrique en transportant des esclaves. Rouge et s'ouvrant sur une chair jaune, il pousse en abondance dans l'île et est à la base du plat national, le *ackee and saltfish*, élaboré avec de la morue.

▶ **Climat :** tropical, tempéré à l'intérieur des terres.

▶ **Point culminant :** Blue Mountain Peak (2 256 m).

La population

▶ **Population :** 2 890 000 habitants (estimation 2011).

▶ **Solde migratoire :** – 5,17 ‰.

▶ **Mortalité infantile :** 15,57 ‰.

▶ **Espérance de vie :** 75 ans.

▶ **Indice de fécondité :** 2,3.

▶ **Composition de la population :** Noirs 76,3 %, Afro-Européens 15,1 %, Indiens et Afro-Indiens 3 %, Blancs 3,2 %, Chinois et Afro-Chinois 1,2 %, autres 1,2 %.

▶ **Religions :** protestantisme 55,9 %, catholicisme 5 %, rastafarisme 34 %.

▶ **Langues parlées :** anglais, créole (appelé patois, comme le mot français).

▶ **Analphabétisme :** 14 %.

L'économie

▶ **PIB :** 15 millions $.

▶ **PIB/hab :** 9 000 $.

▶ **Croissance :** 1,5 %.

▶ **Composition du PIB :** agriculture 17 %, industrie 19 %, services 64 %.

▶ **Taux d'inflation :** 7,7 %.

▶ **Chômage :** 12,7 %.

▶ **Principaux clients :** Etats-Unis 40 %, Canada 10 %, Grande-Bretagne 9,2 %, Pays-Bas 7,9 %, France 5,4 %, Russie 5,2 %.

▶ **Principaux fournisseurs :** Etats-Unis 40 %, Trinidad et Tobago 17,5 %, Venezuela 11,6 %.

▶ **Ressources :** bauxite, gypse, sucre, rhum, calcaire, forêts (25 % du territoire).

Téléphone

▶ **Indicatif téléphonique de la Jamaïque :** 1 876. Pas de codes régionaux. Numéros à 7 chiffres pour les fixes et portables.

Comment téléphoner ?

▶ **Vers la Jamaïque depuis la France :** 00 + 1 876 + numéro local à 7 chiffres. Exemple : 00 + 1 876 + 123 4567.

▶ **Vers la France depuis la Jamaïque :** + 33 + numéro français sans le 0. Exemple, de Kingston à Bordeaux : 000 + 33 + 5 12 34 56 78.

▶ **Au sein du pays :** numéro local à 7 chiffres. Exemple : 123 4567.

Décalage horaire

Par rapport à la France : 6 heures de moins en hiver, 7 heures de moins en été.

Formalités

▶ **Français.** Aucun visa n'est demandé pour les séjours de 30 jours ou moins. Il suffit de produire un passeport valable 6 mois après votre retour de la Jamaïque. Un visa est nécessaire pour un séjour de plus de 30 jours, ou pour un séjour d'affaires. En cas de prolongement du séjour sans visa, il faut s'adresser au Bureau de l'immigration à Kingston (10 000 JMD pour étendre la durée du visa à 60 jours). Si votre avion fait escale aux Etats-Unis, vous devez vous munir impérativement du formulaire ESTA. Le demande doit être effectuée par les voyageurs, au plus tard 72 heures avant le départ. Le document coûte 14 US$ et est payable en ligne.

▶ **Suisses, Belges et Canadiens.** Le visa n'est nécessaire que pour un séjour de plus de trois mois.

▶ **Douane.** Le gouvernement jamaïcain a décidé de doubler la taxe touristique, qui est donc passée à 20 US$ en octobre 2011. Cette taxe est incluse dans le prix du billet d'avion. Se renseigner auprès de la compagnie aérienne choisie. Aucun animal domestique n'est autorisé à entrer dans l'île. Les armes à feu sont interdites.

Climat

Tropical et modéré par la mer des Caraïbes. Les zones d'altitude – comme le Parish de Manchester ou les Blue Mountains – offrent l'avantage d'être au frais, surtout en soirée,

© JAMAICA TOURIST BOARD

Vendeur de produits artisanaux.

loin de la chaleur de Kingston. Il fait toujours chaud en Jamaïque (entre 25 et 30 °C). La saison humide s'étale de juin à septembre, avec une chaleur plus intense et des averses ponctuelles mais violentes, surtout dans la paroisse de Portland. Mieux vaut éviter la saison des cyclones qui, comme partout ailleurs dans les Caraïbes, peuvent frapper entre août et octobre. La haute saison touristique s'étend d'octobre à avril.

Kingston

Janvier	Février	Mars	Avril	Mai	Juin	Juillet	Août	Sept.	Octobre	Nov.	Déc.
19°/30°	19°/30°	20°/30°	21°/31°	22°/31°	23°/32°	23°/32°	23°/32°	23°/32°	23°/31°	22°/31°	21°/31°

Idées de séjour

Séjour court

▶ **Jour 1** : de Kingston, filer vers l'ouest direction Mandeville. De là, se diriger vers Alligator Pond où vous dégusterez un homard délicieux, les pieds dans le sable, avant de vous baigner dans les eaux claires. Reprendre la route vers Treasure Beach, son climat sec et ses côtes sauvages.

▶ **Jour 2** : remonter vers Black River (le safari crocodiles est incontournable). Un tour englobant les chutes de YS, la rhumerie Appleton et Bamboo Avenue est recommandé. Les grottes de Windsor, dans le cockpit country, seront réservées aux plus aventureux.

▶ **Jour 3 et 4** : prendre la direction de Savanna la Mar et foncer vers Negril pour profiter de sa magnifique plage 7 Miles, et de son ambiance club de vacances. Il est possible d'aller visiter le très bel arrière-pays avec des locaux. Ne manquez pas le coucher de soleil depuis les falaises de West End. Le reste du temps sera consacré à la plage, à la plongée et au farniente !

▶ **Jour 5** : retour vers Kingston en s'arrêtant à Spanish Town (très joli centre-ville), puis il sera temps de visiter les incontournables comme le Bob Marley Museum, Devon House, ou encore Fort Charles à Port Royal (proche de l'aéroport).

▶ **Jour 6** : Escapade dans les Blue Montains. L'occasion de visiter une plantation de café et de s'émerveiller devant des paysages magnifiques.

Séjour long

▶ **Jour 1** : arrivée à Kingston. Plongez dès les premiers instants dans le calme et la verdure en visitant Hope Gardens. En route vers votre hôtel, arrêtez-vous à Devon House, où vous dégusterez les meilleures glaces du pays, chez I-Scream. Un dîner dans les Blue Montains, à Mount Edge Guest House, sera l'occasion de découvrir des recettes bio et typiquement jamaïcaines.

▶ **Jour 2** : le matin, visite du centre historique de la ville. Promenade au front de mer en passant par la Parade. Un petit tour au marché, Coronation Market, pour découvrir les goûts et senteurs du pays. Prolongez votre escapade jusqu'à Port Royal : là, vous déjeunerez de fruits de mer fraîchement pêchés chez Gloria, puis embarquerez pour une balade en mer vers Lime Kay, un îlot où il fait bon se laisser dorer au soleil, ou se baigner dans les eaux limpides. Retour à Kingston.

▶ **Jour 3** : en route vers Port Antonio. Les locaux en parlent comme le plus beau coin de l'île ; c'est effectivement un fort bel endroit, souvent oublié des touristes. Sur la route,

© JAMAICA TOURIST BOARD

Doctor's Cave Beach à Montego Bay.

faites une halte à Castleton Garden. Ce magnifique jardin, occupant les deux côtés de la route de Port Antonio, abrite une rivière aux eaux calmes et rafraîchissantes. Vous pouvez prévoir un pique-nique car l'offre sur place se limite à quelques vendeurs en bord de route. Arrivée à Port Antonio en milieu d'après-midi. Descendez à l'Ivanhoé. Vous pourrez vous prélasser sur la plage de French Man Cove, puis dîner sur place dans l'un des multiples restaurants qui entourent l'endroit.

▶ **Jour 4 :** le matin, faites un tour dans la ville en n'oubliant pas de faire une halte au marché, où vous pourrez déguster des produits locaux frais. Rendez-vous ensuite au Blue Lagoon et ses eaux d'un bleu turquoise profond. Pour un verre ou une soirée endiablée, essayez le Roof Club, le rendez-vous des locaux et des touristes de Port Antonio.

▶ **Jour 5 :** cédez à la tentation de Oracabesa et de la célèbre James Bond Beach. L'endroit est généralement très animé, la musique omniprésente. Vous pouvez laisser doucement la journée s'écouler en déjeunant sur la plage. Vous pouvez également visiter la plantation située à quelques kilomètres de là. L'après-midi, prenez la route de Ocho Rios (« Ochie » pour les intimes).

▶ **Jour 6 :** profitez d'une expérience unique en vous baignant avec les dauphins de Dolphin Cove. Arpentez les centres commerciaux duty free, et reposez-vous sur Turtle Beach, la plus grande plage de la ville. Allez aussi voir les belles collections de peintures à Harmony Hall, un peu à l'est.

▶ **Jour 7 :** découvrez Reggae Beach et sa beauté naturelle. Le bain bouillonnant et la petite plage de caillou sont appréciés. Tenté par une excursion ? Essayez le Fern Gully, tunnel de végétation où vous pourrez observer la faune locale avec les conseils d'un guide.

▶ **Jour 8 :** passage obligé aux Dunn's River Falls, magnifiques chutes d'eau à proximité d'Ocho Rios. Passez-y une demi-journée avant votre départ pour Montego Bay. Autorisez-vous une escale à Falmouth, petit village de pêcheurs situé à mi-chemin entre ces deux villes, où vous pourrez, en soirée (vers 19h), vous baigner dans le « lagon lumineux », un site exceptionnel.

▶ **Jour 9 :** visitez la ville de Montego Bay. Un petit tour à The Cage, minuscule prison héritée de la période esclavagiste et au Square Sam Sharpe, centre névralgique de la ville, puis partez à la découverte des terres intérieures

par la route d'Anchovy et Montpelier, et même jusqu'à Seaford Town pour les aventuriers.

▶ **Jour 10 :** Montego Bay abrite la plus grande réserve marine des Caraïbes. Ne vous privez pas d'y découvrir la faune aquatique. La journée s'écoulera ensuite tranquillement à Doctor's Cave Beach. Pour ceux qui en redemandent après l'aventure du matin, la plage offre aussi de nombreuses activités marines. Le soir, la baie offre un décor accueillant pour de nombreux restaurants et bars.

▶ **Jour 11 :** départ en direction de Black River. Un tour rapide de la ville vous permettra de découvrir la richesse architecturale héritée des colonisateurs successifs, puis voguez sur la plus longue rivière du pays. Black River et le marais Great Moras sont l'habitat naturel de nombreuses espèces, y compris plus de 200 crocodiles que vous pourrez observer sous l'œil vigilant de votre guide.

▶ **Jour 12 :** retour à Kingston. Une visite au Bob Marley Museum est inévitable. Vous pourrez aussi dîner sur place, au Café Legend par exemple, qui offre un grand choix de cuisine locale et végétarienne.

▶ **Jour 13 :** les Blue Mountains s'offrent à vous, à quelques kilomètres de Kingston. Dégustez le célèbre café Blue Mountains, avant d'entamer l'ascension jusqu'à Whitfield Hall. De là, atteignez le ciel en grimpant jusqu'au Blue Mountain Peak. Laissez-vous gagner par la splendeur de l'endroit et faites le plein d'air pur.

▶ **Jour 14 :** profitez une dernière fois de la plage en vous rendant à Hellshire, Portmore, dans l'immédiate banlieue de Kingston. Déjeunez sur place de poissons frits et de langoustes à des prix plus que raisonnables. Ambiance reggae dancehall garantie.

▶ **Jour 15 :** départ.

▶ **Variante :** vous pouvez pousser l'aventure jusqu'à Négril et faire ainsi un tour complet de l'île. Cela suppose un retour plus tardif vers Kingston.

Séjours thématiques

Les plages de rêve

▶ **Commencez ce tour par l'îlot de Lemon Kay** au large de Port Royal, près de l'aéroport et donc facilement accessible en logeant à Morgan's Harbour Hotel. Ce minuscule bout de terre offre un cadre idyllique pour passer une demi-journée. Les pêcheurs vous y emmèneront volontiers, moyennant un petit défraiement.

INVITATION AU VOYAGE

▶ **Direction l'Est, et la paisible plage de Prospect**, populaire auprès des familles de Kingston en fin de semaine et pendant les vacances. Vue sur les falaises de Yalah et petit club-bar qui passe du reggae en soirée. Calme et intime, loin de l'agitation et du harcèlement touristique du Nord.

▶ **En montant vers le nord,** le choix est embarrassant : Boston Bay incite à la halte, mais sans doute faudra-t-il aussi goûter aux beautés de French Man's Cove, Sanku Bay, San San ou du fameux Blue Lagoon, tous situés autour de Port Antonio.

▶ **La côte monte vers Ocho Rios** et, pour les amoureux d'eaux transparentes et de paysages magiques, il est impensable de manquer Reggae Beach, quelques kilomètres avant la ville. Accès un peu cher mais le site est magnifique.

▶ **Doctor's Cave Beach,** à Montego Bay, est l'étape suivante. Serrée de près par Gloucester Avenue et manquant d'intimité (sauf à l'ouverture), cette plage est pourtant l'une des plus belles de l'île, et est mondialement connue. Une paillotte complète le tableau. Côté plage gratuite, essayez One Man Beach, plage publique située entre Doctor's Cave et Aquasol Beach : il est possible d'y être seul, sur un sable chaud et fin, face à la mer turquoise.

▶ **Ne manquez pour rien au monde la plus longue plage du pays** (11 km), appelée « 7 Miles Beach », principale attraction de Negril. On peut y pratiquer tous types d'activités, de la plongée sous-marine à la planche à voile, sans compter les concerts nocturnes les pieds dans le sable.

▶ **Dernières plages,** et non des moindres, celles de Treasure Beach : Calabash et Frenchman's Bay. Le temps s'y est arrêté, la mer y est plus rude, le sable moins fin et l'authenticité définitivement intacte. Moins touristiques, d'une beauté sauvage, ces lieux concluent ce parcours le long des côtes et des plages de la Jamaïque, avant un retour à Kingston.

Reggae Tour

▶ **Jour 1 :** immergez-vous dès la descente d'avion dans l'univers intime du mythique chanteur des Wailers en visitant sa résidence personnelle, aujourd'hui devenue un musée. Le Bob Marley Museum vous propose, outre la visite de la maison, une salle de projection où est projeté un court-métrage sur la vie de Bob Marley, mais aussi plusieurs magasins de souvenirs et un salon de coiffure roots. Le café Legend sert une cuisine végétarienne raffinée. De quoi se mettre tout de suite dans l'ambiance !

Pas trop fatigué par le voyage ? A chaque jour sa soirée spéciale, de Uptown Monday à Freaky Fridays – profitez-en !

▶ **Jour 2 :** musique et plage, un cocktail idéal que vous trouverez à quelque 80 km de Kingston, à Ocho Rios, « Ochie » pour les intimes. Sur la route, en direction de Spanish Town, arrêtez-vous à Tuff Gong, le fameux studio désormais tenu par les fils de Bob. Après cette halte, l'univers festif d'Ochie vous emportera. La ville offre en effet de nombreuses attractions où se côtoient touristes et locaux dans un joyeux élan. Laissez-vous happer par l'ambiance...

▶ **Jour 3 :** parmi les plus récentes activités à Ocho Rios, citons Island Village. L'après-midi, visitez les Dunn's River Falls, attraction numéro un de l'île, située à quelques minutes du centre-ville. Allez escalader les 1 200 m de chutes d'eau, avec ou sans l'aide des guides, et profitez de la fraîcheur revivifiante de leur eau limpide. Vous pouvez ensuite vous reposer de cette aventure sur une petite plage de sable fin située juste en contrebas des chutes. Le soir, la richesse de la vie nocturne dans la ville vous charmera.

▶ **Jour 4 :** pour une journée en musique, la plage de Oracabesa (la célèbre James Bond Beach) plante le décor ; ambiance reggae dancehall garantie certains soirs. Laissez s'écouler paisiblement le temps avant de prendre la route vers le sud.

▶ **Jour 5 :** Nine Miles est la terre de naissance de la plus grande icône du reggae jamaïcain. Arrêtez-vous à son mausolée et visitez la petite maison où a vécu la star. L'ambiance y est restée familiale et simple, malgré l'affluence quotidienne des touristes. Continuez ensuite jusqu'à Montego Bay.

▶ **Jour 6 :** retour sur Kingston. N'hésitez pas à vous arrêter sur la route pour rencontrer les locaux et discuter un peu avec eux. Vous vous apercevrez rapidement qu'en Jamaïque, chacun est un peu musicien et y va de sa propre composition... Un régal !

▶ **Jour 7 :** départ.

Retrouvez l'index général en fin de guide

DÉCOUVERTE

Côte du Trident.
© SIR PENGALLAN – ICONOTEC

La Jamaïque en 20 mots-clés

Ackee

Le *ackee*, dont l'apparence rappelle un fruit, est en fait un légume. Ce légume national est servi en accompagnement de nombreux plats, mais tout particulièrement avec la morue salée qu'il adoucit. Sa consommation est interdite dans les autres pays de la Caraïbe et dans les Antilles françaises (suite à de nombreux cas d'intoxications en Haïti notamment car, mangé vert, le ackee se révèle toxique). Symbole de l'île, il pousse sur l'*akesia*, arbre pouvant atteindre une quinzaine de mètres qui fut introduit sur l'île à la fin du XVIIIe par des esclaves d'Afrique de l'Ouest. Ce fruit jaune et brun entouré d'une coquille, qui s'ouvre à maturité, se cueille à l'aide d'une longue perche crochetée à son embout. Il suffit d'effleurer le fruit mûr pour qu'il tombe. Avant de cuisiner du *ackee*, il est nécessaire de le bouillir.

Brunch

Les Jamaïcains mangent copieusement le matin : banane verte, *bammies*, épinard ou *ackees* à la morue et autre *porrage* (pâte à base de farine, de beurre et d'eau que l'on fait bouillir avec des cacahouètes ou de la banane) composent le petit déjeuner traditionnel. Autre tradition le *brunch* dominical, un petit déjeuner particulièrement copieux, à cheval aussi sur le déjeuner et qui se prend généralement à l'extérieur. Les hôtels servent généralement le petit déjeuner jusqu'à 10h30 ou 11h.

Bomboclaat

Expression jamaïcaine très grossière et très répandue qui s'apparente au « putain con » méditerranéen (mais en pire), et qui, de la même manière, peut se retrouver plusieurs fois dans une phrase, même courte. Si elle s'écrit et se lit de manière compliquée, cette expression se prononce *bomboclot* et se décline également en *bloodclot*, *bloodclit* ou *rasclat*. Cette expression, loin d'être élégante, est censée faire référence au cycle menstruel des femmes.

Coffee

Le Blue Mountain coffee est considéré comme l'un des meilleurs du monde. Il est encore meilleur dégusté dans l'un des petits

Faire – Ne pas faire

▶ **La Jamaïque s'appréhende avec douceur**, patience, tact et humour. Il est nécessaire de se débrouiller en anglais – ou mieux encore en patois – puisque personne ou presque ne parle le français.

▶ **Rappelez-vous** que vous êtes en vacances, donc pas pressés, et faites preuve de patience ; vous gagnerez du temps. La vie s'écoule paisiblement sur cette terre tropicale.

▶ **Demander le prix d'un produit ou d'un service, si celui-ci n'est pas indiqué**. Et le négocier. Si vous connaissez les prix, faites-le savoir. Autrement, vous risquez de vous retrouver dans des situations difficiles. Ainsi, si vous connaissez le prix d'un trajet en taxi dont la valeur est de 300 JMD, n'omettez pas de le dire avant de partir. Ce réflexe vous évitera des situations fâcheuses à l'arrivée.

▶ **Il est impératif de demander la permission avant de prendre en photo** des personnes ou des objets.

▶ **Rappelez-vous que la consommation et la possession de marijuana sont interdites** et peuvent donner lieu à de lourdes peines allant jusqu'à l'emprisonnement. Aux nombreuses sollicitations qui ne manqueront pas, une seule réponse, « non ». Et si vous devez vous essayer à cette fumeuse spécialité nationale, allumez votre *spliff* dans un lieu privé, et non dans la rue ou sur les plages.

Vente d'ackees (le légume national) sur le marché de Kingston.

cafés situés à flancs desdites montagnes, en savourant des yeux les reposants paysages du Blue Peak. Il coûte ici bien moins cher qu'en Europe ! Cependant, colonisation anglaise oblige, le thé est de loin la boisson chaude la plus consommée en Jamaïque.

Dominos

En Jamaïque, les dominos ne sont pas seulement un jeu, mais un véritable « sport national ». Ils se pratiquent généralement sur une table de bois autour de laquelle quatre joueurs rivalisent d'ardeur verbale pour impressionner ses adversaires, déjà tenus en respect par la force avec laquelle les pièces sont posées sur la table.

Églises

La Jamaïque héberge de nombreuses églises, principalement protestantes, méthodistes, anglicanes, orthodoxes, baptistes, presbytériennes et adventistes du 7ᵉ jour pour ne citer que les principales. La Jamaïque, pays au monde qui compte le plus de meurtres par habitant, serait également celui qui compte le plus d'églises par habitant !

Ganja

La Marijuana, herbe aux noms multiples — *weed*, *collie*, *lambsbread*, *kingsbread*, *sensi*, *bush herb*, *I-grade*, *sativa* –, fait partie intégrante de la société jamaïcaine quoique sa culture, sa vente et sa consommation soient interdites et sévèrement réprimées par la loi. La Jamaïque s'est décidée plus d'une fois à légaliser l'herbe, mais n'y est jamais parvenue, à cause de la pression de ses puissants voisins, les Etats-Unis. Si les rastas sont les premiers associés à la consommation de *ganja* en Jamaïque, une bonne partie de la population masculine de l'île consomme de l'herbe plus ou moins régulièrement, notamment dans les milieux ruraux où les paysans travaillent avec un *spliff* à la main, et une machette dans l'autre. Ne soyez donc pas étonnés par les douces effluves dispersées sur le bord des routes de campagne, les trottoirs de Kingston et les plages de Negril ou de Port Antonio. On vous proposera régulièrement de l'herbe. Pour décourager les vendeurs audacieux, un simple « *Thank you, I don't smoke* » s'avère très efficace !

Ginger

Ce condiment est omniprésent. En boisson, en plus des mixtures directement à base de gingembre, la plupart des jus de fruits en contiennent. Dans la nourriture, vous reconnaîtrez aussi ce goût piquant caractéristique. Essayez la *Ginger Beer*, boisson gazeuse aux extraits de gingembre ou encore le *Ginger wine*, issu de la fermentation de cette épice. En pâtisserie, le *ginger bread* ravira vos papilles. Si vous n'appréciez pas le gingembre, soyez vigilant, souvent il se cache là où on ne l'attend pas !

Hustler

Une profession à part entière. C'est ainsi que sont présentés et se présentent eux-mêmes des milliers de Jamaïcains qui vivent d'une économie – principalement touristique – informelle, basée sur la vente de tout et de rien, à la recherche d'une occasion pour récolter un peu d'argent. Ces hustlers sévissent tout particulièrement dans les zones très touristiques de Ocho Rios à Negril. Du lavage de voiture à la vente de drogue en passant par une visite de ville ou de quartier ou simplement le racket d'une pièce ou d'une cigarette, la liste des services qu'ils offrent et des activités qu'ils pratiquent est illimitée. La plupart sont respectueux du touriste et un simple « non » suffit à les faire renoncer, mais il arrive que certains se montrent agressifs ou exagérément insistants. Dans ce cas, repoussez-les poliment mais fermement. Sinon, faites connaissance, discutez, et jugez ; mais ne vous laissez jamais embarquer d'emblée dans quoi que ce soit.

John Crow

C'est le nom d'un légendaire pirate jamaïcain qui a appliqué sa loi en Jamaïque à la fin du XVIIe siècle. Il a même été un temps « roi des pirates des Caraïbes ». Son nom a été donné à un oiseau noir qui, vu d'en bas, rappelle le corbeau, et de plus près ressemble à un vautour. Il y a toujours un John Crow qui tournoie dans le ciel, pour nous rappeler que le pirate guette.

Mariage

Paradis des lunes de miel, la Jamaïque est aussi spécialiste du mariage express. Attention ! S'il est facile de se marier, il est par contre très difficile de divorcer. 24 heures de présence sur le territoire et vous pouvez prétendre convoler, sous réserve de fournir les documents nécessaires (carte d'identité, plus acte de naissance). Sachez que nombre d'hôtels proposent des formules mariage tout compris, fournissant de la bénédiction nuptiale au bouquet de la mariée jusqu'aux témoins, sans oublier la coupe de champagne et l'album photos.

Parish

Paroisse, en français. Comme de nombreuses îles des Caraïbes très ancrées dans la religion, la Jamaïque est divisée administrativement en paroisses, qui jouent le rôle de nos départements. Elles sont au nombre de 14 et permettent d'appréhender l'île par secteur ; chacune d'elles correspond à un point cardinal puisque aucune n'est isolée de la côte. Apprenez leurs noms et leurs capitales, cela vous rendra bien des services. De Kingston à Kingston, d'est en ouest, cela donne : Kingston (Kingston), Saint Andrew (Half Way Tree), Saint Thomas (Morant Bay), Portland (Port Antonio), Saint Mary (Port Maria), Saint Ann (St. Ann's Bay), Trelawny (Falmouth), Saint James (Montego Bay), Hanover (Lucea), Westmoreland (Savanna-la-Mar), Saint Elisabeth (Black River), Manchester (Mandeville), Clarendon (May Pen), et Saint Catherine (Spanish Town).

Proud to be Jamaican

Les Jamaïcains sont un peuple fier, et ils l'affichent : « Proud to be Jamaican », « Proudly produced in Jamaica » … Les déclinaisons de ce mot dans les slogans ou autre discours attestent de la conscience qu'a la Jamaïque d'être un bout de terre à part, celui qui a produit le rastafarisme, le reggae et la culture qui l'accompagne mais aussi l'homme et la femme les plus rapides du monde !

Reggae

La musique qui a fait découvrir la Jamaïque aux yeux du monde. Né d'un contexte musical exceptionnel, par le croisement du mento local, de la soul, du rock et des percussions traditionnelles africaines, ce style traverse les époques en s'imposant dans le monde entier comme l'un des plus universels et unificateurs. Les grandes stars des années 1970 et 1980 (Jimmy Cliff, Bob Marley, Dennis Brown, Gregory Isaacs, Black Uhuru, The Gladiators…) ont tracé une voie que suivent des adeptes tout autour de la planète. Une musique que les Jamaïcains jouent avec une telle facilité… c'est le pays qui compte le plus de disques produits par habitant, loin, très loin devant le reste du monde !

Red Stripe

Plus qu'une bière, c'est une véritable icône nationale. La Red Stripe brassée en Jamaïque a été rendue célèbre par son apparition dans le film *Cocktail* avec Tom Cruise. Si vous la voulez fraîche, précisez-le, parce qu'elle est aussi servie à température ambiante, donc chaude. Attention cependant : une bière très fraîche, bue trop vite dans un pays chaud, peut donner un hoquet difficile à tuer ! La Red Stripe existe aussi en version Light et Bold, plus goûtue et chiffrant 6% par volume d'alcool.

© CHARLINE REDIN

DÉCOUVERTE

Dans un petit bar dans les Blue Mountains.

Roots wine

Au pays du reggae et des dance-sessions, il faut pouvoir suivre le rythme. Des *tonics, ou roots wine*, décoctions à base d'essences et d'herbes diverses, fruit de recettes ancestrales, sont en vente dans les supermarchés, échoppes et autres étals de vendeurs ambulants. Ces potions sont particulièrement appréciées par la population masculine soucieuse de performance.

Soon come

Expression jamaïcaine à prendre en compte très sérieusement parce qu'il faut se résoudre à l'accepter. Elle signifie mot à mot « bientôt viens » et pourrait se traduire par « j'arrive tout de suite ». Mais, dans la réalité, elle veut dire « j'arrive au plus tôt dans une minute, au plus tard… va savoir. » Elle est souvent précédée du mot « mi » et suivie du mot « mon », ce qui donne « mi soon come mon ».

Wine

Ce n'est pas seulement la traduction anglaise du vin, c'est la danse des reines du dancehall jamaïcain. Comme la musique, la danse fait partie intégrante de la culture jamaïcaine. Chaque hit s'accompagne de son mouvement inséparable des *lyrics* (« paroles »). A chaque session, dancehall queens et groupes de danseurs rivalisent d'inventivité et d'originalité pour gagner le seul plaisir d'être admiré. Le wine, mouvement caractéristique du bassin, est la base de la majorité des danses jamaïcaines liées au dancehall. Ces variantes, qu'elles soient dutty wine (accompagnée d'une rotation de la tête) ou Beyonce wine (enchaînements spectaculaires de balancements du bassin), rencontrent un succès phénoménal auprès des jeunes.

Yah Mon

Pas familier avec le patois ? Si vous ne retenez qu'une phrase ce sera sans doute celle-là. « *Yah mon* » (indistinctement adressé à une femme ou à un homme) signifie tout simplement « oui », mais elle exprime bien plus : à elle seule, elle manifeste l'enthousiasme et l'exubérance qui caractérisent le peuple jamaïcain. Avec « *no problem* », cette phrase s'est imposée comme un véritable emblème du pays, imprimée sur de nombreux supports destinés aux touristes.

Zion

Autre version du Paradis, le mont Zion ou Zion est l'équivalent de l'Eden pour les adeptes du rastafarisme qui le célèbrent dans leurs chansons ou autres textes. Pour exemple, le tube de Damian Marley, *Road to Zion*, invitant à rester sur la route qui mène à ce monde idéal où l'homme et la nature se retrouvent « *we got to keep on walking (Yeah) on the road to Zion land* ». Ce paradis mythique rejoint souvent dans le discours une autre terre fantasmée, l'Ethiopie pensée comme terre de salut de la race noire.

Survol de la Jamaïque

▪ GÉOGRAPHIE

Effondrement d'une partie de l'Amérique centrale ? Emergence de terres suite à des mouvements souterrains ? Conséquence de la dérive des continents ? Les théories sur l'origine des Arcs antillais s'affrontent.

La troisième île des Grandes Antilles

La Jamaïque appartient au quatuor des grandes Antilles composé de Cuba, de l'île d'Hispaniola (Haïti et la République dominicaine) et de Porto Rico, formant l'Arc nord des Antilles, ou des Indes occidentales comme les appellent les Britanniques. L'île apparaît une première fois il y a environ 140 millions d'années. Engloutie une centaine de millions d'années plus tard, elle réapparaît il y a environ 20 millions d'années, couverte d'un épais manteau calcaire qui explique la topographie surprenante et tourmentée de cette terre aux multiples paysages. Située au centre de la zone caraïbe, l'île n'est distante que de 144 km de Cuba (au nord), et 160 km la séparent d'Hispaniola (au nord-est), ses plus proches voisines. Avec une superficie de 11 424 km2, 235 km d'est en ouest, 82 km de largeur maximale, 35 km de largeur minimale et 1 082 km de côtes, c'est la troisième île des Caraïbes par la taille, et la plus grande des îles anglophones.

Une terre qui touche le ciel

Malgré sa taille réduite, la Jamaïque possède des paysages extraordinairement diversifiés et de toute beauté. Un historien espagnol, Andres Bernáldez, rapporte les propos de Christophe Colomb qui la décrivit comme « *la plus belle île que les yeux aient vu. Montagneuses, les terres semblent toucher le ciel, pleines de vallées et de plaines... Extraordinairement peuplée, sur les côtes comme à l'intérieur des terres, l'île est pleine de gros villages voisins les uns des autres* ».

Plus de la moitié du pays dépasse 300 m d'altitude. Une cordillère centrale de montagnes courant d'est en ouest forme une épine dorsale au milieu de l'île. Le Blue Mountain Peak culmine à 2 257 m, à 16 km à peine de la mer (à vol d'oiseau). De part et d'autre de cet axe, de petites chaînes s'étendent du nord au sud, modelant le pays en une géographie très tumultueuse. L'intérieur de l'île est sculpté par de profondes vallées creusant ces chaînes tropicales. Le Cockpit Country est un haut plateau karstique qui s'étend sur 1 300 km². Son relief accidenté s'explique par la tendreté et la porosité du calcaire, soumis à l'érosion. Le Cockpit est un chaos de buttes et de collines où de profondes dépressions dessinent des arènes circulaires, et où des élévations se dressent soudainement en forme de dômes dodus. Il est recouvert d'un tapis de végétation broussailleuse impénétrable, qui en fait l'une des régions les plus mal connues de l'île. Ces hauteurs intérieures s'effondrent rapidement pour former une plaine côtière étroite, cernée de plages parmi les plus belles du monde. La côte Nord est protégée par des récifs coralliens, et le Sud, aux falaises dentelées, est riche de contrastes saisissants. La côte méridionale, sous le vent, épargnée par les alizés, bénéficie d'un climat aride alors que la côte Nord, beaucoup plus humide, a développé une végétation tropicale dense. Quelques îlots inhabités s'égrènent dans les eaux de la côte Sud, les Pedro Cays et les Morant Cays, au large de Morant Point.

CLIMAT

La Jamaïque ne fait pas exception parmi ses voisines des Caraïbes. Soumise aux caprices du climat tropical, l'île est située dans la zone de prédilection des cyclones. Elle bénéficie donc des avantages d'un ensoleillement exceptionnel avec une température agréable toute l'année, la mer Caraïbe jouant un rôle modérateur, ainsi que des alizés, qui soufflent au nord et au sud de l'île. Pourtant, l'île ne manque pas de contrastes, ni en termes de saisons, ni en termes de températures, compte tenu de son relief tumultueux.

Saisons entre carême et hivernage

Le climat est caractérisé par l'alternance d'une saison sèche et d'une saison humide pluvieuse, sans grandes différences de température entre les deux. La saison sèche, le Carême, dure de novembre à avril, et comme partout aux Antilles, c'est la période touristique, bien que les températures y soient les plus basses. Cette haute saison se traduit par une nette augmentation des tarifs hôteliers. La saison des pluies, l'hivernage, dure de juin à octobre, précédée par une période de précipitations en mai, caractérisée par de fortes averses en fin de journée rafraîchissant à peine un climat déjà très chaud et humide. La moyenne annuelle des précipitations atteint 1960 mm ; les épisodes pluvieux sont les plus marqués dans la région de Port Antonio, la plus humide de l'île. Au sud, le climat est en revanche particulièrement sec. Quant à la chaleur, elle est constante, entre 26 °C et 34 °C de jour comme de nuit, en été comme en hiver, les saisons étant en effet très peu marquées. Toutefois, un équipement de montagne peut être utile lors d'un voyage en Jamaïque, où les températures peuvent descendre assez bas en altitude. Ainsi, dans les Blue Mountains de bon matin, on a relevé des minima de -10 °C. De même, le Sud peut être très chaud et sec, ou au contraire plus frais, selon que l'on se trouve en bord de mer ou dans la région de Mandeville, fort agréable pour sa fraîcheur ambiante.

Cyclones et tremblements de terre

Situées au contact de la plaque antillaise et de la plaque océanique, les Antilles vivent au rythme des tremblements de terre causés par le chevauchement de celles-ci. La Jamaïque n'est pas épargnée par les séismes, dont le plus dévastateur fut celui qui engloutit la ville de Port Royal en 1692. Plus récemment, en 1907, la capitale a été malmenée par un fort séisme. « Juin trop tôt, juillet statu quo, août préparons-nous, septembre on se souvient, octobre partout » : tel est le dicton jamaïcain concernant les ouragans. Quant au mot cyclone, il n'est né qu'en 1876, créé par Henry Paddington alors président de la Maritime Court de Calcutta (du grec *kyklos*, « cercle »). Le premier ouragan répertorié dans l'histoire est celui qu'a essuyé Christophe Colomb en février 1493 en revenant de son premier voyage aux Caraïbes. Les indigènes embarqués à bord de La Pinta auraient alors invoqué le nom de leur dieu Hurakan, introduisant un nouveau mot dans le vocabulaire européen. Baptisés alphabétiquement par le US Weather Bureau de Washington, ils portent aujourd'hui des prénoms alternativement féminins ou masculins, suivis de l'année de leur passage. La zone caraïbe en essuie de deux à vingt par an. Charlie en 1951, Flora en 1960, Edith et David en 1970, Allen en 1980, Gilbert en novembre 1988, Hugo en 1989, pour ne citer que les plus meurtriers... Gilbert, entré par la baie de Port Maria, a dévasté toute la région, faisant 50 morts et 500 000 sans-abris. C'est de juin à octobre (saison officielle) que menacent les cyclones, août étant probablement le mois le plus actif. On en compte en moyenne sept par saison. Beaucoup de croyances populaires sont attachées à ce phénomène climatique : une trop forte chaleur, une trop longue sécheresse, ou encore un cycle de dix ans conditionneraient l'apparition des cyclones. Prenant naissance à proximité des côtes africaines à la hauteur de la ceinture équatoriale, les vents se déplacent jusqu'à atteindre une zone de basses pressions, entraînées par la force de rotation de la Terre et se renforçant au fur et à mesure de leur avance. Les vents peuvent atteindre des vitesses phénoménales, détruisant tout sur leur passage. Ainsi, en septembre 1909, il est tombé plus de 3,50 m d'eau dans les Blue Mountains, en l'espace d'une semaine. L'amplitude du cyclone, quant à elle, peut atteindre de 90 km à 1 600 km. Le centre national des cyclones, à Miami, suit chaque formation à l'aide de radars, de satellites et d'avions de reconnaissance, et alerte toute la zone caraïbe dans un esprit de coopération internationale.

Malgré les nombreuses observations, le comportement des cyclones demeure mystérieux et il est toujours ardu de définir leur trajectoire et leur puissance.

En Jamaïque, l'ODPEM (Office of Disaster Preparedness and Emergency Management) a été créé en 1980 ; en cas d'alerte, des bulletins d'informations sont publiés et relayés par tous les médias ; les centres touristiques sont équipés, et les communautés préparées aux éventuelles mesures à prendre. Outre Dean, en 2007, la Jamaïque a connu des cyclones dévastateurs, notamment Gilbert (12 septembre 1988), qui a dévasté toute l'île, réservant ses pires vents à la capitale et à la région est. L'agriculture a été durement touchée et beaucoup de plantations détruites. On se souvient aussi de Charlie (17 août 1951), considéré à l'époque comme le plus violent du XXᵉ siècle, qui avait frappé Kingston et Port Royal, et entraîné la mort de plus de 150 personnes.Pour tout renseignement à propos des cyclones, adressez-vous à l'ODPEM. Le phénomène climatique a été répertorié et ses différentes formes répondent aujourd'hui à une classification rigoureuse :

▶ **Pertubation tropicale :** à cette étape, fréquente pendant les mois d'été dans les Caraïbes, la formation ne présente pas de vents forts, mais de petits tourbillons peuvent survenir.

▶ **Dépression tropicale :** un système de basse pression se développe et les vents atteignent jusqu'à 63 km/h.

▶ **Orage tropical :** des vents violents de 63 à 117 km/h sont accompagnés de fortes pluies.

▶ **Cyclone :** la dépression s'est accentuée et les vents dépassent les 118 km/h (Allen a atteint des pointes à 230 km) circulant autour d'une zone de calme, dite « l'œil du cyclone ». Des pluies violentes et des raz-de-marée peuvent accompagner le phénomène.

Rivières, fleuves et sources

Malgré ses 120 rivières et les fortes pluies de la saison humide, le pays souffre régulièrement de sécheresse et l'alimentation en eau de certaines régions se révèle parfois incertaine. En effet, de nombreuses rivières n'apparaissent qu'à la saison des pluies. Parmi les 12 principales rivières, peu sont navigables. La plupart d'entre elles s'écoulent dans des lits profonds, le cours souvent entrecoupé de rapides et de cascades. La Black River est la plus importante du pays avec ses 70 km, dont seuls 27 sont navigables depuis son embouchure. Le Rio Grande, rendu célèbre par les descentes en radeau qui, avant de réjouir les touristes, ont fait les beaux jours de la colonie anglaise, dévale les pentes des Blue Mountains en traversant des paysages particulièrement sauvages et spectaculaires. La Wag River et la Hope River alimentent en eau la ville de Kingston. D'autres rivières, telles la Milk River ou la Cabaritta, permettent l'irrigation des plaines jamaïcaines. Soufrées, radioactives, salines, de nombreuses sources d'eau minérale jaillissent un peu partout dans l'île, prodiguant leurs vertus médicales aux nombreux adeptes des bains. Parmi les plus fréquentées, citons Rockfort, près de Kingston, Bath dans l'Est, ainsi que Milk River et Black River dans le Sud.

■ ODPEM (OFFICE OF DISASTER PREPAREDNESS AND EMERGENCY MANAGEMENT)

2-4 Haining Road
Kingston 5
✆ +1 876 906 9674 / +1 876 754 9078 / +1 876 991 4262
www.odpem.org.jm
odpem@cwjamaica.com

Paysage tropical autour de Montego Bay.

■ ENVIRONNEMENT – ÉCOLOGIE

L'environnement n'est pas en Jamaïque, comme dans la plupart des pays en voie de développement, une priorité nationale, mais est néanmoins une idée bien présente dans la conscience collective. L'île manque cependant de moyens pour entreprendre des politiques environnementales de grande ampleur d'où la présence de déchets sous différentes formes dans certaines zones : décharges improvisées, déchets non traités, d'innombrables carcasses de voiture, papiers et plastiques volants... Les espaces destinés aux touristes, comme les beaux quartiers, sont quant à eux parfaitement entretenus. La barrière de corail de Négril se dégrade devant l'exploitation intensive de la mer dans cette région touristique : jet-skis et autres gadgets des mers contribuent à fragiliser cet environnement menacé. Des associations se mettent en place, à Négril ou ailleurs, souvent soutenues par des ONG pour défendre l'environnement, mais il est difficile de faire le poids face au lobby de l'industrie touristique.

■ PARCS NATIONAUX

La Jamaïque, parfois appelée « le jardin des Caraïbes », ne possède contradictoirement qu'un seul parc national, celui des Blue et John Crow Mountains, créé en 1990. Alors que d'autres parcs pourraient voir le jour, notamment dans la région du Cockpit, rien ne semble se passer de ce côté-là de la Jamaïque. En revanche, l'île compte une quantité importante de parcs et jardins botaniques où sont regroupées et présentées la plupart des espèces végétales (et parfois animales) de l'île.

■ BLUE & JOHN CROW MOUNTAIN NATIONAL PARK
Jamaica Conservation Development Trust
29 Dumbarton Avenue
Kingston ✆ +1 876 920 8278
www.greenjamaica.org.jm
jamaicaconservation@gmail.com
On estime que 40 % des fleurs de cette zone n'existent nulle part ailleurs dans le monde et que ces montagnes abritent environ 150 espèces d'oiseaux et de nombreuses espèces animales rares.

■ FAUNE ET FLORE

Comme dans toutes les îles des Caraïbes, l'isolement a limité l'évolution animale. En revanche, cela a permis la naissance de nombreuses espèces endémiques, faisant de la Jamaïque l'abri d'une faune riche et variée. Par exemple, de nombreux batraciens peuplent l'île, dont 18 espèces de grenouilles.

Le paradis des ornithologues

L'ornithologue sera comblé par la variété et l'originalité des espèces, les oiseaux étant la famille animale la plus représentée. Outre les espèces propres à la région des Caraïbes, on dénombre de nombreux oiseaux migrateurs qui reviennent chaque hiver pour profiter de la chaleur. Au total, environ 200 espèces sont présentes dans l'île, dont 25 endémiques parmi lesquelles le pivert jamaïcain et Tanta Katie, l'oriole jamaïcain, un oiseau d'une vingtaine de centimètres, à queue noire et au plumage jaune. Les délicats colibris, plus connus sous le nom d'oiseaux-mouches, sont légion également. Les todiers multicolores se nourrissent d'insectes attrapés au vol et nichent dans de petites grottes construites à même le sol ; la sylvette au plumage jaune vit dans la mangrove. Pélicans, faucons, flamands, ibis, pinsons, grimpereaux, sittelles, tangaras, moqueurs, trembleurs, hirondelles, pigeons, tourterelles, grues, faisans, trogons, piverts, coucous, autant d'espèces aux merveilleux plumages multicolores et aux chants mélodieux qui raviront les observateurs. Certains d'entre eux ont été baptisés de jolis noms locaux qui chantent à l'oreille : le ventre blanc, le vieil homme, le mangeur d'insectes, la sorcière de la montagne, le rouge-gorge Robin, le gros Tom, le cling cling, l'oiseau docteur, l'oiseau à frange doré, l'oiseau bleu...
Les entomologistes auront eux aussi de quoi faire avec les 80 espèces endémiques de papillons et les nombreux insectes de la forêt tropicale.Des fonds marins exceptionnels.

La faune marine des Caraïbes est d'une extrême richesse, bien que son équilibre soit fragile et menacé en permanence par l'afflux de touristes, la pratique de la pêche intensive et la pollution. Les eaux jamaïcaines sont un véritable royaume de la vie sous-marine, riche de nombreuses espèces endémiques. Des coraux de toutes couleurs, aux formes variées (corne de cerf, cornes d'élan ou cerveaux de Neptune, entre autres), tissent de longues murailles dentelées aux ramifications complexes. Les gorgones plumes, dont les branches soyeuses ondulent sous l'effet des courants, les spirographes dépliant leurs bras, les anémones colorées et les étoiles de mer tapissent les fonds marins. Les récifs coralliens abritent tout une population de poissons très étonnants : poisson-perroquet, baliste aux couleurs somptueuses, poisson-papillon, chirurgien, poissons volant, poisson-ange (très fréquents dans les Caraïbes) ou encore capitaine à tête de cochon, poisson-lune, poisson- épieu, gorgone (petit animal des grottes sous-marines)... Les rencontres ne manquent pas de piquant.

Quant aux gros poissons, des mérous paresseux aux requins bleus, nourrices, marteaux ou dormeurs, en passant par les barracudas menaçants, les marlins bleus, les raies manta et pastenagues, disons que les eaux profondes ne manquent pas de vie ! Dauphins, marsouins et lamantins vivant le long des zones côtières du sud sont les principaux représentants des mammifères marins. Quatre espèces de tortues marines, malheureusement en voie de disparition, sont aussi répertoriées dans les eaux jamaïcaines. De nombreux coquillages, conques au coquillage orangé qui servaient aux Arawak pour communiquer, oursins, crustacés de bonne taille, crabes ou langoustes se rencontrent aussi à profusion, pour le délice des fins palais.

Des paysages variés

La Jamaïque possède une flore fascinante qui éclate en une symphonie de couleurs, d'odeurs et de textures originales. Toute la richesse et la diversité de la flore tropicale s'expriment dans les paysages aux mille couleurs de l'île, en montagne comme sur les bandes côtières. La Jamaïque possède un nombre important d'espèces endémiques. De la mangrove à la forêt tropicale d'altitude, les multiples espèces se déclinent dans toutes les sonorités du latin. Toute l'année, partout, les fleurs tropicales aux couleurs étincelantes illuminent les paysages.

▶ **La forêt tropicale pluviale,** composée d'arbres aux feuilles persistantes et toujours vertes, pousse dans les zones de précipitations abondantes, dans les Blue Mountains et la région du centre, et occupe environ 10 % des terres. C'est le type de forêt le plus luxuriant au monde. Les arbres peuvent atteindre jusqu'à 40 m de hauteur, et ils fleurissent et produisent des fruits de manière ininterrompue tout au long de l'année. A partir d'une altitude de 1 000 m, la forêt perd de sa densité pour devenir plus aérée, avec moins d'espèces ; les mousses sont plus nombreuses, c'est le règne de la forêt tropicale d'altitude.

▶ **La savane sèche de broussailles,** d'épineux, d'agaves et de cactées couvre les zones arides du sud de l'île ; en particulier sur la côte. Les zones côtières, soit 25 % du territoire, ont depuis longtemps perdu leur végétation naturelle, remplacée par une végétation de cultures vivrières et d'agrément.

▶ **Seule la forêt de mangrove** reste très présente le long des côtes, en particulier au sud et à l'est du pays. Impénétrable, elle est composée de manglars rouges, noirs ou gris, et de palétuviers qui plongent leurs racines dans les limons des eaux salées du littoral. Trois espèces différentes de mangroves cohabitent dans les embouchures des rivières : blanche, noire et rouge. Quant à l'inextricable végétation de Cockpit Country, elle réserve encore bien des surprises puisqu'on n'a pas encore pu répertorier toutes les espèces de plantes qui y vivent. On connaît aujourd'hui 101 plantes endémiques à la région, et les spécialistes s'activent à étudier cette végétation parmi les plus sauvages du monde.

▶ **Les forêts tropicales de l'intérieur** sont un vrai rêve de botaniste. Elles comptent quelque 3 000 variétés de plantes à fleur dont 800 espèces indigènes ; parmi elles, pas moins de 237 espèces d'orchidées dont 60 endémiques, qui poussent à l'état sauvage, flirtant avec les troncs des grands arbres. L'île peut s'enorgueillir d'avoir fait découvrir la plus somptueuse des fleurs, l'orchidée, à la Vieille Angleterre : les deux premières orchidées exposées en 1787 aux Kew Gardens à Londres étaient originaires de Jamaïque. Les anthuriums sont aussi largement représentés ainsi que les broméliacées, dont on dénombre 60 espèces, et les épiphytes. On trouve en Jamaïque plus de variétés de fougères (550 espèces endémiques) que dans toute autre forêt tropicale du monde.

© JAMAICA TOURIST BOARD

DÉCOUVERTE

Découvrez la faune et la flore de Prospect Plantation à Ocho Rios.

Une végétation luxuriante

Les arbres et essences rares ne sont pas en reste. Au répertoire des arbres, on compte les nombreuses espèces de palmiers endémiques dont le Tatch Palm Tree, avec les palmes duquel on réalise les toits des constructions de bois. Le palmier royal a été importé de Cuba, dont il est l'arbre fétiche ; une immense réserve lui est consacrée dans la région de la Grande Morass, de Negril à l'ouest de l'île. Le Blue Mahoe, arbre emblématique de l'île, est une forme endémique d'hibiscus aux fleurs déclinant des nuances orangées. Le bois de vie, connu sous le nom de gaïac officinal, mesure de 4 à 8 m de hauteur ; cet arbre tortueux porte une délicate fleur bleu pâle qui est la fleur nationale, et donne des fruits jaune orangé. On extrait de son bois un produit stimulant qui permet de soigner rhumatismes et maladies dermatologiques, et sa résine est employée comme un purgatif. Le bambou, mis à l'honneur dans l'avenue qui lui est consacrée au sud de l'île, vient de Chine. Les hibiscus aux teintes délicates, venus d'Egypte, participent activement à la décoration des hôtels et des restaurants. Les flamboyants de Madagascar aux fleurs rouge vif, les frangipaniers et bougainvilliers déclinant toute une palette de l'orange vif au violet profond en passant par le fuchsia, les eucalyptus, les cèdres, les balsas, les banians, les arums, les lauriers, les vénéneux mancenilliers, les poivriers, les mûriers sont quelques-unes des multiples espèces qui peuplent l'île.

Une multitude d'espèces endémiques

La forêt jamaïcaine couvre presque 25 % de la superficie de l'île, mais elle perd rapidement du terrain devant la progression de l'expansion urbaine, de l'exploitation forestière et de celle de la bauxite, de la culture illégale de marijuana qui la menacent. Des programmes de reboisement intensif ont été mis en place par le Forest Département créé en 1942, mais la lutte est inégale et le front de la forêt recule inexorablement sous les assauts permanents de la vie moderne. Les plantes cultivées se sont adaptées au climat tropical de l'île. Si peu d'espèces originales subsistent de l'époque arawak, de nombreuses plantes ont été apportées d'Afrique et d'Amérique latine, pour constituer une très large palette de cultures vivrières, arbres fruitiers et légumes en tout genre. Dispersés partout dans l'île, de très nombreux jardins botaniques aux somptueux décors s'emploient à cultiver toutes ces merveilles pour en proposer un condensé harmonieux, à l'usage du visiteur amoureux de nature. Plantes locales, tropicales ou acclimatées depuis leur importation, toutes sortes d'espèces colorées et odorantes cohabitent. Oléandres, bougainvilliers, hibiscus et orchidées sont les favoris des jardins.

Histoire

L'île indienne

Bien avant l'arrivée des caravelles de Colomb, les terribles et vindicatifs guerriers Caraïbe harcelaient sans cesse les Arawak, destinant les prisonniers à la célébration de leur culte et les femmes à l'esclavage. C'est pourquoi les pacifiques Indiens Arawak, chassés des forêts tropicales du Venezuela et des rives du fleuve Orénoque, ont émigré en plusieurs vagues successives vers les îles aujourd'hui connues comme les Grandes Caraïbes. Ces îles, dont la végétation tropicale et le climat, ressemblant de très près à leurs terres d'origine, ont séduit les Arawak qui s'y sont établis entre le VIe et le Xe siècle apr J.-C. On pense aujourd'hui que l'immigration s'est stabilisée vers l'an 1000 en Jamaïque. Cette grande île élue par une centaine de milliers d'Arawak est devenue Xaymaca, la terre des rivières et des forêts. Loin des fureurs caraïbes, la civilisation Arawak peut enfin se développer.

Les premiers habitants de l'île

Les Indiens Arawak sont de taille moyenne, 1,70 m environ, et de constitution robuste ; leur peau est cuivrée, leurs cheveux noirs, lisses et brillants, coupés droits sur la nuque et au-dessus des sourcils. Leur nez est busqué, la forme du front, large et fuyant, est obtenue par l'aplatissement du front des bébés à l'aide de bandes de coton et de palmes. Dans sa correspondance aux rois d'Espagne, Christophe Colomb décrit ainsi les premiers Arawak rencontrés sur l'île voisine d'Hispaniola (plus tard Haïti et Saint-Domingue) : « Ils ne possèdent pas d'armes, et vont tous nus... Ce sont des gens pleins d'humanité et sans méchanceté aucune... Ils aiment leur prochain comme eux-mêmes et leur façon de parler est la plus douce du monde, toujours aimablement et avec le sourire... »
Peuple tranquille, habitué à une vie calme et douce, les Arawak s'établissent près des côtes et des rivières. Leur civilisation est l'une des plus développées des Antilles et se caractérise par des expressions culturelles et technologiques singulièrement avancées. Elle exercera beaucoup d'influence sur les autres civilisations des Antilles. Cependant, ils ne connaissent pas la roue et ne possèdent pas d'écriture. Ils vivent de chasse, de pêche, de cueillette et d'une agriculture sur brûlis qu'ils maîtrisent bien. Ils cultivent le maïs semé à la pleine lune, le potiron, les patates douces, l'ananas, le tabac, le coton et le manioc à partir duquel ils fabriquent une galette de farine : la cassave. Habiles pêcheurs, ils se nourrissent de poissons et de tortues. Les femmes tissent les hamacs dans lesquels ils dorment et le nawa, une sorte de tablier de coton, est l'unique vêtement des hommes et des femmes. Leurs canoës creusés dans d'énormes troncs d'arbres évidés peuvent transporter jusqu'à 80 personnes. Sculpteurs et potiers talentueux, ils travaillent la pierre et le bois.

Les Arawak comptent les jours selon un calendrier lunaire. Peu partisans du travail acharné, ils ont développé un mode de vie où le loisir tient une grande place : ils apprécient la musique et la danse et pratiquent le jeu traditionnel de la pelote, une balle de caoutchouc qui ne peut être touchée qu'avec les hanches et les fesses. Fumer du tabac est un passe-temps et un rituel religieux. La cahoba est la principale cérémonie ; après plusieurs jours de jeûne, les hommes inhalent une drogue, provoquant des hallucinations, qui leur permet d'entrer en contact avec les divinités afin d'obtenir grâce et guérison et de pratiquer la divination.

Des hommes et des dieux

Les villages communautaires composés de plusieurs familles sont dirigés par un cacique, le chef héréditaire, qui a le privilège de la polygamie. La société Arawak est très hiérarchisée et compte trois classes sociales : les nobles et les prêtres se partagent le pouvoir, le peuple travaille la terre et pêche, aidé de quelques esclaves, d'anciens prisonniers de guerre.

Leurs dieux sont représentés par les zemes, des statuettes en bois ou en pierre, des amulettes et des masques. Le dieu suprême Yocahùma et son double féminin étaient identifiés au soleil et à la lune, associés à la création de la race humaine. Des divinités annexes complètent ce panthéon.

On ne possède aujourd'hui que peu de traces de cette civilisation Arawak, seulement quelques poteries et pétroglyphes. En revanche, ils nous ont légué certaines techniques de pêche et d'agriculture, et surtout un vocabulaire riche et spécifique. Amateurs de tabac, quand vous paressez dans un hamac, sachez que c'est aux Indiens que vous le devez ; les mots maïs, ouragan ou canoë, cannibale, barbecue, iguane, maracas ou goyave nous viennent également en droite ligne des Arawak.

Et Christophe Colomb arrive

C'est le 4 mai 1494, au cours de son second voyage vers les Indes, que le grand amiral pose le pied sur la côte Nord de cette île vaste et encore primitive, dans l'actuelle Discovery Bay ou baie de la Découverte.
L'accueil de la population arawak est légèrement hostile lors de cette toute première rencontre. Quelques flèches sont lancées depuis les canoës en direction des arrivants mais les canons et les chiens espagnols,

faisant quelques victimes, ont vite raison de cette résistance plutôt symbolique. C'est au nom des souverains catholiques que Christophe Colomb prend possession de l'île qu'il baptise Santiago. Dès le lendemain, les Arawak viennent apporter présents et nourriture en gage d'amitié. Après une brève reconnaissance, les caravelles espagnoles repartent, non sans avoir débarqué quelques hommes chargés de fonder le premier établissement espagnol. C'est Puerto Seco, le port sec, qui voit le jour dans cette baie de la côte Nord, éloignée de toute source d'eau douce. Le 9 mai, la flotte fait route vers le golfe du Bon Temps, aujourd'hui Montego Bay. Après avoir réalisé un repérage rapide de la côte Nord, Christophe Colomb repart vers Cuba. Il fera encore une reconnaissance rapide de la côte sud de Santiago, sur le chemin du retour vers l'Europe qu'il regagne pour y préparer de nouveaux voyages. De retour en Espagne, il oublie la terre des forêts et des rivières.

Chronologie

▶ **1492.** Christophe Colomb et son équipage posent le pied en Jamaïque, et deviennent les premiers Européns à découvrir cette île.

▶ **1509.** Les Espagnols s'adjugent l'île. Une grande partie de la population indigène, les Arawaks, meurt des maladies importées par les Européens et des mauvais traitements. Les premiers esclaves noirs arrivent avec les bateaux espagnols.

▶ **1670.** Le traité de Madrid fait de l'île une propriété de la Couronne britannique. La Jamaïque devient la première nation exportatrice de sucre grâce à la main d'œuvre importée d'Afrique de l'Ouest.

▶ **1692.** Port Royal est ravagé par un tremblement de terre. Spanish Town devient la nouvelle capitale et les réfugiés de Port Royal fondent, de l'autre côté de la baie, la ville de Kingston.

▶ **1838.** Abolition de l'esclavage.

▶ **1865.** La rebellion sanglante de Morant Bay et les lourdes représailles des troupes anglaises provoquent un débat en Angleterre sur le statut de l'île, qui deviendra une colonie de la Couronne.

▶ **1938.** Le PNP (People's National Party) est fondé par Norman Manley.

▶ **1962.** Indépendance de la Jamaïque. Alexander Bustamente devient Premier ministre.

▶ **1988.** Le cyclone Gilbert ravage une partie du pays.

▶ **1999.** Flambée de crimes dans certains quartiers de Kingston et intervention de l'armée.

▶ **2004.** Le cyclone Yvan traverse l'île et provoque de sérieux dégâts.

▶ **2008.** Bruce Golding porte le JLP (Jamaica Labour Party) au pouvoir.

▶ **2010.** Le parrain de Tivoli Garden (Kingston), soupçonné de trafic d'armes et de drogue, est extradé vers les Etats-Unis après deux semaines de violences à West Kingston entre les gangs et l'armée. 73 personnes trouvent la mort.

▶ **2012.** Arrivée au pouvoir du Parti national du peuple, mené par Portia Simpson Miller. Aux Jeux olympiques de Londres, le sprinteur Usain Bolt devient le seul athlète à répéter un doublé 100 m/200 m. En octobre, l'ouragan Sandy frappe la Jamaïque.

DÉCOUVERTE

La terre de la retraite involontaire de Colomb

Christophe Colomb ne reviendra dans l'île que neuf années plus tard, au cours d'un voyage de retour vers l'Europe, contraint de s'arrêter à cause des avaries subies par ses caravelles ; vermoulues, rongées par les vers, celles-ci ont été abandonnées au fur et à mesure du voyage. L'une d'elles est restée à Panamá, une autre a dû être abandonnée à Hispaniola. Celles qui restent ne sont pas en état de retraverser l'océan Atlantique.

Le grand amiral ne pouvant atteindre Hispaniola pour cause de gros temps doit s'arrêter en Jamaïque où il débarque en compagnie d'une centaine d'hommes d'équipage, de son fils Ferdinand et de son frère Bartolomé. Il restera un an, de juin 1503 à juin 1504, dans la baie de Saint Ann, quelques kilomètres à l'est de Puerto Seco. C'est la plus longue étape jamais effectuée au cours des voyages de Christophe Colomb. A cette époque, il a épuisé son crédit auprès de l'administration espagnole et n'est plus en grâce auprès des souverains. Personne ne se hâte de venir le récupérer sur ces côtes lointaines où il s'est échoué.

Bien au contraire, son absence arrange la Cour et on l'oublie volontairement sur la terre des rivières et des forêts pour mieux organiser la colonisation des nouvelles terres du royaume d'Espagne et les conquêtes à venir. Ses appels au secours restent lettre morte et ne reçoivent plus le moindre écho.

Ce n'est qu'un an plus tard que les émissaires Diego Mendez et Bartolomé Freschi, que Christophe Colomb a envoyés à Hispaniola depuis la Jamaïque, peuvent organiser une expédition de secours. Le 29 juin 1504, Christophe Colomb quitte enfin les rives de la Jamaïque, au terme d'une retraite bien involontaire, et reprend la mer pour rejoindre Hispaniola. Il repart enfin pour l'Espagne en septembre 1504, mais ne reviendra plus jamais dans ce Nouveau Monde qu'il a découvert.

Une île sans or

Aux termes des accords passés avec les souverains d'Espagne, l'île est concédée à la famille Colomb au titre de propriété personnelle en 1504. A la mort de l'amiral en 1506, c'est son fils Diego Colomb qui en hérite avec le titre de marquis de Jamaïque. Mais si l'eau douce abonde en Jamaïque, l'or tant convoité n'est pas au rendez-vous. Leurs espoirs déçus, les colonisateurs espagnols vont très vite se désintéresser de l'île pour se tourner vers les contrées plus riches de l'Amérique du Sud. La Jamaïque est abandonnée à quelques familles nobles qui s'établissent à Río Bueno dans le premier établissement colonial de l'île. Les Espagnols ne s'installent vraiment en Jamaïque qu'à partir de 1509, quand Juan de Esquivel, ancien compagnon du grand amiral installé dans l'île voisine d'Hispaniola, est nommé gouverneur de la Jamaïque par le fils de Colomb. Il établit la colonie espagnole de Sevilla Nueva, non loin des premiers établissements de Río Bueno. La maigre colonie ne compte qu'un fortin, un château, et une église. L'insalubrité du climat de cette région côtière marécageuse et l'absence d'or poussent les Espagnols vers l'intérieur de l'île, le long du Río Cobre, plus au sud.

Délaissant la côte, ils fondent en 1534 la capitale de l'île, Santiago de la Vega, aujourd'hui Spanish Town, dans une plaine protégée de la mer et à proximité de ports naturels, non loin de l'actuel Kingston. Une quinzaine d'années plus tard, la modeste capitale compte cinq cents maisons, six églises et un monastère franciscain dont rien ne subsiste aujourd'hui.

Malgré les bras indigènes mis à contribution pour l'orpaillage, les Espagnols ne trouvent toujours pas l'or âprement recherché. Les colons vont donc se désintéresser très vite de cette colonie sans ressources. Les centres d'intérêt économiques et politiques se déplacent vers le continent américain. L'île devient une colonie agricole de second ordre où on élève du gros et petit bétail (bovins et porcins), on y développe quelques cultures de base telles la canne à sucre et les patates douces. Les exploitations des colons ont remplacé les fermes des Indiens détruites pendant que la population indigène est enrôlée pour travailler au service des colonisateurs. Mais la Jamaïque n'est pas une colonie prospère. Rien n'est fait pour développer les ressources de l'île. Le choix de Cuba, sa voisine, comme principale escale de la flotte espagnole, précipite l'abandon de la Jamaïque qui était jusqu'alors un relais important sur la route de Veracruz. L'île n'est bientôt plus qu'une base arrière pour la conquête du continent américain, une halte de ravitaillement et d'approvisionnement pour les navires sur la route de contrées plus riches de promesses.

Entre-temps, c'est-à-dire en une cinquantaine d'années, la population indigène Arawak a disparu. Les Indiens ont été décimés par dizaines de milliers, morts d'épuisement sous les mauvais traitements des colonisateurs ou anéantis par des maladies inconnues venues d'Europe (variole, tétanos ou fièvre typhoïde). D'autres encore ont préféré le suicide à la tutelle des colons. Les lois protégeant les Indiens adoptées en 1542 par l'administration espagnole sous la pression du dominicain Bartolomé de las Casas sont arrivées trop tard. En 1611, un rapport envoyé au roi d'Espagne fait état de 74 Indiens en vie dans l'île. Il faut donc remplacer cette main-d'œuvre corvéable à merci et si peu coûteuse.

Les esclaves noirs remplacent les esclaves amérindiens

Les exploitations agricoles se développent, exigeant une main-d'œuvre abondante et capable de travailler dur dans des conditions climatiques tropicales.

L'esclavage est déjà pratiqué en Espagne depuis le XVᵉ siècle. C'est donc de la péninsule Ibérique que débarqueront les premiers esclaves destinés aux mines en 1517. Ils sont bien évidemment trop peu nombreux pour répondre aux besoins croissants des colons. A défaut d'esclaves, c'est la lie de la société européenne qui fournira la première main-d'œuvre en remplacement des Amérindiens. Le planteur ne les paie pas, mais s'engage à leur fournir au terme d'un contrat de trois à cinq ans un bout de terre sur lequel ils peuvent s'établir librement. Parmi cette population d'indésirables, beaucoup viendront grossir les rangs de la flibuste internationale qui commence à voir le jour entre les îles du Nouveau Monde.

Les Hollandais, commerçants chevronnés, organisent la traite des Noirs depuis les côtes de l'Afrique de l'Ouest, de l'actuel Sénégal à l'Angola, marquant le début de l'ère esclavagiste et du commerce triangulaire, de l'Afrique vers les Caraïbes avec des esclaves, des Caraïbes vers l'Europe avec du sucre et de l'Europe vers l'Afrique et les Caraïbes avec des biens de consommation.

Plus tard, les Anglais prennent le relais dans la traite des Noirs, important des esclaves des tribus Coromantes, Eboe, Mandingos, Fanti et Ashanti des côtes Ouest de l'Afrique et des tribus Ibo et Yoruba des territoires correspondant aujourd'hui au Nigeria. La Jamaïque est la première escale sur la route des bateaux chargés d'esclaves africains. On y débarque en priorité les individus indisciplinés les plus insoumis, des fortes têtes qui animeront rébellions et révoltes.

Le lot de consolation des Anglais

Un siècle durant, l'île connaît une existence sans histoire, une vie coloniale réduite à quelques exploitations agricoles et à l'arrivée de la main-d'œuvre africaine. Seuls les raids des pirates, basés dans l'île de la Tortue au large d'Hispaniola, dans les grandes exploitations agricoles animent cette vie tranquillement provinciale. Au début du XVIIᵉ siècle, la Jamaïque ne compte que quelque 3 000 âmes. La vie sociale et politique est quasi inexistante, la colonie est trop loin de l'Espagne pour avoir un poids quelconque dans les décisions du gouvernement. Loin des territoires riches en promesses d'or du continent américain, la Jamaïque vit au ralenti, oubliée des souverains espagnols, presque autonome. Les querelles entre l'Eglise et les gouverneurs successifs ainsi que les attaques répétées des pirates affaiblissent petit à petit l'autorité de l'administration espagnole. Dans le même temps, les rivalités européennes s'étendent progressivement aux terres lointaines du Nouveau Monde.

Les premiers bateaux français pénètrent dans les Caraïbes en 1506. Les colons espagnols de Jamaïque repoussent deux navires français loin de leurs côtes en 1556.

L'histoire s'accélère quand les Anglais, saisis à leur tour par la fièvre colonisatrice qui consume l'Europe du Sud, décident de participer à l'aventure. En 1596, la première attaque anglaise est menée par l'aventurier Anthony Shirley ; puis en 1603, 1640 et 1643, l'île doit faire face à trois raids anglais sans conséquences.

Mais la suprématie des Espagnols et leur domination commerciale suscitent des jalousies chez ses voisins. Dès la seconde moitié du XVIIᵉ siècle, l'Anglais Oliver Cromwell décide de rafler quelques territoires aux Espagnols et conçoit le plan Western Design destiné à briser le monopole commercial de l'Espagne dans le Nouveau Monde et à agrandir les possessions britanniques.

La riche Hispaniola est la première cible de la flotte anglaise partie de Portsmouth en décembre 1654 et conduite par l'amiral William Penn, le père du futur créateur de la Pennsylvanie, et le général Robert Venables, ancien gouverneur de Liverpool. Les deux hommes ne s'entendent guère. Leurs relations sont détaillées par l'historien Germán Arciniegas : « *Penn souriait chaque fois que Venables commettait une bévue et Venables commettait une bévue chaque fois qu'il donnait un ordre…* »

Commandement déficient, armée hétéroclite composée de bric et de broc, soldats mal équipés et peu entraînés, l'échec de l'attaque d'Hispaniola est total.

Malgré la supériorité numérique des Anglais, les Espagnols défendent becs et ongles leur propriété et, en avril 1655, les Anglais déplorent la perte de mille hommes. Il ne reste plus aux troupes britanniques sévèrement éprouvées qu'à capituler et à se replier devant la suprématie espagnole.

Mais il faut sauver la face. Les côtes jamaïcaines toutes proches offrent une retraite commode et vont apaiser les convoitises et les rancœurs anglaises. La Jamaïque, peu peuplée, oubliée des politiques et des militaires, peu défendue et mal armée, fera l'affaire des Anglais décidés à prendre leur revanche.

Les Anglais débarquent

Le 10 mai 1655, une quarantaine de vaisseaux et quelque 10 000 hommes débarquent à Caaguaya (Passage Fort), le port de Santiago de la Vega (Spanish Town), dans la baie de l'actuel port de Kingston. L'expédition marche vers Santiago de la Vega, la capitale. Surpris par cette attaque, les Espagnols ne se défendent même pas.

Acculés, ils capitulent rapidement et acceptent la reddition le 11 mai ; ils sont sommés de quitter l'île au plus vite. Ne pouvant qu'obtempérer, ils abandonnent la ville aux Anglais et s'enfuient vers le nord dans le but de rejoindre Cuba ou l'Amérique centrale après avoir détruit ce qu'ils ne peuvent emporter. Nombre d'entre eux libèrent leurs esclaves et les encouragent à gagner les terres sauvages du centre et du nord de l'île d'où ils pourront mener une guerre d'usure contre les occupants britanniques en attendant l'aide d'une armée espagnole. Les colons espagnols comptent bien revenir avec des renforts pour reconquérir leur île.

C'est donc dans une ville vide que les Anglais arrivent triomphants ; frustrés de leur victoire, découvrant une ville désertée, ils détruisent tout dans une rage vengeresse, brûlant les églises, dévastant les maisons, pillant les commerces, fondant les cloches…

Cependant, quelques Espagnols sont restés, tentant de résister à l'envahisseur en menant leur propre guérilla depuis les montagnes où ils se sont réfugiés, sous la bannière du général Cristóbal Arnaldo de Ysassi, le dernier gouverneur espagnol de l'île.

Les autres colonies espagnoles envoient quelques renforts depuis le Mexique et Cuba.

Ils essuient deux défaites successives, à Ocho Rios en 1657 et à Río Bueno – la plus grosse bataille militaire de l'histoire de l'île – en juin 1658 contre le colonel anglais d'Oyley. Le général espagnol Ysassi résistera encore pendant deux années d'une guerre inégale et sans espoir pour finir par se réfugier à Cuba avec ses maigres troupes.

En 1670, le traité de Madrid met fin à l'opposition entre les deux camps et consacre officiellement la victoire des Anglais. Un traité de paix qui ne met pas pour autant fin à la guerre… D'Oyley sera le premier d'une série d'une soixantaine de gouverneurs britanniques.

Entre-temps, les Anglais ont détruit tout ce qui, de près ou de loin, rappelle la présence espagnole, et seuls quelques noms de lieux survivent à cette haine destructrice.

Les Français mis à l'écart

Le 19 juillet 1694, une flotte conduite par l'amiral Jean Ducasse, gouverneur de Haïti, débarque sur les côtes Nord et Est de la Jamaïque, un morceau de choix sur l'échiquier caraïbe. Les espoirs expansionnistes des Français seront vite anéantis. Ils se retirent rapidement de l'île, après avoir raflé un millier d'esclaves et laissant une cinquantaine de plantations dévastées pour toute trace de leur incursion peu glorieuse. En 1697, le traité de Ryswick signé entre la France et l'Espagne officialise la présence française à Hispaniola et les Français satisfaits oublient la Jamaïque.

Les Marrons de la colère

À peine le temps de signer un traité de paix, qu'il faut reprendre les armes ! En effet, un autre conflit, plus insidieux, commence et opposera colonisateurs anglais et anciens esclaves pendant près d'un siècle. Libérés par leurs maîtres espagnols, ces esclaves se sont concentrés à l'intérieur du pays dans le Cockpit Country et sur les contreforts nord des Blue Mountains. On les appelle les Maroon, de l'espagnol cimarrón, sauvage indompté, que la langue française transforme en Marron. De leurs montagnes, ils harcèlent sans relâche les Anglais, organisant des raids sur les plantations, brûlant les champs, volant le bétail et le matériel et détruisant le reste avant de disparaître sous le couvert d'une végétation inextricable. D'autres esclaves en fuite les rejoignent dans ces montagnes difficiles d'accès. Petit à petit, les rangs des Marrons grossissent de même que leur confiance en eux. Leur quartier général est Nanny Town, un village bien protégé au nord-est de Blue

Mountain Peak. La reine Nanny est l'une des âmes de la rébellion. Les Anglais humiliés ne contrôlent plus la situation et importent des chiens de chasse pour débusquer les rebelles dans leur retraite.

En 1663, les Marrons dédaignent la liberté et les terres qu'on leur offre contre leur reddition. N'accordant aucune confiance aux négociateurs, les Marrons refusent et continuent à consolider leurs troupes.

En 1690, les esclaves de Clarendon, issus de la tribu guerrière africaine des Coromantes, se révoltent, rejoignent les Marrons et mènent, avec le général Cudjoe à leur tête, ce qui reste connu comme la première guerre des Marrons. Familiarisés avec la forêt et ses pistes impénétrables, les Marrons évitent la guerre ouverte et favorisent la guérilla, une guerre d'usure contre les planteurs et le pouvoir en place. D'embuscades en escarmouches, les Marrons usent la résistance des forces officielles.

Les Anglais aidés d'Indiens et guidés par les chiens de chasse finissent par soumettre les anciens esclaves au terme de la bataille de Nanny Town, remportée par les forces anglaises en 1734. La ville est détruite et nombre d'entre eux choisissent le suicide plutôt que le retour à la captivité. Aujourd'hui, le site est toujours hanté par les esprits des valeureux guerriers qui ont péri dans la bataille.

Le 1er mars 1739, un traité est signé entre Cudjoe et le colonel Guthrie, au terme duquel les Marrons se soumettent en échange de 600 ha de terre dans la région du Río Grande où ils établissent Mooretown. Par ce traité, ils doivent refuser leur aide aux esclaves évadés et aider à leur capture. Cudjoe est nommé commandant à Trelawny Town. Son statut lui accorde le pouvoir juridique sur tout délit sauf ceux méritant la peine capitale. Deux émissaires des autorités sont délégués pour vivre avec la communauté et veiller au maintien de l'entente. Un traité identique sera signé avec Quao, le chef des Marrons de l'est dans les Blue Mountains. Les traités marquent le début d'une période de cinquante années de paix, durant lesquelles Accompong et Johnny, les deux frères de Cudjoe et ses lieutenants pendant la guerre, lui succèdent au poste de commandant. Au cours de ces périodes de rébellions apparaissent les premières bases d'une culture de résistance en marge de la culture colonialiste ; religions, croyances, langues, musiques, rythmes, fusionnent pour donner naissance au patois, au vaudou, à la musique traditionnelle jamaïcaine, premiers fondements d'une identité commune.

Aujourd'hui encore, les descendants des Marrons vivent dans les villages libres de l'intérieur de l'île et bénéficient d'un statut particulier dont l'origine remonte au XVIIIe siècle.

Quand les pirates font la loi

L'Amérique est la terre de toutes les richesses. Les colonies qui produisent du sucre, du tabac ou de l'indigo, et la mer des Caraïbes, désormais très fréquentée, où circulent des navires aux panses remplies de trésors, ne peuvent qu'attirer les représentants de la flibuste et de la piraterie internationale.

Dès le milieu du XVIe siècle, avec le développement des premières colonies, la grande tradition de la piraterie prend forme. Ce sont généralement des aventuriers français, anglais et hollandais, arrivés avec les premiers colons dans les îles, notamment à Hispaniola, qui après avoir vécu de l'élevage et du commerce de viande ou avoir travaillé sous contrat dans les plantations, ont préféré se tourner vers des activités plus lucratives, mais moins légales. Le quartier général de ces aventuriers se trouve dans l'île de la Tortue au nord-est d'Hispaniola.

L'administration espagnole n'est pas tendre avec eux, c'est pourquoi, abandonnant leur ancien repaire, beaucoup d'entre eux élisent la Jamaïque comme nouvelle base stratégique pour écumer le nouvel espace maritime des Caraïbes. La côte Nord est idéalement placée sur la route des galions espagnols, et Port Royal relié à la terre par un mince cordon littoral, voisin de la capitale, assure une retraite bien protégée.

DÉCOUVERTE

Henry Morgan, le prince des pirates devenu gouverneur

C'est en Irlande dans une famille de petits propriétaires terriens qu'est né en 1635 celui qui allait devenir l'un des princes de la flibuste internationale. Très jeune, il émigre vers les Caraïbes qui lui apparaissent comme une terre d'aventures bien plus excitante que son Irlande natale. Pour survivre, il se loue comme ouvrier agricole dans une plantation de l'île de la Barbade. Bientôt, il abandonne le travail de la terre et erre d'île en île jusqu'à prendre la direction d'un navire. Avant d'élire la Jamaïque comme quartier général, le capitaine Henry Morgan s'est taillé une réputation dans l'île d'Hispaniola. L'île de la Tortue, ancien repaire des pirates, étant trop proche des colonies espagnoles, il lui préfère Port Royal qui devient très vite la capitale de la piraterie internationale, un grand centre d'échanges commerciaux et un lieu de débauche et de plaisirs. Il fonde les Frères de la Côte, réunissant boucaniers, pirates et autres aventuriers dans une confrérie du pillage et de la vie hors-la-loi. Sacs et pillages organisés se succèdent sous l'œil bienveillant des autorités anglaises qui perçoivent leur dîme au passage. Les galions espagnols chargés d'or, de pierres précieuses, d'épices et autres richesses qui sillonnent les mers du Nouveau Monde en tous sens sont les proies toutes désignées des pirates qui n'hésitent pas non plus à s'attaquer aux villes coloniales naissantes.

En 1668, Henry Morgan attaque et pille Porto Bello dans l'isthme de Panamá. En dépit du traité de Madrid qui met fin aux hostilités entre l'Espagne et l'Angleterre, il s'empare et incendie la ville de Panamá en 1671. L'Angleterre ne pouvant plus fermer les yeux sur ses exactions le fait capturer par la marine anglaise et juger à Londres. Mais il est relaxé et la faute est reportée sur le gouverneur de l'époque. Suprême hypocrisie, il est nommé gouverneur de la Jamaïque en 1673 après avoir obtenu son acquittement et sera reconduit dans ses fonctions à la tête de l'île quatre ans plus tard. C'est donc en homme respecté et comblé d'honneurs qu'Henry Morgan, prince des pirates, s'éteint tranquillement en 1688 après une vie mouvementée. Sa tombe sera engloutie par la mer lors du tremblement de terre qui a détruit plus de la moitié de Port Royal le 7 juin 1692.

Le royaume des pirates

Port Royal va se développer pour devenir la ville la plus corrompue des Caraïbes – la plus riche aussi – et la capitale de la piraterie caraïbe, sous l'œil complaisant des colons et de l'administration anglaise qui savent leur île mal protégée des agressions extérieures et leurs plantations mal défendues contre les Marrons. Les pirates, anglais il va de soi, sont tolérés, voire bienvenus, à condition qu'ils portent leurs attaques contre les ennemis jurés, les Espagnols, et qu'à l'occasion ils revendent ou partagent les revenus de leurs rapines. Leurs activités vont connaître des périodes plus ou moins fastes selon les dispositions de la Couronne anglaise et des gouverneurs successifs. Sous l'égide de Henry Morgan, ils fondent la confrérie des Frères de la Côte pour renforcer leurs rangs face aux autres nations. Port Royal sera nettoyé de cette engeance en 1664 à l'initiative du gouverneur de l'époque, sir Thomas Modyford. Les pirates retournent sur l'île de la Tortue, mais n'en continuent pas moins à attaquer les navires et les plantations. Mais le gouverneur mis au courant des visées hollandaises sur l'île demande l'aide des pirates anglais. Henry Morgan prend la tête de cette armée peu régulière. Le danger écarté, les pirates regagnent Port Royal et reprennent leurs lucratives activités, versant désormais une commission officielle aux politiciens jamaïcains. A la demande du roi d'Angleterre qui ne voit pas d'un bon œil cette officialisation du trafic, les pirates prennent leur retraite, se tournant vers l'élevage et l'agriculture. Les pirates rentrent à nouveau en scène en 1670, quand Henry Morgan est encore une fois appelé à la rescousse avec le titre d'amiral et commandant en chef de tous les navires de guerre appartenant à l'île. La ville de Panamá est cette fois la cible des Anglais. Cette cité prospère et bien développée est la tête de pont des Espagnols sur l'Amérique continentale. Morgan et ses hommes prennent la ville par surprise, mais l'incendient par erreur en célébrant leur victoire. Le retour des pirates à Port Royal est triomphal. Mais le traité de Madrid qui établit la paix entre les belligérants est signé en juin juste avant l'attaque de Panamá, ce que ne pouvait ignorer le gouverneur. Ce dernier est rappelé à Londres, jugé et emprisonné, et, ironie de l'histoire, c'est Henry Morgan qui va hériter de ses fonctions, devenant gouverneur de l'île en 1673.

Passé de l'autre côté du miroir, l'ancien pirate prend son nouveau rôle très au sérieux. Il pourchasse impitoyablement ses anciens compagnons, emprisonnant et faisant pendre ceux qui n'acceptent pas de prendre leur retraite. Les plus connus ont pour nom Black Beard (Barbe Noire) – de son vrai nom Edward Teach – ou Jack Rackham, dit Calico Jack parce qu'il portait des sous-vêtements d'indienne, qui finira sur le gibet.

Port Royal, désormais débarrassé de sa population dévoyée, compte 6 500 âmes dont 2 500 esclaves africains. La ville, connue comme la « Sodome des Caraïbes », mène la vie prospère et décadente d'un port négrier jusqu'à son engloutissement par la mer lors du tremblement de terre de 1692. Châtiment divin ou simple catastrophe naturelle ? Leur capitale disparue et leur organisation démantelée, les pirates reprennent leur errance vers d'autres latitudes et partent écumer d'autres mers…

L'ère des plantations

Le mercantilisme triomphe grâce à la production coloniale, la transformation du sucre, les échanges commerciaux, la traite des Noirs et l'ensemble du système esclavagiste. La Jamaïque va suivre l'exemple tout proche de la Barbade où le sucre est roi. Dès le XVIIe siècle, il devient le pilier de l'économie jamaïcaine. Le cacao, l'indigo – on en comptera jusqu'à 40 plantations – et le tabac sont aussi des cultures prospères mais nettement moins profitables que la canne. Le développement des plantations est encouragé par l'administration anglaise et de solides fortunes s'accumulent sous les tropiques. Le commerce se développe et, pour le soutenir, on importe de plus en plus d'esclaves des côtes occidentales de l'Afrique. Dès 1672, le trafic négrier est organisé avec la création de la Royal African Company. Des milliers de captifs africains traversent l'Atlantique dans les navires où l'hygiène est si mauvaise que le taux de mortalité atteint plus de 35 % pendant la traversée. D'immenses exploitations agricoles sont constituées aux dépens des petites plantations qui ne peuvent réunir les capitaux nécessaires à la concurrence. En 1673, on dénombre 57 plantations, soixante-six ans plus tard, on en comptera 430. La Jamaïque devient la première colonie sucrière de l'Angleterre et le premier producteur mondial de sucre. C'est aussi grâce au sucre que les colonies anglaises des Antilles détiennent un pouvoir considérable sur la Couronne britannique.

La plantation est un véritable village quasiment autosuffisant et auto-administré. Tandis que les gestionnaires travaillent dans les bureaux, les esclaves sont majoritairement employés dans les champs de canne qui s'étendent à perte de vue, sous le fouet du superviseur. D'autres esclaves font tourner le moulin, le bouilloir à sucre, d'autres enfin, plus chanceux, sont domestiques dans la greathouse. La punition et le châtiment corporel sont le lot quotidien des esclaves considérés comme une propriété du planteur.

Ultérieurement, des lois contrôleront les droits du planteur vis-à-vis de ses esclaves. Les étables et les écuries regorgent de bétail ; forges et ateliers fournissent les pièces nécessaires aux machines. Les logements des esclaves sont bâtis à proximité. Ils ont la jouissance de petits lopins de terre sur lesquels ils font pousser des pommes de terre ou des bananes plantain qu'ils vendent au marché dominical, épargnant un peu pour racheter leur liberté au planteur. Les greathouses, les maisons des maîtres, sont construites à l'écart de l'effervescence de la plantation, sur une colline bénéficiant des vents frais tout en permettant une surveillance plus facile. Mais ces demeures sont rarement habitées ; dès que l'exploitation est lancée, le propriétaire s'installe en ville où la vie sociale est plus intéressante. Pour beaucoup, la Jamaïque n'est qu'une étape. Les planteurs anglais sont pour la plupart venus attirés par les gains faciles, et non pour s'y établir définitivement. Une fois l'exploitation mise en route, et fortune faite, les régisseurs administrent la propriété des Anglais quelquefois repartis en Angleterre ; les plantations changent souvent de mains. L'esclavage a déterminé la réussite économique de l'île. En 1764, la Jamaïque compte 166 000 âmes dont 144 000 esclaves. Dès l'arrivée des navires chargés d'esclaves, des annonces apparaissent dans la presse locale. Les planteurs les achètent en groupe ou à l'unité lors de ventes aux enchères, mais on veille à désunir familles et tribus, pour éviter la création de clans au sein des plantations. Le bétail humain est marqué au fer du chiffre du nouveau propriétaire et acheminé vers la plantation. On estime qu'un tiers d'entre eux mourrait durant les trois premières années.

Les esclaves sont divisés en équipes, des plus forts et résistants occupés aux champs et à la production de sucre aux plus faibles chargés de la nourriture des animaux et du désherbage. Les plus chanceux sont dirigés vers la maison où ils seront domestiques. Le dimanche est traditionnellement jour de repos. Au bout de quelques années, des esclaves peuvent acheter leur liberté ou sont émancipés par leur maître ; ils constituent la caste des Noirs libres.

L'abolition

En 1760, désemparé devant la plus sérieuse des révoltes d'esclaves, le gouvernement demande l'aide des Marrons pour mater l'insurrection. Partie de Port Maria dans la paroisse de Saint Mary, la rébellion est menée par Tacky, un ancien chef africain originaire du Ghana. Après avoir pillé un dépôt d'armes, il encourage les esclaves des plantations à la révolte qui gagne bientôt tout le pays avant de s'achever avec la mort de Tacky et le suicide collectif de la bande d'insurgés.

Les Marrons de la colère II

La Révolution française et ses idéaux libéraux, la révolte des esclaves haïtiens – la plus importante rébellion d'esclaves que le monde ait connue et qui se soldera par l'indépendance d'Haïti en 1804 – et le développement du mouvement antiesclavagiste en Grande-Bretagne sont autant de ferments qui font éclater en 1795 une deuxième guerre des Marrons, soutenue selon certaines sources par des agents français. La révolte démarre dans la paroisse de Trelawny à Montego Bay, où deux voleurs de cochons ont été flagellés. L'incident heurte la fierté des Marrons qui

appellent à la vengeance. Alarmés, les magistrats demandent des troupes en renfort de la milice locale, aggravant l'agitation. Le nouveau gouverneur de la Jamaïque, le comte de Balcarres, vétéran de la guerre d'indépendance américaine, est un partisan de la manière forte. Il fait appliquer la loi martiale, prend la tête des troupes, établissant son quartier général à Montego Bay. Trelawny Town, une enclave marron, est détruite, mais les troupes anglaises tombent dans une embuscade et sont décimées. La révolte des Marrons se propage à tout le pays. Pendant cinq mois, les insurgés sont traqués sans répit. A cet effet, une centaine de chiens sont importés de Cuba pour débusquer les rebelles dans leurs repaires de l'impénétrable Cockpit Country. Suit une deuxième reddition des insurgés marrons. 600 d'entre eux sont déportés vers la Nouvelle-Ecosse, puis vers la Sierra Leone. Les troupes britanniques occupent le village de Trelawny et la menace marron est définitivement éradiquée. Mais les idées libérales avancent inéluctablement et le leader abolitionniste William Wilberforce, membre de la Chambre des communes, milite sans relâche pour l'abolition. A l'inverse de l'abolition à la française, l'abolition anglaise de l'esclavage sera progressive.

Un Noël exceptionnel

L'année 1807 marque la fin de la traite des Noirs. Après le 1er mars 1808, plus aucun esclave ne débarque dans l'île. William Wilberforce, Thomas Clarkson, Zachary Macaulay, James Stephen, Granville Sharp, les saints, membres de la secte de Clapham, exercent une influence importante sur les

---

La maison jamaïcaine au XIXe siècle

« *Les maisons ici sont généralement construites et aménagées sur un seul et même modèle. La mienne est en bois, en partie montée sur pilotis ; elle comporte un seul étage. Une longue galerie, appelée véranda, terminée à chaque extrémité par une pièce carrée, court sur toute la longueur de la maison. De chaque côté de la véranda, se trouve une rangée de chambres, et le portique des deux façades forme deux chambres de plus, avec des balustrades et des escaliers qui descendent sur la pelouse. La maison tout entière est équipée de stores vénitiens amovibles qui laissent passer l'air ; sauf dans l'une des pièces, à l'extrémité, dont les fenêtres sont à guillotine en raison des pluies qui, lorsqu'elles surviennent, sont si fortes* [...] *que tous les stores doivent rester fermés.* [...]. *Il n'y a rien au-dessous, sauf quelques remises pour les provisions et une sorte de salle d'attente ; mais aucun des domestiques nègres ne dort dans la maison, tous retournant, le soir, auprès de leurs familles, dans leurs maisons respectives.* »

▶ *Journal de voyage à la Jamaïque* (1834), M.-G. Lewis, José Corti, 1991

décisions du Parlement britannique en faveur de l'abolition de la traite puis de l'esclavage, notamment à partir de 1831.

Cette année-là, une nouvelle révolte éclate dans la paroisse de Trelawny, menée entre autres par Sam Sharpe. La révolte de Noël éclate le 28 décembre 1831 quand le pasteur baptiste Daddy Samuel Sharpe prend la tête d'une marche passive d'esclaves qui refusent de reprendre leur travail après Noël. La rébellion se termine le 5 janvier 1832 après avoir enflammé plusieurs paroisses.

Des plantations ont été incendiées, des planteurs assassinés. On déplore 14 vies blanches, un millier de Noirs trouvent la mort et 312 sont exécutés. En mai 1832, Sam Sharpe est pendu sur la place centrale de Montego Bay qui porte désormais son nom. Il sera déclaré héros national en 1975.

« A Cornwall, il n'y a pas eu une goutte d'eau depuis le 16 novembre. On ne voit pas les moindres vestiges de végétation ; et nous commençons à craindre une famine chez les nègres, en raison de la sécheresse qui a détruit leurs jardins vivriers. Il ne manquait plus que cela pour accroître le danger dans l'île, où les classes élevées sont toutes alertées au plus haut point par les rumeurs selon lesquelles Wilberforce aurait l'intention de libérer complètement les nègres. L'étape suivante serait, selon toute probabilité, un massacre général des blancs, et une réédition des horreurs de Saint-Domingue [...]. A St. Thomas's-in-the-East, des troubles eurent lieu, à Noël dernier, nécessitant l'intervention des magistrats. On dit que les nègres de cette paroisse s'étaient mis en tête que c'était le Régent et Wilberforce qui avaient en fait décidé de leur donner la liberté immédiatement, au premier jour de l'année, mais que l'opposition dans l'île avait contrecarré ce projet. Leur mécontentement avait été soigneusement et habilement entretenu par des méthodistes métis qui, dans différentes propriétés, tenaient la nuit des réunions secrètes, et faisaient de leur mieux pour égarer et affoler ces pauvres créatures par leurs prêches extravagants et absurdes. Ces gens jouent constamment sur le péché, le diable et le feu de l'Enfer, et ils décrivent le Tout-Puissant et le Sauveur comme des êtres si terribles que nombre de leurs prosélytes ne peuvent entendre le nom du Christ sans trembler. Un pauvre nègre, dans l'une de mes propriétés, raconta au contremaître qu'il savait qu'il était un si grand pécheur que rien ne pourrait l'arracher des griffes du diable, même pour quelques heures, sauf s'il chantait des hymnes ; et il chantait sans s'arrêter, jour et nuit, si bien qu'à la fin la terreur et le manque de sommeil lui tournèrent l'esprit et le pauvre malheureux mourut, fou à lier. » (Journal de voyage à la Jamaïque (1834), M.-G. Lewis, José Corti, 1991)

En 1834, on déclare libres les enfants âgés de moins de six ans. Les anciens esclaves sont soumis au régime de l'apprentissage qui dure quatre années pour les domestiques et six ans pour les travailleurs agricoles. L'apprenti doit travailler sans salaire pendant quarante heures par semaine pour son ancien maître, ce qui est, en fait, un prolongement de l'esclavage. Il faudra attendre le 1er août 1838 pour que l'émancipation des 319 351 esclaves présents sur le territoire jamaïcain soit enfin proclamée officiellement.

Post émancipation et naissance des premières communautés rurales

Outre l'apprentissage, le gouvernement anglais a largement dédommagé les planteurs pour la perte de leur main-d'œuvre. Un budget de plus de vingt millions de livres sterling sera voté pour indemniser les planteurs de l'ensemble des colonies britanniques avant même la promulgation du décret d'abolition. Mais les esclaves ne reçoivent aucune compensation. Afin de maintenir la main-d'œuvre sur les plantations, des assemblées de colons établissent une réglementation qui limite l'établissement des anciens esclaves comme agriculteurs indépendants. Limitation de la superficie des propriétés, contrôle des cultures pratiquées, création d'ateliers disciplinaires pour les vagabonds, augmentation de la pression fiscale sur la petite propriété, autant de mesures de nature à freiner une véritable indépendance des anciens esclaves et à restreindre leur voix au chapitre politique puisque seuls pourront être électeurs et éligibles ceux qui seront propriétaires. Cependant, au terme de la période d'apprentissage, beaucoup d'anciens esclaves préfèrent l'indépendance plutôt que l'esclavage déguisé que demeure le travail de la plantation. Lâchés dans la nature, sans repères, sans ressources, ils se retirent à l'intérieur de l'île où ils développent une économie de survie à partir de la culture de minuscules lopins de terre. Cette paysannerie est encore à l'heure actuelle l'une des clés de voûte de l'économie et de la société jamaïcaine. Plus de main-d'œuvre bon marché donc.

Les coûts augmentent, la production de sucre chute. A partir de 1830, la concurrence du sucre de l'île Maurice, puis du sucre de betterave européen se font durement sentir. Les indemnités perçues par les planteurs ont été investies en Europe et, faute de financement, les unités de production sucrières de l'île ne peuvent être modernisées.

De nombreuses plantations sont abandonnées, laissées en friche, vendues pour une bouchée de pain. Les planteurs remplacent les Noirs par des ouvriers sous contrat. Entre 1834 et 1865, plus de 25 000 hommes seront importés en Jamaïque dont près de la moitié d'Afrique. Les premiers arrivés sont des Européens. De 1834 à 1838, des milliers d'Ecossais, d'Irlandais, d'Allemands et de Britanniques débarquent en Jamaïque ; beaucoup succombent aux fièvres tropicales, la plupart repartent découragés par les mauvaises conditions de travail et d'existence. Les Chinois investissent l'île entre 1852 et 1870 mais leur transport depuis la Chine s'avère trop coûteux et le gouvernement chinois met un frein au flux en attribuant des terres aux candidats à l'émigration. Les Indiens ramenés de la lointaine colonie asiatique entre 1880 et 1917 sont à l'origine de la population indienne de l'île, car les Indiens sous-payés n'ont jamais pu acquitter leur billet de retour. Malgré cette nouvelle main-d'œuvre, l'industrie sucrière ne se relève pas.

Les villages libres : entre l'éducation et la religion

La période suivant l'émancipation voit apparaître les premiers villages libres. Ces nouvelles communautés d'anciens esclaves qui vivent loin des grandes propriétés sont prises en main par des missionnaires non-conformistes – les baptistes se montrent particulièrement actifs –, qui craignent que l'éclatement des plantations ne disperse leurs brebis. Aussi, les hommes d'église achètent-ils de vastes terrains qu'ils répartissent entre les familles, créant ainsi les premières structures villageoises libres. L'Eglise et l'école deviennent naturellement les institutions dominantes de ces villages où les pasteurs sont les garants des valeurs et de la culture. Les ressources sont faibles, elles proviennent essentiellement des faibles gages gagnés au temps de l'esclavage et des dons humanitaires en provenance d'Angleterre. Sligoville, fondé par le révérend James Phillippo, pasteur baptiste de Spanish Town, est le premier de ces villages libres. Le 10 juillet 1835, il achète 10 ha de terre à proximité de la résidence d'été du gouverneur de l'île, lord Sligo. En octobre 1835, un bâtiment sort de terre qui abritera l'église et l'école. Il sera terminé en juillet 1838. Entre le 12 mars et le 1er août 1838, 21 anciens esclaves dont trois femmes achètent des lots de 0,2 ha au prix de 1,16 livre le lot. Le premier, William Atkinson, enregistre sa propriété le 12 mars 1838 au cadastre de Spanish Town. En 1842, 150 lots de terres sont vendus mais ne peuvent satisfaire la demande grandissante. Des petites fermes et leur jardin potager poussent dans un village dont les rues géométriquement tracées portent les noms des grands meneurs abolitionnistes. En 1842, la plupart des hommes de Sligoville travaillent aux exploitations de café et dans les plantations de canne à sucre pendant que les femmes vaquent aux tâches domestiques. D'autres ministres de Dieu suivent l'exemple et, le 19 février 1839, le village de Victoria voit le jour dans la paroisse de Saint-Thomas. A Saint Ann, cinq villages libres naissent dans les Dry Mountains : Buxton, Clarkson Ville, Stepney, Sturge Town et Wilberforce. En 1850, on dénombre 111 maisons et 541 habitants à Sturge Town. Cette communauté rurale vit de la microculture de fruits et légumes vendus sur les marchés locaux. Dans la paroisse de Trelawny, William Knibb crée les villages de Alps, Granville, Hoby Town, Refuge. Partout dans l'île, des pasteurs de différentes congrégations s'activent à la création et au développement de ces communautés rurales. Spontanément et indépendamment des religieux, d'anciens esclaves se regroupent pour fonder leur propre village. Entre 1838 et 1844, quelque 100 000 personnes, soit un bon tiers des esclaves émancipés, vivent dans ces communautés. En 1861, on comptait 50 000 petits propriétaires qui possédaient environ 1 ha chacun. Les noms des propriétés, At Last, Fathers Gift, Happy Freedom, Happy Valley, Never Expect… témoignent de l'épanouissement de ces nouveaux colons. En dépit des obstacles (imposition lourde, voies de communication inexistantes, désintérêt du gouvernement et désastres naturels), la classe paysanne jamaïcaine prend racine dans les premières décennies suivant l'émancipation. En ce qui concerne l'éducation, aux termes du Negro Education Grant de 1835, le gouvernement britannique débloque pour 5 ans un budget annuel de 30 000 livres pour l'éducation des ex-esclaves des anciennes colonies des Caraïbes, un budget ridicule au regard de l'indemnisation de 20 millions de livres perçue par les planteurs. Néanmoins, les fondements du système éducatif apparaissent. Les missionnaires travaillent main dans la main avec le gouvernement et les deux tiers du budget servent à bâtir des écoles et à payer les salaires des instituteurs. Entre 1834 et 1864, le nombre d'écoles passe de 7 à 490. En 1861, 33 561 enfants sont scolarisés ce qui représente un tiers de la population entre 5 et 15 ans. En réalité, la plantocratie freine les progrès de l'éducation, craignant que les enfants ne s'éloignent des travaux agricoles. La mobilisation de la population reste faible, les parents attendent des effets immédiats sur leurs enfants et, ne les percevant pas, se démobilisent vite. Les initiatives et le soutien des missionnaires aux ex-esclaves leur ont valu une grande reconnaissance et les églises rurales sont florissantes. Mais au bout de quelques décennies, quand les ressources financières viennent à manquer aux pasteurs, l'enthousiasme religieux s'en ressent et la pratique s'effondre. Des schismes se créent et des congrégations indépendantes voient le jour. D'autres formes religieuses prenant racine dans les cultures africaines refont surface. Les ministres du culte doivent prendre en compte ces éléments traditionnels qui se fondent avec le christianisme. Les cultes revivalistes aux manifestations explosives (transes et possessions) comme le pocomania et zion, encore vivaces aujourd'hui dans les zones rurales, voient le jour à cette époque.

Le difficile pari de l'égalité

Les Noirs et les juifs, jusqu'alors exclus de la vie civile et politique, ont obtenu l'égalité des droits civiques dès 1831. Mais des limitations de fait entravent l'exercice de leurs droits. Ainsi, l'éligibilité à l'Assemblée jamaïcaine est réservée aux hommes et conditionnée par la propriété personnelle. Seuls peuvent être élus les hommes pouvant apporter la preuve d'un revenu terrien de 180 livres, ou une propriété évaluée à 1 800 livres. Un revenu annuel de 6 livres, le paiement d'un loyer annuel de 30 livres pour une terre ou encore le paiement d'un impôt direct de 3 livres sont les conditions requises pour pouvoir voter. Ces conditions écartent de la vie publique la très grande majorité des anciens esclaves qui voient leurs droits bafoués. Seuls 2 % de la population adulte masculine sont

autorisés à voter. Cependant, malgré une liberté et une égalité de droits officielle, la majorité de la population noire de l'île vit un nouvel esclavage, celui de la misère. Les salaires sont ridicules, les conditions de vie précaires, et l'absence de participation à la vie politique donne peu d'espoir d'amélioration de la situation. La tension sociale, déjà vive, s'aggrave.

La révolte de Morant Bay

Cette dernière révolte des Noirs est le point d'orgue du mécontentement général qui monte sourdement et de la contestation sociale et politique d'un peuple qui ne peut s'exprimer face aux planteurs qui restent tout puissants. En 1865, Paul Bogle, un petit fermier prospère ordonné pasteur baptiste en 1864, et William Gordon, fils d'un planteur écossais et d'une esclave noire, tous deux membres de l'Assemblée jamaïcaine, organisent dans tout le pays des groupes secrets appelés les Prayers Meetings. Ils ont pour objectif d'obtenir l'intégration des Noirs dans les décisions politiques. C'est un de ces groupes de la paroisse de Saint-Thomas, mené par Bogle et Gordon, qui est à l'origine de la dernière rébellion des Noirs jamaïcains. Le 11 octobre 1865, une marche est organisée en direction du tribunal de Morant Bay à propos d'une affaire mineure de ramassage de bois sur les terrains communaux. La manifestation tourne rapidement à l'émeute. Le tribunal, symbole de l'oppression et de l'injustice, est incendié par les rebelles, ainsi qu'une grande partie de la ville. La réponse des autorités locales sera sanglante : la loi martiale est déclarée. Outre les deux leaders pendus le 23 octobre sans procès, plusieurs centaines de Noirs sont exécutés et de nombreux villages de la région saccagés. La Vieille Angleterre s'émeut devant la sévérité des représailles : le gouverneur de l'époque, Edward John Eyre, est destitué. Quant aux deux leaders ils seront proclamés héros nationaux en 1969.
A partir de 1866, le statut politique de la Jamaïque change. A l'instar de ses voisines, la Jamaïque devient colonie de la Couronne. Le système représentatif avec une assemblée locale dont les membres sont élus au suffrage censitaire, qui vote le budget de la colonie et rémunère le gouverneur, est définitivement abandonné. Désormais, les colons n'ont plus de prérogatives économiques et politiques qu'ils abandonnent à l'Angleterre. En échange, celle-ci prend en charge la dette de l'île.

Quand la banane remplace le sucre et enfante le tourisme

Pendant des siècles, la banane n'a servi qu'à nourrir les cochons. Elle avait pourtant été introduite sur l'île dès 1516 par les Espagnols ; mais nul n'a jamais pensé à y goûter jusqu'à ce qu'un marin nord-américain, George Bush, se charge de quelques régimes et les revende fort avantageusement sur le marché de Boston. L'ère de l'or vert démarre dans les principales régions productrices et exportatrices de l'est du pays, en particulier la province de Portland et le Nord. Dès le dernier quart du XIXe siècle, la banane prend le relais du sucre, assurant la relance d'une économie à bout de souffle. L'année 1927 détient le record de production et 21 millions de régimes (stems) sont exportés cette année-là. Bientôt, la multinationale United Fruit Company prend le contrôle de la production au détriment des petits planteurs.

De la plantation de bananes aux hôtels de luxe, le chemin est incertain. Pourtant c'est bien à l'or vert, et non à ses plages de rêve, que la Jamaïque doit la naissance de sa tradition touristique. Logique financière oblige, les compagnies maritimes qui chargent les régimes de bananes à destination des grandes villes d'Amérique du Nord veulent rentabiliser leurs nombreux bateaux. Elles imaginent alors de transporter les premiers touristes en quête de paysages tropicaux vers la petite île productrice de bananes.

Mais sur l'île, les conditions de vie des ouvriers agricoles ne s'améliorent pas et le mécontentement social s'amplifie. Les cataclysmes naturels à répétition, tremblements de terre et cyclones, mettent à mal les plantations.

Vers l'indépendance

Dès la fin du XIXe siècle, la Jamaïque vit une période de réformes importantes qui propulsent l'île dans la modernité.

La capitale est transférée à Kingston en 1872. Le gouvernement local est réorganisé, les systèmes judiciaire et policier se modernisent. Un système bancaire insulaire voit le jour. De grands travaux sont entrepris dans l'île : construction de routes, de ponts et de lignes de chemin de fer ; un système de communication câblée avec l'Europe permet de se rapprocher de la métropole.

La Grande Guerre entraîne une reprise de la production de sucre, mais ce nouvel élan est rapidement brisé par la concurrence européenne qui est rude.

Le pays s'oriente vers une diversification progressive des cultures, sans grand succès. La situation sociale est tendue. Le pouvoir des gouverneurs est jugé excessif et, dès 1921, on voit le retour d'un système d'élections locales.

La crise de 1930

La dépression de 1930 frappe de plein fouet l'économie jamaïcaine ; elle se traduit par une chute du prix des deux piliers de l'économie insulaire, le sucre et la banane, déjà pénalisée par la maladie de Panamá.

Après 1930, un conseil exécutif avec des membres élus est en charge des affaires intérieures de l'île, sous la coordination du gouverneur.

Le chômage augmente, aggravé par la restriction de l'émigration. Un mouvement de retour en Afrique s'ébauche petit à petit. La Sierra Leone et le Liberia ont été créés, respectivement en 1787 et en 1822, pour accueillir les anciens esclaves, les Marrons ou les captifs de la traite illégale.

En 1914, Marcus Mosiah Garvey a fondé aux Etats-Unis, l'UNIA, l'Universal Negro Improvment Association dont l'objectif est de consolider l'unité de la race noire et de défendre ses droits. Sa compagnie de navigation, la Black Star Line, doit permettre aux Noirs qui le souhaitent de retourner en Afrique. Malgré le fiasco de ses entreprises personnelles, les principes sont établis et l'histoire est en marche. De nouveaux Etats voient le jour en Afrique.

Les désordres sociaux annoncent la formation d'un mouvement syndicaliste et l'organisation des premiers partis politiques.

Les idées nationalistes prennent naissance petit à petit. Deux meneurs, futurs opposants, apparaissent sur la scène politique, qui vont donner un coup d'élan à l'histoire jamaïcaine. Le malaise social s'amplifie après la crise de 1930. Les baisses de la production industrielle engendrent des baisses de salaires et la misère du peuple s'accentue. Des troubles sociaux (grèves, manifestations, marches de la faim…) éclatent de façon sporadique mais régulière entre 1935 et 1938.

En 1938, de violents désordres éclatent marquant l'entrée du pays dans l'histoire moderne. La grève de la plantation Frome, la West Indies Sugar Company, qui démarre le 2 mai 1938, tourne à l'émeute et fait plusieurs morts. Elle conduira à la formation des premiers syndicats qui évolueront vite vers la création des partis politiques.

La création des partis politiques et l'alternance au pouvoir

En 1938, le premier parti politique de l'île voit le jour. Norman Manley fonde le People's National Party, le PNP, de tendance socialiste. Ses liens avec les premiers syndicats tels le TUC (Trade Union Congress) et le National Workers'Union sont étroits. Militant pour une Jamaïque autogouvernée, il entreprend une vaste opération d'alphabétisation politique à travers tout le pays. De son côté, sir Alexander Bustamante, cousin du précédent, crée la même année le BITU (Bustamante Industrial Trade Union) et son parti politique, le JLP, Jamaican Labour Party, verra le jour en 1943. Sa position par rapport à l'Angleterre est plus modérée que celle de Norman Manley et il estime que l'île doit conserver ses liens avec un Etat paternaliste qui l'aide économiquement. Face à l'activisme des forces locales, militant pour de meilleures conditions de travail, des augmentations de salaires et des réformes politiques, les Anglais qui ont besoin d'un soutien économique en cette période de guerre transigent. Une nouvelle constitution basée sur le suffrage universel voit le jour en 1944 après six longues années de négociation. Jusqu'alors seuls ceux pouvant justifier d'un revenu de 50 livres par an votaient (5 % de la population). En décembre 1944, le vote est accessible à plus de 60 % de la population. Alexander Bustamante et son parti gagnent les premières élections jamaïcaines. La structure du gouvernement est modifiée : la Chambre des représentants compte 32 membres élus par le peuple, la Chambre haute ou conseil législatif compte 15 membres désignés par le gouverneur. Un conseil exécutif composé de cinq membres choisis parmi les représentants et de cinq membres du conseil législatif est créé pour diriger les affaires intérieures. En 1945, l'accession au pouvoir d'un gouvernement travailliste en Grande-Bretagne puis l'indépendance de l'Inde en 1947 précipitent la marche de la Jamaïque vers l'indépendance. Mais vingt longues années seront encore nécessaires pour arriver à l'aboutissement du processus.

Le PNP gagne les élections en 1955 et Norman Manley prend la tête du gouvernement. Après plusieurs aménagements de la constitution, un Conseil des ministres, présidé par un Premier ministre, voit le jour en novembre 1957, réduisant les pouvoirs constitutionnels du gouverneur qui représente toujours la Grande-Bretagne. Le 3 janvier 1958, sous la tutelle bienveillante de l'Angleterre, une éphémère union des colonies britanniques voit le jour. La Fédération des Indes occidentales regroupe dans une même entité, mais sur des bases instables, les îles des Caraïbes encore sous domination anglaise. Ce gouvernement fédéral, dont la capitale est Port of Spain à Trinidad, est mal perçu en Jamaïque, qui rassemble plus de la moitié de la population de la Fédération et dont la constitution en termes d'autonomie est plus avancée. Alexander Bustamante milite contre la Fédération. En mai 1960, le Premier ministre Norman Manley déclare que son parti est opposé à la Fédération. En septembre 1961, il demande aux Jamaïcains de se prononcer par référendum pour ou contre l'intégration de l'île au sein de la Fédération, sans que la Grande-Bretagne ne se manifeste. La réponse des urnes est largement négative et elle sonne le glas de la précaire Fédération qui sera rapidement dissoute en 1962 pour cause de dissensions économiques et politiques. Le gouvernement jamaïcain décide de préparer activement son indépendance. Dès 1959 le pays est autogouverné, mais la défense et les relations internationales restent sous la tutelle de la Grande-Bretagne. L'indépendance est acquise de fait. Le développement de ressources économiques nouvelles, comme la bauxite et le tourisme, la création des premières industries, accélèrent la montée du nationalisme jamaïcain. Anecdotique mais symptomatique de la maturation politique du peuple, une mini-guérilla aux forts relents castristes – Cuba est à moins d'une centaine de kilomètres au nord –, appuyant les mouvements secrets (Black Power, Universal Negro Improvement Association), s'ouvre menée par un fils de pasteur qui sera emprisonné. La Jamaïque flirtera de nouveau avec Cuba quelques années plus tard.

Un état indépendant

En février 1962, un accord avec la Grande-Bretagne est finalement trouvé et la date du 6 août 1962 est choisie comme journée marquant l'indépendance. Les élections générales ont lieu le 10 avril 1962 et voient la victoire du Jamaica Labour Party. Son leader s'appelle Alexander Bustamante, et Norman Manley devient le chef de l'opposition. Le 22 juin 1962, le dernier régiment britannique quitte l'île. Le 5 août, la Jamaïque devient une nation indépendante, membre du Commonwealth.

A minuit, l'Union Jack est abaissé et le drapeau jamaïcain est hissé au cours d'une cérémonie officielle qui se tient au National Stadium de Kingston. Quelque 35 000 personnes assistent à l'événement en présence de la princesse Margaret qui représente sa sœur, la reine d'Angleterre, de son mari, le comte de Snowdon, de sir Kenneth Blackburn, le premier gouverneur général nommé par la reine, du Premier ministre Alexander Bustamante et du leader de l'opposition Norman Manley. Ouverte par la princesse Margaret, la première session du nouveau Parlement se tient le 7 août 1962. Le 18 septembre de la même année, la Jamaïque est la 109ᵉ nation à être admise aux Nations unies. Les partis politiques vont désormais modeler la vie sociale, remplaçant la plantocratie. Très vite des institutions nationales voient le jour (banque centrale), le service militaire est instauré, l'administration judiciaire mise en place. Un plan quinquennal de développement économique est proposé par le tout jeune ministre du Développement, Edward Seaga, qu'on retrouvera plus tard aux Finances et au Planning puis à la plus haute fonction nationale.

À la recherche de l'équilibre

L'indépendance nouvellement acquise ne résout pas les problèmes économiques, sociaux et politiques de fond. Le panafricanisme, initié par les théories et les initiatives de Marcus Garvey et du Black Power, soutenu aux Etats-Unis par des personnalités militantes comme Malcom X, font de nombreux adeptes dans toutes les Caraïbes et en Jamaïque.

Ces mouvements incitent les Noirs à rompre avec l'impérialisme des blancs racistes, à assumer le pouvoir dans les îles où ils sont majoritaires pour y faire triompher leur culture et construire une société nouvelle. Le mouvement rastafarien s'enracine dans la population jamaïcaine.

JLP ou PNP ?

Le JLP et le PNP, les deux partis rivaux, dominent la scène politique. Le JPL en tient pour le libéralisme économique sous le regard bienveillant des Etats-Unis, et son ennemi le PNP soutient des idéaux socialistes. Leurs leaders vont démarrer un jeu de chaises musicales et se succéder au pouvoir sans apporter de solution. Alexander Bustamante se retire de la scène politique et Donald Sangster lui succède comme Premier ministre en 1967, lors de la victoire de leur parti aux élections. Hugh Shearer, un syndicaliste éminent,

prendra sa place après son décès prématuré. Après une décennie de relative prospérité économique liée au développement de la bauxite et des premières industries, le gouvernement change de camp. A la mort de son leader Norman Manley, le PNP prend une impulsion plus radicale. Sous la bannière du PNP mené par Michael Manley, le fils du créateur du parti, élu en 1972, avec 37 sièges, le pays s'oriente franchement vers le socialisme. *Time for a change* est le thème mobilisateur de cette victoire politique qui promet des réformes sociales et économiques. L'exemple de Cuba, la plus proche voisine de la Jamaïque, séduit Michael Manley qui noue des relations diplomatiques serrées avec sa voisine, puis plus tard avec l'Angola et la Chine populaire. Une visite officielle en Ethiopie lui permet de rallier à sa cause les rastafariens traditionnellement non politisés. Les mesures économiques et sociales appliquées sont vues d'un mauvais œil par le géant voisin. Dès 1973, l'éducation devient gratuite, l'économie est de plus en plus contrôlée par l'Etat, en particulier l'industrie de la bauxite, source de revenus importante pour le pays. En novembre 1974, la nouvelle philosophie politique du pays prône le « socialisme démocratique ». Un Smic local et une couverture sociale sont introduits ainsi qu'une législation protégeant les travailleurs, une réforme agraire permet aux petits fermiers d'obtenir de la terre, et la construction de logements sociaux mobilise les grandes villes. Malgré ces mesures populaires, mais peu constructives économiquement, l'agitation sociale renaît, les opposants se radicalisent autour des deux partis politiques. De violents et meurtriers affrontements armés opposent les tenants de deux bords, organisés en gangs et armés par les partis eux-mêmes, dans les quartiers pauvres de la capitale. On accuse Cuba d'armer les partisans du PNP et la CIA ceux du JLP. En 1976, à l'aube de nouvelles élections, le gouvernement socialiste de Michael Manley décrète l'état d'urgence et impose le couvre-feu dans la capitale pour lutter contre la violence qui règne dans les ghettos. La voix des urnes maintient largement Michael Manley à la tête du pays au terme d'élections animées par la violence urbaine. Les Etats-Unis sont plus que réservés sur l'orientation politique du pays, ils deviennent franchement hostiles au gouvernement de Michael Manley à partir de 1977. Ce dernier entretient déjà des relations amicales avec Cuba et l'Angola. Cette année-là, Fidel Castro est accueilli comme un héros dans l'île, au cours d'une visite officielle qui durera six jours. Au nez et à la barbe des Etats-Unis, la Jamaïque va entamer un flirt éhonté avec sa voisine cubaine. Des instructeurs, des médecins, des techniciens cubains arrivent en Jamaïque, resserrant les liens de coopération entre les deux îles.

Le département d'Etat américain décide de réagir et diminue de façon drastique ses aides au pays. On prétend même que des plans d'intervention armée ont été imaginés dans le secret du département d'Etat américain. Le spectre du communisme inquiète aussi les investisseurs qui commencent à se retirer de l'île. Le Fonds monétaire international suspend ses prêts au gouvernement et refuse de financer de nouvelles mesures sociales, imposant un programme d'austérité au gouvernement. La crise pétrolière internationale aggrave la situation. Les classes sociales les plus aisées entament une émigration qui va vider le pays de ses forces vives, tant en termes de spécialités professionnelles que de pouvoir financier. L'agitation sociale et la violence renaissent, et les pressions militaire et policière s'accentuent. L'inflation atteint des taux record et le chômage se développe. Le contrecoup ne se fait pas attendre. Le pays connaît une nette poussée conservatrice. La crise économique et politique amène l'écrasante victoire du JLP aux élections du 30 octobre 1980 avec 51 sièges gagnés après une série d'affrontements terribles entre les supporters des deux partis politiques qui feront quelque 800 victimes. Son nouveau leader est Edward Seaga, officiellement soutenu par les Etats-Unis, dont le thème mobilisateur est « délivrance ». Sa première visite officielle sera rendue à Ronald Reagan, lui-même élu quelques jours après la victoire de Seaga. Le chef d'Etat américain lui rendra cette visite en avril 1982, première visite d'un président américain dans l'île. L'ambassade de Cuba est fermée et ses représentants priés de quitter l'île. Le soutien américain et les liens développés avec l'administration Reagan vont porter leurs fruits et une embellie économique se fait jour, au prix cependant de sévères mesures de restriction dans les dépenses sociales de santé et d'éducation. L'inflation passe de 29 % en 1980 à 6 % fin 1981, et l'économie enregistre un taux de progression de 2 % en 1981. Mais la victoire du camp conservateur n'a pas les effets spectaculaires attendus, les investissements étrangers ne sont pas au rendez-vous et la chute des cours de la bauxite et de l'aluminium pénalise l'économie insulaire. Le dollar jamaïcain s'écroule et le gouvernement doit dévaluer la monnaie nationale de 40 % fin 1981. L'administration Seaga vire au monopole : outre son poste de Premier ministre, Seaga cumule toutes les responsabilités ministérielles stratégiques (défense, culture, information, finance et planification). Sa popularité s'effondre lors des élections de 1983 auxquelles Michael Manley refuse de prendre part, contestant l'organisation des élections. L'île connaît de graves difficultés économiques et se trouve au bord de la banqueroute quand, en 1988, le cyclone Gilbert, le premier depuis 37 ans, la frappe de plein fouet. 25 % de la population se retrouve sans abri, et les dommages excèdent 300 millions de dollars. Les bases de l'industrie agricole sont détruites. Les élections de 1989 verront le retour du PNP (People National Party) qui a entre-temps renoncé en partie à ses idées socialistes des années 1970 pour se forger une nouvelle philosophie politique orientée vers le libéralisme économique. Toutefois, Michael Manley annonce son intention de renouer des relations avec Cuba. Le PNP se maintiendra au pouvoir jusqu'en 2007, favorisant la libre entreprise, l'agriculture, et donnant de nouvelles impulsions au tourisme qui s'était quelque peu refroidi. Malgré cela, la situation économique a du mal à se redresser.

En 1995, un troisième parti politique voit le jour, le NDM (National Democratic Movement) avec à sa tête Bruce Golding, un dissident du JLP. Bruce Golding est retourné au JLP en 2004 après le départ de Seaga de la scène politique. Il assure depuis le rôle du chef de l'opposition. Les élections de décembre 1997 et de 2003 ont largement reconduit le Premier ministre noir, Percival James Patterson, qui avait succédé en 1992 à Michael Manley, le chef historique du parti, avec 80 % des sièges. Sa démission, avant la fin de son quatrième mandat va propulser sur le devant de la scène politique Portia Simpson Miller devenant en 2006 la première femme Premier ministre de l'histoire de la Jamaïque. Elle est pourtant battue aux élections de 2007 par le leader du JLP, Bruce Golding, qui porte le parti travailliste au pouvoir pour la première fois depuis 20 ans. En janvier 2012, Portia Simpson Miller est à nouveau élue Premier ministre.

Politique et économie

POLITIQUE

Structure étatique

La Jamaïque est une démocratie parlementaire. Appartenant au Commonwealth, son chef de l'Etat est la reine d'Angleterre, représentée par le gouverneur général, dont la position est plus honorifique qu'opérationnelle. Le « GG », comme l'appellent les Jamaïcains, est de nationalité jamaïcaine et son nom est proposé par le Premier ministre. La reine conserve quelques privilèges, dont celui de gracier les prisonniers. Le gouverneur général quant à lui peut dissoudre le Parlement, et faire mener des enquêtes sur des sujets importants – il a par exemple sollicité la présence d'observateurs internationaux pour les élections de fin 1997. Le chef du gouvernement est le Premier ministre responsable devant deux chambres. La Chambre des députés (60 membres élus pour 5 ans) domine et contrôle les finances. Le Sénat compte 21 membres nommés dont 13 sont recommandés par le Premier ministre ; le gouverneur choisit les autres membres sur recommandation du chef de l'opposition.

▶ **Découpage administratif.** La Jamaïque est composée de trois districts administratifs ou comtés : Surrey à l'Est, Middlesex au centre (le plus grand) et Cornwall à l'ouest, eux-mêmes divisés en quatorze paroisses (4 pour le Surrey, 5 pour le Middlesex et 5 pour le Cornwall). Les paroisses sont administrées par un conseil paroissial élu. Les paroisses sont une sorte d'équivalent jamaïcain, à cheval entre les communes et départements de France. Leur liste est la suivante : Clarendon, Hanover, Kingston, Manchester, Portland, Saint Andrew, Saint Ann, Saint Catherine, Saint Elizabeth, Saint James, Saint Mary, Saint Thomas, Trelawny et Westmoreland. La vie politique à la Jamaïque s'articule, comme aux Etats-Unis, sur un système bipartite. JLP et PNP alternent ainsi au pouvoir depuis l'indépendance du pays en 1962.

Partis

Il y a en Jamaïque deux principaux partis politiques qui sont étroitement liés aux deux grands syndicats du pays. Un troisième parti a vu le jour plus récemment.

▶ **Le Jamaica Labour Party (JLP)**, lié au Bustamante Industrial Trade Union (BITU), a été formé en 1944 par Alexander Bustamante. Il a surtout été créé pour contester la première élection générale en Jamaïque de 1944.

▶ **Le People's National Party (PNP)**, lié au National Workers Union (NWU), fut le premier parti politique jamaïcain, fondé en 1938 par Norman Washingston Manley suite à des émeutes et des troubles civils. Ce dernier s'est beaucoup investi pour le suffrage universel et l'indépendance du gouvernement jamaïcain.

▶ **Le National Democratic Movement (NDM)** fut créé en octobre 1995. Il n'est lié à aucun syndicat.

Enjeux actuels

Depuis janvier 2012, avec l'arrivée au pouvoir du Parti national du peuple jamaïcain, mené par Portia Simpson-Miller, le statut monarchique de la Jamaïque pourrait être remis en cause. Lors de son discours officiel d'investiture, la représentante du parti a clairement annoncé vouloir « couper le cordon avec la couronne britannique ». Le changement de régime pourrait donc avoir lieu au courant de l'année 2013.

▬ ÉCONOMIE ▬

Principales ressources

Une île sucrière
qui a tourné la page

Le pays tire encore une grande partie des recettes du commerce extérieur agricole, et notamment de l'exportation du sucre. L'exploitation de la canne à sucre joue toujours un rôle très important dans l'économie de l'île, bien que la surface exploitée et les récoltes soient en constante diminution. La moitié de la production est réalisée par de petites exploitations familiales. La Jamaïque vend une grande partie de sa production à l'Union européenne, et très peu aux Etats-Unis. Pourtant, le Protocole Sucre, décrété par l'Union européenne sur la période 2007-2010, a largement pénalisé la Jamaïque, et ce malgré une compensation de 78 millions d'euros. Aujourd'hui, le gouvernement continue sa politique de privatisation des exploitations. Le Premier ministre Bruce Golding a ainsi affirmé en septembre 2009 que « *l'Etat ne peut pas améliorer les routes, entretenir les hôpitaux, s'occuper des écoles et s'occuper des gens s'il continue de produire du sucre* ». En effet, depuis plusieurs années, la Jamaïque produit à perte. Des négociations sont en cours avec des entreprises européennes et brésiliennes pour la privatisation des exploitations encore gérées par l'Etat. Longtemps cantonnée à son rôle d'île à sucre et d'île bananière, la Jamaïque a diversifié ses cultures, bien que le sucre et la banane représentent toujours 30 % de la production agricole. La banane est toujours un des piliers de l'économie agricole jamaïcaine. La plus grande partie de la production est destinée à l'exportation, ainsi la Jamaïque a-t-elle exporté l'intégralité de sa production officielle de bananes en 2001. Une production divisée par deux par rapport à 1997 (89 millions de tonnes contre 43), rapportant deux fois moins, le résultat de cette volonté de diversification. Pourtant, une réorientation « locale » du commerce de la banane, et notamment en direction des touristes, permet aux exploitants de se maintenir à flot. Dans les années à venir, l'accord signé fin 2009 entre l'UE et les pays producteurs de banane, qui prévoit la baisse des prix des producteurs sud-américains, risque d'affecter les exportations jamaïcaines. Presque tous les produits tropicaux poussent sur le sol insulaire : noix de coco, piments, cafés, cacaos et tabacs, agrumes... L'agriculture jamaïcaine est fortement bipolarisée. Des exploitations intensives de grandes tailles sont implantées dans les zones fertiles et faciles d'accès, leurs produits sont destinés à l'exportation : le sucre toujours, les agrumes, les fruits tropicaux et les épices. Les petites exploitations paysannes sont reléguées dans les terres moins fertiles et moins faciles à exploiter, produisant une économie de subsistance autour de cultures mixtes. L'exode rural important, le manque de mécanisation et l'archaïsme des méthodes font perdre de l'importance au secteur agricole, qui emploie encore 20 % de la population active. Mais paradoxalement, les grandes plantations souffrent chroniquement d'un manque de main-d'œuvre car les populations rurales se détournent d'un travail souvent mal payé.

La bauxite, un coup
d'accélérateur industriel

La Jamaïque est l'un des plus gros producteurs de bauxite du monde (environ 15 millions de tonnes par an) et se place quatrième en terme de réserves. Découverte en 1860, l'argile rouge qui contient fer et alumine n'est exploitée que depuis le début des années 1960, et l'essentiel des réserves de l'île est donc encore intact. Les principaux gisements se trouvent en surface et à proximité des côtes, ce qui rend l'exploitation facile et particulièrement compétitive. La production de bauxite a vite créé un secteur industriel fort, qui a détrôné l'agriculture. Mais l'exploitation de la bauxite, si elle est encore loin d'avoir atteint son maxima, risque de soulever des problèmes environnementaux, et notamment paysagers. En effet, son extraction est très destructrice, puisqu'elle se fait en surface et laisse derrière elle d'immenses espaces ressemblant à des champs de bataille ensanglantés, à cause de la rougeur de cette terre ferreuse. La proximité du marché nord-américain et la main-d'œuvre locale bon marché sont autant d'atouts qui consolident la position de la Jamaïque dans ce secteur.

© JAMAICA TOURIST BOARD

Descente de rivière en radeau de bambou.

Malheureusement pour l'économie de l'île, la baisse importante de la demande de bauxite dans le monde en 2009 a contraint plusieurs exploitations à suspendre leur activité, provoquant de grosses pertes et des licenciements. A l'heure où nous écrivons, la date de reprise de la production de ces entreprises reste incertaine. C'est un coup dur pour l'économie nationale, à laquelle l'exportation de bauxite apportait environ 1 milliard de dollars par an. L'exploitation de la bauxite est en grande partie aux mains de compagnies étrangères nord-américaines, même si l'Etat jamaïcain compte au nombre des actionnaires. Ocho Rios, sur la côte Nord, a été le premier port exportateur de bauxite, rapidement suivi par Port Kaiser au sud du pays.

Une industrialisation récente

Les industries locales sont nées de la pénurie d'importation pendant la Seconde Guerre mondiale, mais faute de capitaux, de main-d'œuvre qualifiée et de matières premières, le développement d'un secteur industriel fort est utopique, d'autant que la capacité de consommation du marché intérieur est faible. Par ailleurs, les industries ne peuvent aujourd'hui affronter la concurrence étrangère. Les aides américaines sont considérables, autant économiques que militaires. A la fin des années 1940, la Textile Encouragement Law devait encourager les investissements locaux et étrangers. Les premières industries produiront des chaussures, puis des vêtements. La plupart des entreprises sont de petites tailles, d'où la faible productivité du pays. Principalement implantées dans la région de Kingston, elles commencent à envahir les zones rurales. On assiste aujourd'hui au démarrage d'une industrie agroalimentaire (conserveries de fruits, transformation de viande).

Place du tourisme

Le tourisme est une vieille tradition jamaïcaine qui fait peau neuve. L'histoire du tourisme jamaïcain remonte au tournant du siècle. A cette époque, les compagnies bananières exportent leur production vers la Nouvelle Angleterre. Les bateaux reviennent à vide vers la Jamaïque et l'idée germe de les rentabiliser en convoyant des touristes vers l'île. Les premiers touristes vont ainsi débarquer dans la région de Port Antonio, qui possède une tradition d'hospitalité bien ancrée. Depuis, la fièvre touristique a gagné toute l'île et principalement la côte Nord, largement dotée de plages de rêve par une nature généreuse. Le tourisme est une activité fluctuante soumise à des facteurs d'accélération dont le moindre n'a pas été l'embargo américain sur Cuba, et des ralentissements liés aux conditions climatiques comme à la situation intérieure ou extérieure. Ainsi, les attentats du 11 septembre 2001 et les peurs qu'ils ont fait germer, entretenues par le gouvernement américain, ont fait chuter de 20 à 30 % le nombre des visiteurs en provenance des Etats-Unis. Le tourisme reste le secteur dynamique de l'économie jamaïcaine, et représente la source majeure de devises du pays. Cette activité emploie directement ou indirectement quelque 350 000 Jamaïcains. Conscient du potentiel du pays, le gouvernement a dès 1944 mis au point des mesures incitatives, de nature à stimuler le développement du tourisme et la création d'hôtels : détaxe des matériaux de construction (Hotel Aid Law), création de crédits à la construction, et développement de campagnes de communication à l'étranger. Outre les plages, les ressources touristiques de l'île sont nombreuses et variées. Le développement de l'écotourisme est à l'ordre du jour dans cette île aux ressources naturelles sans pareil. L'approche d'un tourisme basé sur la relation avec les communautés locales de pêcheurs, d'artisans ou de fermiers est particulièrement active au sud de l'île. Par ailleurs, une attitude plus responsable et attentive à un développement harmonieux se fait jour, aussi bien au niveau gouvernemental que privé, avec la création de zones préservées, la mise au point de règles d'urbanisme, et la création d'attractions et de centres d'intérêt tels les musées ou les visites de sites. Enfin, la Jamaïque développe un produit original hérité des tour-opérateurs anglais : le mariage tout compris et sur mesure, de la cérémonie avec témoins, bénédiction et champagne inclus, à la lune de miel, se posantainsi en concurrente d'autres îles de rêve, voisines ou lointaines, sur le créneau du « prêt à convoler » – avec un succès non négligeable. Les nombreuses initiatives prises par le gouvernement et le secteur privé pour accueillir la Coupe du monde de cricket en 2007 prouvent la place capitale du tourisme dans l'organisation générale du pays. Les touristes francais sont en augmentation certaine sur l'île, mais restent peu nombreux. Raison principale à cela : la France a déjà des stations balnéaires caribéennes implantées de longue date et sur lesquelles les tour-opérateurs défient toute concurrence, à savoir les Antilles françaises d'Amérique.

Enjeux actuels

Depuis de nombreuses années, les indicateurs de l'économie jamaïcaine sont dans le rouge. La dette extérieure est importante et son taux par habitant est l'un des plus élevés au monde (proche de 125 %). Le ralentissement de l'économie globale en 2008 et 2009 a aggravé la situation. La Jamaïque est l'une des îles les plus pauvres des Caraïbes, un tiers de la population vivant sous le seuil de pauvreté. Cette misère, liée à un taux de chômage officiel de 14 %, est un facteur d'instabilité sociale. Le chômage tend toutefois à baisser depuis quelques années (12,5 % en 2012). La privatisation de nombreux secteurs et entreprises majeures (dont la compagnie aérienne nationale, Air Jamaica, et les compagnies de l'industrie sucrière) et les impulsions données à la création d'entreprises constituent des mesures gouvernementales importantes. Les investissements étrangers sont, eux aussi, largement encouragés. L'île a longtemps été considérée comme un satellite des Etats-Unis et la majeure partie des échanges commerciaux de la Jamaïque se fait encore avec les Etats-Unis, qui pèse pour 50 % dans les importations de l'île. La Jamaïque a connu l'implantation d'industries dans les zones côtières, reléguant l'agriculture sous forme de petites exploitations paysannes à l'intérieur du pays.

L'apparition de nouveaux secteurs industriels a modifié cette répartition économique traditionnelle. Des exploitations de bauxite et d'alumine sont apparues dans les hauts plateaux karstiques de l'intérieur, entraînant une industrie de transformation dans les plaines. Pourtant, la baisse de la demande de ces matériaux dans le monde a provoqué en 2009 l'interruption de l'exploitation de bauxite par 3 des 4 grandes firmes de l'île. Le tourisme, autre source de revenus majeure pour le pays, s'est considérablement développé dans les zones côtières, réduisant l'étendue des monocultures de canne à sucre et de noix de coco. Mais les chiffres affolant de la criminalité (bien que localisée dans certaines zones urbaines) restent un frein à la venue des visiteurs étrangers.

Aujourd'hui, la violence liée aux trafics de drogue et d'armes, nourrie par le chômage galopant, la corruption et une faiblesse structurelle, plombe la croissance d'une économie largement dépendante de l'extérieur.

DÉCOUVERTE

Population et langues

La Jamaïque est un petit pays présent par sa diaspora dans de nombreux Etats du monde. En effet, si 2,8 millions de Jamaïcains vivent sur le territoire national, plus de 2 autres millions vivent en dehors de l'île. La population de l'île est issue de l'immigration. La devise nationale (« Out of many, one people », un seul peuple issu de nombreux peuples) rend bien compte de la diversité jamaïcaine : diversité des visages et des couleurs de peau, des religions, des cultures. Les colonisations successives, la période de l'esclavage, l'arrivée massive de travailleurs asiatiques sous contrat qui ont succédé aux Africains, autant de vagues d'immigration qui sont à la base du pluralisme ethnique du peuple jamaïcain, qui n'a aucune homogénéité raciale. De nombreuses communautés cohabitent, mêlant des héritages culturels en un métissage sans pareil. La population blanche ne représente que 2 %, les mulâtres 15 %, les Noirs 78 % et les Indiens 1 %. 65 % des Jamaïcains ont moins de 25 ans et le taux de natalité est encore élevé (21 ‰). L'émigration jamaïcaine a connu trois vagues successives. La construction du canal de Panama est à l'origine de la première vague d'émigration à destination de l'Amérique latine. Les Jamaïcains ont participé à l'établissement de Harlem dans les années 1920, et au développement de la culture de la canne et de la fabrication du sucre à Cuba ; entre 1890 et 1920, on estime à 145 000 le nombre de Jamaïcains qui se sont expatriés. Enfin, entre les années 1950 et 1960, ils sont partis vers la Grande-Bretagne pour occuper des postes dans l'administration et dans l'armée, immigration endiguée dès 1961 par le Commonwealth Immigration Act, qui fixe des quotas pour les anciennes colonies britanniques des Caraïbes. Ces vagues migratoires ont dévitalisé le pays, provoquant déséquilibre démographique et stagnation sociale et économique, privant le pays d'une main-d'œuvre jeune et qualifiée. Cependant, cette population émigrée contribue au développement économique par l'envoi massif de devises dans l'île. Les queues constantes dans les très nombreux bureaux Western Union en témoignent. Mais malgré cette évasion de la population, le taux de chômage est élevé (environ 14 %), situation que n'aide pas un taux de natalité fort. Aujourd'hui, même si on continue à rêver d'ailleurs, le développement du pays d'une part et les restrictions des pays d'accueil d'autre part ont freiné l'émigration – ils sont malgré tout une vingtaine de milliers à quitter le pays chaque année, depuis le milieu des années 1980. Toutefois, les liens établis avec la métropole de l'époque coloniale restent forts. L'exode rural est important et la population urbaine représente 40 % de l'ensemble.

Les langues

En Jamaïque, on parle officiellement l'anglais, mais la langue la plus parlée est le créole jamaïcain appelé patwa (patois). Il s'agit d'une véritable expérience que de tenter de comprendre ce langage ! Impossible d'entendre parler le français sur l'île, les langues secondaires étant l'espagnol et le russe.

La différence de couleur

« La différence de couleur [...] est une faute qu'aucun mulâtre ne pardonnera ; et la séparation en castes, en Inde, n'est pas observée avec plus de rigidité que la distinction entre les nuances de couleurs de peau chez les Créoles.

Cubina, mon jeune valet noir, est marié. Je lui dis que j'espérais qu'il était marié avec une jolie femme. Pourquoi n'avait-il pas épousé Mary Wiggins ? Il sembla très choqué à cette idée. «Oh, massa, moi noir, Mary Wiggins sambo ; pas permis.»

[...] L'enfant d'un homme blanc et d'une femme noire est un mulâtre ; un mulâtre et une noire donnent un sambo ; une mulâtre et un blanc donnent un quarteron ; une quarteronne et un blanc, un mustee ; l'enfant d'une mustee et d'un homme blanc est un musteefino ; et les enfants d'une musteefino sont libres légalement et sont comptés en tout état de cause au nombre des blancs. »

▶ **M.-G. Lewis**, *Journal de voyage à la Jamaïque* (1834), éditions José Corti, 1991.

Mode de vie

VIE SOCIALE

▶ **Naissance et âge.** Bien qu'il baisse d'année en année, le taux de natalité reste élevé en Jamaïque, de l'ordre de 20,4 ‰, et est comparable à celui des pays de la zone Caraïbes, qui sont dans l'ensemble en dernière phase de transition démographique. Du fait de ces naissances importantes et d'un taux de mortalité faible, de l'ordre de 6,5 ‰ (taux de mortalité infantile = 14,6 ‰) la Jamaïque est un pays jeune, dont environ deux-tiers de la population a moins de 25 ans. Et contrairement à notre Europe vieillissante, seulement 7,7 % de la population a plus de 65 ans. Les classes d'âge les plus représentées restent les trois premières de la pyramide des âges, à savoir les 0-4 ans, les 5-9 ans et les 10-14 ans. Il y a bien longtemps que les noms africains de ces descendants d'esclaves ont disparu. Quand ils étaient vendus, les esclaves prenaient souvent le nom de leur propriétaire ou un surnom, en l'occurrence anglophone. C'est ainsi que les annuaires téléphoniques comptent des pages et des pages de Brown, ainsi que de nombreux Campbell et pas mal de Mac, en ce qui concerne l'héritage écossais. Mais ce déshéritement patronymique reste gravé dans les mémoires, comme le chante Pablo Moses dans sa chanson *Give I Fe I name* (« Rends-moi mon nom »). *« Rends-moi mon nom, du tien nous ne voulons pas, les Chinois s'appellent bien Ching et Chang, les Indiens Raja et Basta, Mac Intosh venait d'Ecosse, moi je viens d'Afrique et je ne veux pas m'appeler comme ça. Je suis un homme noir-africain mais le nom que je porte est celui d'un Européen. »* Voici quelques prénoms répandus : Dennis, Michael, Winston, John, Derrick, Alvin pour les hommes, Sharon, Tricia, Claudette, Norma ou Sharille pour les femmes.

Les Jamaïcains ont la drôle d'habitude de donner des surnoms, souvent relatifs à une spécificité physique ou caractérielle d'un individu. Ainsi, la première appellation d'un homme blanc est-elle *white man*. Si vous êtes français, on vous surnommera *frenchie* ou *frenchman*, *bananaman* si vous avez des taches de rousseurs, *slim shady* si vous êtes mince ou *fattie* si vous êtes enveloppé, *horsemouth* si vous avez une forte mâchoire, *T-man*

si vous buvez beaucoup de thé ou *Mangoman* si vous adorez les mangues. Bref, l'étiquetage de surnoms est un art imaginatif en Jamaïque, et c'est celui qui vous représente le mieux qui vous collera à la peau.

▶ **Education.** Le taux d'illettrisme est de l'ordre de 14 %, et frappe principalement les campagnes et les quartiers défavorisés des villes. Si la plupart des enfants jamaïcains sont scolarisés, l'école n'est pas pour autant obligatoire et les enseignants se trouvent fréquemment confrontés à des absences prolongées de la part de certains élèves, le plus souvent à la suite de dislocations familiales. Les professeurs doivent donc se montrer particulièrement attentifs.

▶ **Vie sociale.** Un tiers de la population jamaïcaine vit sous le seuil de pauvreté. La société jamaïcaine est divisée entre riches et pauvres, la classe moyenne étant balbutiante. La société jamaïcaine fait preuve d'un machisme endurant, et pourtant, la femme tient une place primordiale dans l'organisation de la société. L'île compte un peu plus de femmes que d'hommes (et pas deux fois plus, comme aiment le prétendre certains) et pourtant seulement 53 % des femmes en âge de travailler ont un emploi, contre 73 % des hommes. De plus, les femmes connaissent un taux de chômage presque deux fois plus élevé que celui des hommes. Pourtant, elles sont la force vive de l'île et on les trouve surtout dans les secteurs de l'éducation, des soins, de la confection, de l'administration et de l'hôtellerie. Les hommes sont, eux, représentés dans le bâtiment, l'automobile et les travaux physiques. Si vous voyagez en couple, on s'adressera plus facilement au mari qu'à la femme. Dans la tradition sociétale jamaïcaine, l'homme est avant tout un géniteur qui, pour se considérer en tant qu'homme, se doit d'avoir plusieurs enfants, et souvent avec plusieurs femmes. « Les enfants sont notre futur alors faites attention à eux » est une phrase qui apparaît fréquemment sur des panneaux routiers, et qui symbolise la place de l'enfant en Jamaïque, extrêmement respecté. En patois, « enfant » se dit *« pickney »*.

■ MŒURS ET FAITS DE SOCIÉTÉ ■

▶ **Tempérament national.** Il pourrait se résumer à la devise « *Proud to be a Jamaican* », fier d'être Jamaïcain, qui se décline à toutes les sauces, du simple slogan publicitaire pour Air Jamaica au tube dancehall d'Azolade. Pourtant, la société jamaïcaine est divisée entre ceux qui vivent sur l'île et ne la quitteraient pour rien au monde, ceux qui sont partis, et ceux qui, nombreux, rêvent d'un départ définitif. Ceux-là ont souvent les Etats-Unis et leur modèle sociétal en tête. Bien souvent, fier d'être Jamaïcain est aussi fier d'être Noir. Et selon pas mal de Jamaïcains, cette fierté rebelle et indépendante descend directement des marques laissées par l'esclavagisme et le colonialisme dans l'inconscient collectif.

▶ **Sexualité.** Les rapports sexuels sont courants dès un jeune âge ; avant l'âge de 20 ans, 20% des femmes jamaïcaines ont été enceintes au moins une fois (chiffres 2008). Les campagnes de contraception n'ont pas encore les effets escomptés, malgré la rapide montée du SIDA. L'avortement est inaccessible et pas très bien vu de la société. Les Jamaïcains – femmes et hommes – connaissent plusieurs mariages dans leur existence, ont plusieurs enfants, les familles se disloquent, et il est du coup souvent difficile de s'y retrouver dans les arbres généalogiques des familles jamaïcaines. Il n'est pas rare qu'un ou une Jamaïcaine ait une famille sur l'île, et d'autres enfants ailleurs, souvent aux Etats-Unis ou en Angleterre, issus d'un précédent mariage. De même, pour s'entraider, des familles accueillent sur du long terme des enfants d'autres familles. Le mariage est une pratique courante même si une partie de la société (notamment les rastas) le renie.

■ RELIGION ■

Christianisme

Comme toutes les autres îles des Caraïbes, la Jamaïque est très religieuse. La majorité des habitants sont chrétiens et protestants, héritage de la colonisation britannique. Les églises et les sectes représentées sont nombreuses : l'anglicane est la plus ancienne, la baptiste, la méthodiste, la morave, la presbytérienne, l'orthodoxe éthiopienne et la rastafarienne sont pratiquées partout dans l'île. Les nouvelles églises adventistes et pentcôtistes, ainsi que les Témoins de Jéhovah comptent également de nombreux adeptes. Même les églises les plus traditionnelles ont intégré des éléments de culte d'Afrique occidentale. Il existe aussi de petites communautés juives, hindouistes et musulmanes, issues des vagues d'immigration successives.

Animisme

Les cultes afro-caraïbes sont eux aussi présents. Les Noirs venus d'Afrique de l'Est ont apporté avec eux l'islam et l'animisme. Apparu dans les années 1860, le Revival est le plus puissant de ces courants. Le Pocomania et la Kumina sont des cultes animistes de la Jamaïque du XIXe siècle encore pratiqués de nos jours. La musique et la danse du culte africain myal se retrouvent dans les cérémonies. Transes, danses, chants et tambours permettent de faire appel aux esprits et à leurs pouvoirs bénéfiques ou maléfiques. Les sacrifices d'animaux font également partie du rituel.

La croyance dans l'Obeah, « l'esprit », est maintenant très réduite mais existe toujours.

Rastafarisme

C'est loin dans l'histoire des esclaves africains, amenés de force sur l'île, qu'il faut rechercher l'origine de la religion rastafarienne qui compte 10 % d'adeptes parmi les Jamaïcains. L'abolition de l'esclavage laisse les anciens esclaves sans repère, sans culture et sans éducation, ne se retrouvant ni dans la culture des Marrons rebelles gagnés à la cause anglaise, ni dans le catholicisme des planteurs. Les églises protestantes se sont développées au cours du XIXe siècle grâce à l'implication des pasteurs dans la cause noire. La Bible évoque des « princes et rois qui viendront d'Egypte » et « l'Ethiopie qui tendra les mains vers Dieu », un peuple réduit en esclavage dans Babylone s'échappant au-delà des mers grâce à Dieu... Une lecture et un décodage spécifique des écrits bibliques vont permettre aux anciens esclaves de s'identifier à ce peuple. Né dans les années 1930, le mouvement afro-nationaliste se fonde sur les principes de l'Eglise orthodoxe éthiopienne. Le retour vers l'Afrique, terre légitime de tous les Africains d'origine, va donner aux Jamaïcains noirs une identité culturelle spécifique. Plusieurs thèses s'affrontent quant à la naissance de la religion rastafarienne. De multiples influences bouillonnent sur fond de crise économique et sociale aiguë. Certains s'accordent à reconnaître en Althyi Rogers, originaire d'Anguilla (qui se suicidera après avoir fondé une église en Afrique du Sud), le père spirituel du rastafarisme. Son commentaire de la Bible, *Holy Pibi*, publié aux Etats-Unis au début des années 1920 aura une grande influence sur l'origine de la religion. Une prophétie, « *Regardez vers l'Afrique, quand un roi noir sera couronné, le jour de la délivrance sera proche* », se diffuse. D'autres acteurs entrent en scène dans les années 1930 : Leonard Percival Howell, Archibald Dunkley, Nathaniel Hibbert, qui vont identifier l'empereur d'Ethiopie comme le nouveau dieu. D'autres encore gravitent autour de Marcus Garvey et de ses théories de retour en Afrique. Bien difficile d'identifier qui fut le premier d'entre eux. Peu à peu, la religion prend forme et le texte devenu sacré codifie le mode de vie des rastafariens.

▶ **Ras Tafari, le roi des rois.** C'est à la plus vieille dynastie du monde, descendant de Menelik, fils du roi Salomon et de la reine de Saba, qu'appartient l'empereur d'Ethiopie, le Ras Tafari Makonnen. Cette lignée biblique de monarques ne s'est jamais interrompue lorsqu'il naît le 23 juin 1892 en Ethiopie à Ejersa Goro, dans la province du Harrare. Unique survivant d'une famille de huit enfants, il reçoit à treize ans le titre de Dejazmach, commandeur de la porte. Il est investi le 2 novembre 1930 sous le nom d'Haïlé Sélassié Ier (puissance de La Trinité). Il va cristalliser les espérances des nouveaux initiés, réalisant la prophétie. Le négus, le roi des rois, seigneurs des seigneurs, lion de la tribu de Judas, ne connaît rien de la Jamaïque mais il a réalisé la prophétie biblique reprise par Marcus Garvey, et fait désormais figure de messie pour les Jamaïcains qui vont se déclarer rastafariens soumis à Ras Tafari, leur nouveau chef divin. Il devient le messie de la religion naissante. C'est lui, le dieu incarné, qui doit ramener la diaspora noire au royaume biblique de Saba, terre de leurs ancêtres. Chef d'Etat avisé et visionnaire, il propulse l'empire médiéval d'Ethiopie dans le monde moderne et dirige son pays vers la démocratie avec force réformes telles l'abolition de l'esclavage, la création d'un Parlement, l'institution du droit de vote et des réformes agraires. A l'aube de la Seconde Guerre mondiale, il a eu le courage de prendre la parole devant la Société des Nations pour dénoncer ouvertement la montée du fascisme et du nazisme. Il a pris une part active à la création des Nations unies. Il mourra assassiné en 1975 lors d'un coup d'Etat.

DÉCOUVERTE

L'art des dreadlocks.

L'un de ses discours exprimant l'essentiel de sa pensée philosophique et politique a été immortalisé par Bob Marley qui l'a mis en musique : « *Until the philosophy which holds one race superior and another inferior is finally and permanently discredited and abandoned ; that until they are no longer first and second class citizens of any nation ; that until the color of a man's skin is of no more importance than the color of his eyes, that until the basic human rights are guaranteed to all without regard to race... until that day the african continent shall know no peace...* » (*War*, tiré de l'album *Rastaman Vibration*)

Les premiers prêcheurs rasta, issus des communautés paysannes les plus pauvres de l'île, commencent à propager la doctrine. De nombreuses communautés rasta vont voir le jour, avec autant de meneurs et de courants idéologiques. Certaines vont flirter avec la violence et le rastafarisme connaîtra même une branche armée. La communauté du Pinnacle, dirigée par Leonard Percival Howell, s'établit près de Spanish Town en 1940. C'est là que vont se mettre en forme les pratiques religieuses rastas inspirées en partie des règles des ashrams indiens. Mort en février 1981, ce grand leader rasta est considéré comme le premier rasta (lire *Le Premier Rasta*, de Hélène Lee). Cette communauté attire les foudres de l'administration et les raids de la police finiront par en avoir raison. Dans les années 1950 et 1960, les rastas sont malmenés et persécutés. Ils vivent retirés dans les collines de l'intérieur de l'île d'où ils jettent l'anathème sur Babylone, la civilisation blanche. Malmenées, attaquées, décimées, les communautés rasta survivent malgré les assauts policiers. Les autorités liquident l'un des principaux bastions en 1954. Les rastas se dispersent dans les ghettos de la capitale, lieu propice à la propagation de leur philosophie de justice sociale et de dignité noire. Dans les années 1970 naît un courant de sympathie à leur égard car la répression policière frappe sans discernement. C'est l'époque où la musique jamaïcaine se fait entendre au-delà des frontières naturelles de l'île. Beaucoup de musiciens sont rastafariens ou en ont l'allure. Commence alors une ère de normalisation de la religion internationalisée par le succès grandissant de Bob Marley, figure légendaire du reggae.

▶ **Marcus Garvey, le premier croisé de la cause noire.** Né le 17 août 1887 à Saint Ann Bay, sur la côte Nord, Marcus Mosiah Garvey est le premier croisé de la conscience noire, un des leaders les plus charismatiques de la cause noire. Ses thèses ont inspiré le plus grand mouvement noir de tous les temps. Ce mouvement fera des adeptes dans toutes les Antilles, de la Dominique à la Grenade, et dans les communautés noires des Etats-Unis. Quand les tenants du Black Power se sont enflammés dans les années 1960, c'est à partir des idées de ce père spirituel. Les nations africaines émergentes de la seconde moitié du siècle comme le Kenya, le Ghana ou le Nigeria lui doivent beaucoup. Dans les années 1920, Marcus Garvey met en forme ses théories et attire l'attention sur la condition des Noirs à travers le monde. Il croit que la fraternité entre les hommes peut transcender le mal. Il croit en une culture noire originale, libre et progressiste qui doit fédérer les populations noires à travers le monde par-delà les frontières nationales. Il va imaginer la doctrine du rapatriement des Noirs sur la terre de leur origine dans une Afrique libérée de la tutelle blanche. Travaillant comme imprimeur, il crée l'UNIA (Universal Negro Improvement Association), dont l'objectif est d'améliorer le statut de la race noire. De 1912 à 1914, il sillonne les Caraïbes et l'Amérique centrale et stimule la lutte des Noirs. Bientôt, la Jamaïque est trop petite pour lui : il n'y trouve que peu de soutien à ses idées. Il émigre alors aux Etats-Unis, où il va poursuivre sa lutte. A partir de 1916, il intègre les différentes étapes de sa philosophie « *Back to Africa* », par exemple en développant l'outil de ce retour au pays, la Black Star Line, une compagnie de navigation dont le but est de rapatrier les Noirs en Afrique. L'aventure de la Black Star Line s'achève assez vite, battue en brèche par le contre-pouvoir blanc et malmenée par des pseudo-malversations financières. Emprisonné 30 mois aux Etats-Unis en 1924, il est déporté en Jamaïque, son pays d'origine, en 1927. Il crée un journal, un syndicat, puis le premier parti politique du pays en 1929. Dès son retour, il prédit le couronnement d'un roi noir en Afrique qui libérera sa race. Cette prophétie sera concrétisée par le couronnement de Hailé Sélassié, empereur d'Ethiopie. Ne pouvant faire entendre sa voix sur la scène politique, il émigre à Londres en 1935 où il meurt en 1940 dans l'indifférence générale. Plus tard, son corps sera ramené en Jamaïque pour y être enterré en grande pompe et y devenir, à titre posthume, un héros national.

▶ **Dreadlocks, reggae et ganja.** Pacifiques de nature, peu impliqués dans les affaires du pays, tant au niveau de la politique, partie intégrante de Babylone, que de l'économie, les rastafariens cultivent une marginalité certaine. Ils se contentent de l'essentiel. Ils vivent dans la pauvreté une existence de méditation et de contemplation. Plutôt que de travailler au service de Babylone, la civilisation blanche qui les a asservis, c'est-à-dire l'ordre établi, ils ne travaillent que pour subvenir à leurs besoins essentiels, le plus souvent en cultivant des petits lopins de terre. Ils croient à la réincarnation et sont végétariens ; ils ont développé la nourriture I-Tal, naturelle et vitale (*voir la rubrique « Cuisine jamaïcaine »*). La ganja, appellation donnée au cannabis introduit dans l'île par les premiers Indiens venus travailler sur les plantations, est un élément pacificateur, tout comme la musique reggae. Lecture quotidienne de la Bible et chants religieux font aussi partie des rituels. Le lion est un symbole omniprésent de la religion, inspiré du titre de Hailé Selassié. Les trois couleurs rastas – le rouge pour l'Eglise triomphante ou le sang versé en Afrique, l'or pour la richesse de l'Afrique, le vert pour les prairies d'Afrique – sont elles aussi omniprésentes dans les tenues vestimentaires, signe d'appartenance aussi évident que les dreadlocks. L'origine de la coiffure rasta n'est pas clairement établie. Imitation des coiffures masaï ou des chevelures des Indiens ? Allusion à la coiffure de Samson ? Les rastas portent leur chevelure naturelle sans la coiffer ni la couper, et l'entretiennent avec des éléments naturels (aloé vera notamment). Les dreadlocks, les tresses des rastas, peuvent prendre des proportions étonnantes et sont parfois, pour plus de commodité, enfermées dans des bonnets de laine, les tams, ou de hauts couvre-chefs juchés telles de massives tours au sommet du crâne du rasta. Aujourd'hui, les rastas sont très minoritaires et il ne faut pas confondre les jeunes rastas d'opérette affichant les trois couleurs et les dreadlocks qui paradent dans les zones touristiques avec les vrais pratiquants. Les dernières communautés vivent retirées dans les Blue Mountains, à l'écart de la vie urbaine. Le mouvement rasta est actif dans toutes les îles de la mer caraïbe.

▶ **La ganja, herbe sacrée et produit d'exportation.** Au lendemain de l'émancipation, il faut replacer les anciens esclaves des plantations. Des Indiens sous contrat sont amenés dans l'île au cours du XIXe siècle pour travailler sur les plantations. Ce sont eux qui introduisent la ganja dans l'île, une herbe originaire des rives du Gange. *Cannabis sativa*, de son nom botanique, est considérée par les Indiens comme une plante sacrée. Les planteurs britanniques, se rendant très vite compte qu'elle réduit la capacité de travail de leur nouvelle main-d'œuvre, sont à l'origine de la première interdiction de la ganja, mais son usage se développe avec l'arrivée massive d'Indiens. Dans les années 1930, le mouvement rasta donne un coup d'accélérateur à la consommation et donc à la production d'herbe. Plus tard, les années 1960 et la génération Peace and Love marquent un nouveau tournant dans la popularisation de la marijuana. Dans les années 1970, c'est 70 % de la production de marijuana jamaïcaine qui quitte l'île à destination des Etats-Unis. L'herbe est devenue l'amie du pauvre car beaucoup de petits fermiers y ont gagné une vraie prospérité. La consommation de marijuana fait partie intégrante du culte rasta (et plus largement, de la société jamaïcaine), en favorisant les exercices de méditation. Cependant, tous les rastafariens ne fument pas et ce sacrement est l'un des plus contestés de la religion. Le chalice, une pipe de corne de vache ou de chèvre ou un calumet de bambou ou de bois, est préparé avec de l'eau, le mélange tabac-herbe est fait dans un rituel rigoureux, accompagné de bénédictions et de récitations de prières. Statut incertain, entre tolérance et répression, l'usage de la ganja est dépénalisé dans la pratique pour les rastas et ce depuis le gouvernement de Michael Manley, car la liberté religieuse fait partie de la constitution. Malgré de fortes pressions pour la légalisation de la culture de la ganja, rien ne peut se faire sans l'accord des Etats-Unis qui y sont fermement opposés. On trouve de la ganja un peu partout dans l'île : dans les zones rurales, au fond des potagers, dans les marais de la Great Morass, dans les étendues sauvages du Cockpit Country ou dans les collines du Westmoreland. Quant aux propositions, elles ne manquent pas, et le touriste se voit régulièrement harcelé par de petits vendeurs de rue. Attention, la législation officielle jamaïcaine est sévère : amende et prison jusqu'à trois ans pour la simple détention et jusqu'à dix ans pour la culture ou la vente. Pour s'essayer à la ganja en toute tranquillité, le mieux est d'aller à la rencontre de la culture rasta en visitant l'une des communautés dans les Blue Mountains ou dans les environs de Montego Bay, ou en visitant une plantation du Westmoreland, à l'ouest du pays.

DÉCOUVERTE

Arts et culture

ARCHITECTURE

S'il est vrai que la poussée démographique et la jeunesse du pays ne favorisent pas un développement harmonieux des villes, qui se multiplient sans grand souci d'esthétisme, les Jamaïcains n'en cultivent pas moins le goût d'une architecture soignée. C'est en Jamaïque que l'on peut voir les plus beaux spécimens d'architecture coloniale de style anglais, restaurés dans le plus grand respect de l'histoire avec des matériaux traditionnels, meublés et décorés avec goût et raffinement. Certaines demeures sont réellement des joyaux, mais les Jamaïcains sont jaloux de leur intimité, et peu d'entre ces belles maisons ouvrent leurs portes à la curiosité du visiteur. Une nouvelle génération de maisons voit le jour dans l'île, les demeures de milliardaires, nombreux à élire la Jamaïque comme retraite, maisons qui font la une des journaux internationaux de décoration. Qu'elles soient traditionnelles ou actuelles, les belles demeures jamaïcaines font le bonheur des photographes et de nombreux livres immortalisent sur papier glacé leurs lignes harmonieuses et leurs intérieurs raffinés. Indigène, africaine et anglaise, trois cultures mêlent leurs influences dans l'architecture traditionnelle jamaïcaine, toute de contrastes, d'ombre et de lumière, de chaleur et de fraîcheur, de matériaux nobles comme issus du quotidien.

▶ **La case rurale** est partout présente dans les petits villages de l'intérieur de l'île. C'est une modeste maison de bois souvent dressée sur des pilotis, et agrippée à flanc de coteau. Ses couleurs vives et contrastées et son toit simple de tôle ondulée lui confèrent un air convivial et accueillant. Un petit auvent protège la porte d'entrée, une petite galerie surélevée court parfois sur la façade de la maison. Pour des raisons économiques, la case rurale traditionnelle est aujourd'hui souvent remplacée par une structure de béton sans le moindre charme.

▶ **La great house, ou grande maison,** est la maison de maître des anciens planteurs. De style victorien ou géorgien, elle témoigne d'un art de vivre dont le temps n'a pas effacé la douceur. Ces belles demeures bourgeoises sont toujours situées sur une élévation naturelle qui domine toute la propriété, autant pour profiter du moindre souffle rafraîchissant que pour permettre de surveiller le domaine. Construites en bois sur un soubassement en pierre ou toutes en pierre, avec un toit de tuiles le plus souvent à quatre

pentes, et un sol de carrelage et de bois, elles sont généralement composées de deux niveaux, avec bureaux et salles de réception. Le rez-de-chaussée était souvent consacré aux entrepôts, tandis que les appartements et pièces d'habitation se déployaient à l'étage. Leur allure est parfois austère et la couleur extérieure blanche, de rigueur, marque l'élégance et la distinction des propriétaires. Les murs épais retiennent la fraîcheur et la circulation d'air est favorisée par de nombreuses ouvertures, jalousies et caillebotis, qui permettent aussi de tamiser une lumière trop intense. Une galerie court autour de la maison, protégeant les pièces des ardeurs du soleil, des rafales de vent ou de la violence des ondées tropicales. Des festons de bois travaillés (style gingerbread) ornementent balcons et vérandas. En cas de cyclone, la maison se ferme comme une huître grâce à des volets épais à traverses de bois. Dans les maisons de l'intérieur du pays, les chambres sont souvent équipées de cheminées car en hiver la température nocturne peut parfois descendre assez bas. Les cuisines sont extérieures à la maison et orientées sous le vent, autant pour éviter les risques d'incendie que pour éloigner les odeurs de cuisine des pièces à vivre. Le mobilier d'acajou ou autres bois durs tropicaux est toujours de style anglais avec des originalités locales, comme les coffrets à thés fermant à clé, les coffres pour les bouteilles de rhum ou les lits à deux ou quatre colonnes destinés à soutenir draperies et moustiquaires étaient autrefois sculptés par les esclaves.

▶ **Les maisons bourgeoises d'aujourd'hui,** cachées dans les hauteurs, loin de la chaleur côtière, à l'abri de grands jardins à l'abondante végétation, sont à mi-chemin entre une architecture géorgienne et créole.

▶ **L'architecture contemporaine n'a pas épargné la Jamaïque** qui a érigé son quartier de hauts buildings de verre, d'acier et de béton dans le quartier des affaires de New Kingston, dans les années 1970. Quelques vilains exemples de cette architecture bétonnée se dressent sur la côte Nord, défigurant les centres touristiques de Montego Bay et d'Ocho Rios de disgracieux et prétentieux bâtiments. Cependant, il semblerait qu'aujourd'hui les Jamaïcains, plus soucieux d'un développement harmonieux de l'architecture côtière, soient revenus au style traditionnel des Caraïbes.

ARTISANAT

Les Jamaïcains savent depuis toujours tirer le meilleur parti de la nature, particulièrement riche ici. Le développement touristique aidant, l'artisanat est devenu une vraie source de revenus pour les communautés rurales. Chaque centre touristique possède ses marchés d'artisanat qui méritent une visite attentive, tout comme les petites guérites qui s'égrènent le long des routes, exposant une production locale. Le bambou, la paille, le bois, les coquillages, tout est prétexte à la création. Chapeaux de paille (indispensables pour les grosses chaleurs), paniers, petit mobilier en bambou, cannes, maracas, petits bijoux, coquillages, poupées rastas, sans compter toute la fabrication textile autour du thème rasta, bérets, bracelets, T-shirts, ceintures... La sculpture sur bois d'inspiration afro-caraïbe est aussi à l'honneur, avec d'habiles artisans qui taillent le bois– au grand désespoir des écologistes – pour en extraire oiseaux, animaux ou personnages traditionnels et masques d'inspiration nettement africaine.

CINÉMA

Avec ses paysages de carte postale, ses plages de rêve, sa lumière vibrante, ses vieilles demeures de charme, la Jamaïque ne pouvait échapper à la sagacité et aux convoitises des chasseurs de décors de cinéma. Repérée de longue date, la Jamaïque est l'objet de repérages permanents. Devant ce succès, les autorités jamaïcaines ont décidé de promouvoir largement l'île dans la planète cinéma avec de fortes mesures d'incitation. Cette initiative est couronnée de succès puisque cette nouvelle activité, plaçant le pays dans le « top 10 » des décors naturels, rapporte quelque 12 millions de dollars chaque année. Nombre de producteurs et de réalisateurs de cinéma et de publicité l'ont élue pour servir de décors à leurs fictions. Tout naturellement, James Bond a été l'un des premiers à y vivre quelques épisodes de sa vie turbulente. Deux de ses plus célèbres aventures, *Docteur No* et *Live and let die*, ont été tournées sur la côte Nord. La petite ville de Lucea a servi de décor au tournage de *Papillon* avec Steve McQueen et Dustin Hoffman. *20 000 lieues sous les mers*, avec Kirk Douglas, a été en grande partie tourné du côté de Negril, les ruines de Folly à Port Antonio ont vu l'affrontement entre Denzel Washington et la police dans *The Mighty Quinn*, Tom Cruise était le barman de la plage de l'hôtel Dragon Bay dans *Cocktail*, et Brooke Shields s'est baignée nue dans les eaux turquoise du *Blue Lagoon*. Plus récemment, *Club Paradise* et *Légendes d'automne* ont été tournés dans l'île.

En 1997, le château Trident de Port Antonio hébergeait Anne Parillaud pour le tournage de *Shattered Image*, un policier américain. Mais si la Jamaïque sert de décor à des films étrangers, elle l'utilise aussi pour ses propres films dont nous vous proposons ici une sélection.

▶ *The Harder They Come*, (1972) de Perry Henzel.

Que ramener de son voyage ?

On pourra difficilement quitter l'île sans emporter au moins 500 grammes de café des Blue Mountains, une bouteille de rhum local, une toile ou deux d'artistes locaux, une percussion buru et quelques-uns de ces visages rastas et africains sculptés dans le bois... Mais il faut avouer que les boutiques des grands centres touristiques brillent souvent par un manque d'imagination et de produits vraiment originaux (tee-shirts Bob Marley et seulement Bob Marley, ceintures et pléiade de gadgets aux couleurs rastas vus et revus...). Il faudra plutôt se tourner vers les producteurs, dans l'arrière-pays ou au bord des plages, pour trouver la perle rare à prix acceptable. En tous cas, vu le nombre d'artisans sculpteurs, peintres et pêcheurs de magnifiques coquillages, il sera dur au voyageur de quitter la Jamaïque les mains vides.

▶ *Rockers,* (1978) de Ted Bafaloukos, ou l'histoire vraie du batteur Leroy « Horsemouth » Wallace à la grande époque du reggae. Ce long-métrage aux airs de documentaire est le plus magnifique témoignage filmographique disponible qu'il existe de la société jamaïcaine des années 1970, vue à travers la musique, avec l'apparition de nombreuses stars de l'époque comme Jacob Miller, Burning Spear ou encore Gregory Isaacs.

▶ *Dancehall Queen,* (1997) de Rick Elgood et Don Letts, avec Audrey Reid, Paul Campbell, Carl Davis, Beenie Man et Lady Saw, Jamaïque, 1997. L'histoire difficile d'une mère pauvre qui décide de détrôner la Dancehall Queen pour remporter un premier prix qui lui permettra de subvenir aux besoins de sa famille.

▶ *Third World Cop,* (1999) de Chris Browne, avec Paul Campbell, Mark Danvers, Carl Bradshaw, Jamaïque, 1999. La Jamaïque d'aujourd'hui dans les ghettos, vue au travers d'un flic dont le destin est d'affronter son passé de *rudeboy.*

▶ *Shottas*, (2002) de Cess Sivlera, avec Ky-Mani Manley, Spragga Benz, Paul Campbell et Wyclef Jean. Le film présente la génération sans compromis des gangsters modernes et autres gangs de déportés.

▶ *Made In Jamaica,* (2006) de Jêrome Laperrousaz, avec Bunny Wailer, Capleton, Sizzla, Gregory Isaacs... Film sur les mille lacets qui s'entremêlent sur la planète reggae et dancehall, *Made in Jamaica* mélange les générations et les genres pour tenter d'expliquer et de décrypter cette musique qui, depuis les ghettos de Kingston, a conquis le monde.

▶ *Marley, (2012)* de Kevin McDonald. Un documentaire sur la place de Bob Marley dans l'histoire de la musique. Réalisé en collaboration avec sa famille et de nombreux artistes qui ont accepté de témoigner.

■ LITTÉRATURE

La littérature jamaïcaine a été fortement influencée par l'histoire de l'esclavage et les relations de l'île avec les Britanniques. Certains disent que le Jamaïcain Thomas Mac Dermot serait le père fondateur de la littérature moderne dans le pays, avec son ouvrage *Becka's Buckra Baby* (publié en 1904). Una Maud Victoria Marson, décédée en 1965, était une auteure jamaïcaine très connue pour son engagement sur les questions sociales et la condition féminine. Elle fut d'ailleurs la première femme à publier son propre magazine, qui faisait la promotion de la littérature locale. Récemment, de nombreuses femmes se sont lancées dans l'écriture comme Patricia Powell, Vanessa Spence et Michelle Cliff.

■ MÉDIAS

L'île possède de nombreux journaux quotidiens (*The Daily Gleaner, The Observer* et *The Star*), mais aussi des journaux locaux comme *The Western Mirror* à Montego Bay et *The North Coast Times* à Ocho Rios. La radio est très populaire en Jamaïque ; la plus célèbre est *Radio Jamaica*. La télévision n'est pas en reste : les chaînes nationales les plus connues sont *Television Jamaica* et *CVM TV*. Les médias jouissent d'une totale liberté d'expression.

Internet

■ **ASSOCIATION OF JAMAICA ATTRACTIONS LIMITED**
Kingston 11,
14 Ashenheim Road
✆ +1 876 835 2525
www.attractions-jamaica.com
info@attractions-jamaica.com
Pour tout savoir sur les attractions sur l'île.

■ GOVERNMENT OF JAMAICA
Vale Royal (Prime Minister's residence),
Montrose Rd, Kingston 10,
www.jis.gov.jm
jis@jis.gov.jm
Jamaica Information Service, site gouvernemental d'information. De nombreux liens sur
les agences et services de l'Etat ainsi que des
renseignements sur le pays.

■ JAMAICA NATIONAL HERITAGE TRUST
79 Duke Street
Jamaica National Heritage Trust
Kingston 10
© +1 876 922 12878
www.jnht.com
webmaster@jnht.com
Le site du Jamaican National Heritage Trust.
Répertorie les sites retenus par l'institution

de préservation du patrimoine historique et
culturel de l'île.

■ JAMAICAN.COM
www.jamaican.com
Tout sur la Jamaïque et les Jamaïcains.

■ RASTAFARI.ORG
www.rastafari.org
info@rastafari.org
Des informations, mais aussi des forums sur
la religion des rastas.

■ WHATSONJAMAICA.COM
www.whatsonjamaica.com
customerservice@whatsonjamaica.com
Un agenda détaillé des principaux évènements
culturels est disponible sur ce site pratique
et convivial.

■ MUSIQUE

Le reggae évoque la Jamaïque comme le jazz évoque La Nouvelle-Orléans, et la salsa Porto Rico. De ses lointaines origines afri-caines à ses expressions actuelles, du mento au calypso enpassant par le ska, le rock-steady, le reggae, le dancehall, la musique a toujours été l'expression la plus naturelle du peuple jamaïcain à travers les siècles ; un facteur d'unité nationale, traduisant espoir et désespoir, joie de vivre ou révolte. L'histoire de la musique en Jamaïque remonte aux premiers temps du colonialisme, quand elle seule pouvait adoucir le quotidien du bétail humain qu'étaient les esclaves. Les Africains, arrachés à leurs tribus des côtes de l'Afrique de l'Ouest, parlaient des dialectes différents. Ils ne possédaient pour communiquer entre eux que les tambours hérités de leurs terres natales. Dépassant les barrières des rites tribaux et de la langue, la musique crée une unité entre les esclaves qui leur permet de se forger une identité commune. Les rythmes syncopés des percussions africaines s'enri-chissent de génération en génération de nouvelles influences, liées à l'introduction d'instruments de musique différents, comme aux pratiques religieuses importées d'Europe. Mais le son africain demeure la base musicale essentielle. Le banjo, les maracas ou shak-shaks, et surtout la rumba box, une sorte de boîte à basses, faite d'une caisse de résonance en bois et de languettes métal-liques, cousine de la marimba de Haïti et

descendant de la sansa d'Afrique de l'Ouest, deviennent les instruments incontournables des trios qui interprètent la musique folklorique jamaïcaine. C'est le mento, qui accompagne une danse ressemblant au quadrille, une danse de salon française. Les textes qui accompagnent la musique sont improvisés, chronique du quotidien rendant compte des événements locaux dans une langue souvent crue et sur un ton satirique. Populaire dans les communautés rurales, le mento s'y enracinera pour perdre peu à peu du terrain à partir des années 1950 devant l'influence grandis-sante de la musique nord-américaine. C'est dans les rythmes du mento, une rythmique simple et régulière de percussions, cousine du calypso, la musique traditionnelle de Trinidad, et du burru d'origine africaine, que remonte l'origine du reggae. Dans les années 1950, le calypso mélange les mélodies aux accents africains et européens et improvise sur tous les thèmes : amour, politique, problèmes sociaux... Harry Belafonte a été le premier grand chanteur à immortaliser ces rythmes avec des succès internationaux (*The Banana Boat Song*, *Jamaica Farewell* ou encore *Island in the Sun*) dont les échos résonnent encore dans la mémoire des années 1960. Au début des années 1950, le rythm'n'blues américain est à l'honneur dans l'île. Les Jamaïcains sont pauvres et n'ont ni les moyens de s'équiper d'un électrophone, ni ceux d'acheter des disques.

Leur premier moyen d'écouter ces musiques est la radio (notamment les stations de Floride), le second étant les sound systems, les discothèques mobiles, qui vont devenir très populaires. On vient danser sur ces musiques dans les dancehalls, sortes de bals populaires qui se déroulent dans des hangars, des clubs ou en plein air, dans la rue. L'ambiance y est chaude, parfois trop... Le sound system est animé par le DJ, qui commente, chante et raconte sur les versions instrumentales choisies par le selector. L'operator, lui, s'occupe de la technique sonore. Le texte est laissé à l'appréciation du DJ : chroniques du quotidien, gazette populaire ou tribune libre, sorte de journal oral au ton humoristique ou grivois, mis en musique sur fond de rythm'n'blues ; c'est le début du talkover, hérité du traditionnel mento. Trois sound systems tiennent le haut du pavé : ceux de Clement « Sir » Coxsone Dodd, d'Arthur « Duke » Reid et de Prince Buster. Très vite, l'idée de produire de la musique locale pour les sound systems fait son chemin. C'est en 1952 que l'industrie du disque démarre en Jamaïque. Elle ne balbutiera pas longtemps. Les premiers producteurs sont naturellement les propriétaires des gros sound systems. Ils sortent les premiers enregistrements instrumentaux de rythm'n'blues enregistrés dans l'île. Ils n'enregistrent bien souvent qu'un exemplaire du disque destiné à leur usage propre. La cadence s'accélère. L'industrie phonographique perd rapidement son aspect artisanal. Studios d'enregistrement, sound systems et boutiques de disques fleurissent au cœur de la vie jamaïcaine. L'industrie musicale jamaïcaine devient très productive. De nouveaux producteurs arrivent : Prince Buster, un ancien boxeur et ex-videur des sound systems de Coxsone, Vincent « Randy » Chin ou Leslie Kong. Des dizaines de milliers de disques sont produits chaque année : créations, reprises de morceaux existants, réorchestrations, instrumentistes différents, versions chantées, versions instrumentales, la production est si fertile qu'il est impossible de s'y retrouver. Cette fièvre productrice tentaculaire génère bientôt des conflits et des rivalités dans le monde de la musique jamaïcaine, un univers violent souvent proche de la mafia...

Vient l'ère du ska

Le chant du cygne du blues jamaïcain arrive fin 1962 avec la sortie de *Forward March* de Derrick Morgan et de *Hurricane Hattie* de Jimmy Cliff. Le ska va dominer la scène jamaïcaine et régner en maître sur les pistes de danse pendant les trois années à venir. Il va évoluer progressivement vers ce qui allait devenir le style musical le plus influent et le plus populaire du siècle. Né avec les premières années de l'indépendance, le ska résonne de l'euphorie et des élans d'un jeune peuple, grisé par une nouvelle liberté si chèrement acquise. Tout a commencé sérieusement avec les Skatalites, un groupe formé en 1963, qui bouleverse le paysage musical du pays. La formation ne vivra que dix-huit mois mais sera incroyablement prolifique, rénovant entièrement les codes musicaux de l'époque. Très rythmé, le ska emprunte au mento des campagnes jamaïcaines, et au boogie du rythm'n'blues américain. Le ska connaîtra des évolutions, vers les traditions musicales jamaïcaines, les chants d'église accompagnés de claquements de mains, ainsi que le mento de type comédie musicale ; les deux sont fondus dans un style original. Le revival des chants d'église est présent dans l'œuvre des Maytals, la plus grande formation vocale du ska. Le ska mûrit d'un point de vue instrumental, grâce à des musiciens du calibre du tromboniste Don Drummond. Lorsqu'il devient membre des Skatalites, les compositions douces de Drummond seront cataloguées de style « Far East » et influenceront toute une génération d'artistes roots des années 1970. On retrouvera plus tard les influences ska jusque dans la culture musicale de la fin des années 1970 en Grande-Bretagne autour des skinheads.

Le rock steady, un ska ralenti

Mais l'ère du ska se termine, il cède le pas au rock steady... Le titre *Dancing Mood* de Delroy Wilson marque cette transition. Le rock steady, moins léger que le ska et aux accents parfois maussades, à la fois contestataire et consensuel, est un ska au rythme ralenti qui apparaît sur la scène musicale jamaïcaine en 1966, paraît-il, après un été particulièrement chaud qui serait la cause de ce ralentissement rythmique.

Les cuivres ont cédé la vedette aux guitares et aux claviers. Transition entre ska et reggae, il reflète les aspirations d'une génération qui commence à mûrir et à prendre en compte les problèmes sociaux et politiques.

Les *rude boys*, les jeunes des quartiers populaires, désœuvrés et livrés à eux-mêmes, vivent au rythme de la vie des ghettos, violence et pauvreté mêlées. Ils s'identifient dans un style vestimentaire, un style de vie et une révolte qui s'exprime entre autres dans la musique.

C'est d'ailleurs sous le nom des Wailing Rude Boys que Bob Marley et son groupe démarrent leur carrière.

Dans cet univers musical en perpétuelle mouvance, de nombreux artistes, producteurs et musiciens, contribuent à la naissance d'un nouveau rythme. Les Skatalites ralentissent encore leur tempo et donne naissance à une nouvelle rythmique qu'on appelle aujourd'hui le reggae roots aux rythmiques plus lourdes.

Le reggae

Né dans les rues des quartiers pauvres de Kingston, au détour des yards du ghetto de Trench Town, le reggae prend aussi ses racines dans la mouvance de la religion rastafarienne. Ce quartier pauvre de Kingston a vu naître et grandir des artistes tels Alton Ellis, Joe Higgs, Ken Boothe ou encore The Wailing Souls. Le climat de tension permanente, lié à la promiscuité, la pauvreté et la violence, favorise le développement de cette musique qui prend le parti des défavorisés et transmet un message égalitaire. De nombreux artistes reggae adoptent la religion rastafarienne. L'origine du mot « reggae » est toujours incertaine ; mutilation du vocable anglais « *regular* », qui définit son rythme binaire, altération du latin « *rege* », « le roi », en référence au roi des rois, Ras Tafari, Hailé Sélassié. Bien qu'on assimile le reggae à Bob Marley, il n'en n'est pas le père. Frederick Toots, le leader du groupe The Maytals dont le style s'inspire des gospels traditionnels et des rythmes de Ray Charles et d'Otis Redding, dit : « *J'ai inventé le mot « reggae » ; j'ai écrit une chanson Do the Reggae en 196…, je ne me souviens plus exactement…* »

« Reggae » signifie juste « venant du peuple »… quand on dit « reggae », on veut dire « régulier », « majoritaire », « pauvreté », « souffrance », « Ras Tafari », « ghetto »… »

C'est bien la chanson de Toots écrite en 1969 qui marque les débuts de la musique reggae, résultante d'une longue maturation des influences mêlées de divers courants musicaux, le mento, le burru, le ska, et le rythm'n'blues américain. Son trio Toots and the Maytals restera populaire jusque dans les années 1980, épousant chaque évolution de la musique jamaïcaine. Leurs plus grands hits sont *Six and Seven Books*, *Pain in my Belly*, *Funky Kingston* et *Pressure Drop*.

Au-delà d'une rythmique lancinante, c'est toute l'idéologie rasta qui est véhiculée par le reggae : espoirs, croyances et luttes sociales et politiques. Les textes des chansons cristallisent la colère des ghettos, appellent même à la révolte contre l'oppression politique. Les gangs de rude boys sillonnent les ruelles du ghetto, ils protestent de leur pauvreté et de leur situation précaire en provoquant la police. Les tièdes protestations des chanteurs vont être remplacées par de violentes prises de positions militantes qui s'affirment au fur et à mesure que monte le mécontentement chez les pauvres et que s'intensifient les rivalités politiques entre les deux partis qui promettent beaucoup sans apporter de solution et la violence des gangs à la solde de ces mêmes partis. La classe des chanteurs de reggae paiera d'un lourd tribut son militantisme social et son engagement politique, les vexations et les violences à leur endroit sont monnaie courante.

DÉCOUVERTE

Le Reggae a une place importante dans la culture jamaïcaine.

Plusieurs fois malmené par la police, Bob Marley sera victime d'un attentat en 1974 et devra se réfugier pendant un an aux Etats-Unis pour échapper à la pression dans un pays en état d'urgence. Peter Tosh raconte son agression par un groupe de dix policiers, quatre mois seulement après le One Love Peace Concert de 1978 : « *Huit ou dix policiers me frappaient la tête avec des bâtons et des armes. Ils ont fermé la porte de la cellule, chassant les gens autour, et m'ont frappé à la tête pendant une heure et demie… Plus tard, j'ai découvert que leur intention était de me tuer. Ce que j'ai eu à faire fut de jouer le mort en gisant par terre les yeux fermés… Et je les ai entendu dire « oui il est mort ». Mais je leur ai survécu… J'étais déprimé, je suis un chanteur, je n'ai jamais pensé à voler, je n'ai jamais pensé à faire quoi que ce soit de subversif ou d'illégal… Ce n'est pas la première fois que j'ai été brutalisé par la police. Militant ? Je n'ai pas rejoint l'armée, je suis un missionnaire pas un militaire… Est-ce que quelque chose a changé depuis le Peace Concert ? Oui, plus de morts…* » Certains paieront même de leur vie d'avoir élevé la voix. Ainsi, l'assassinat de Major Worries n'a pas été élucidé, pas plus que celui de Jacob Miller. Le 11 septembre 1987, c'est le tour de Peter Tosh, la conscience sociale des Wailers, qui meurt assassiné dans des conditions restées mystérieuses, puis ce sera Garnett Silk en 1995… Mais le reggae, c'est aussi une musique fédératrice qui réchauffe les cœurs et efface barrières raciales, sociales et politiques. Dans un premier temps cantonné en Jamaïque, le reggae va bientôt franchir les frontières. C'est le producteur Chris Blackwell qui va faire connaître cette musique en Angleterre. Sa maison de disques Island est la première – avec Trojan – à produire et à commercialiser de la musique jamaïcaine en Grande-Bretagne, ses artistes fétiches sont les Wailers. Ensemble, ils ouvrent la voie de la scène internationale au reggae et à ses artistes. D'enregistrements en concerts, de l'Europe à l'Afrique, le reggae ne connaîtra bientôt plus de frontières. A côté du reggae traditionnel, d'autres formes fleurissent tels le lover's rock, un reggae plus mélodieux et aux paroles moins engagées (Gregory Isaac), ou le dub, talkover nouvelle manière aux accents à la fois plus poétiques et militants, avec des artistes comme U Roy, le pionnier, ou Dennis Alcapone, Big Youth. Dans la branche des Deejays, un nouveau style voit le jour, le Dub Poet, dont l'incontestable représentant reste

LKJ (Linton Kwesi Johnson). Quelques groupes et artistes marquent de façon définitive l'histoire du reggae jamaïcain, Lee Scratch Perry, Toots and the Maytals, Bob Marley, Peter Tosh, Jimmy Cliff, Culture, Mikey Dread, The Wailing Souls, Pablo Moses, Third World, Burning Spear, Blach Uhuru, U Roy… En Jamaïque se pose encore la question de la relève et de l'évolution du reggae, privé de son porte-parole international. La Grande-Bretagne compte, elle aussi, de nombreux groupes souvent composés de musiciens jamaïcains émigrés ou de la seconde génération tels Aswad, Steel Pulse ou les Cimarons.

Reggae Digital

Dans les années 1980, la révolution viendra de la technique sur fond d'émigration et de métissage musical. L'électronique remplace l'acoustique, la boîte à rythme fait son apparition, la tradition du talkover revient en force. Le reggae traditionnel a cédé du terrain au dancehall nouvelle manière, un reggae digitalisé dont les paroles ont perdu le côté militant et dont le rythme s'est accéléré pour mieux faire danser. Le reggae dancehall voit le jour avec ses textes coquins parfois même très épicés – dénommé slackness –, dont Yellow Man s'est fait une spécialité. C'est le retour en force des sound systems, gigantesques empilements de haut-parleurs et d'amplificateurs qui remplacent les orchestres et dont l'histoire remonte aux années 1950… A la fin des années 1980, le roi du dancehall est Shabba Ranks, qui a obtenu un Grammy Award avec un reggae revisité façon dancehall pornographique ; Chaka Demus and Pliers, Buju Banton et Tiger ont eux aussi acquis une renommée internationale, et aujourd'hui Elephant Man, Shaggy, Beenie Man et Sean Paul sont les principaux représentants du style. Ragga ou raggamuffin n'est qu'une autre manière de baptiser cette évolution musicale bien que le terme ait été improprement adapté. En Jamaïque, raggamuffin définit l'attitude débrouillarde des jeunes urbains, le plus souvent débraillés, qui vivent au jour le jour d'expédients et constituent la clientèle privilégiée des dancehalls. On a vu réapparaître depuis le début des années 1990, notamment à l'initiative de chanteurs comme Luciano ou feu Garnett Silk, la face consciente et roots du reggae. Cette vague revival ne cesse de grimper et le nombre d'artistes conscients d'augmenter, avec des noms comme Sizzla, Capleton, Jah Cure, Anthony B, ou Junior Kelly. Les concerts de dancehall sont très fréquents dans toute l'île ; ce sont de grandes manifestations publiques dont les dj's sont devenus les stars. Coiffures très élaborées et stylisées, aux couleurs vives, lunettes noires de rigueur, accoutrements voyants, les dons et les queens du dancehall offrent un spectacle pittoresque. Le grand rendez-vous musical jamaïcain est le Reggae Sunsplash et le Reggae Sumfest qui ont lieu chaque année respectivement à Ocho Rios et Montego Bay au cours des mois de juillet et d'août. Reggae roots et dancehall y sont à l'honneur et de nombreux fans du monde entier y participent. Cette musique unique a propulsé la Jamaïque sur le devant de la scène musicale internationale et s'est définitivement imposée comme l'un des courants les plus vivants et les plus influents de la musique mondiale. L'influence de ce courant musical se fait entendre à travers le monde, de l'Amérique à l'Afrique, et le reggae n'est plus l'apanage des musiciens noirs et jamaïcains, les plus grandes stars du rock international (Stevie Wonder, Paul Simon, Eric Clapton, Paul McCartney, Ben Harper…). Chacun adapte le reggae à sa culture. Les nouvelles tendances musicales de par le monde comme le rap ou les musiques électroniques sont toutes issues de la musique jamaïcaine qui n'a pas fini d'enfanter de nouveaux styles… Si Serge Gainsbourg, Alpha Blondy ou Bernard Lavilliers ont été les premiers artistes francophones ou français à propager le reggae en France, nombre de jeunes talents ont pris le relais dans la deuxième moitié des années 1990, tels le chanteur Pierpoljak ou les groupes Sensimillia, K2R Riddim, ou Zenzile pour ne citer qu'eux. Ou Tiken Jah Fakoly et Solo Jah Gunt en Afrique de l'Ouest.

Les légendes du reggae

La voie ouverte est suivie par Jimmy Cliff qui présenta à Leslie Kong, un producteur de Kingston, le jeune Bob Nesta Marley, un rude boy de Trench Town.

▶ **Quand les Wailing Rude Boys** débarquent chez Clement Dodd en 1964, il dit d'eux : « *Ils sont comme beaucoup d'autres groupes débutants, jeunes sans expérience et désireux d'apprendre… Je les ai dirigés, j'ai travaillé sur leurs textes.* » Après quelques titres aux influences ska tel *Simmer Down*, la musique des Wailers se fait l'écho des difficultés de la période.

▶ **Dennis Brown (1945-1999).** Ce chanteur décédé trop tôt a débuté sa carrière alors qu'il était à peine adolescent, d'abord pris en

charge par le producteur Derrick Harriott puis par Clement Coxsone Dodd, et par Joe Gibbs. Il a ensuite travaillé avec tous les producteurs de l'île avant de lancer son propre label DEB (Dennis « Emmanuel » Brown) dans le courant des années 1970, notamment aux côtés de son ami chanteur Junior Delgado. De ses débuts dans les années 1960 à sa mort survenue en 1999, Dennis n'a cessé d'enregistrer et de sortir des albums, allant jusqu'au rythme de huit dans le milieu des années 1980 ! Il était également l'artiste favori de Bob Marley et de toute une nation pour laquelle il restera toujours un artiste phare.

▶ **Jimmy Cliff.** C'est dans les environs de Montego Bay que Jimmy Cliff, musicien précoce et légendaire, voit le jour à Somerton en 1948. Dernier né d'une famille de sept enfants, il est élevé par son père qui exerce le métier de tailleur. Son enfance est bercée par le rythme du mento, des chants traditionnels et religieux. Attiré par les lumières de la capitale, il quitte très jeune sa campagne natale pour s'inscrire à la Technical School. En réalité, il entame une carrière musicale faite d'enregistrements sans envergure, de concours de talents locaux et de petits cachets. Jimmy se souvient de son premier enregistrement *Daisy got me crazy* chez Count Boysie, dit « le Monarch » : « *J'avais entendu dire qu'on pouvait gagner de l'argent en enregistrant des chansons, j'ai donc demandé à être payé. Il (le producteur) s'est mis en colère en me disant qu'il m'avait déjà donné une chance et qu'il n'allait pas me payer en plus. Il a envoyé des gars pour me cogner, puis il m'a donné une pièce. J'ai refusé et je suis parti à l'école. Mais c'était quand même un début, j'étais entré en studio et j'avais enregistré.* » Il signe son premier contrat important à l'âge de quatorze ans avec Leslie Kong et enregistre *Hurricane Hattie*. Stimulé par ce premier succès, il arrête ses études, contrairement à l'avis de son père.
Il rencontre Chris Blackwell lors de sa prestation à la Foire internationale de 1964 à New York où il joue au pavillon Caraïbes. Cette rencontre marque un tournant décisif dans sa carrière et il quitte la Jamaïque pour la Grande-Bretagne. En 1965, il signe avec Island qui va enregistrer l'un de ses plus grands succès *Many Rivers to cross*. De retour en Jamaïque, les hits se succèdent. C'est sa photo sur une pochette de disque qui lui vaudra d'être retenu pour le premier rôle dans le film du réalisateur jamaïcain Perry Henzel, *The Harder They Come*.

Il se reconnaît totalement dans le personnage de Ivan Martin, chanteur au destin tragique. Le film fera de lui une star internationale : « The Harder They Come *m'a catapulté dans une autre dimension, et m'a permis d'acquérir une dimension internationale, à l'exception des pays du tiers-monde comme ceux de l'Afrique et de l'Amérique du Sud qui connaissaient ma musique mais qui n'ont pas eu la chance de voir le film.* » Sa mentalité cosmopolite et son ouverture d'esprit l'amènent à s'intéresser à toutes les religions et cultures. Il devient plus radical et ses idées se nourrissent des philosophies de Malcom X et de l'islam, les musiques du monde l'influencent dans ses créations.

Sa conversion à l'islam détournera de lui de nombreux fans qui ne reconnaissent plus leur héros rebelle et se rassemblent autour de la génération rasta. Peu à peu, sa popularité décroît au profit d'une nouvelle figure musicale, Bob Marley, qu'il avait lui-même présenté à Chris Blackwell. Il poursuit enregistrements et tournées musicales à travers le monde en particulier en Afrique et en Amérique du Sud, occupant une place à part sur la scène musicale et culturelle jamaïcaine. « *Quand on regarde une main avec ses cinq doigts dont le pouce, les doigts sont tout près les uns des autres, tandis que le pouce est à l'écart mais c'est un élément essentiel de la main. Et bien, je suis le pouce.* » Ainsi se définit Jimmy Cliff, figure incontournable de la culture jamaïcaine.

▶ **Gregory Isaacs (1951-2010).** Ce Kingstonien né en 1951 et surnommé le Cool Ruler est le meilleur représentant du reggae dit « lover's rock », où les ballades romantiques remplacent les chansons engagées ou militantes. Sa voix chaude, ses thèmes à la fois personnels et universels, son allure de dandy élégant – costume, bijoux et chemise de soie – lui confèrent une place originale sur la scène jamaïcaine et internationale. Ses premiers singles sortent au début des années 1970, rapidement suivis par des albums. Sa carrière musicale en dents de scie a souvent été déstabilisée par une vie privée chaotique, mais Gregory Isaacs a toujours maintenu le cap d'une brillante carrière. L'artiste décède en 2010 à Paris à l'âge de 59 ans.

▶ **Linton Kwesi Johnson.** Le plus célèbre représentant du dub est né en Jamaïque – le 24 août 1952 à Chapelton, une petite ville de la paroisse de Clarendon, au centre de la Jamaïque – mais c'est en Grande-Bretagne

qu'il a commencé à écrire ses textes engagés qui dénoncent la situation politique et sociale de son île d'origine. Au début des années 1970, alors qu'il était membre des Black Panthers, Johnson participe à la fondation d'une association de poètes et de percussionnistes noirs, le Rasta Love. En 1974, le journal *Race Today* publie son premier recueil de poésie, *Voices of the Living and the Dead*. En 1978, *Dread Beat An'Blood*, son second livre, fait l'objet d'une adaptation musicale sur un disque qui sort sous le label de Virgin. En 1980, la sortie de *Inglan is a Bitch* inaugure une série de quatre albums publiés par le label Island (*Forces of Victory*, 1979 ; *Bass Culture*, 1980 ; *LKJ in Dub*, 1981 et *Making History*, 1983). LKJ lance en 1981 son propre label (LKJ Records) en même temps qu'il commence à travailler comme journaliste auprès de *Race Today*, de Channel 4 et de la BBC pour laquelle il produit des séries d'émissions sur la culture jamaïcaine. Ses tournées en compagnie du Dennis Bovell Dub Band sont toujours suivies de près par les amateurs de ce genre musical, alliant poésie récitée en patois jamaïcain et lignes de basse reggae, qu'on appelle « dub poetry ».

▶ **Bob Marley.** Figure de proue du reggae, Robert Nesta Marley naquit le 6 février 1945 à Nine Miles, une petite communauté rurale de la province de Saint Ann. Sa mère, Cedella Marley, a 19 ans et son père, le capitaine Norval Marley, un officier jamaïcain du régiment des Indes orientales âgé d'une cinquantaine d'années, l'a épousée en juin 1944 au grand désarroi de sa famille blanche et bourgeoise. Norval décède dix ans plus tard. Carla quitte alors la paisible campagne jamaïcaine pour Kingston dans l'espoir d'y trouver un emploi. La petite famille s'installe à Trench Town, un ghetto de la capitale où règnent pauvreté et violence. Les Rude Boys, génération d'adolescents urbains livrés à eux-mêmes seront la deuxième famille de Bob Marley. A leur contact, il apprend l'école de la rue. C'est à Trench Town qu'il rencontre Bunny Livingston, un voisin connu plus tard sous le nom de Bunny Wailer, avec lequel il fuit le quotidien dans la musique. Très vite, Bob acquiert la conviction que la musique est sa véritable voie et il abandonne ses études.

Il passe sa première audition et enregistre son premier morceau en 1962. Il crée en 1963 les Wailing Rude Boys – devenus les Wailing Wailers, puis les Wailers – avec

Bunny Wailer, Peter Tosh, Junior Braithwaite et deux choristes. Ils enregistrent leurs premiers albums, passant des rythmes ska, au rock steady puis au reggae. Le succès est immédiat dans l'île et le groupe s'impose très vite comme le plus grand groupe jamaïcain. Devant les difficultés financières et les salaires de misère, le groupe se dissout. Bob épouse Rita Anderson le 10 février 1966, elle lui donnera cinq enfants. Le jour suivant son mariage, il part rejoindre sa mère qui s'est remariée et vit désormais aux Etats-Unis. Son exil sera de courte durée, huit mois plus tard, en octobre 1966, le voilà de retour en Jamaïque. Son groupe musical renaît en un trio, The Wailers, désormais formé de Bob, Peter et Bunny qui, sous la férule de Lee Perry va connaître un succès extraordinaire dans toutes les Caraïbes. Bob épouse le mouvement rasta avec lequel il flirtait depuis quelques années et qui fait de plus en plus d'adeptes dans l'île. Il s'engage plus radicalement, se range aux côtés des pauvres et des exclus. Sa musique se fait l'écho de ses nouvelles croyances et de son combat spirituel et social ; l'amour, le militantisme et la religion seront désormais les trois thèmes de ses chansons. Mais le groupe n'est toujours pas rentable. Pour ajouter aux difficultés du groupe, Bunny Wailer est mis à l'ombre durant une année pour usage de marijuana.

Une fois encore, Bob Marley va abandonner provisoirement la musique pour se retirer dans sa campagne natale et y vivre au contact de la nature en cultivant la terre. Cet exil de courte durée sera interrompu par Johnny Nash, un chanteur noir américain à la recherche de jeunes talents. Les Wailers acceptent d'enregistrer un album avec Johnny Nash. Entre-temps, Lee Perry a créé un nouveau label et un orchestre de musiciens de studios, les Upsetters. Il enregistre deux albums avec les Wailers, *Soul Revolution* et *Soul Rebel*. En 1970, les Wailers créent leur propre studio Tuff Gong, un ancien surnom de Bob, et enregistrent *Trench Town Rock*. Toutefois le groupe reste inconnu de la scène internationale jusqu'à la rencontre avec Chris Blackwell en 1971. En 1972, les Wailers s'unissent aux Upsetters et enregistrent l'album *Catch a Fire*. C'est le début du succès international, les albums, dont *Burnin'*, et les concerts se succèdent consolidant la reconnaissance du groupe et consacrant le reggae. Le groupe se dissout pourtant en 1975, le charisme de Bob qui se révèle l'âme du groupe laisse par trop dans l'ombre les autres membres qui veulent leur part de gloire. C'est le début de la belle carrière solo de Peter Tosh et de celle, moins brillante, de Bunny Wailer.

De son côté, Bob Marley poursuit sa carrière en conservant le nom des Wailers. Il s'adjoint un trio de chœurs, les I Threes, composé de sa femme, Rita, de Marcia Griffiths et de Judy Mowatt. Les albums se succèdent, *Natty Dread*, *Rastaman Vibration*, *Exodus*, *Survival*… Son impact grandit en Jamaïque où la fermeté de ses positions rastafariennes rencontre le meilleur accueil auprès de la jeunesse des ghettos. Dans l'ébullition de la période préélectorale de 1976, dans un contexte de crise économique et sociale aiguë, Bob Marley et son équipe sont victimes d'un attentat au domicile du chanteur deux jours avant le Smile Concert dont Marley espérait qu'il aiderait à détendre le climat politique. C'est blessé qu'il montera sur scène le 5 décembre 1976 pour un concert gratuit donné au National Heroes Park de Kingston. Il écrira plus tard une chanson, *Ambush in the Night*, rappelant cet épisode. En 1978, les rivalités politiques des deux partis ennemis explosent en une vague de violence. Au mois d'avril, Marley donne à Kingston le One Love Peace Concert pour commémorer le douzième anniversaire de la visite de l'empereur d'Ethiopie dans l'île. Au cours du concert, il réconcilie symboliquement le Premier ministre Michael Manley et son opposant Edward Seaga dont les partisans s'entre-tuent en leur faisant chanter « *One Love, one Heart, let's get together and feel allright*… » Les concerts reprennent en Europe et en Afrique, où Bob reçoit un accueil sans pareil. Il sera à Salisbury le 17 avril 1981, le jour de l'indépendance du Zimbabwe, l'ancienne Rhodésie, pour consacrer par un concert la naissance du jeune Etat africain.

Les enregistrements se succèdent jusqu'en 1981, date à laquelle on diagnostique un cancer chez Bob Marley. Cette même année, un mois avant sa disparition, il est décoré de l'ordre national du Mérite, pour sa contribution au développement international du reggae et à la promotion de la culture de l'île. Au terme de dix-huit mois d'un combat éprouvant et inégal, il s'éteint dans un hôpital de Miami le 11 mai 1981 avant d'avoir pu regagner son île natale. Il avait 36 ans et était au sommet de sa gloire. Un deuil national sera décidé en Jamaïque.

DÉCOUVERTE

Le 21 mai 1981, c'est la Jamaïque tout entière qui lui rend un dernier hommage digne du héros national qu'il était devenu : son corps revêtu de jean est exposé toute une journée dans le stade national de Kingston, avec une bible dans la main droite, une guitare dans la main gauche, et un béret aux couleurs du drapeau éthiopien, vert, rouge et jaune. Une foule innombrable, plus de 25 000 personnes, menée par le chef du gouvernement et les officiels, défile toute la journée devant sa dépouille. Le jour suivant, une cérémonie religieuse célébrée selon le culte orthodoxe éthiopien a lieu et son corps est reconduit dans le village de Nine Miles, dans les collines de la paroisse de Saint Ann, où il avait vu le jour. Le cortège funéraire s'étirait sur plus de 70 kilomètres… Il repose aujourd'hui dans un modeste mausolée de marbre blanc.

Les fils Marley continuent de porter haut le flambeau de la musique. Ils étaient tous ensemble réunis sur la scène à Kingston, Damian Junior Gong et Ziggy Marley en tête, dans un concert à la mémoire de leur père en février 2007. Sa maman décède en 2008, à l'âge de 81 ans, dans sa résidence de Miami. Le legs de Bob Marley au monde de la musique est considérable. Il a enregistré plus d'une cinquantaine d'albums, vendu plus de trente millions de disques et la vente de ses albums ne cesse de progresser dans tous les pays du monde.

▶ **Sugar Minott.** Né Lincoln Minott le 26 mai 1956 à Kingston et décédé soudainement en juillet 2010, il grandit dans le quartier de Delamare Avenue et plonge dans la musique dès son plus jeune âge. Le sound system de Clement Dodd, Down Beat, opère continuellement derrière chez lui et c'est tout naturellement qu'il se met à chanter. Vers quinze ans, il participe à la formation du groupe The African Brothers, aux côtés de Tony Tuff et Eric Bobbles. Talentueux, ils enregistrent alors une douzaine de morceaux avec l'aide de leurs grands frères spirituels, les musiciens du Soul Syndicate Band (Earl « Chinna » Smith, Tony Chin, George Fullwood, et Carlton « Sanat » Davis). Le trio tente ensuite quelques auditions infructueuses chez Studio One, qui s'avèrent profitables pour le jeune Sugar. Clement Dodd lui conseille vivement d'attaquer une carrière solo. Quelques mois plus tard, il fait partie de l'écurie Studio One et enregistre hit sur hit. Sugar est l'artiste jamaïcain qui compte le plus grand nombre d'albums enregistrés chez Coxsone : pas moins de cinq. En 1979, il lance son propre

label et studio, Black Roots et développe une « écurie » qui en 1983 prend le nom de Youth Promotion tant son effet est puissant. Sugar a, entre autres, lancé Junior Reid, Yami Bolo, Tristan Palmer, ou encore Garnett Silk. Sa mort a beaucoup attristé les Jamaïcains et il restera comme une figure légendaire du reggae.

▶ **Count Ossie.** Né en 1928, mort en 1976, ce percussionniste de talent est l'un des précurseurs du rythme reggae. Son rôle dans les liens tissés entre la musique et la religion rastafarienne est fondamental. Dans les années 1940, il travaille sur les rythmiques des tambours burru d'Afrique, crée une communauté dans la capitale et fonde son groupe musical, The Mystic Revelation of Rastafari.

▶ **Lee Scratch Perry.** Rainford Hugh Perry est né le 28 mars 1936 à Kendal, un petit village de la paroisse de Hanover, dans une modeste famille d'ouvriers agricoles. Très vite il quitte l'école pour se frayer un chemin dans la vie. Il commence son itinéraire comme joueur professionnel de dominos, participant à de nombreux tournois. Sous le nom de Neat Little Thing, il devient un célèbre animateur de soirées jazz, puis rejoint la capitale à la fin des années 1950. Après avoir frappé à la porte du producteur Duke Reid, il devient l'homme à tout faire du producteur Coxson Dodd avant de diriger son sound system. Il supervise des séances d'enregistrement, découvre le trio The Maytals, et écrit des chansons pour d'autres. Après avoir collaboré avec différents producteurs, il fonde en 1968 son propre label Upsetter Records. A cette époque son succès est déjà considérable, il travaille avec, entre autres, les Wailers avec lesquels il va collaborer jusqu'en 1978. En 1974, il ouvre son propre studio, le Black Art. Il y développe des techniques de mix et d'enregistrement qui stupéfient les connaisseurs, usant de secrets à ce jour encore non révélés. Bruitages étranges, effets sonores audacieux… il fait sonner les instruments et les voix comme personne et crée de nouveaux rythmes, en mêlant les sonorités tribales et les percussions traditionnelles buru aux basses et claviers modernes dans une jungle sonore, dont les échos résonnent jusqu'à aujourd'hui, intemporels. ce petit homme aux traits de Pygmée possède le talent d'un artiste total et précurseur, creusant le sillon d'un reggae novateur plein d'un caractère sauvage.

Brillant, bouillonnant, mystique, provocateur et poète, tour à tour chanteur, compositeur, auteur, découvreur de talents, directeur artistique, arrangeur, ingénieur du son, producteur et peintre, l'un des faits majeurs de sa fabuleuse carrière reste pourtant sa collaboration avec les Wailers, malgré des centaines de disques tous plus surprenants les uns que les autres.

Outre les Wailers, il produira de grands noms du reggae, Max Romeo, U Roy, King Tubby, The Congos… Basé en Suisse depuis le début des années 1990, marié à une Suissesse, il partage son temps entre Zurich, Kingston et Londres, continuant à enregistrer seul ou au sein de formations. Pour en savoir plus, lire le livre de David Katz, *People Funny Boy*. Il a fêté ses 75 ans à Paris en mars 2010, lors d'un concert mémorable.

▶ **Burning Spear.** Voilà bien une figure légendaire du reggae. Né en 1948 dans la province de Saint Ann, comme Bob Marley et Marcus Garvey, le jeune Winston Rodney démarre sa carrière en 1969, choisissant le nom de Burning Spear, emprunté à Jomo Kenyatta, militant pour la liberté africaine et fondateur du Kenya. Il est pris en main par le tout puissant producteur Clement Coxsone Dodd, pour lequel il enregistre deux albums ; *Burning Spear* et *Rocking Time*. Il quitte Studio One en 1972 pour le producteur Jack Ruby avec lequel il enregistre une série d'albums qui sont édités en Europe par le label de Chris Blackwell (Island). Après deux albums très roots avec Jack Ruby, Spear prend de l'indépendance et se produit lui-même dès 1977. Rastafarien, prophète visionnaire et partisan convaincu des théories de Marcus Garvey, toute sa carrière musicale témoigne de son engagement et de ses croyances et possède une dimension poétique et spirituelle inégalée. Cet artiste est certainement celui qui, entre tous, est resté le plus fidèle à lui-même, à ses convictions, au style puissant et mystique qui a fait la force de ses débuts. Il se produit régulièrement sur la scène internationale et a sorti son nouvel album *Jah is Real* en 2009, pour lequel il a remporté son second Grammy Award, après celui glané pour *Calling Rastafari* dix ans plus tôt.

▶ **Peter Tosh.** Winston Hubert McIntosh est né le 19 octobre 1944 à Grange Hill, dans la partie occidentale de l'île. Dès son plus jeune âge, la musique fait partie de sa vie ; il chante, apprend le piano puis la guitare. A quinze ans, il part chercher fortune à Kingston. C'est là, dans le quartier de Trench Town, qu'il rencontre Nesta Robert Marley et Neville Livingston. Hantés tous trois par les mêmes rêves, ils forment le groupe des Wailing Rude Boys avec Junior Braithwaite et deux choristes. Fin 1963, ils enregistrent leur premier morceau, *Simmer Down*, qui sera un succès immédiat. En 10 ans, les Wailing Rude Boys, devenus les Wailers, vont porter le reggae sur le devant de la scène internationale et en devenir le porte-parole incontournable. Fin 1973, le groupe se dissout et Peter Tosh démarre une carrière solo. Il sort en 1976 *Legalize it*, un premier album très controversé et boycotté en Jamaïque parce qu'il prône la légalisation de la marijuana. Prompt à dénoncer l'oppression de son peuple, il aborde de front les thèmes sociaux et politiques dans ses chansons, ce qui attire sur elles la censure et les pressions policières.

D'albums en tournées internationales, depuis ses débuts au sein des Wailers jusqu'à sa collaboration avec les Rolling Stones lors de leur tournée en 1978, Peter Tosh, libre et provocateur, aura toujours été une figure centrale du reggae. Le 11 septembre 1987, il est abattu dans son domicile à Kingston dans des conditions jamais réellement élucidées. Un monument a été élevé à sa mémoire à Belmont, dans la province de Westmoreland.

▶ **King Tubby.** C'est à cet ingénieur du son très innovateur que l'on doit le dub, version retravaillée et sans paroles de morceaux célèbres. Osborne Ruddock est né en 1941 à Kingston et est mort assassiné le 6 février 1989. Il a traversé les époques musicales du rock steady au reggae digitalisé, dirigé un sound system, le King Tubby's Home Town Hi Fi, par où tous les grands toasters jamaïcains sont passés, un des plus fidèles fut I Roy, et notablement marqué l'évolution des techniques musicales. Dans son studio, installé dans la petite demeure où il vivait avec sa mère, ont été enregistrées une grande partie des parties vocales du reggae roots entre 1975 et 1981. King Tubby a formé à la science du dub d'autres ingénieurs très prolifiques dont Everton Brown dit « The Scientist », ou encore Prince Jammy, devenu King Jammy.

▶ **U Roy.** Les deejays d'aujourd'hui doivent beaucoup à Eward Beckford alias U Roy, cette grande figure des sound systems né en 1942 à Kingston. C'est lui qui mit au point et répandit l'art du toast, une improvisation orale sur les morceaux musicaux dont les paroles ont été effacées. Son mentor et modèle reste Count Machucki, mais il fut le premier deejay à sortir un album en 1971, *Version Galore*. Ses inventions ont connu un énorme succès. Artistes du même style : I Roy, Clint Eastwood, Big Youth, Trinity, Dillinger, Jah Thomas, Lone Ranger, U Brown… En 2012, il sort un nouvel album, « Pray Fi Di People ».

▶ **Bunny Wailer.** Neville O'Riley Livingston est un ami d'enfance de Bob Marley. Né en 1947 à Kingston, il est le cofondateur des Wailers avec Bob et Peter Tosh. Le groupe lui doit quelques compositions magnifiques et sa dimension vocale. Il laisse tomber les Wailers en 1974, ne supportant plus les contraintes du succès, notamment le plan des concerts et des tournées. Sa belle carrière solo lui vaudra un Grammy Award en 1994.

▶ **Yellow Man.** Ce deejay professionnel est né sous le nom de Winston Forster en 1956, à Kingston. C'est parce qu'il est albinos qu'il s'est choisi ce surnom sur mesure. Après avoir suivi des études pour enfants surdoués, il devient dès 1974 l'un des premiers deejays de la scène dance jamaïcaine. Dans les années 1980, il enregistre de nombreux albums, développant une technique et un style original. Il est l'un des meilleurs représentants du style slack, adoucissant ses paroles à caractère pornographique par la dérision. Ce mégalomane sympathique, drôle et sexy, occupe une place prépondérante sur la scène du reggae.

Les artistes contemporains

Les jeunes Jamaïcains, bien que très avertis des légendes reggae, leur préfèrent les stars locales d'aujourd'hui tels Elephant Man, Sizzla, ou Wayne Marshall, et internationales tels 50 Cent, Eminem ou Céline Dion. Aussi surprenant que cela puisse paraître, Céline Dion est une véritable icône en Jamaïque, et en dehors des superstars du hip-hop, c'est la seule artiste non jamaïcaine dont les disques figurent constamment dans les échoppes de disques à côté de ceux de Bounty Killer, Sizzla, et Beres Hammond, et pour laquelle des jeunes aux airs de Tupac Shakur sont plein d'admiration, au point de reprendre ses airs sur des pistes de karaoké.

▶ **Beres Hamond.** Cet ex-membre du groupe Zap Pow – qu'il a quitté à la fin des années 1970 – est le seul ancien artiste qui rivalise avec les jeunes dans les charts en Jamaïque. Il est même probablement l'artiste le plus fédérateur du peuple jamaïcain, adulé et écouté par toutes les classes et toutes les générations. Ce lover man (plus de 90 % de textes d'amour) qui définit son studio de Harmony House comme un lieu plus intime que sa chambre, provoque l'hystérie chez les ménagères de 17 à 77 ans dès qu'il monte sur scène, et se voit offrir systématiquement des bouquets de petites culottes. Toujours souriant et charmeur, il est l'amant jamaïcain par excellence. Installé sur les hauteurs de Stony Hill, il alimente régulièrement les charts en nouvelles ballades du type Rock Away.

▶ **Bounty Killer.** Surnommé Warlord et « The poor people governor », le gouverneur des pauvres, Bounty Killer est bien la voix des ghettos, au point que certains de ses morceaux, considérés trop virulents et antigouvernementaux, sont censurés. C'est après avoir pris une balle en rentrant de l'école dans son quartier de Mountain View, à Kingston, que ce deejay a décidé d'entamer une carrière d'artiste, de messager. Dj-phare dans les années 1980 et ayant débuté chez les producteurs King Jammy et Black Scorpio, Bounty s'est notamment fait connaître pour sa rivalité avec le deejay Beenie Man, mise en avant aux cours de multiples clash (combat de dj) restés gravés dans les annales. Il est aussi un des premiers à avoir tenté le mélange du dancehall et du hip-hop, avec l'album *My Xperience*. Bounty Killer occupe une place de choix dans le cœur des Jamaïcains ; il est considéré par la majorité comme le meilleur deejay de l'île.

▶ **Luciano.** Dans la lignée de Bob Marley, revenant aux racines du reggae, Jepther McClymont, de son vrai nom, est un chanteur rasta qui marque le regain d'intérêt pour le reggae traditionnel, le reggae roots. Luciano s'intéresse à la culture et aux racines jamaïcaines ainsi qu'aux thèmes traditionnels du rastafarisme. Il dit de son travail que c'est une croisade spirituelle au profit de l'humanité entière. Ses ballades évoquent les difficultés de la vie, la lutte pour l'indépendance et la liberté.

▶ **Sean Paul.** Enfant jamaïcain aux quatre grands-parents d'origines différentes, ce métis d'Uptown Kingston se fait beaucoup entendre ces temps-ci depuis qu'il a squatté pendant des semaines le billboard américain avec son tube *Gimme the Light*. S'il a aujourd'hui explosé, Sean Paul était encore inconnu il y a quelques années. Ses origines sociales ont été la première barrière à sa carrière ; il voulait chanter social mais les producteurs refusaient. Il dut se tourner vers les gal tunes, textes sur les filles. Son premier tube *Hot Gal Today* (en combinaison avec M. Vegas) lui a ouvert les portes de l'international. Il fait partie, avec Elephant et Beenie Man, des tops entertainers, dont chaque nouveau tube s'accompagne d'un nouveau pas de danse qui pousse à la fièvre du samedi soir.

▶ **Garnett Silk.** Décédé en 1994 dans des conditions restées obscures, Garnett Silk est depuis Marley l'artiste qui a le plus marqué l'île de son influence. C'est à lui que l'on doit le retour du reggae roots conscient au début des années 1990. Originaire de Mandeville, cet artiste, disparu trop jeune, est célébré chaque année par un gigantesque festival qui se tient au mois d'avril dans sa ville de naissance. Toutes les stars de l'île s'y retrouvent sous la houlette de Jah Mikes du label Kariang, organisateur de cet hommage annuel dont les bénéfices sont versés à la famille de feu Garnett Silk.

▶ **Sizzla et Capleton.** Respectivement originaires de August Town et de Papine à Kingston, ces deux artistes sont le fer de lance de la nouvelle branche des stars Bobos. Les Bobos étant une branche à part du mouvement rasta dont on reconnaît les membres au turban qu'ils portent sur la tête, couvrant leurs dreadlocks. Jusqu'à la mort il y a quelques années de Prince Emmanuel – le leader des Bobos – les Bobos, même chanteurs, n'étaient pas autorisés à enregistrer des morceaux. Ils sont censés vivre dans la méditation, et de la vente des balais qu'ils fabriquent et qu'on trouve dans tout le pays. Mais les règles ont changé depuis l'avènement de Capleton et Sizzla, tous deux adeptes du concept « More Fire », plus de feu, un concept purificateur des vices de la société capitaliste et impérialiste. Les Bobos enregistrent et sont même devenus des stars. Ils tiennent toujours le sabbat du vendredi 18h au samedi 18h, 24 heures dont ils profitent pour partir méditer dans les collines, en retrait. Les Bobos sont considérés comme un bras extrémiste du mouvement rasta, et ils sont accusés par la presse, à tort ou à raison, de sexisme, racisme et xénophobie. Ils sont en tout cas très populaires en Jamaïque et dans le monde. Sizzla possède plus de vingt albums à son actif dont les meilleurs sont *Black Woman & Child* et *Real Thing*.

Discographie sélective

Il est bien difficile de proposer une discographie sélective et représentative de tous les styles qui s'entrecroisent au gré des enregistrements, tant est fertile la production des artistes jamaïcains. Etablie avec l'aide de professionnels, la sélection suivante aborde tous les styles : le calypso, le ska, le reggae traditionnel et ses expressions les plus récentes ou le jazz.

Soul jamaïcaine
▶ **Jackie Opel :** *Cry me a river*, Studio One.
▶ **Trojan Box Soulful**, *Trojan*.

Ska
▶ **The Skatalites :** *Foundation Ska*, Heartbeat.
▶ **The Skatalites :** *From Paris with Love*, Mélodie.
▶ **Don Drummond :** *The Best-of*, Studio One.
▶ **Desmond Dekker :** *King of Ska*, Trojan.
▶ **The Wailers :** *One Love at Studio One*, Heartbeat.
▶ **The Maytals :** *Sensational Ska Explosion*, Jamaica Gold.
▶ **Max Romeo :** *Many Moods of.*

Rock Steady – Early reggae
▶ **Bob Andy :** *Song Book*, Studio One.
▶ **Peter Tosh :** *The Toughest*, Heartbeat.
▶ **The Heptones :** *On Top*, Studio One.
▶ **Alton Ellis :** *Sings Rock & Soul*, Studio One.
▶ **Keith & Tex :** *Stop That Train*, Crystal.
▶ **Derrick Harriott :** *A Place Called Jamaica*, Makasound.
▶ **The Wailers :** *The Complete Wailers Pt. 1, 2, 3, 4*, 1968-1972, JAD/EMI.
▶ **Ken Boothe :** *A Man and His Hits*, Heartbeat.
▶ **Alton Ellis :** *Arise Black Man*, Moll Selecta.
▶ **The Paragons :** *On The Beach*, Treasure Isle.
▶ **Horace Andy :** *Skylarking*, Studio One.
▶ **Dennis Brown :** *No Man is an Island*, Studio One.
▶ **Alton Ellis :** *Arise Blackman 1968-1978*, Moll Selekta.
▶ **The Wailing Souls :** *The Wailing Souls*, Studio One.
▶ **Justin Hinds & The Dominoes :** *Travel with Love.*

Nyahbingy
▶ **Ras Michael & The Sons of Negus :** *Dadawa/Peace & Love*, Trojan.
▶ **Count Ossie & The Mystic Revelation of Rastafari :** *Tales of Mozambique*, Esoldun.
▶ **Count Ossie & The Mystic Revelation of Rastafari :** *Grounation*, Ashanti.
▶ **The Light of Saba :** *Light of Saba.*

Reggae Roots

▶ **The Abyssinians :** *Forward on to Zion.*

▶ **The African Brothers :** *Want Some Freedom*, Easy Star.

▶ **Horace Andy :** *Dancehall Style*, Wackie's.

▶ **Black Uhuru :** *Black sounds of freedom*, Greensleeves.

▶ **Burning Spear :** *Rocking Time*, Coxsone.

▶ **Burning Spear :** *Hail H.I.M*, EMI.

▶ **Dennis Brown :** *The Promised Land*, Blood & Fire.

▶ **Earl Sixteen :** *Soldier of Jah Army*, Patate Records.

▶ **The Gladiators :** *Once Upon A Time in Jamaica*, XIII bis Records.

▶ **The Gladiators :** *Trenchtown Mix Up*, Virgin.

▶ **The Heptones :** *On Top*, Studio One.

▶ **The Heptones :** *Night Food*, Island.

▶ **Hugh Mundell :** *The Blessed Youth*, Makasound.

▶ **Hugh Mundell :** *Africa must be free by 1983*, Greensleeves.

▶ **Israel Vibration :** *Unconquered People*, EMI.

▶ **The Meditations :** *Guidance*, Makasound.

▶ **The Meditations :** *I Love Jah*, Wackie's/EFA.

▶ **The Mighty Diamonds :** *Right Time*, Virgin.

▶ **The Mighty Diamonds :** *Deeper Roots*, Virgin.

▶ **Sugar Minott :** *Ghetto-Ology + Dub*, Easy Star.

▶ **Jack Ruby :** *Presents the Black Foundation*, Heartbeat.

▶ **Lee Perry :** *Arkology*, Island.

▶ **Lee Perry :** *Mistyc Warrior*, Ariwa.

▶ **Love Joys :** *Reggae Vibe*, EFA/Wackie's.

▶ **Knowledge :** *Straight Outta Trenchtown*, Makasound.

▶ **Barrington Levy :** *Bounty Hunter*, Jah Life.

▶ **Winston McAnuff :** *Diary of the Silent Years*, Makasound.

▶ **Freddie McGregor :** *Bobby Babylon*, Studio One.

▶ **Bob Marley & The Wailers :** *Natty Dread*, Island.

▶ **Bob Marley & The Wailers :** *Catch A Fire*, Island.

▶ **Bob Marley & The Wailers :** *Survival*, Island.

▶ **Pablo Moses :** *Revolutionnary Dream*, Globe Music.

▶ **Johnny Osbourne :** *Truths & Rights*, Studio One.

▶ **Prince Alla & Junior Ross :** *I Can Hear The Children Singing*, Blood & Fire.

▶ **Rico Rodriquez :** *Man From Wareika*, Island.

▶ **Max Romeo :** *War Ina Babylon*, Island.

▶ **Third World :** *96° in the Shade*, Island.

▶ **The Twinkle Brothers** : *Rasta 'Pon Top*, Twinkle.

▶ **Toots & The Maytals :** *Funky Kingston*, Island.

▶ **Delroy Williams :** *I Stand Black*, Makasound.

▶ **Willie Williams :** *Messenger Man*, Drum Street.

▶ **Yabby You :** *Jesus Dread, Blood & Fire.*

Deejay's

▶ **Big Youth :** *Natty Cultural Dread*, Blood & Fire.

▶ **Big Youth :** *Dread Locks Dread*, Virgin.

▶ **Doctor Alimentado :** *Best Dressed Chicken in Town*, Keyman/Greensleeves.

▶ **Dillinger :** *Ready Natty Dreadie*, Studio One.

▶ **Dillinger :** *CB 200*, Island.

▶ **I Roy :** *Don't Check Me With No Light Stuff*, Blood & Fire.

▶ **I Roy :** *Hell & Sorrow*, Trojan.

▶ **Jah Lion :** *Columbia Colly*, Island.

▶ **Lone Ranger :** *Badda Dan Dem*, Studio One.

▶ **Prince Far I :** *Psalms For I*, Pressure Sound.

▶ **Prince Far I :** *Message From The King*, Virgin.

▶ **Prince Jazzbo :** *Ital Corner*, Shanachie.

▶ **Ranking Dread** : *Girls Fiesta*, Burning Sounds.

▶ **Tapper Zukie :** *MPLA*, Virgin.

▶ **Tapper Zukie :** *Man Ah Warrior.*

▶ **Toyan :** *How The West Was Won*, Greensleeves.

▶ **Trinity :** *Shanty Town Determination*, Blood & Fire.

▶ **U Brown :** *Repatriation*, Patate Records.

▶ **U Roy** : *Version Galore*, Treasure Isle.

▶ **U Roy** : *Natty Rebel*, Virgin.

Dub Poets

▶ **LKJ** : *Forces of Victory*.

▶ **Michael Smith** : *Mi Cyan't Believe It*, Island.

▶ **Mutabaruka** : *Check It, High Time*.

Dub

▶ **Aswad** : *A New Chapter of Dub*, Island.

▶ **Inner Circle** : *Heavyweight + Killer Dub*, Blood & Fire.

▶ **Ja-man All Stars** : *In the Dub Zone*, Blood & Fire.

▶ **Jack Ruby** : *Presents the Black Foundation in DUB*, Heartbeat.

▶ **Joe Gibbs & The Professionnals** : *No Bones for The Dogs*, Pressure Sound.

▶ **Keith Hudson** : *Pick A Dub*.

▶ **King Tubby** : *Dub from Roots*.

▶ **Mikey Dread** : *African Anthem*, DATC.

▶ **Niney The Observer** : *Sledgehammer Dub*, Motion Record.

▶ **Lee Perry** : *Scratch Attack*, Shanachie.

▶ **Prince Jammy** : *Kamikaze Dub*, Trojan.

▶ **Prince Far I** : *Dub To Africa*, Pressure Sound.

▶ **Scientist** : *Win The World Cup*, Greensleeves.

▶ **Scientist** : *Big Showdown 1980*, Greensleeves.

▶ **Wackie's** : *Super Dub*, EFA/Wackie's.

Dancehall – Reggae moderne

▶ **Anthony B** : *Seven Seals*.

▶ **Anthony B** : *Live*.

▶ **Buju Banton** : *Inna Heights*, Penthouse.

▶ **Buju Banton** : *Till Shiloh*, Penthouse.

▶ **Bounty Killer** : *My Xperience*, VP Records.

▶ **Bounty Killer** : *Ghetto Dictionnary*, VP Records.

▶ **Beenie Man** : *Blessed*, Island.

▶ **Chacka Demus & Pliers** : *Teese Me*, Mango.

▶ **Capleton** : *Still Blazin*, VP Records.

▶ **Capleton** : *Prophecy*, Defjam.

▶ **Compilation** : *The Biggest Ragga Dancehall Anthems 2002*, Greensleeves.

▶ **Elephant Man** : *Higher Level*, Greensleeves.

▶ **Garnett Silk** : *The definitive Collection*, Atlantic.

▶ **Jah Cure** : *Free*.

▶ **Lady Saw** : *Give Me the reason*, VP Records.

▶ **Luciano** : *Great Controversy*, Jet Star.

▶ **Luciano** : *Serve Jah*, VP Records.

▶ **Damian Marley** : *Welcome to Jam'Rock*.

▶ **Mavado** : *Life of Gully God*.

▶ **Ninjaman** : *Bounty Hunter*, Digital B.

▶ **Taurus Riley** : *Contagious*.

▶ **Rough Ina Town** : *The Exterminator Sound*, Maximum Pressure.

▶ **Sean Paul** : *Dutty Rock*, VP Records.

▶ **Sizzla** : *Da Real Thing*, VP Records.

▶ **Sizzla** : *Black Woman & Child*, Xterminator.

▶ **Vegas** : *Heads High*, Greensleeves.

▶ **Ward 21** : *Mentally Disturbed*, Greensleeves et *U know-how we rool*.

▶ **Warrior King** : *Virtuous Woman*, VP Records.

DÉCOUVERTE

■ PEINTURE ET ARTS GRAPHIQUES ■

Comme en témoignent les quelques pétroglyphes, sculptures et poteries rudimentaires qu'ils ont laissés, les Arawak n'avaient pas atteint un développement artistique très avancé lors de la découverte de l'île par Christophe Colomb. Les rares pièces intéressantes sont aujourd'hui exposées au British Museum de Londres et au Metropolitan Museum of Art de New York. Les Espagnols n'ont laissé que peu de traces de la colonisation, que les Anglais se sont hâtés de détruire dès leur entrée en scène dans l'histoire de l'île. Quelques fresques sculptées sur la pierre à New Seville sont tout ce qui reste du passage des Espagnols au XVIe siècle. Les Anglais devenus propriétaires de l'île ont gardé des liens très forts avec l'Europe, commandant la grande majorité des œuvres d'art qui ornent leurs demeures et les églises aux artistes consacrés du vieux continent. Les œuvres datant de la colonisation anglaise, les tableaux, les sculptures néoclassiques, les vitraux et le mobilier des principales églises protestantes ont ainsi été envoyés par bateau en kit, et montés dans l'île.

La tradition picturale jamaïcaine n'a vu le jour qu'à travers les artistes étrangers qui ont fait de brefs séjours dans l'île afin d'y réaliser les portraits des riches planteurs et de leurs familles. Profitant de leur visite dans l'île, ils réalisent aussi des aquarelles ou des huiles qui vont populariser la beauté exotique de la Jamaïque. Certains d'entre eux prolongent leur séjour, ouvrant même des studios à Kingston. Le déclin de l'industrie sucrière marque également le déclin de ces peintres, qui ne viennent plus qu'épisodiquement en Jamaïque réaliser des vues classiques de bord de mer ou de ports. Quant à la production locale, elle reste confinée dans l'amateurisme des peintres du dimanche ou des aquarellistes en herbe. Par ailleurs, les restes des cultures africaines importées en même temps que les esclaves ont été réprimés et la production d'objets rituels, statuettes ou poteries est interdite par les planteurs. La tradition artistique africaine s'est perdue dans les prohibitions strictes de l'esclavagisme. Seuls le langage, le chant, la musique et la danse ont pu survivre. On ne note aucune production artistique indigène significative jusqu'à l'arrivée sur la scène artistique insulaire de l'artiste la plus douée de sa génération, Edna Manley, dont la popularité naît en même temps que la prise de conscience nationaliste et anticolonialiste. Ce qu'on appelle le Art Movement date de 1922, année où Edna Manley arrive en Jamaïque après une éducation anglaise et où elle exécute sa première sculpture inspirée de la culture locale. La création de la Jamaican School of Art en 1950, où elle donne des cours, marque un tournant dans l'histoire de l'art visuel du pays. La National Galery de Kingston propose une superbe collection de pièces, depuis les temps coloniaux jusqu'à l'art expérimental des années 2000.

▶ **Le Yard Art** est la manifestation d'un art populaire de peintres intuitifs formés sur le tas dans les ghettos de Trench Town ou de Tivoli Gardens. Ce sont de grandes fresques murales au style naïf représentant des scènes du quotidien ou illustrant des slogans politiques. Elles décorent les façades des maisons dans les quartiers populaires de la capitale, les devantures de café et les boutiques un peu partout dans l'île, mais aussi les parois rocheuses des montagnes, des falaises, des grottes selon la fantaisie des artistes pèlerins.

▶ **John Dunkley.** Le premier véritable peintre jamaïcain est né en 1881. Coiffeur barbier de son état, il officie dans sa boutique au centre-ville de Kingston. Il recouvre les murs de sa boutique et ses ustensiles d'étonnants symboles. Peintre aventurier, il parcourt l'Amérique latine à la recherche de la fortune. Il se tourne ensuite vers la peinture sur toile ; ses images symboliques déroutantes, parfois morbides en ont fait le peintre le plus coté du pays.

▶ **Osmond Watson**. Né à Kingston en 1934 et mort en 2005, ce peintre, auteur de toiles comme *The Laud is my Sheper* ou *Freedom Fighter*, a su mêler cubisme et art africain à une technique purement jamaïcaine, acquise à l'école nationale d'art. A travers ses portraits, c'est l'âme profonde de la population de l'île qui est honorée, à travers des œuvres aux couleurs vives, puissantes et contrastées.

▶ **Mallica Reynolds, dit Kapo,** mort en 1989, est l'un des artistes les plus connus du pays. Ancien leader revivaliste, il développe des thèmes insulaires et mystiques, paysages et visions, et il sculpte également le bois. Son œuvre est largement présente à la National Gallery.

▶ **Allan Zion** est un peintre rasta qui s'inspire de la vie quotidienne et traditionnelle de la campagne.

▶ **Albert Artwell**. Né en 1942, ce peintre est sans doute le meilleur représentant de la peinture populaire jamaïcaine. Dans un style naïf, tout en couleurs joyeuses et personnages symétriques, Artwell a conquis un large public dans le monde entier. La Jamaïque chantante, couronnée d'azur, avec sa nature exubérante et ses cabanes de bois peintes en rouge, vert et or, guide la plupart de ses toiles, inspirées par les Ecrits saints et la tradition rasta du retour en Afrique.

Peinture naïve.

Festivités

Janvier

■ ACCOMPONG MAROON FESTIVAL

À Accompong (Cockpitt Country)
Le festival est célébré tous les 6 janvier, date anniversaire de la naissance du guerrier maroon Cudjoe, qui signa le traité de paix avec les colonisateurs anglais en 1738.

■ JAMAICA JAZZ&BLUES FESTIVAL

À Montego Bay
http://jamaicajazzandblues.com
A la fin du mois de janvier.
Le plus grand festival de ce type en Jamaïque, avec toujours des stars mondiales sur scène. Il a fêté ses 15 ans en 2011.

Février

■ ANNIVERSAIRE DE LA NAISSANCE DE BOB MARLEY

Tous les 6 février, l'île fête la venue au monde de son enfant le plus célèbre. Manifestations et concerts à Kingston, Nine Mile, Negril...

■ FI WI SINTING

A Port Antonio (Portland)
www.fiwisinting.com
info@fiwisinting.com
Entrée : 10 US$.
Mi-février. Port Antonio (Portland) fête tous les ans son héritage africain dans un tourbillon de danses, concerts, lectures, poésie, percussions.

Mars

■ SPRING BREAK

www.springbreak.com
Début mars, les plages de Negril (et Montego Bay) sont envahies par les étudiants américains qui célèbrent leurs vacances ici. A ce moment, tous les hôtels affichent complet et la plage ne dort jamais, entre les compétitions de boisson, les sound systems et les jeux nautiques.

Avril

■ TRELAWNY YAM FESTIVAL

À Albert Town
Chaque lundi de Pâques, se tient le festival annuel du Yam, sorte de patate douce dont cette région est la première productrice.

Mai

■ FESTIVAL LITTÉRAIRE INTERNATIONAL CALABASH

À treasure Beach
calabashfestival@hotmail.com
A treasure Beach, fin mai, se tient ce grand évènement où se rendent les fans de littérature de l'île et d'ailleurs, à la rencontre d'écrivains anonymes ou fameux.

■ WESTERN CONSCIOUSNESS

www.westernconsciousness.com
Savanna-la-Mar organise chaque année vers la mi-mai ce festival de reggae, ragga et dancehall. Slogan de l'évènement « *The celebration of good over evil* » (« la célébration du bien sur le mal »). Tout un programme !

Juin

■ OCHO RIOS JAZZ FESTIVAL

Ocho rios
www.ochoriosjazz.com
jazzinfo@ochoriosjazz.com
Mi-juin pendant une semaine, un grand rendez-vous de la musique jazz en Jamaïque.

■ PORTLAND JERK FESTIVAL

À Boston Bay (Portland)
portlandjerkfestival.com
Dernier week-end de juin.
L'un des plats les plus appréciés de l'île, cuisiné à la chaîne au son des groupes et des danses.

Juillet

■ ANNUAL LITTLE OCHIE SEAFOOD CARNIVAL

À Alligator Pound ✆ +1 876 965 4449
www.littleochie.com
En juillet.
Le restaurant culte festoie pendant une journée autour de ses spécialités : homard et crevettes !

■ INTERNATIONAL REGGAE DAY

www.ireggaeday.com
Chaque premier juillet, des concerts fêtent dans toute l'île cette fierté nationale qu'est le reggae, style né ici, musique des masses, tempo indivisible de la vie des Jamaïcains. Dans toutes les grandes villes.

Rick's Cafe à Negril.

■ **REGGAE SUMFEST**
À Montego Bay
www.reggaesumfest.com
Mi-juillet ou fin juillet, selon les années.
« Le concert le plus célèbre du monde » selon
le slogan. Le SumFest est sans doute le plus
grand rassemblement musical du pays. 6 jours
de musique jusqu'au petit matin, des stars
mondiales, une multitude de fans, sur un site
merveilleux face à la mer…

■ **SEA FOOD FESTIVAL**
Ocho Rios
*Tarifs : 800 JMD pour les adultes et 400 pour
les enfants.*
Tout début août, le Turle River Park, en plein
centre-ville, vit au rythme des crevettes,
conques, homards… lors de l'annuel festival de
nourriture de la mer. Animation et dégustation
du matin jusqu'au soir.

Août

■ **INDEPENDENCE DAY**
Le 6 août, les Jamaïcains commémorent
avec fierté l'anniversaire du départ des colons
britanniques et la naissance de leur nation, en
1962. L'île entière prend des couleurs vert,
noir et or. Parade nautique dans la baie de
Kingston et concert de Gala.

Octobre

■ **ANNIVERSAIRE DE LA NAISSANCE
DE PETER TOSH**
À Savanna-la-Mar
✆ +1 876 957 7127
Autour du 9 octobre, à Belmont, là où repose
le corps de l'ancien chanteur des Wailers.
Concerts-hommage au Steppin'Razor. Se
renseigner au préalable sur la location, mais
d'ordinaire le concert a lieu à Sav-la-Mar.
Appeler Worrell King au numéro indiqué pour
plus de détails.

■ **PORT ROYAL SEA FOOD FESTIVAL**
À Port Royal
Tous les 3ᵉ lundis d'octobre, le tranquille port
se réveille pour sombrer dans une orgie de
fruits de mer, poissons, homards et autres
spécialités culinaires de la presqu'île. Le
festival se tient sur le terrain de foot, avec des
concerts et des animations du matin au soir.

Décembre

■ **FEUX D'ARTIFICES DU NOUVEL AN**
À Kingston
Sur le front de mer de Kingston, des milliers de
gens affluent pour fêter la nouvelle année dans
une cohue et une ambiance toute jamaïcaines !

Cuisine jamaïcaine

Gastronome, fine fourchette, gourmet ou simple gourmand, gros appétit ou appétit d'oiseau, ripailleur ou bec-fin, soyez immédiatement rassuré, on mange bien en Jamaïque. Les Jamaïcains prennent généralement un petit déjeuner copieux, composés de légumes et de morue et dînent tôt, à la manière des Hollandais. Haute en couleur, riche en saveurs, mariant subtilement traditions et créations, mosaïque des diverses cultures de l'Afrique à l'Inde, la gastronomie locale est l'une des meilleures et des plus créatives des Caraïbes, tirant parti de toutes les influences et de la diversité sans pareille de ses richesses naturelles.

■ PRODUITS CARACTÉRISTIQUES

▶ **Tous les fruits du paradis.** Ananas, bananes, papayes à la pulpe rafraîchissante, noix de coco, citrons, oranges, mandarines, pamplemousses, avocats, plantains, cannes à sucre, corossols, guineps, carambodes plus décoratives que gustatives, la sapotille au goût d'abricot, le fruit de la passiflore, le fruit de la passion, la pomme cannelle, le cédrat... De quoi apaiser toutes les faims et satisfaire tous les goûts ! Si les fruits sont aujourd'hui légion dans l'île, il n'en a pas toujours été ainsi. En effet, à l'arrivée de Christophe Colomb, seuls quelques fruits indigènes comme la goyave, l'ananas, la star apple et le sweetsop étaient présents. Ce sont la colonisation et les échanges avec les terres lointaines de l'Asie et du Pacifique, et surtout de l'Afrique, qui ont transformé les Caraïbes en paradis du fruit. Après l'arrivée des premiers colons, les fruits commencent à envahir la Jamaïque et ses voisines, trouvant là une terre d'asile toute désignée. Le citron, la canne à sucre originaire d'Asie, le cocotier et le papayer des Indes, le goyavier du Brésil, le manguier de la Réunion et la banane furent introduits par les premiers colons. Au XVIIe siècle, les marchands firent connaître les noix de coco de Malaisie et les premiers plans de café furent transplantés, avec le succès que l'on sait. « Quand vient la saison des mangues, on retourne les pots » : le vieux dicton jamaïcain est plein de sagesse car à cette époque de l'année, point n'est besoin de cuisiner. Plus d'une cinquantaine de variétés de mangues, cela suffit à nourrir sans lassitude son Jamaïcain, pendant un bon moment ! Les mangues, originaires des Indes, ne sont pas les seules à offrir de multiples variétés. On découvrira aussi des fruits plus méconnus comme la star apple, un fruit rond et pourpre au noyau en forme d'étoile ; le ugly, un énorme fruit plus ou moins rond, résultat du croisement entre le pamplemousse et la mandarine, ainsi baptisé à cause des difformités qui surviennent au cours de sa croissance ; l'ortanique, un croisement original entre l'orange et la tangerine ; ou encore l'anone, délicieux en sorbet.

© SIR PENGALLAN – ICONOTEC

Assiette de fruits à savourer sans complexes.

Les passionnés de gastronomie locale

Les passionnés de gastronomie locale, tentés de reproduire la cuisine jamaïcaine sous d'autres latitudes, s'inspireront des ouvrages disponibles dans les librairies et boutiques pour touristes : *Barbecue from Jamaica* de Helen Willinsky, *The Rasta Cook Book* de Laura Osbourne et *Little Jamaican Cookbook* de Jill Hamilton.

Ces fruits, on les déguste sous toutes les formes. En sorbets, en salades, nature, cuits, crus, mariés à des viandes ou des poissons, les variations sont infinies... On les trouve partout dans le pays, sur les marchés bien sûr, dans les supermarchés (chers) et tout au long des routes, au détour d'un virage, au creux d'une plage, dans des petits stands de bois et palmes joliment décorés et vivement colorés, autant de haltes agréables au cours de vos balades dans l'île. Dans sa prodigalité, la nature jamaïcaine n'a pas oublié les légumes. Les petits paysans sont les principaux fournisseurs des légumes qu'ils cultivent dans de petites parcelles familiales.

▶ **Le ackee,** légume national, fruit de l'akesia, ne fut introduit dans l'île qu'en 1778 par les esclaves africains en provenance d'Afrique de l'Ouest. C'est l'acteur principal du plat national, la morue au ackee. Le fruit cache trois globes de chair jaune et trois gros noyaux noirs sous une coque dure et rouge qui émet un gaz empoisonné en s'ouvrant. Quand il est fermé, donc pas mûr, le ackee est vénéneux. Cuit, il a l'apparence et le goût des œufs brouillés.

▶ **Le fruit de l'arbre à pain,** le breadfruit, a été apporté dans l'île par le capitaine Blight, celui-là même qui a connu quelques déboires avec son équipage du Bounty, au retour de l'un de ses voyages dans le Pacifique. Gros fruit qui pèse environ 2 kg, il pousse dans un arbre aux feuilles immenses et se prête à toutes sortes de préparations. On ne manque pas de façons de l'accommoder ; grillé, bouilli, frit, il tient lieu de pomme de terre et accompagne les viandes et les poissons. Il se sert aussi en salades et en gâteaux.

▶ **Bien d'autres variétés de légumes,** indigènes ou transplantées dès les débuts de la colonisation, font le bonheur des cuisiniers. Les ignames aux tiges grimpantes, dont les racines se mangent bouillies ou après avoir été râpées et séchées ; la patate douce à la chair ferme et sucrée ; le manioc dont les racines donnent une farine à la base de

Les Tropiques sentent les épices

Comme toutes les terres tropicales, l'île est riche en épices aux saveurs multiples, exotiques, franches ou nuancées. La cuisine jamaïcaine marie avec bonheur ces bouquets, osant des variations aromatiques parfois étonnantes mais toujours savoureuses au palais.

▶ **La reine de l'île est sans conteste le pimento,** le fameux « all spices », appelé chez nous poivre de la Jamaïque ou poivre giroflé. Epice indigène à la saveur corsée, subtil mélange de clou de girofle, de cannelle, de muscade et de poivre, il est utilisé pour condimenter de nombreuses sauces locales, dont le fameux jerk. A l'instar de la gastronomie, l'industrie du parfum s'est elle aussi laissé séduire par cette senteur rare et en fait une base classique de jus de parfum. Dernier atout et non des moindres de cette épice aux multiples facettes, l'huile ou l'infusion soulagent les douleurs, en particulier celles de l'estomac et des muscles, les flatulences et le diabète, et il agit aussi comme un anesthésique. Aujourd'hui, nombreuses sont les plantations de pimento reconnaissables aux fins troncs blancs des arbres. La plupart d'entre elles exportent leur production.

▶ **Le poivre, le laurier, la muscade, le girofle, la cannelle** et bien d'autres : autant de saveurs subtiles utilisées dans la cuisine locale pour le plus grand plaisir des papilles.

▶ **Quant au cacaoyer et au caféier,** leurs fèves les classent dans la famille des épices. Ils font l'objet d'une exploitation très sérieuse et sont à l'origine d'une production en grande partie exportée sous d'autres latitudes. La café des Blue Montains est mondialement connu. Sur place, vous aurez la possibilité de visiter des plantations et de déguster le meilleur café du monde, selon les Jamaïcains.

nombreuses préparations ; la christophine, appelée chayotte en Provence ; les tomates, les haricots verts, rouges ou noirs ; le gombo, un petit légume vert qui se mange jeune et tendre ; le callaloo, l'épinard local ; le potiron qui donne ces soupes savoureuses ouvrant souvent un dîner jamaïcain ; les pastèques, les piments, les poivrons-oiseaux, adorés des oiseaux qui viennent les picorer... Difficile de dresser un panorama exhaustif du potager jamaïcain, mais une chose est sûre, il n'engendre pas la monotonie culinaire !

▶ **La mer nourricière.** Poissons de toutes sortes, habitués des récifs coralliens ou migrateurs, homards, crevettes, crabes, coquillages... La mer caraïbe se montre fort généreuse et nourrit l'île. La tradition de la pêche perdure et, partout le long des côtes, se succèdent des petites communautés de pêcheurs dont les barques colorées reposent sur le sable. Toute l'île, y compris l'intérieur du pays, est quotidiennement approvisionnée en produits de la mer frais que les petits pêcheurs, souvent regroupés en coopératives, déversent sur les marchés. En Jamaïque, on n'est jamais à court d'idées pour accommoder le poisson qui selon sa nature sera servi grillé, jerk, en sauce, relevé d'épices... Les lambis sont très prisés des Jamaïcains qui les apprécient grillés ou au curry. Quant aux crabes, ils font l'objet de nombreuses préparations, natures ou relevés par des sauces épicées. Sachez cependant que pendant la période de reproduction des homards, du 1er avril au 30 juin, et celle du lambi, du 1er juillet au 30 octobre, la loi jamaïcaine interdit la pêche et la présence sur les marchés et dans les restaurants de ces deux espèces. Seuls des produits d'importation sont consommables, la délation est encouragée et les peines encourues par les contrevenants sont sévères.

■ HABITUDES ALIMENTAIRES

▶ **L'essor touristique a entraîné le développement de cette cuisine internationale** que l'on retrouve partout, des pizzas aux hamburgers. Ici, elle est très largement inspirée des habitudes culinaires américaines qui ont implanté leurs meilleurs ambassadeurs : Kentucky Fried Chicken, Pizza Hut, Wendy's...

▶ **La cuisine locale** quant à elle est très variée. Elle met à contribution toute la richesse des ressources locales, dont la nature caraïbe est si prodigue, en déclinant avec d'infinies nuances et sur tous les goûts épices, fruits, légumes, viandes, poissons, crustacés... Les influences diverses, africaines, latines et européennes, se ressentent dans cette cuisine originale. Elle offre une palette large de spécialités aux saveurs tour à tour épicées, piquantes, relevées (parfois trop au goût de certains palais), mélanges de sucré-salé, suaves ou douces...

On mange de tout dans la noix de coco.

■ RECETTES

▶ **Le plat national,** l'incontournable morue au ackee, où l'on notera l'influence britannique, le curry de chèvre, le poisson « escoveitch », le pepper pot soup sont les recettes de base des cartes des restaurants locaux. Le plat classique de cette région des Caraïbes est le *rice and peas*, riz cuisiné avec des haricots rouges parfois cuits dans du lait de coco et parfumé de diverses épices. Il accompagne généreusement la plupart des plats de viandes.

Manger I-Tal

Impossible de clore le chapitre culinaire sans faire une incursion dans la fameuse cuisine I-Tal, naturelle et vitale, qui est l'une des expressions majeures du style de vie des rastafariens. Dans leur volonté de vivre au plus près de la nature, qui protège le physique comme le mental, les rastas n'ont pas oublié les plaisirs de la bouche. Rien que des produits naturels, pas de viandes rouges, pas de porc, parfois même un régime végétarien strict, pas de sel, tels sont les grands principes de la cuisine I-Tal. Une cuisine originale, qui ne manque pas de piquant, au sens premier du terme, et réserve parfois quelques surprises épicées. Attention, toutefois car le terme est très galvaudé et n'est pas I-Tal qui le prétend !

Les boissons jamaïcaines

Dans ce domaine aussi, on n'a que l'embarras du choix.

▶ **La bière est la boisson nationale populaire** au comptoir des bars jamaïcains. La marque préférée des Jamaïcains est la Red Stripe, familièrement appelée « policeman » pour la ressemblance entre la rayure rouge de l'uniforme national et celle de l'étiquette. La Red Stripe se décline aujourd'hui en version Light et en version Bold, légèrement ambrée. La Dragon (7%) et la Dragon Spitfire (10%) raviront les habitués de bières plus fortes et aux arômes plus prononcés. On trouve aussi la Heineken et la Guiness, très populaires dans l'île.

▶ **Le rhum,** produit selon des recettes vieilles de plusieurs siècles, est l'un des meilleurs des Caraïbes. Ses différentes variétés, natures ou aromatisées, aux âges, aux robes et aux senteurs pleines de promesses sont consommées de multiples façons. Sec d'abord, mais surtout en cocktails, et la créativité des barmen jamaïcains dans ce domaine est impressionnante. Le blender est une arme redoutable qu'ils maîtrisent avec un art consommé, pour donner naissance à des créations aux noms aussi évocateurs que leurs goûts sont savoureux.

▶ **Pour les plus sages, les jus de fruits** restent une valeur sûre, qu'ils soient servis nature, accommodés en milk-shake ou en cocktails savoureux et hauts en couleur.

▶ **Côté boisson à bulles,** signalons le Ting, le soda national très rafraîchissant, aromatisé au pamplemousse, auquel succombent bien des visiteurs.

▶ **Côté liqueurs,** la liste est longue aussi. Celle issue du café est particulièrement prisée, la Tia Maria, « Tante Marie », est la plus répandue.

▶ **Et pour soigner les plus fragiles, les « teas » jamaïcains** offrent toute une gamme d'infusions d'herbes médicinales aux vertus curatives. Le « roots », un remontant, est une infusion de racines mélangée à du tonic et arrosée de rhum. Les « bush teas », infusions préparées par les bush doctors, soignent les petits bobos de façon totalement naturelle. La feuille de cerassee bouillie donne une infusion qui soigne tous les maux, et en particulier le diabète ; l'infusion de gingembre, quant à elle, soigne les maux d'estomac. Sur ce sujet, les rastas, grands défenseurs des produits naturels et de leurs vertus en savent bien plus qu'ils ne veulent en dire...

Retrouvez l'index général en fin de guide

Jeux, loisirs et sports

DISCIPLINES NATIONALES

▶ **Football.** Les Reggae Boyz furent la deuxième équipe de football des Caraïbes, après Haïti en 1974, à être sélectionnée pour un Mondial de football (en 1998), un événement sportif au retentissement jamais vu sur l'île. Les matches éliminatoires ont tenu en haleine tout le monde, sans distinction d'âge, de sexe, de couleur de peau ou de religion ! Les Jamaïcains entendent prouver avec cette première sélection que la valeur sportive d'un pays ne se mesure pas à sa taille, et les supporters de Jamaïque ou d'Angleterre ont été nombreux à prévoir le voyage en France pour soutenir l'équipe nationale. Comme en Jamaïque, la musique est omniprésente, et les artistes reggae n'ont pu rester en marge de cet engouement national qui touche toute la population jamaïcaine, insulaire ou émigrée. Un album musical original, *Tribute to the Reggae Boyz*, réunissant de nombreux artistes, a été réalisé à l'initiative de Ben Oldfield, un passionné de dancehall. Si le rêve s'est terminé le 21 juin 1998 sur l'impitoyable score imposé par l'Argentine lors de leur deuxième match (0-5), les espoirs demeurent pour une prochaine qualification au Brésil en 2014. Le football, sport universel s'il en est, a depuis quelques années grignoté la place du cricket dans le cœur des jeunes Jamaïcains, qui suivent les compétitions internationales avec une passion extraordinaire ! Impossible en tous cas de rater les photos de Bob Marley jouant au football, une de ses passions avec la musique !

▶ **Athlétisme.** Ce n'est un secret pour personne : les Jamaïcains et Jamaïcaines sont aujourd'hui les personnes les plus rapides de la planète. Depuis la fin des années 1980, la petite île n'a cessé de placer sur les pistes de sprint et de sauts une pléiade de coureurs dont les plus célèbres restent Merlene Ottey, Grace Jackson, Justin Gatlin, Asafa Powell,

Veronica Campbell-Brown et bien sûr les champions olympiques en titre, Shelly-Ann Fraser et Usain Bolt. Il n'est pas rare de voir un 100 m se terminer par un podium intégralement jamaïcain, et l'île entière vibre derrière Veronica, Shelly, Usain et Asafa lors de chaque meeting ou compétition internationale. La Jamaïque a encore brillé lors des Jeux olympiques de Londres. Usain Bolt est le premier athlète à avoir conservé ses titres du 100 m et du 200 m. Il a remporté quatre médailles d'or individuelles, six au total. Il est devenu sur son île, et dans le monde, une véritable légende !

▶ **Cricket.** Sport traditionnel, né en Angleterre au XVIe siècle et exporté dans toutes les colonies britanniques, le cricket compte toujours nombre d'adeptes. Les terrains de cricket, sur lequel s'affrontent vingt-deux joueurs en costume blanc, supervisés par deux arbitres parsèment l'île. Difficile à suivre pour un non-initié, ce jeu est cousin du baseball : un pitcher lance la balle que le batteur doit frapper pour l'envoyer hors de portée des lignes de défense adverse. Récemment, la Jamaïque a accueilli les phases éliminatoires de la Coupe du monde de cette discipline typiquement britannique. L'engouement important suscité par la manifestation témoigne de l'importance de ce sport dans l'île. Vous remarquerez sur toute l'île des vastes terrains où il se pratique, et peut-être vous laisserez-vous tenter par une journée de match (oui, une journée entière !) durant votre séjour.

▶ **Dominos.** Cela a de quoi surprendre, mais ici les dominos sont un sport national. Beaucoup assimilent en effet ce jeu à une véritable pratique sportive, tant elle nécessite d'entraînement, de concentration, et tant elle suscite de passion.

■ ACTIVITÉS À FAIRE SUR PLACE ■

▶ **Golf.** A moins d'un très long séjour en Jamaïque, vous n'aurez pas assez de temps pour partir à l'assaut de tous les terrains de golf de l'île. Le pays propose une grande diversité de parcours qui sont pour la plupart concentrés autour des zones touristiques côtières, mais aussi dans la capitale et les grandes agglomérations comme Mandeville. Hérité de la tradition coloniale britannique, le golf a été très pratiqué par les Jamaïcains, avant de devenir une aubaine touristique. La douzaine de parcours dispersés dans l'île, collines dominant la mer des Caraïbes, vallées profondes, fairways ondulants, greens en promontoires et pièces d'eau réservent beaucoup de surprises et de sensations.

▶ **Autour de la plage.** Masques, tubas et palmes. Les fonds jamaïcains sont parmi les plus beaux des Caraïbes, et du monde. La faille Cayman, au bord de laquelle se trouve l'île, permet des plongées en eau profonde, très variées. Canyons, grottes, récifs coralliens et crevasses dévoilent toute la variété d'une vie sous-marine intense. Coraux, éponges de toute sorte, barracuda, snapper rouge, raie manta, tortues de mer, dauphins, anémones de mer, coquillages, petits poissons multicolores, le spectacle est infini... Plus d'une cinquantaine de centres de plongée s'égrènent le long de la côte septentrionale, et sont représentés dans les grands hôtels. La côte méridionale, dont les eaux sont moins profondes, est moins riche en spots de plongée. L'association jamaïcaine des opérateurs de plongée communique sur demande la liste des centres agréés (✆ +1 876 974 5595 – Fax : +1 876 974 0577). Les amateurs de plongée avec masque et tuba exploreront des fonds tout aussi variés et magnifiques à une profondeur modeste. La côte Nord offre l'un des plus beaux spectacles sous-marins. La topographie sous-marine de l'île est presque aussi diversifiée que l'est sa géographie de surface. La visibilité est extraordinaire dans ces eaux limpides, jusqu'à quarante mètres de profondeur. Les courants, en général assez faibles, garantissent des conditions de plongée confortables. La température de l'eau est idéale, 24 °C en hiver, 27 °C en été, ce qui permet de plonger avec des équipements légers. Différents types de récifs coralliens vivants ou morts, des failles profondes, des grottes sous-marines, des cuvettes creusées telles des arènes, et même des épaves enchâssées dans le corail,

le spectacle est permanent. Les centres de plongée licenciés sont principalement regroupés dans les grands centres touristiques. La plongée s'y pratique « à l'américaine », plus plongée loisir que plongée sportive.

▶ **La pêche au gros.** A seulement quelques centaines de mètres des rivages, au-delà des récifs coralliens, la pêche de haute mer se révèle très fructueuse. Les territoires de pêche encerclent l'île et il est difficile de revenir bredouille d'une sortie en mer. Le poisson le plus populaire de l'île est sans conteste le fameux marlin bleu, poisson mythique célébré par Hemingway, qui peut atteindre 200 kg et jusqu'à 2 m de longueur. Présent toute l'année dans les eaux jamaïcaines, sa taille est optimum en été et en automne. De grands tournois de pêche, rassemblant de nombreux bateaux aux équipements particuliers venus des îles voisines, sont organisés dans les principales villes côtières. Celui de Port Antonio qui a lieu en octobre est particulièrement renommé. La lutte de haute main entre les pêcheurs et le poisson dure des heures, ponctuées de bonds et de sauts spectaculaires de l'animal, et malgré son matériel sophistiqué, l'homme ne sort pas toujours vainqueur de l'affrontement. Le barracuda est aussi une prise recherchée. Ocho Rios, Montego Bay et Port Antonio sont les bases principales où s'affrètent les bateaux de pêche, pour des tarifs d'environ 700 USD par jour. Les conditions varient, mais il est d'usage que le capitaine conserve la moitié des prises.

▶ **Balades en bateau.** Le bateau est sans conteste la meilleure façon de découvrir la beauté des rivages jamaïcains. Les baies secrètes, les anses profondes, les falaises abruptes, les moindres recoins de la côte sont accessibles et bien plus beaux vus depuis la mer. Dans tous les centres touristiques, toutes sortes d'embarcations sont disponibles, du voilier traditionnel au bateau cigarette, pour des balades d'une journée ou d'une soirée, avec baignades, pique-niques ou cocktails au clair de lune.

▶ **Les plages.** Domestiquées ou secrètes, les plages cernent l'île en une succession ininterrompue de lieux paradisiaques. Fin sable blanc ou sable gris au grain plus grossier, franges de cocotiers ou d'amandiers, anses profondes ou longues bandes rectilignes, les plages font la fierté d'une île, qui leur doit sa réputation.

Enfants du pays

Chris Blackwell

C'est à ce producteur audacieux que l'on doit de connaître Jimmy Cliff. C'est lui, aussi, qui a fait connaître internationalement Bob Marley. Né à Londres d'un père irlandais et d'une mère jamaïcaine, élevé dans le milieu privilégié des riches jamaïcains, le turbulent Chris Blackwell exerça ses talents dans de nombreuses activités, de secrétaire de gouverneur à moniteur de ski nautique, avant de s'engager dans la musique et de fonder le label Island, d'abord sur l'île puis à Londres en 1962, dont les plus beaux fleurons sont aujourd'hui Bob Marley, UB40, Jimmy Cliff... L'homme d'affaires a, peu à peu, supplanté le producteur et, si la musique reste son premier grand amour, Chris Blackwell a aujourd'hui diversifié les activités de l'empire Island, notamment dans la communication et l'immobilier avec de grands projets dans la région de Oracabessa, des hôtels de luxe dans l'île (Strawberry Hill ou Caves) mais aussi en Floride et aux Bahamas, et des incursions dans le domaine industriel (textile). En 2009, le magazine anglais *Music Week* l'a nommé « homme le plus influent dans la musique britannique de ces 50 dernières années ».

Louise Bennett Coverley

Miss Lou (1919-2006) est incontestablement une icône de la littérature jamaïcaine. De caractère bien trempé, cette grande dame s'était fait une spécialité de la langue traditionnelle de l'île, le patois. Poète, dramaturge, conteuse, son talent est reconnu internationalement. Elle a largement contribué à redonner ses lettres de noblesse à la langue jamaïcaine en publiant de nombreux ouvrages en patois, et a été à plusieurs reprises décorée par le gouvernement pour sa contribution à la conservation de l'héritage culturel. Décédée en 2006, ses funérailles ont été l'occasion d'un hommage national. Plusieurs espaces culturels portent aujourd'hui son nom.

Usain Bolt

« *Lightning* », « l'Extraterrestre » ... les surnoms sont évocateurs pour qualifier cet athlète, nouvelle idole de l'île, devenu légende vivante. Ses extraordinaires performances lors des épreuves de sprint court (100 m et 200 m) en ont fait l'homme le plus rapide du monde dans les deux disciplines. Aux Jeux olympiques de Pékin en 2008, Usain Bolt est doublement médaillé d'or en battant successivement les records mondiaux dans les deux disciplines. Un an plus tard, aux mondiaux de Berlin, il améliore encore ses temps pour établir des records à 9'58 pour le 100 m et 19'19 pour le 200 m. Laissant impuissants ses concurrents et notamment son compatriote Asafa Powell et l'Américain Tyson Gay, il est devenu un phénomène sur les pistes du monde entier, affichant toujours une décontraction et un naturel déroutants. En août 2012, lors des Jeux olympiques de Londres, il décroche à nouveau l'or sur 100 m (9'63) et sur 200 m (19'32). Il complète sa performance en raflant également l'or sur le 4x100 m avec ses compatriotes Yohan Blake, Nesta Carter et Michael Frater. L'homme est véritablement entré dans la légende ! Le coureur a même obtenu le titre de diplomate, le Premier ministre jamaïcain récompensant « *le charisme du sportif et l'attention qu'il a attiré sur la Jamaïque grâce à ses performances* ». Le surdoué est donc devenu le plus jeune diplomate jamaïcain de l'histoire, et le seul à avoir donné son nom à une autoroute de l'île, la Usain Bolt Highway !

Perry Henzel

On lui doit le film culte *The Harder They Come* (1972) qui a contribué à lancer internationalement le reggae et fait connaître Jimmy Cliff. Ivan Martin, le chanteur naïf venu de la campagne pour faire une carrière musicale, va se laisser corrompre par la ville et ses maléfices ; il renoncera à sa quête de célébrité pour devenir un hors-la-loi faisant l'objet d'un avis de recherche. Jimmy Cliff incarne ce personnage dont l'histoire – avant la chute – est proche de la sienne, à tel point qu'il dira : « *C'est en quelque sorte ma biographie. Une grande partie de ce qu'on y voit, c'est mon histoire, venant de la campagne, ignorant les dures lois de la ville. J'ai toujours su ce que je voulais faire. Je ne voulais pas être médecin comme le souhaitait mon père. J'aimais le public.* » Le film raconte les débuts tortueux de l'industrie musicale dans l'île et dit toute la pression du ghetto sur l'individu opprimé au quotidien, avec des techniques inspirées de la nouvelle vague.

L'histoire d'Ivan a fait le tour du monde et la bande musicale a immortalisé les hits de Jimmy, *The Harder They Come*, *Many Rivers To Cross*, *You Can Get It If You Really Want* et *Sitting In Limbo*, propulsant le reggae du statut de musique locale insulaire à celui d'hymne des opprimés du monde entier. Perry Henzel a non seulement écrit, mais réalisé et produit *The Harder They Come*, un film au ton et à la forme totalement nouveaux. Il en a aussi assuré la commercialisation et la promotion internationale dans trente pays. Cette aventure qui a occupé plus d'une dizaine d'années de sa vie est une grande histoire d'amour et sa seule incursion dans le domaine du long-métrage. Son second film, *No Place Like Home*, un film musical sur Marcus Garvey, longtemps inachevé, est finalement sorti en 2006 et présenté au festival international du film de Toronto. Perry s'est converti à l'écriture romanesque, auteur notamment de *Power Game*, un thriller politique dont l'intrigue brosse un tableau plus vrai que nature de la Jamaïque moderne où toute ressemblance avec des personnages existant ou ayant existé n'est pas fortuite. Parmi ses romans, citons aussi *Darker Chapter* et *Cane*. Perry Henzel est décédé le 14 décembre 2006 dans son village du nord de l'île. Sa femme Sally vit toujours en Jamaïque, à Treasure Beach, où elle possède un hôtel magnifique qu'elle gère avec son fils.

Edna Manley

Edna Swithenbank est née à Bournemouth en Angleterre le 1er mars 1900. Elle est le cinquième enfant de Harvey Swithenbank, un pasteur wesleyen, et de son épouse jamaïcaine, Ellie Shearer. Son enfance et son adolescence se déroulent en Angleterre où elle développe une extraordinaire amitié avec son cousin jamaïcain, Norman Manley, venu poursuivre ses études de droit à Oxford. Elle l'épouse en 1921 et ils rentrent en Jamaïque après la naissance de leur premier fils en 1922. Amateur d'art, Norman Manley va jouer un rôle essentiel dans la vie artistique jamaïcaine dont sa femme est pendant plus de 60 ans le personnage clé. Il encourage très tôt sa vocation créatrice et, de son côté, elle soutient efficacement l'action politique de son mari tout au long de sa carrière. Son arrivée en Jamaïque stimule sa créativité et elle produit de nombreuses sculptures dont *The Beadseller,* une statue de bronze à la structure d'inspiration cubiste. Sa première exposition collective a lieu en Angleterre en 1924, et sa première exposition solo en 1936 avec une première à Kingston. L'Institut de Jamaïque y achète *Negro Aroused*, qui sera la première pièce de la première exposition artistique permanente dans le pays. En divers endroits de l'île, on peut admirer ses œuvres, notamment à Kingston et à Morant Bay. Décédée en 1987, elle est enterrée auprès de son mari dans le parc des Héros nationaux.

Butch Stewart

Cet homme d'affaires talentueux est connu dans le monde entier pour ses coups de maître, ses audaces commerciales et sa réussite exceptionnelle. Né à Kingston en 1941, Gordon « Butch » Stewart a été élevé sur la côte Nord de l'île, dans une propriété familiale qui fait aujourd'hui partie du complexe Sandals d'Ocho Rios. Après des études en Grande-Bretagne, il revient travailler dans son île natale. En 1968, il crée ATL, Appliance Traders Limited, qui distribue des conditionneurs d'air. La société va connaître une croissance exponentielle. Aujourd'hui, le groupe est le plus important du pays et compte une vingtaine de sociétés. En 1981, il se lance dans le tourisme sans rien y connaître, rachetant un hôtel en piteux état à Montego Bay, futur premier maillon de la chaîne Sandals qui compte aujourd'hui dix complexes où règne la formule du tout compris réservée aux couples. Il a lancé en 1993 le *Jamaica Observer*, un journal bihebdomadaire, a introduit de nombreuses marques étrangères dans le pays, notamment les automobiles Peugeot, et représente d'innombrables sociétés étrangères. Le récent rachat de la compagnie aérienne nationale Air Jamaica compte au nombre de ses derniers succès. Fort de ses réussites et honoré par de nombreuses instances jamaïcaines et internationales, Butch Stewart contribue largement au développement social de l'île au travers d'organisations dédiées à la santé, aux enfants, à l'éducation…

Portia Simpson-Miller

Femme politique, leader du Parti national du peuple jamaïcain (PNP), sa désignation comme Premier ministre de la Jamaïque le 30 mars 2006 en a fait la première femme à accéder à la direction du pays. Elle a remplacé P.-J. Patterson, devenant la troisième femme chef de gouvernement dans les Antilles anglophones, après Eugenia Charles de la Dominique et Janet Jagan de Guyana. Elle a pourtant été battue par Bruce Golding (JLP) aux élections de 2007. Elle a à nouveau été élue Premier ministre le 5 janvier 2012.

Lexique

Patois, comprenne qui pourra !

L'anglais parlé en Jamaïque n'est pas toujours très académique, et même si vous parlez couramment la langue de Shakespeare, vous éprouverez sans doute quelques difficultés à comprendre les Jamaïcains.

Pour ce qui est de leur patois, accrochez-vous bien ! Quant au langage rasta, c'est encore une autre histoire…

Des archaïsmes anglais, quelques accents créoles, des emprunts africains, saupoudrés de formulations héritées des anciens prêcheurs protestants, une touche d'espagnol, le tout pimenté de créations rastas…

Les influences linguistiques sont multiples, qui ont façonné le patois jamaïcain, une véritable seconde langue, musicale et rythmée, que chaque Jamaïcain maîtrise et dont il peut faire usage à tout moment.

Surtout utilisée dans les zones rurales, cette seconde langue permet une communication codée à l'écart des oreilles étrangères.

Les Jamaïcains l'utilisent volontiers pour évincer un étranger importun de leurs conversations personnelles ou pour se faire respecter et donner des ordres dans le monde du travail. Le patois jamaïcain a perdu son chantre en la disparition de Louise Bennett, véritable virtuose du patois qui a écrit de nombreux romans et nouvelles dans ce langage savoureux.

Voici quelques clés pour familiariser vos oreilles aux sonorités du patois.

▶ **Volontiers emphatique,** le Jamaïcain utilise le « *up* » pour intensifier son discours.

▶ **Le patois emprunte à la Bible** une phraséologie parfois ampoulée héritée des anciens prêcheurs protestants.

▶ **Le « th »,** phonème difficile à prononcer pour les anciens esclaves africains, est devenu « t » ou « d » (« *that* » devient « *dat* », « *them* » = « *dem* », « *thing* » = « *ting* », « *youth* » = « *yout* »). Plus difficile encore le th final ; le « gh » devient « f ».

▶ **Le changement de voyelles** est fréquent, spécialement le « a » qui devient « o ». Les lettres ou les syllabes sont parfois interverties.

▶ **L'interversion de consonnes** intervient dans de nombreux mots : *aks* au lieu de *ask* ou *flim* pour *film* par exemple.

▶ **L'introduction de mots africains,** tels *putta putta* pour boue, *anansi* pour conte ou *nyam* pour manger, est occasionelle.

Introduction au langage rasta

Essayez de les comprendre mais pas de parler leur langue ! Pour les rastas, la langue « Iyaric de l'empereur » s'oppose à « l'anglais de la Reine » imposé par la civilisation blanche. Mélange de créole aux relents africains avec une structure anglaise, la langue rasta résulte d'une manipulation du langage à partir de quelques principes simples mais que chacun interprète à sa façon. Création permanente jamais figée, le langage rasta n'obéit à aucune règle institutionnalisée et chaque rasta y va de ses propres initiatives et trouvailles linguistiques qui obéissent à quelques règles de base en étroite relation avec les préceptes de leur religion. Peter Tosh, rastafarien convaincu, avait enrichi la langue d'un certain nombre d'inventions savoureuses et établi un lexique personnel. Son langage est incompréhensible sans le lexique à son usage unique. Un petit aperçu ? *Agonizer* : *organizer*, *Boo York Shitty* : New York City, *Christ T'ief come rob us* : Christopher Colombus, *Crime Minister* : *prime minister*, *damager* : *manager*, *Hell A* : LA (Los Angeles), *Kill some shitty* : Kingston City, *out formation* : *information*, *trinibad* : Trinidad, *shitstem* : *system*, *politricks* : *politics*, and *so on*…

Parmi les orientations de base, on retiendra les plus pratiquées : emphaser le I qui marque l'importance de l'individu, supprimer les connotations négatives des mots, les emphaser, ou les positiver en les remplaçant par le divin I, telles sont les bases du parler rasta. Un dernier exemple : *High Way* : I & I Way. Fallait y penser.

Quelques exemples

▶ **La syllabe « ba »** ressemblant par trop à *bad* (« mauvais »), *banana* devient donc *Inana*.

▶ **Dans le mot *belief*** (« croyance »), qui contient *lie* (« mensonge »), le I est supprimé.

▶ **Dans un mot comme *dedicate*** qui commence par *dead* (« mort »), les trois premières lettres seront remplacées par *live* (« vie ») : *dedicate* devient donc *livicate*.

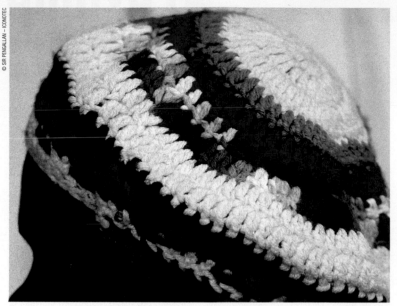

Bonnet rasta, une pratique identitaire en Jamaïque.

▶ *Appreciate* contient « **ate** » voisin de *hate* (« haine »), le mot devient *apprecilove*.

▶ *Understand*, où *under* évoque l'infériorité, devient *overstand*.

▶ *Up ou down* ajoutés au début des mots mettent l'emphase sur leur sens positif ou négatif : *rise* devient *uprise*, et *oppressor* devient *downpresser*.

▶ **Pour parler de soi,** le rasta parle de lui en disant « *I and I* » au lieu de « I » pour bien marquer la considération accordée à l'individu. Pour aller encore plus loin on introduit des I dans certains mots quitte à changer les lettres ou à en abandonner : *divine* devient *Ivine* et *Ethiopia, Ithopia*.
Entre nous bien malin qui y retrouve son franc-parler !

Mots usuels

▶ **Batty** : fessier

▶ **Breda** : frère

▶ **Bway** : garçon

▶ **Chat** : parler

▶ **Cooyah** : viens ici

▶ **Cyan't** : (je ne) peux pas

▶ **Cyar** : voiture

▶ **Dong (down)** : bas

▶ **Dunza** : argent

▶ **Duppy** : revenant, fantôme

▶ **Gal** : fille

▶ **Jamdong, Jamyeca** : Jamaïque

▶ **Mek** : faire

▶ **Mon** : homme

▶ **Nyam** : manger

▶ **Pickney** : enfant

▶ **Sista** : sœur

▶ **Yardie** : Jamaïcain

▶ **Yam** : igname

Quelques exemples de phrases

▶ **Me deh ya** : je suis là.

▶ **Mi want fi rent a cyar** : je veux louer une voiture.

▶ **Mi haffi go dong deh** : il faut que j'aille là-bas.

▶ **It go so ! ou a so it go** : c'est comme ça.

▶ **Weh you a seh ? Wha'appen ?** Quoi de neuf ?

▶ **Weh dem gwaan ?** Où sont-ils partis ?

L'anglais
pour les globe-trotters

Quel que soit votre pays de destination, vous n'en franchirez réellement les frontières qu'en abattant – partiellement – celle de la langue, c'est-à-dire en communiquant avec les habitants. Pour communiquer, il vous suffit de comprendre... un peu et de vous faire comprendre. Nous nous proposons de vous y aider avec ces quelques pages.

En vous soufflant des "mots de passe" pour la plupart des situations que vous serez appelé à rencontrer dans vos voyages, nous mettons à votre disposition un sésame indispensable. Notre ambition n'est pas que vous vous exprimiez d'une manière académiquement parfaite, mais que vous entriez dans le monde anglophone d'un pas assuré. Vous aurez tout loisir par la suite, si le cœur vous en dit, d'approfondir vos connaissances par un apprentissage plus intensif.

Où parle-t-on l'anglais ? En un mot... partout ! Le monde anglophone s'étend bien au-delà des pays de langue anglaise : où que l'on aille, en effet, n'a-t-on pas recours à l'anglais pour comprendre et se faire comprendre ? Raison de plus pour vous y mettre – ou vous y remettre pour rafraîchir vos souvenirs. Nous vous promettons qu'en très peu de temps, avec un minimum de connaissances grammaticales, de vocabulaire utile et d'informations sur le pays, vous deviendrez un interlocuteur de choix, celui – ou celle – qui a fait l'effort de faire un pas vers l'autre en apprenant sa langue : cette démarche, encore trop rare, est très appréciée, et vous en serez largement récompensé(e) par l'accueil d'autant plus chaleureux que vous recevrez en échange.

Cette rubrique est réalisée en partenariat avec **ASSiMiL** Langues de poche

Prononciation - Intonation

Si vous trouvez la grammaire relativement facile, vous risquez en échange de rencontrer quelques difficultés avec la prononciation... Mais rassurez-vous, même les meilleurs anglicistes ont parfois des doutes ! Les règles de prononciation anglaises étant assorties de toute une gamme d'exceptions, bien trop nombreuses pour que nous vous les infligions ici, nous avons opté pour une prononciation figurée sous chaque mot, qui devrait vous rendre la vie plus facile. Dans cette transcription phonétique simplifiée, nous avons souligné les syllabes accentuées, car l'intonation, elle aussi, est difficile à maîtriser, et elle est très importante en anglais.

Quoi qu'il en soit, la meilleure façon de parler..., c'est de parler ! Plus vous pratiquerez, plus vous apprendrez vite.

La transcription phonétique utilisée ici

• *Consonnes et groupes de consonnes*

Lettre	Trans. phonét.	Prononciation	Exemple
▶ **b**	*b*	comme dans *beau*	**beer** *bier*
▶ **c**	*k*	comme dans *cloche*	**clock** *klok*
	s	comme dans *cirque*	**circus** *sœrkœss*
▶ **d**	*d*	comme dans *dire*	**dear** *diᵉr*
▶ **g**	*g/gu*	comme dans *gars*	**go** *gôou*, **give** *guiv*
	dj	comme dans *badge*	**george** *djordj'*
▶ **h**	*H*	toujours "aspiré"	**house** *Haouss*
▶ **j**	*dj*	comme dans *fidji*	**jeans** *djinns*
▶ **n**	*n/nn*	comme dans *gamine*	**in** *inn*
▶ **r**	*r*	langue au palais et légèrement recourbée en arrière	**rope** *rôoup'*
▶ **s**	*s/ss*	comme dans *sel*	**sell** *sell*
	z	comme dans *bise*	**please** *pli:z*
▶ **sh**	*ch*	comme dans *chaussure*	**shoe** *chou:ᵉ*

▶ **sch**	*sk*	comme dans *ski*	**school** *skou:l*
▶ **sp**	*sp*	comme dans *spatule*	**spell** *spell*
▶ **st**	*st*	comme dans *stupeur*	**stone** *stôounn*
▶ **th** doux	*DH*	placez la langue sur les dents du haut et soufflez doucement	**that** *DHat*
▶ **th** fort	*TH*	même chose en soufflant fortement	**thorn** *THô:nn*
▶ **v**	*v*	comme dans *voiture*	**vote** *v̥ôout*
▶ **w**	*w*	toujours comme dans *watt, whisky*	**window** *winndôou*, **where** *wèr*
▶ **x**	*x*	comme dans *exprès*	**taxi** *tèxi*
▶ **y**	*y/i*	comme dans *yahourt*, ou comme dans *lit*	**yes** *yèss*, **silly** *sili*
▶ **z**	*z*	comme dans *zèbre*	**zebra** *zibra*

• Pour les francophones, la prononciation du **-th** anglais est particulièrement difficile. Exercez-vous en poussant avec votre langue sur les dents du haut tout en soufflant (comme si vous aviez un cheveu sur la langue), vous devriez y arriver. Si c'est trop compliqué, laissez-vous guider par les transcriptions que nous vous proposons (par exemple, l'article défini **the** sera transcrit *DHœ*).

• Le **r** – autre difficulté de la prononciation anglaise –, ne se prononce pas lorsqu'il est suivi d'une consonne ; il sera alors suivi de ":", comme dans **barman** *ba:mèn* ; il se prononce, par contre, lorsqu'il est suivi d'une voyelle, comme dans **rat** *rèt*. N'oubliez pas : langue au palais et légèrement recourbée en arrière ; facile, non ?

• Quand vous verrez une consonne doublée (*kk, mm, pp*, etc.), c'est pour vous avertir que la voyelle qui précède doit être prononcée court. Exemple : **book** *boukk*.

• Le **h** est toujours "aspiré" (transcrit *H*) : expirez l'air comme si vous vouliez embuer un miroir.

• Le **n** est souvent figuré *nn*. Associé à une voyelle comme dans "gamin", il doit être prononcé "ine" comme dans "gamine".
Les autres consonnes ne posent pas de problèmes particuliers.

Voyelles

Lettre	Trans. phonét.	Prononciation	Exemple
▶ **a**	*a*	comme dans *râle*	**last** *last*
	è	comme dans *mère*	**back** *bèkk*
	èi	comme dans *pays*	**name** *nèim*
	ô	comme dans *môle*	**all** *ô:l*
	œ	un e dans l'o court comme dans *cœur*	**about** *œba̱out*
▶ **e**	*è*	comme dans *diète*	**egg** *ègg*
	i^e	comme dans *comédie*	**deer** *di:^er*
	è^e	le è est prolongé d'un e	**there** *DHè̱^er*
▶ **i**	*i*	comme dans *mi*	**sick** *sik*
	a̱ï	comme dans *aïe*	**nice** *na̱ïss*
	œ	comme dans *œufs*	**first** *fœ:st*
▶ **o**	*aou*	comme dans *Raoul*	**how** *H̱aou*
	ôou	le ô est suivi du son ou	**own** *ô̱ounn*
	o	comme dans *note*	**not** *nott*
	ô	comme dans *pôle*	**short** *chô:t*
	a	comme dans *lave*	**love** *lav*
▶ **u**	*a*	comme dans *basse*	**bus** *bass*
	ou	comme dans *chou*	**sure** *chou^e:r*
	œ	comme dans *œufs*	**difficult** *diffiḵœlt*

La prononciation du **-er** en fin de mot s'apparente plutôt au "a" court ou au "e" muet suivi d'un léger "r". Dans notre transcription, nous mettrons un "er" en exposant.
Pour signaler qu'il faut allonger une voyelle, nous l'avons fait suivre de ":", comme dans **first** ou **short** (*fœ:st – chô:t*).

Diphtongues

Lettre	Trans. phonét.	Prononciation	Exemple
▶ ay/ai	èi	comme dans *pays*	**pay** *pèi*
▶ ea	œ:	comme dans *œuvre*	**earn** *œ:n*
	i:	comme dans *mie*	**lead** *li:d*
▶ ee	i:	comme dans *amie*	**see** *si:*
▶ ie	è	comme dans *cèdre*	**friend** *frènnd*
▶ ou	aou	comme dans *Raoul*	**out** *aout*
	ou	comme dans *mou*	**you** *iou*
▶ oy	oï	comme dans *boycotter*	**boy** *boï*
▶ oo	ou	comme dans *bouc*	**book** *boukk*
	ou:	plus long comme dans *boule*	**cool** *kou:l*

Notez que la terminaison "**-ive**" se prononce généralement *-iff*. La préposition **of**, de, est plutôt prononcée *ov* de même que **give**, donner, est prononcé *guiv*.

L'accent tonique est généralement souligné. S'il porte sur une voyelle prononcée en diphtongue, il sera indiqué par un soulignement de la voyelle tonique.

Lorsqu'un mot se termine par **-tion**, nous transcrivons par *chœn*.

Quelques mots que vous entendrez souvent

Voyons dès maintenant ces mots que nous serons amenés à rencontrer immédiatement et qui nous seront indispensables dans la vie quotidienne :

▶ oui	**yes**	*yèss*
▶ non	**no**	*nôou*
▶ peut-être (il se peut que)	**maybe**	*mèïbi*
▶ peut-être	**perhaps**	*pœrHaps*
▶ merci	**thank you**	*THènk you*
▶ s'il vous plaît	**please**	*pli:z*
▶ et	**and**	*ènd*
▶ ou	**or**	*or*
▶ avec	**with**	*wiDH*
▶ sans	**without**	*wiDHaout*
▶ vrai	**right**	*raït*
▶ faux	**wrong**	*wronng*
▶ ici	**here**	*Hi:r*
▶ là	**there**	*DHèªr*
▶ ceci	**this**	*DHiss*
▶ cela / que	**that**	*DHat*
▶ où est... ?	**where is...?**	*wèr iz*
▶ où sont... ?	**where are...?**	*wèr ar*

L'ordre des mots dans la phrase

Dans la phrase anglaise, les mots se placent ainsi : **sujet** (qui ou quoi ?) – **verbe** – **complément d'objet** (qui ou quoi ?).

qui (sujet)	verbe	quoi (objet)
Jill	**books**	**a trip**
djil	*boukks*	*œ tripp*
Jill	réserve	un voyage

Dans la proposition affirmative, le sujet et le verbe se suivent toujours. Cet ordre sera donc conservé, même si d'autres éléments interviennent :

circonstantiel (de temps)	Sujet	verbe	circonstantiel (de lieu)
At nine o'clock	**John**	**goes**	**to the museum**
èt naïnn o klok	*djonn*	*gôouz*	*tou DHœ miouziœm*
À neuf heures,	John	va	au musée.

Cet ordre reste également inchangé dans les phrases plus complexes qui combinent propositions principales et subordonnées :

sujet	verbe	objet	conjonction	sujet	verbe
I	**eat**	**a pizza**	**because**	**I**	**am hungry**
_aï_	_i:tt_	_œ pidza_	_bikôouz_	_aï_	_èm Hangri_
Je	mange	une pizza	parce que	j'	ai faim

Verbes et temps

En anglais, les verbes et leurs conjugaisons nécessiteraient un chapitre entier. Contentez-vous de retenir les temps les plus importants, ceux que vous utiliserez dans toute conversation.

1 – Le présent (je vais),

2 – L'imparfait (il allait),

3 – Le passé composé (tu es allé),

4 – Le futur (nous irons).

Si vous savez conjuguer à ces quatre temps, vous pourrez converser sans problème. Oublions les nuances entre le passé (simple) et le passé composé, car même les personnes de langue maternelle anglaise ont parfois du mal à s'y retrouver !

La forme progressive

Avant de vous consacrer à l'étude des différentes conjugaisons, notez que l'anglais nous offre deux solutions :

• utiliser le temps dans sa forme simple : je vais (**I go** – _aï go_)

• ou indiquer l'accomplissement de l'action : je suis en train d'aller (**I am going** – _aï am goïnng_, mot à mot "je suis allant"). Cette deuxième forme s'appelle la forme progressive.

En anglais, la forme progressive est largement utilisée dans la conversation. Elle indique qu'une action ou un événement est en cours au moment où l'on parle. Elle s'emploie aussi pour parler du futur proche, comme le présent français. Ex : **I am seeing John tomorrow** _(aï am si:inng djonn toumorô)_ : Je vois John demain.

Dans les deux cas, le français utilise généralement la forme simple.

Le présent
• Forme simple

L'anglais est plus simple que le français, car seule la troisième personne du singulier diffère des autres. Il suffit d'ajouter un **-s** à l'infinitif du verbe.

▸ **I eat**	_aï i:t_	je mange
▸ **you eat**	_you i:t_	tu manges
▸ **he/she/it eats**	_Hi/chi/it i:ts_	il/elle mange
▸ **we eat**	_wi i:t_	nous mangeons
▸ **you eat**	_you i:t_	vous mangez
▸ **they eat**	_DHèï i:t_	ils/elles mangent

Presque tous les verbes se conjuguent de cette façon. Notez toutefois que les auxiliaires "être" **(to be)** et "avoir" **(to have)** font exception. En voici la conjugaison :

▸ **I am**	_aï èm_	je suis
▸ **you are**	_you ar'_	tu es
▸ **he/she/it is**	_Hi/chi/it iz_	il/elle est
▸ **we are**	_wi ar'_	nous sommes
▸ **you are**	_you ar'_	vous êtes
▸ **they are**	_DHèï ar'_	ils/elles sont

▸ **I have**	_aï hèv_	j'ai
▸ **you have**	_you hèv_	tu as
▸ **he/she/it has**	_Hi/chi/it hèz_	il/elle a

▶ we have	*wi hèv*	nous avons
▶ you have	*you hèv*	vous avez
▶ they have	*DHèï hèv*	ils/elles ont

• Forme progressive

L'anglais simplifie notre formulation française "je suis en train de" suivi d'un verbe à l'infinitif, en faisant appel à l'auxiliaire **to be**, suivi du verbe **+-ing**.

▶ I am travelling	*aï èm trèvellinng*	je voyage (suis en train de voyager)
▶ you are travelling	*you ar' trèvellinng*	tu voyages (es en train de...)
▶ he/she/it is travelling	*Hi/chi/it iz trèvellinng*	il/elle voyage (est en train de, etc.)
▶ we are travelling	*wi ar' trèvellinng*	nous voyageons
▶ you are travelling	*you ar' trèvellinng*	vous voyagez
▶ they are travelling	*DHèï ar' trèvellinng*	ils/elles voyagent

La plupart des verbes anglais se construisent sur le même modèle : infinitif **+-ing**.

▶ **they are sleeping**
DHèï ar' sli:pinng
ils dorment (ils sont en train de dormir)

▶ **I am smoking**
aï am smôoukinng
je fume (je suis en train de fumer)

Le passé

Pour parler du passé, l'anglais utilise le **prétérit** (simple et progressif) et le **passé composé.** Le "prétérit" peut correspondre, selon le contexte, à notre imparfait, notre passé composé ou notre passé simple. Il s'emploie surtout pour parler d'actions ou de faits complètement terminés.

▶ **Last year I rented an appartment.**
last yi:r aï rènntid ènn apa:tment
L'année dernière j'ai loué un appartement.

• Forme simple

Pour former le prétérit des verbes **réguliers,** il suffit d'ajouter le suffixe **-ed** à l'infinitif du verbe. Il existe – malheureusement – des verbes **irréguliers**, dont vous pourrez consulter la liste dans la rubrique suivante ; un conseil : apprenez-les en mémorisant pour chaque verbe l'infinitif, le prétérit et le participe passé.

Une consolation! Les verbes réguliers sont largement plus nombreux que les verbes irréguliers et se terminent toujours en **-ed** à toutes les personnes.

▶ I rented	*aï rènntid*	je louais/j'ai loué/je louai
▶ you rented	*you rènntid*	tu louais/as loué/louas
▶ he/she rented	*Hi/chi rènntid*	il/elle louait/a loué/loua
▶ we rented	*wi rènntid*	nous louions/avons loué/louâmes
▶ you rented	*you rènntid*	vous louiez/avez loué/louâtes
▶ they rented	*DHèï rènntid*	ils/elles louaient/ont loué/louèrent

Pour le verbe avoir, **to have** : **had** reste inchangé à toutes les personnes.

▶ **I had**	*aï hèd*	j'avais
▶ **you had**	*you hèd*	tu avais, etc.

Pour le verbe être, **to be** :

▶ **I was**	*aï waz*	j'étais
▶ **you were**	*you wèr'*	tu étais
▶ **he/she/it was**	*Hi/chi/it waz*	il/elle était
▶ **we were**	*wi wèr'*	nous étions
▶ **you were**	*you wèr'*	vous étiez
▶ **they were**	*DHèï wèr'*	ils/elles étaient

• *Forme progressive*

Elle s'emploie pour indiquer qu'une action était en train de se produire à un moment du passé. Exemple :

▶ **What did you do when I called you? – I was eating.**

wat did you dou wènn aï kô:ld you – aï waz i:tinng.

Que faisais-tu quand (au moment où) je t'ai appelé ? – Je mangeais (j'étais en train de manger).

Récapitulons :

présent	présent progressif	prétérit	prétérit progressif
I eat	**I am eating**	**I ate**	**I was eating**
aï i:t	*aï am i:tinng*	*aï èit*	*aï waz i:tinng*

Conjugaison du verbe **to eat** (manger) au prétérit progressif :

▶ **I was eating**	*aï waz i:tinng*	je mangeais (j'étais en train de manger)
▶ **you were eating**	*you wèr i:tinng*	tu mangeais (tu étais en train de...)
▶ **he /she was eating**	*Hi/chi waz i:tinng*	il/elle mangeait (il/elle était en train de...)
▶ **we were eating**	*wi wèr i:tinng*	nous mangions (nous étions en train de...)
▶ **you were eating**	*you wèr i:tinng*	vous mangiez (vous étiez en train de...)
▶ **they were eating**	*DHèï wèr i:tinng*	ils/elles mangeaient (ils/elles étaient en train de...)

Si vous avez des difficultés à mémoriser le prétérit des verbes irréguliers, remplacez-le par la forme progressive, on vous comprendra tout aussi bien.

Le passé composé

En anglais, le passé composé se forme **uniquement** avec le verbe **to have** suivi du participe passé, qui se construit, lui aussi, en ajoutant **-ed** à l'infinitif du verbe (pour les verbes réguliers).

Conjugaison du verbe **to travel** (voyager) au passé composé :

▶ **I have travelled**	*aï Hèv trèvelld*	j'ai voyagé
▶ **you have travelled**	*you Hèv trèvelld*	tu as voyagé
▶ **he/she has travelled**	*Hi/chi/ Hèz trèvelld*	il/elle a voyagé
▶ **we have travelled**	*wi Hèv trèvelld*	nous avons voyagé
▶ **you have travelled**	*you Hèv trèvelld*	vous avez voyagé
▶ **they have travelled**	*DHèï Hèv trèvelld*	ils/elles ont voyagé

En français, nous utilisons le passé composé pour souligner qu'une action s'est déroulée et terminée à un moment non précisé du passé. En anglais, vous l'utiliserez pour indiquer que l'action a commencé dans le passé et continue dans le présent.

Deux conjonctions commandent l'utilisation du passé composé : **"since"** et **"for"**. Toutes les deux signifient «depuis» à une nuance près :

– **Since** indique **un moment particulier** écoulé dans le passé,

– **For** indique **une période** donnée.

À noter qu'en français, c'est la préposition «depuis» qui indique le commencement de l'action dans le passé. Le verbe conjugué au présent montre clairement la continuation de l'action au moment où l'on parle.

▶ **I have lived in London for one year.**

aï Hèv livd inn Lonndonn fo: wan' yi:r

Je vis à Londres depuis un an (sous-entendu : j'y vis encore actuellement).

▶ **Since Christmas she has waited for an answer.**

sinnss kristmess chi Hèz wètid fo: ènn annser

Elle attend une réponse depuis Noël.

▶ **For three months she has waited for an answer.**

fo: THri: monnTHs chi Hèz wouètid fo: ènn annser

Elle attend une réponse depuis trois mois.

Le futur

Le futur se forme essentiellement à partir de deux auxiliaires : **"shall"** et **"will"**, auxquels s'ajoute l'infinitif du verbe sans **to**. À l'origine, **will** signifiait "vouloir".

Shall s'emploie pour la première personne du singulier et du pluriel, et **will** pour les autres. Notez que dans la langue parlée **will** est souvent utlisé à toutes les personnes.

Conjugaison du verbe **to go** (aller) au futur.

▶ **I shall go**	*aï chèl gôou*	j'irai
▶ **you will go**	*you wil gôou*	tu iras
▶ **he/she/it will go**	(etc.)	il/elle ira/ça ira
▶ **we shall go**		nous irons
▶ **you will go**		vous irez
▶ **they will go**		ils/elles iront

En français, nous nous servons souvent du présent pour indiquer un futur proche. Dans ce cas, l'anglais utilise le présent progressif et non le présent simple :

▶ **What are you doing tomorrow?**

wat ar' you douinng toumôro

Qu'est-ce que tu fais (feras) demain ?

Auxiliaires de mode

Les auxiliaires de mode **can**, **may** (pouvoir) et **must** (devoir) servent à exprimer qu'une action peut ou doit se réaliser. Ils s'utilisent suivis du verbe à l'infinitif sans **to**. **Can** indique plutôt la possibilité physique d'accomplir une action. Exemple : "I can swim" (je sais nager, dans le sens de "je suis capable de...") ; **may** implique soit une demande d'autorisation dans une phrase interrogative : **"may I come in?"** (puis-je entrer ? ai-je le droit d'entrer ?), soit une éventualité dans une phrase affirmative : **"I may come tomorrow."** (il est possible que je vienne demain).

Auxiliaire de mode

Personne	présent	passé	infinitif
I	**can**	**could**	**read**
aï	kèn	koudd	ri:d
je	peux	pouvais	lire
she	**may**	**might**	**go**
chi	mèi	maït	gôou
elle	peut	pouvait	aller
they	**must**	*	**ask**
DHèï	mœst	—	assk
ils/elles	doivent	—	demander

* **Must** n'existe qu'au présent. À l'infinitif et aux autres temps, on doit faire appel aux formes de **to have to** (avoir à) : Exemple :

▶ **I had to leave my camera behind.**

aï hèd tou li:v maï kamœra biHaïnnd

J'ai dû laisser mon appareil photo.

Au présent, ces auxiliaires sont invariables à toutes les personnes et ne prennent donc pas de **s** à la troisième personne du singulier **(he, she, it)**. Ils n'ont pas de forme progressive. La négation s'exprime avec **not** ou sa forme contractée **n't**.

"he mustn't go" (il ne doit pas [s'en] aller).

Can n'a pas d'infinitif. On le remplace par **to be able to** (être capable de). Il n'a pas non plus de futur ; il est alors remplacé par **will be able to**. Au prétérit et au conditionnel, il se transforme en **could** dans certains cas.

▶ **I could not** (ou : **could'nt**) **walk.**   ▶ **I could not see you.**
aï koudd not (koudnn't) wôk   *aï koudd not si: you*
Je ne pouvais pas marcher.   Je ne pouvais pas te voir.

L'auxiliaire de mode "vouloir" est traduit par **want**. Il se conjugue normalement à tous les temps. Si **want** est suivi d'un autre verbe, celui-ci sera obligatoirement précédé de **to**.

▶ **She wants another drink.**
chi wonnts ennaDHᵉʳ drink
Elle veut un autre verre.

▶ **He didn't want to take her home.**
Hi didenn't wonnt tou tèïk Hœ: Hǫoum
Il n'a pas voulu la raccompagner chez elle.

Liste des principaux verbes irréguliers

Infinitif	Prétérit	Participe passé	Traduction
▶ to be	was/were	been	être
▶ to become	became	become	devenir
▶ to begin	began	begun	commencer
▶ to break	broke	broken	casser
▶ to buy	bought	bought	acheter
▶ to catch	caught	caught	attraper
▶ to come	came	come	venir
▶ to do	did	done	faire
▶ to drink	drank	drunk	boire
▶ to drive	drove	driven	conduire
▶ to eat	ate	eaten	manger
▶ to fall	fell	fallen	tomber
▶ to feel	felt	felt	sentir
▶ to find	found	found	trouver
▶ to fly	flew	flown	voler
▶ to forget	forgot	forgotten	oublier
▶ to get	got	got	devenir / recevoir
▶ to give	gave	given	donner
▶ to go	went	gone	aller
▶ to know	knew	known	savoir / connaître
▶ to lead	led	led	mener / conduire
▶ to leave	left	left	laisser
▶ to lose	lost	lost	perdre
▶ to make	made	made	faire
▶ to meet	met	met	rencontrer
▶ to pay	paid	paid	payer
▶ to put	put	put	mettre
▶ to read	read	read	lire
▶ to ring	rang	rung	sonner / téléphoner
▶ to say	said	said	dire

▶ to see	saw	seen	voir
▶ to send	sent	sent	envoyer
▶ to shut	shut	shut	fermer
▶ to sit	sat	sat	s'asseoir
▶ to sleep	slept	slept	dormir
▶ to speak	spoke	spoken	parler
▶ to take	took	taken	prendre
▶ to think	thought	thought	penser
▶ to understand	understood	understood	comprendre
▶ to wake	woken	woken	(se) réveiller
▶ to write	wrote	written	écrire

La phrase interrogative

Les pronoms interrogatifs

▶ where?	wèr	où ?
▶ what?	wat	quoi ?
▶ who?	Hou	qui ?
▶ whom?	Houm	qui / à qui ?
▶ whose?	Houz	de qui / à qui ?
▶ when?	wèn	quand ?
▶ why?	waï	pourquoi ?
▶ how?	Haou	comment ?
▶ how many?	Haou mènni	combien de ? (+ pluriel)
▶ how much?	Haou mœtch	combien de ? (+ singulier)
▶ how long?	Haou lonng	combien (de temps) ?

L'ordre des mots dans la phrase interrogative

• Si le pronom interrogatif est le sujet : pas de changement.

sujet	verbe	objet (qui) (indirect)	objet (quoi) (direct)
Who	**told**	**you**	**that news?**
Hou	tôould	you	DHèt niouz
qui	dit	[à] toi	cette nouvelle
Qui	t'a donné		cette information ?

• Mais ceci est un cas rarissime, car la règle habituelle veut que l'on utilise l'auxiliaire do (faire), qui s'intercale entre le pronom interrogatif et le sujet.

pronom interrogatif	auxiliaire	sujet	verbe
	When	**does**	**the boat** **leave?**
	wènn	dœz	DHœ bôout li:v
	quand	fait	le bateau partir
	Quand	part	le bateau ?

auxiliaire	sujet	verbe
Does	**the boat**	**leave?**
dœz	DHœ bôout	li:v
fait	le bateau	partir

Le bateau part-il ?

Réponses :	**Yes, it does.**	**No, it doesn't**.
	oui, il fait	non, il ne fait pas
	Oui.	Non.

• Au passé, vous interrogerez de cette façon :

auxiliaire	sujet	verbe	objet
Did	**my brother**	**forget**	**his ticket**
did	*maï broDHᵉʳ*	*fo:guèt*	*His ṯikètt*
faisait	mon frère	oublier	son billet

Mon frère a-t-il oublié son billet ?

Réponses :	**Yes, he did.**	**No, he didn't.**
	ièss, Hi did	*nôou, Hi ḏidn't*
	oui, il a fait	non, il n'a pas fait
	Oui.	Non.

Notez que le verbe restant invariable, c'est l'auxiliaire **do** (faire) qui prend la forme du passé **did**. Cette forme reste inchangée à toutes les personnes.

Les salutations / La politesse

▶ Bonjour ! (matin)	**Good morning!**	*goud mo:ninng*
▶ Bonjour ! (après-midi)	**Good afternoon!**	*goud èftœ:noun*
▶ Bonsoir !	**Good evening!**	*goudd ivninng*
▶ Bonne nuit !	**Good night!**	*goud naït*
▶ Bienvenu (e) !	**Welcome!**	*wellkomm*
▶ Comment allez-vous (vas-tu) ?	**How are you?**	*Haou ar' you*
▶ Très bien.	**Very well.**	*vèri well*
▶ Comment allez-vous ? (plus formel)	**How do you do?**	*Hao dou you dou*
▶ Merci, je vais bien.	**Thanks, I'm fine.**	*THankss aïm faïn'*
▶ Salut ! (bonjour)	**Hello!**	*Hèlo*
▶ Au revoir !	**Good bye!**	*goud baï*
▶ Salut ! (au revoir)	**Bye-Bye! / Bye!**	*baï*
	Cheerio*!	*tchirio*
▶ Salut ! (À plus tard !)	**See you (later)!**	*si you (lètᵉʳ)*
▶ À bientôt !	**See you soon!**	*si: you sou:nn*
▶ Ça va.	**It's O.K.**	*its ôoukèï*
▶ Je ne sais pas.	**I don't know.**	*aï ḏoounnt nôou*
▶ Je suis désolé/e. / Pardon.	**(I am) sorry.**	*(aï am) so:ri*
▶ Il n'y a pas de quoi.	**You are welcome.**	*you ar' wellkomm*
▶ Dites-moi...	**Tell me...**	*tèll mi*
▶ Je ne me sens pas bien.	**I don't feel well.**	*aï ḏoounnt fi:l well*
▶ Aidez-moi, s'il vous plaît.	**Please help me.**	*pli:z hèlp mi*
▶ À votre santé !	**Cheers!**	*tchi:rs*

*****Cheerio** veut dire aussi "Santé !", "À la vôtre !".

▶ Comment t'appelles-tu ? / Comment vous appelez-vous ?
What's your name?
wotts yo:r nèïm

▶ Je m'appelle Jacques.
My name is Jacques.
maï nèïm iz Jacques

En général, les Américains s'appellent très vite par leurs prénoms.

s'il vous plaît / merci

▶ Passe(z)-moi le beurre s'il te (vous) plaît !
Pass me the butter, please!
pass mi DHœ battᵉʳ pli:z

▶ Je vous (t') en prie / il n'y a pas de quoi !
You're welcome!
you:r welkomm

▶ Ce n'est rien !
That's all right!
DHats ô:l raït

▶ Comment ?
Pardon?
pa:donn

▶ **Thank you!** — Merci !
▶ **Thanks!** — Merci !
▶ **Thank you very much!** — Merci beaucoup !
▶ **Thanks a lot!** — Merci beaucoup !

Où est... ?

▶ Excusez-moi, s'il vous plaît. Où est... ?
Excuse me, please. Where is...?
ixkiouz mi, pli:z. wèr iz...

▶ Pouvez-vous m'indiquer le chemin pour... ?
Could you tell the way to...?
koudd you tèl mi DHœ wèï tou

▶ C'est là-bas à droite.
It's over there on the right.
its ôouver DHèr onn DHœ raït

▶ Tournez à gauche dans Queen's Street (la rue de la Reine).
Turn left into Queen's Street.
tœrn lèft inntou kouinns stri:t

▶ Allez tout droit, c'est en face de l'église.
Go straight on, it's opposite the church.
go strèït onn, its oppozit DHœ tchœrtch

Bon voyage avec...

L'avion

▶ Je voudrais réserver un aller (aller-retour) pour New York.
I'd like to book a (return) flight to New York.
aïd laïk tou boukk œ (ritœ:nn) flaït tou Niou Yo:k

▶ Y a-t-il une correspondance pour Chicago ?
Is there a connecting flight to Chicago?
Iz DHèr œ konèkting flaït tou tchikègo

▶ aéroport	**airport**	*è:po:tt*
▶ arrivée	**arrival**	*œraïvœl*
▶ atterrir	**to land**	*tou lènd*
▶ bagages	**luggage/baggage**	*lœguèdj/bœguèdj*
▶ comptoir d'information	**information desk**	*innformèïchœn dèsk*
▶ départ	**departure**	*dipa:tchᵉʳ*
▶ horaire	**timetable**	*taïmtèbœl*
▶ passager	**passenger**	*pœssèndjœr*
▶ réservation	**booking**	*boukkinng*
▶ salle d'attente	**departure lounge/hall**	*dipa:tchᵉʳ laondj/Hô:l*
▶ sortie	**exit**	*èxit*
▶ vol	**flight**	*flaït*

Le bateau

▶ Quand le bateau part-il pour Ellis Island ?
When does the boat leave for Ellis Island ?
wènn dœz DHœ bôout li:v for èlissaïlènd

Le voyage en poche

collection
Langues de poche :

**l'indispensable
pour comprendre
et être compris**

Le Grec

L'Hébreu

L'Espagnol de poche

Le "Chtimi" de poche
Parler du Nord et du Pas-de-Calais

Le Chinois de poche

L'Anglais britannique de poche

Kit de conversation
Thaï

Kit de conversation
Arabe Marocain
Un livre + un CD audio

Kit de conversation
Espagnol de Cuba
Un livre + un CD audio

ASSIMIL®
Langues de poche

Combien de temps la traversée dure-t-elle ?
How long does the crossing take?
Haou lonng doez DHœ krossinng tèik

▶ Je voudrais réserver...
I'd like to book...
aïd laïk tou boukk...

▶ un billet pour...
a passage to...
œ passèdj to...

▶ bateau	**boat**	*bôout*
▶ bateau à vapeur	**steamer**	*sti:mer*
▶ canot de sauvetage	**lifeboat**	*laïfbôout*
▶ côte	**coast**	*ko:st*
▶ ferry	**ferry**	*fèrri*
▶ gilet de sauvetage	**life-jacket**	*laïfdjèkèt*
▶ port	**harbour**	*Harbo:r*
▶ traversée	**crossing**	*krossinng*

Le train / Le bus

▶ Où est l'arrêt du bus / la gare routière ?
Where is the bus stop / station?
wèr iz DHœ bas stop/stèïchœn

▶ Un billet pour Philadelphie, s'il vous plaît.
A ticket to Philadelphia, please.
œ tikèt tou filœdèlfia pli:z

▶ Combien coûte un billet pour... ?
How much is a ticket to...?
Haou mœtch iz œ tikèt tou

▶ Quand y a-t-il un bus / train pour... ?
When is there a bus / train to...?
wènn iz DHhèr œ bas/trèïnn tou

▶ compartiment	**compartment**	*kommpa:tment*
▶ conducteur	**driver**	*draïver*
▶ départ	**departure**	*dipa:chœr*
▶ direction	**direction**	*dirèkchœn*
▶ (non)-fumeur	**(non)-smoker**	*(nœn)-smôouker*
▶ prix	**fare**	*fè:r*
▶ terminus	**terminus**	*terminœs*
▶ wagon lit	**sleeper**	*sli:per*

La voiture

▶ Où est la station service la plus proche ?
Where's the nearest petrol-station?
wèrz DHœ ni:rest pètrol stèïchœn

▶ Le plein s'il vous plaît !
Full, please!
foul pli:z

▶ Pouvez-vous contrôler l'huile / la batterie / la pression des pneus ?
Can you check the oil / battery / tyre pressure?
kèn you tchèk DHi oïl/bèttri/taïer prèchœr

▶ Je suis en panne !
I have a breakdown!
aï Hèv œ brèkdaoun

▶ Pouvez-vous remorquer ma voiture ?
Can you take my car in tow?
kèn you tèk maï ka: inn taou

autoroute	**motorway**	_moto:wèï_
batterie	**battery**	_bèttri_
feux tricolores	**traffic-lights**	_trèffik-laïts_
freins	**brakes**	_brèks_
gasole	**diesel fuel**	_di:sel fioul_
moteur	**engine**	_èndjinn_
ordinaire	**regular petrol**	_règuioul^{er} pètrol_
parking	**car park**	_ka: pa:rk_
permis de conduire	**driving licence**	_draïvinng laïssennss_
phares	**headlight**	_Hèdlaït_
super	**super petrol**	_sœpp^{er} pètrol_

Hébergement

Hôtel / Pension

Bonjour, je voudrais une chambre simple/double pour deux nuits.
Hello, I'd like a single room/double room for two nights.
Helleou, aïd laïk œ sinngœl room/dobbœl room for tou naïts

C'est combien ?
How much is it?
Haou mœtch iz it

Le petit déjeuner est-il compris ?
Is the breakfast included?
iz DHœ brèkfest inkloudid

ascenceur	**lift/elevator**	_lift/èlèvèïtœr_
auberge de jeunesse	**youth hostel**	_youTH host'l_
chambre avec petit déjeuner	**bed and breakfast**	_bèd ènd brèkfœst_
chauffage	**heating**	_Hi:tinng_
clef	**key**	_ki:_
couverture	**blanket**	_blènkètt_
douche	**shower**	_chaou^{er}_
drap	**sheet**	_chi:t_
étage	**floor**	_flo:r_
lit	**bed**	_bèd_
oreiller	**pillow**	_pilœou_
place de camping	**campsite**	_kèmpsaït_
réception	**reception**	_rissèpchœn_
robinet	**water-top**	_wot^{er} top_
sac de couchage	**sleeping-bag**	_sli:pinngbèg_
salle de bains	**bathroom**	_bèTHroum_
tente	**tent**	_tènnt_
toilettes	**toilet/lavatory**	_toïlèt/lèvetri_

Avez-vous une place pour une petite tente / caravane ?
Have you got a place for a small tent / caravan?
Hèv you gott œ plèïss for œ smô:l tènt / kèrèvèn

Où sont les douches / prises de courant ?
Where are the washing-rooms / sockets?
wèr ar' DHœ waching roums / sokèts

Au restaurant

Pouvons-nous avoir le menu, s'il vous plaît ?
Can we have the menu, please?
kèn wi Hèv DHœ mèniou, pli:z

Nous aimerions commander.
We would like to order.
wi woud laïk tou o:d^{er}

▶ Je prendrai une soupe de tomates et du poulet rôti, s'il vous plaît.
I'll have tomato soup and roast chicken, please.
aïl Hèv tomèto soup ènd rost tchikœn, pli:z

Nota : En anglais, on ne vous souhaitera pas **"bon appétit"**, tout au plus pourrez-vous entendre :

▶ **Enjoy your meal!**
endjoï yô:r mi:l
Prenez-plaisir [à] votre repas.

▶ Pouvons-nous avoir l'addition, s'il vous plaît ?
Can we have the bill, please?
kèn wi Hèv DHœ bill, pli:z

▶ Le repas était excellent.
The meal was excellent.
DHœ mi:l ouaz exssèllœnnt

▶ bière	**beer**	*bïer*
▶ boisson	**drink**	*drinnk*
▶ café	**coffee**	*koffi*
▶ cuit au four	**baked**	*bèïkt*
▶ déjeuner	**lunch**	*lœntch*
▶ dessert	**dessert**	*dizœrt*
▶ dîner	**dinner**	*dinner*
▶ eau minérale	**mineral water**	*minnèrol water*
▶ frit	**fried**	*fraïd*
▶ fromage	**cheese**	*tchi:z*
▶ fruit	**fruit**	*frou:t*
▶ gâteau	**cake**	*kèïk*
▶ glace	**ice-cream**	*aïsskri:m*
▶ hors d'œuvres	**starter (GB)**	*sta:ter*
▶ hors d'œuvres	**appetizer (US)**	*èpœtaïzer*
▶ jus de fruit	**juice**	*djou:ss*
▶ lait	**milk**	*milk*
▶ légumes	**vegetables**	*vèdjètèbœls*
▶ pain	**bread**	*brèd*
▶ petit-déjeuner	**breakfast**	*brèkfœst*
▶ poisson	**fish**	*fich*
▶ poivre	**pepper**	*pèpper*
▶ porc	**pork**	*po:k*
▶ poulet	**chicken**	*tchikœnn*
▶ sel	**salt**	*sô:lt*
▶ souper	**supper**	*sœpper*
▶ veau	**veal**	*vi:l*
▶ végétarien	**vegetarian**	*vèdjètèrienn*
▶ viande	**meat**	*mi:t*
▶ volaille	**poultry**	*poltri*

Le shopping
▶ Bonjour, vous vendez des cartes postales ?
Hello, do you sell postcards?
Hellôou, dou you sell postka:ds

▶ Je veux acheter une chemise, s'il vous plaît !
I want to buy a shirt, please!
aï wonnt tou baï œ chœrt, pli:z

▶ C'est combien / Combien ça coûte ?
How much is it?
Haou mœtch iz it

▶ C'est trop cher.
This is too expensive.
DHiss iz tou ixpènsiff

▶ Pouvez-vous changer de l'argent ?
Can you change money?
kènn you tchèïnndj manni

▶ Je n'aime pas ça / Ça ne me plaît pas.
I don't like it.
aï dôounnt laïk it

▶ acheter	**to buy**	*tou baï*
▶ boucher	**butcher**	*batcher*
▶ boulanger	**baker**	*bèïker*
▶ boutique	**boutique**	*bouti:k*
▶ carte bancaire	**cheque card**	*tchèk ka:d*
▶ carte postale	**postcard**	*postka:d*
▶ ceinture	**belt**	*bèlt*
▶ chemise	**shirt**	*chœrt*
▶ chèque	**cheque**	*tchèk*
▶ cher	**expensive**	*ixpènnsiff*
▶ pas cher	**cheap**	*tchi:p*
▶ distributeur automatique de billets	**cash-machine (GB)**	*kèch mœchinn*
▶ distributeur automatique de billets	**A.T.M. (US) ***	*èï-ti:-èmm*
▶ imperméable	**raincoat**	*rennkôout*
▶ journal	**newspaper**	*niouzpèïppœr*
▶ jupe	**skirt**	*skœ:t*
▶ kiosque	**kiosk**	*kiosk*
▶ magasin	**shop**	*chopp*
▶ grand magasin	**department store**	*dipa:tmennt stor*
▶ magasin de souvenirs	**souvenir shop**	*souvennir chopp*
▶ monnaie	**change**	*tchèïnndj*
▶ pantalon	**trousers**	*traouzœrss*
▶ papeterie	**stationer**	*stèïchœnner*
▶ poste	**post office**	*pôoustoffiss*
▶ pressing	**dry-cleaner**	*draï-cli:nner*
▶ pullover / tricot	**pullover**	*poulôouvœr*
▶ robe	**dress**	*drèss*
▶ supermarché	**supermarket**	*sœpœrma:kèt*
▶ timbre	**stamp**	*stèmp*
▶ vendre	**to sell**	*tou sèll*
▶ veste	**jacket**	*djèkètt*

* **A.T.M. : automated teller machine** (mot à mot : « machine-caissier-automatisée »).

▶ Où puis-je changer de l'argent ?
Where can I change money?
wèr kèn aï tchèïnndj manni

S'orienter dans le temps

L'heure

▶ une heure	**an hour**	*ènn aouer*
▶ une minute	**a minute**	*œ minnitt*
▶ une seconde	**a second**	*œ sèkœnd*
▶ une demi-heure	**half an hour**	*haff œnn aouer*
▶ un quart d'heure	**a quarter of an hour**	*œ qwo:ter ov ènn aouer*
▶ ponctuel, à l'heure	**in time**	*inn taïmm*

▶ Quelle heure est-il, s'il vous plaît ?
What's the time, please?
wots DHœ taïm pli:z

▶ Quelle heure est-il ?
What time is it?
wot taïm iz it

▶ Pouvez-vous me dire l'heure ?
Can you tell me the time?
kènn you tèl mi DHœ taïm

▶ Il est tard / tôt.
It's late / early.
its lèit / œ:li

Pour la première demi-heure, de 0 à 30 minutes, par exemple 9h10, dites d'abord les minutes : **ten** (dix min) suivies de **past** (passé, après) suivies de **nine** (9 heures) – **ten past nine**.

Pour la deuxième demi-heure, de 30 à 60 minutes, par exemple 9h40 ou 10 heures moins 20, dites d'abord les minutes **twenty** (vingt min) suivies de **to** (jusqu'à, avant) **ten** (dix heures) – **twenty to ten**.

▶ deux heures vingt-quatre
twenty four minutes past two
touènni fo: minnitts pèst tou

▶ dix-sept heures trente
half past five
haff pèst faïv

▶ quinze heures quarante-cinq
a quarter to four
œ qwo:ter tou fô:

▶ douze heures / midi
twelve o'clock
touèlv o klok

▶ jour	**day**	*dèï*
▶ semaine	**week**	*wi:k*
▶ mois	**month**	*mannTH*
▶ date	**date**	*dèït*
▶ *hier*	*yesterday*	*yèsstœdèï*
▶ demain	**tomorrow**	*toumorô:*
▶ aujourd'hui	**today**	*toudèï*

Pendant la journée

▶ (le) matin, (dans la) matinée	**(in the) morning**	*inn DHœ mo:nninng*
▶ ce matin	**this morning**	*DHiss mo:nninng*
▶ (à) l'heure du déjeuner	**(at) lunch time**	*ètt lœntch taïm*
▶ (dans l') après-midi	**(in the) afternoon**	*inn DHi: èftœ:nou:nn*
▶ soir	**evening**	*iv'ninng*
▶ ce soir	**tonight**	*tounaït*
▶ (dans la) nuit	**(in the) night**	*inn DHœ naït*

Les jours de la semaine

▶ dimanche	**Sunday**	*sœnndèï*
▶ lundi	**Monday**	*monndèï*
▶ mardi	**Tuesday**	*tiouzdèï*
▶ mercredi	**wednesday**	*wenn'esdèï*
▶ jeudi	**Thursday**	*THœ:sdèï*
▶ vendredi	**Friday**	*fraïdèï*
▶ samedi	**Saturday**	*sètœhdéï*
▶ le lundi	**on Monday(s)**	*on monndèï(z)*

Les mois

▶ janvier	**January**	_djannioueri_
▶ février	**February**	_fèbroueri_
▶ mars	**March**	_ma:tch_
▶ avril	**April**	_èipril_
▶ mai	**May**	_mëï_
▶ juin	**June**	_djounn_
▶ juillet	**July**	_djoulaï_
▶ août	**August**	_o:gœsst_
▶ septembre	**September**	_sèptèmber_
▶ octobre	**October**	_oktôouber_
▶ novembre	**November**	_nôouvèmber_
▶ décembre	**December**	_dissèmber_

Les saisons

▶ saison	**season**	_sizonn_
▶ printemps	**spring**	_sprinng_
▶ été	**summer**	_sammer_
▶ automne	**autumn**	_o:tœmn_
▶ hiver	**winter**	_winnter_

Les nombres

▶ 0	**zero**	_zirôou_
▶ 1	**one**	_wann_
▶ 2	**two**	_tou_
▶ 3	**three**	_THri:_
▶ 4	**four**	_fo:_
▶ 5	**five**	_faïv_
▶ 6	**six**	_six_
▶ 7	**seven**	_sèvenn_
▶ 8	**eight**	_èïtt_
▶ 9	**nine**	_naïnn_
▶ 10	**ten**	_tènn_
▶ 11	**eleven**	_ilèvenn_
▶ 12	**twelve**	_touèlv_
▶ 13	**thirteen**	_THœrti:nn_
▶ 14	**fourteen**	_fo:ti:nn_
▶ 15	**fifteen**	_fifti:nn_
▶ 16	**sixteen**	_sixti:nn_
▶ 17	**seventeen**	_sèvennti:nn_
▶ 18	**eighteen**	_èïti:nn_
▶ 19	**nineteen**	_naïnnti:nn_
▶ 20	**twenty**	_touènnti_
▶ 30	**thirty**	_THœrti_
▶ 31	**thirty one**	_THœrtiwann_
▶ 40	**forty**	_fo:ti_
▶ 50	**fifty**	_fiffti_
▶ 60	**sixty**	_sixti_
▶ 70	**seventy**	_sèvennti_
▶ 80	**eighty**	_èïti_
▶ 90	**ninety**	_naïnnti_
▶ 100	**hundred**	_Hanndred_
▶ 500	**five hundred**	_faïv hanndred_
▶ 1 000	**thousand**	_THaouzend_
▶ 10 000	**ten thousand**	_tènn THaouzend_

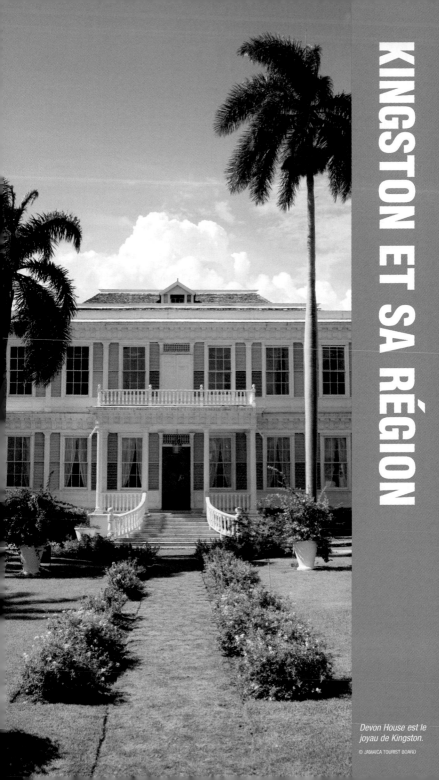

KINGSTON ET SA RÉGION

Devon House est le joyau de Kingston.

Kingston

Rarement inscrite au programme des agences de voyages qui vont parfois – à tort – jusqu'à conseiller de l'éviter, la capitale de la Jamaïque, au nom mythique, possède un charme singulier, ainsi que tous les éléments désagréables d'une grande ville surpeuplée. Capitale tentaculaire, berceau du reggae, capitale affairée où se traitent quasiment toutes les affaires de l'île, Kingston agit comme un aimant sur les Jamaïcains de l'île entière. Plus grande ville anglophone des Caraïbes, Kingston est une cité dure et sans complaisance. Peu de choses subsistent de l'ancien passé colonial de la ville, où se heurtent les genres (caraïbe, africain et américain). Aujourd'hui, la communauté urbaine de Kingston compte 938 000 habitants, soit 25 % de la population totale de l'île. Kingston est une ville secrète et complexe qui ne se livre pas facilement au visiteur étranger. Celui-ci devra déployer de savants efforts et s'armer de patience pour appréhender la diversité de la capitale. C'est la ville de tous les contrastes, avec son visage colonial, solennel et administratif, et le luxe d'Uptown qui côtoie la misère de Down Town. Bien sûr, la capitale traîne une réputation de ville ultra-violente et dangereuse. Il faut toutefois être clair à ce sujet : Kingston est une capitale très étendue et les crimes violents sont localisés dans des quartiers et des zones bien spécifiques, comme Tivoli Garden (que les émeutes tragiques du mois de juin 2010 ont transformé en zone de guerre pendant deux semaines), ou les bidonvilles de Trench Town et Jones Town. Le nord de la ville est sûr, surveillé par de nombreux gardes et agents de sécurité, et il est possible de se promener à Down Town en journée, autour de Parade et en descendant par King Street, vers

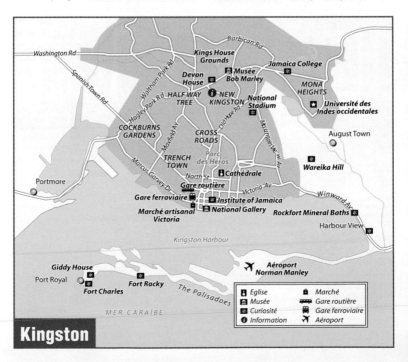

Kingston

Les immanquables de Kingston et ses environs

▶ **Pique-niquer dans les 80 ha de verdure de Hope Gardens,** jardin et zoo.

▶ **Passer un bon moment dans la majestueuse bâtisse abritant le Devon House :** maison, parc, restaurants, boutiques, bars et stands de glaces délicieuses.

▶ **Visiter le Bob Marley museum,** résidence principale de la légende du reggae de 1975 à 1981 : voir sa chambre, sa bibliothèque, la chambre où il recevait ses amis et même le trou d'une balle qui a failli lui coûter la vie dans un attentat en 1976.

▶ **Passer une agréable journée à la plage très animée de Hellshire** en dégustant des homards grillés et autres langoustes.

▶ **S'émerveiller d'un lever de soleil sur les Blue Mountains et en profiter pour y déguster un excellent café.**

▶ **Découvrir le paisible village de pêcheur de Port Royal**, ancienne capitale mondiale de la piraterie en partie engloutie en 1692 par un tremblement de terre.

la Galerie nationale et le front de mer. Tout cela, bien sûr, réclame un minimum de prudence et de bon sens : Down Town ne se découvre pas de nuit, et il ne faut pas s'aventurer dans les ghettos sans être accompagné par un habitant du coin. Un conseil, malgré tout, évitez de vous balader dans le quartier de Downtown une fois la nuit tombée. Prévoyez de partir un peu avant le coucher du soleil et n'oubliez pas qu'il n'est pas toujours aisé, passée une certaine heure, de trouver un taxi ! Prudence donc...

Histoire

Un an après la destruction de Port Royal, en 1692, les Anglais posent la première pierre de Kingston. La ville va connaître un essor économique et social rapide, puis s'effondrer à cause des mauvaises conditions économiques. Ce n'est qu'en 1872 que Spanish Town cède la place de capitale de l'île à Kingston, qui possède une position plus stratégique sur la carte jamaïcaine. Pourtant, la ville ne compte toujours que 29 000 habitants en 1871. En 1907, un violent tremblement de terre ravage la ville. Presque totalement détruite, elle sera reconstruite, mais ce n'est qu'à partir des années 1950 que son développement se fait plus rapide. La population de la capitale croît rapidement : de 376 000 habitants en 1960, elle est passée à 938 000 aujourd'hui. La plupart des nouveaux habitants arrivent des campagnes défavorisées, espérant trouver un travail dans la capitale. Depuis des décennies, l'exode rural ne faiblit pas, étant à l'origine des shanty towns, ces ghettos insalubres à la périphérie de la capitale où la misère et la précarité ont engendré violence et criminalité. On estime à environ 30 % la population de la capitale

qui vit dans ces quartiers. Aujourd'hui, le gouvernement tente de contenir cet exode rural et développe des programmes de rénovation urbaine. Trop peu fréquentée par les touristes, Kingston a cependant beaucoup à offrir au visiteur soucieux de percer l'âme jamaïcaine : musées, marchés, monuments historiques, galeries, théâtres, plages, restaurants et vie nocturne. Le tout, sans le traditionnel harcèlement qui attend les visiteurs dans les zones touristiques comme Négril ou Ocho Rios. Il n'est pas vain d'ajouter que l'étranger qui visiterait la Jamaïque sans s'arrêter à Kingston risque de rater une facette intéressante de l'île, car ce n'est pas seulement la capitale politique de l'île, c'est aussi sa capitale sportive, culturelle et commerciale.

Sabinat Park, la maison du Kingston Cricket Club.

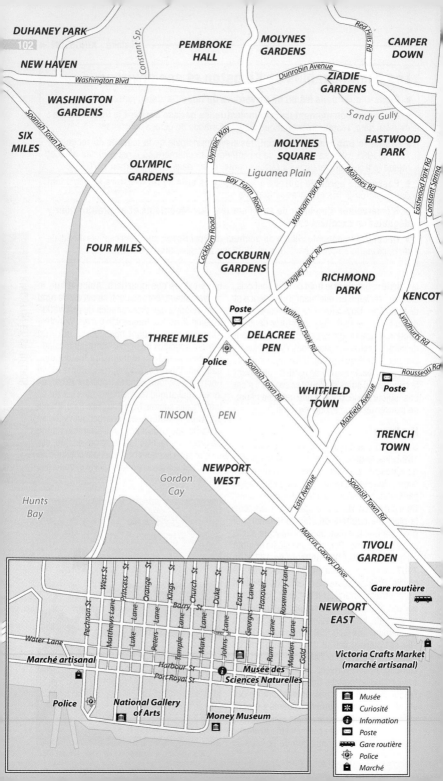

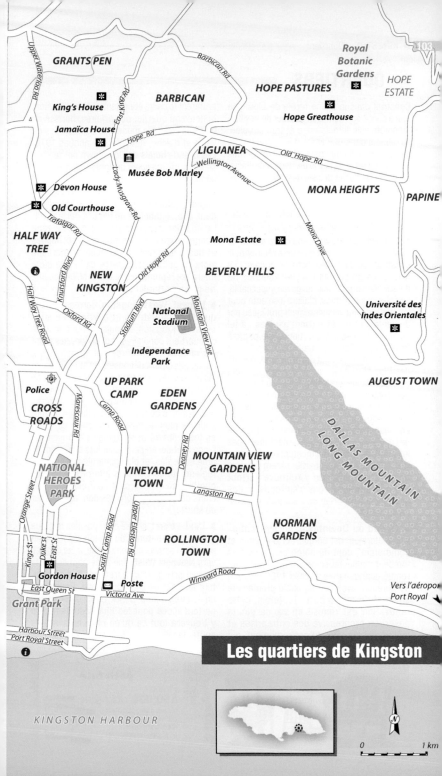

Les quartiers de Kingston

GRANTS PEN

Upper Waterloo Rd

Barbican Rd

BARBICAN

Royal Botanic Gardens

HOPE ESTATE

HOPE PASTURES

King's House

East King Rd

Hope Greathouse

Jamaïca House

Hope Rd

LIGUANEA

Old Hope Rd

Lady Musgrave Rd

Musée Bob Marley

Wellington Avenue

MONA HEIGHTS

PAPINE

Devon House

Trafalgar Rd

Old Courthouse

HALF WAY TREE

Old Hope Rd

Mona Estate

BEVERLY HILLS

Mona Drive

NEW KINGSTON

Knutsford Blvd

Oxford Rd

Half Way Tree Road

Stadium Blvd

National Stadium

Université des Indes Orientales

Independence Park

Police

CROSS ROADS

Marescaux Rd

UP PARK CAMP

EDEN GARDENS

AUGUST TOWN

Camp Road

Deanery Rd

DALLAS MOUNTAIN
LONG MOUNTAIN

NATIONAL HEROES PARK

Orange Street

VINEYARD TOWN

MOUNTAIN VIEW GARDENS

Mountain View Ave

Langston Rd

Kings St

Duke St

East St

South Camp Road

Upper Elleston Rd

NORMAN GARDENS

Gordon House

East Queen St

Poste

ROLLINGTON TOWN

Victoria Ave

Winward Road

Grant Park

Harbour Street

Port Royal Street

Vers l'aéroport
Port Royal

KINGSTON HARBOUR

0   1 km

◾ QUARTIERS

Construit dans la plaine fertile de Liguanea (qui a donné son nom à un quartier de la ville), Kingston, ville tumultueuse et très peuplée, se déploie dans une vaste demi-cuvette qui s'ouvre sur une large baie, et dont les pentes préfigurent les contreforts des Blue Mountains. Il y a des siècles et des siècles, avant que les premiers colons espagnols n'arrivent, la plaine de Kingston était peuplée d'iguanes, d'où le nom de la plaine Liguanea, baptisée ainsi par les Espagnols à leur arrivée.

▶ **Le nord ou Uptown,** zone d'expansion de la ville, correspond aux quartiers résidentiels construits sur le modèle nord-américain. Les luxueuses propriétés hollywoodiennes ou d'inspiration britannique, au gazon impeccable, aux piscines rutilantes, d'allure insolente pour les ghettos, sont soigneusement protégées par de hautes grilles, et souvent gardées ; à tel point que l'un de ces quartiers a été baptisé Beverly Hills. Dans ces maisons éparpillées à flanc de collines ou sur les premières pentes des Blue Mountains, on préserve volontiers un mode de vie à la britannique, où tennis et golf sont à l'honneur. Galeries marchandes et centres commerciaux ultra-modernes et bien approvisionnés, boutiques de luxe et bonnes tables exclusives donnent la mesure de l'opulence d'une ville que ne contrarient pas les bruits de misère qui montent des ghettos. New Kingtson est un quartier récent qui date des années 1960. On y retrouve surtout des hôtels et les sièges d'entreprises. Pas forcément un quartier où il est très agréable de se balader.

▶ **Le sud ou Downtown,** ancien centre-ville historique, est un quartier d'affaires et commercial, dont de nombreuses parties tombent malheureusement en ruine. Il a été réaménagé dans les années 1960 en zone de bureaux, avec une agréable promenade en front de mer arboré. Toutefois, cette rénovation est remise en cause par la désertion progressive des entreprises et même des bureaux du gouvernement, qui préfèrent le cadre étincelant de New Kingston, le nouveau quartier des affaires, hérissé de hauts immeubles modernes aux façades de verre et d'acier, qui date des années 1970. Les grands hôtels de Downtown ont fermé ; seuls s'y maintiennent quelques commerces et administrations. Populaire et toujours bondé en journée, le quartier et son centre névralgique, Parade, autour du parc William Grant, vivent dans une agitation et un négoce permanent. Le quartier devient zone morte, voire zone dangereuse dès la fermeture des échoppes et des entreprises, et chacun s'empresse alors de quitter cette partie de la ville qui a mauvaise réputation une fois le soleil couché. Ne pas s'y attarder après 17h....

▶ **L'ouest, West Kingston,** correspond aux quartiers industriels et ouvriers. Le sud-ouest de Kingston est aujourd'hui une zone de quartiers populaires et de bidonvilles (dont les fameux Tivoli Garden et Trench Town, particulièrement déconseillés) surpeuplés et insalubres, où il est recommandé de ne pas se promener, de jour comme de nuit. Ici, on vit de petit commerce pour les privilégiés, de trafic pour les plus débrouillards ou de rien du tout pour les plus démunis. Les armes circulent en toute liberté et les gangs s'opposent de façon brutale, en particulier lors des périodes préélectorales, et plus généralement lors de règlements de comptes internes. Appelées ghettos, ces zones sont contrôlées par les chefs de gang (surnommés don, area leader ou shotta).

▶ **L'est.** Le port, classé en 7e position des plus grands ports naturels du monde, qui rythmait autrefois l'activité du centre-ville, a été déplacé vers Newport West, une zone gagnée sur la mer au prix de lourds travaux. Au nord-est, tout au bout de Old Hope Road, Papine est un lieu très animé, bondé en fin de semaine, porte d'accès pour les Blue Mountains. On y trouvera tout ce qu'on cherche avant de quitter la ville pour attaquer les montagnes.

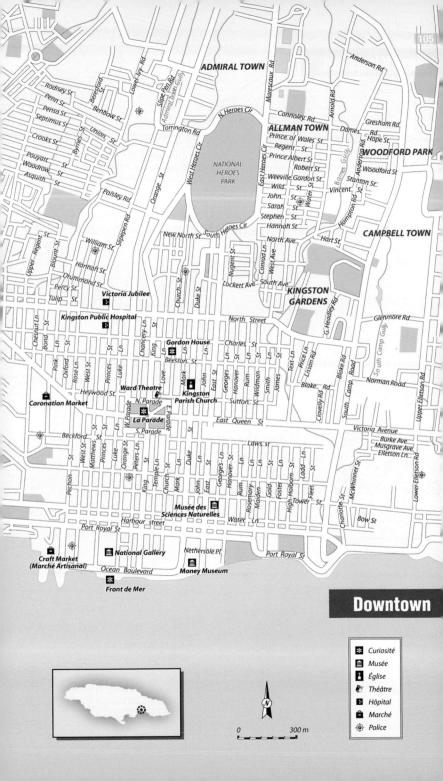

Downtown

ADMIRAL TOWN

Anderson Rd

Rodney St
Penn St
Penso St
Septimus St
Crooks St
Pouyatt St
Woodrow St
Asquith St

Beresford St
Benbow St
Byrnes St
Union St

Lower Ivy Rd
Admiral Town Gully
Slipe Pen Rd

N. Heroes Cir

Mariescaux Rd

Arnold Rd

Connoley Rd

ALLMAN TOWN
Prince of Wales St
Regent St
Prince Albert St
Robert St
Weeville Gordon St
Wild St
John St
Sarah St
Stephen St
Hannah St
North Ave

Gresham Rd
Dames Rd
Hope St

WOODFORD PARK
Woodford St
Stanton St
Vincent St

Torrington Rd

West Heroes Cir
East Heroes Cir

Barnes Gully
Anderson Rd
Hampton Rd

Paisley Rd

Orange St
Slippen Pen Rd

NATIONAL
HEROES
PARK

South Heroes Cir

New North St

CAMPBELL TOWN

William St

Hannah St
Drummond St
Percy St
Tulip St

Upper Regent St
Blount St
Chesnut Ln

Church St
Duke St

Nugent St
Conad Ln
West Ave
South Ave

North Ave
Hart St

KINGSTON
GARDENS

Lockett Ave

G. Headley Rd

Glenmore Rd

Victoria Jubilee ✳

North Street

Kingston Public Hospital ✚

Bond Ln
Pink Ln
Oxford Ln
Rose Ln
West St
Princes St
Luke St

Chancery Ln
King St
Love Ln
Mark Ln
John St
East St

Charles St

Georges Ln
Hanover Ln
Rum Ln
Wildman St
Smith Ln
James St

Text Ln
Price Ln
Lisson Rd

Blake Rd

South Camp Gully

Gordon House ✳
Beeston St

Norman Road

Blake Rd
Clovelly Rd

Ward Theatre 🎭
Heywood St
N. Parade
La Parade ✳
S. Parade

Kingston Parish Church 🏛

Sutton St

Coronation Market 🏪

Beckford St
Matthews Ln
Princes St
Luke St
Orange St
Peters Ln
Temple Ln
King St
Church St
Mark St
John St
East St

W. Parade
N. Parade

East Queen St

Laws St
Duke St
George's Ln
Hanover St
Rum Ln
Rosemary Ln
Maiden Ln
Gold St
Foster Ln
Ladd Ln
High Holborn St
Tower St
Fleet St

Victoria Avenue
Burke Ave
Musgrave Ave
Elletson Ln

South Camp Road
McWhinney St
Charlotte St
Bow St
Upper Elletson Rd
Lower Elletson Rd

**Musée des
Sciences Naturelles** 🏛
Water Ln

Harbour street
Port Royal St

Nethersole Pl.

Port Royal St

**Craft Market
(Marché Artisanal)** 🏪

National Gallery 🏛

Ocean Boulevard

Money Museum 🏛

Front de Mer ✳

Downtown

Curiosité ✳
Musée 🏛
Église 🛕
Théâtre 🎭
Hôpital ✚
Marché 🏪
Police ◉

0   300 m

N

New Kingston

✳	Curiosité
🏛	Musée
▣	Hôpital
◎	Police

CASSIA PARK

Red Hills Rd

West Kings House Rd

Devon Rd

North Avenue

Central Avenue

South Avenue

Cassia Park Avenue

Dumbarton Avenue

Burlington Avenue

Westminster Road

Lancaster Rd

Dumbarton Avenue

Burley Rd

Burlington Ave

Sandringham Avenue

Eastwood Ave

Bill View Ave

Courtney Walsh Dr.

Eastwood Park Rd

Constant Spring Rd

Waterloo Avenue

Devon House ✳

Subscription Road

Casabanca Rd

Tarrant Rd

Bloomsbury Rd

Croydon Ave

Ambrook Ln

Hope Road

Winchester Road

HALF WAY TREE

Strathairn Ave

Hagley Park Road

Ardington Ave

◎ Police

Cecelio Avenue

Ruthven Road

Dumfries Rd

Hope Park Rd

Montgomery Avenue

Westlake Avenue

Richmond Park Avenue

Truman Avenue

RICHMOND PARK

Cargil Avenue

King Ave

Dominican Dr

LIGUANEA PARK

Minott Ter

Queens Avenue

King's Avenue

Chisholm Avenue

Richmond Cres

Maxfield Avenue

Balmoral Avenue

Kencott Ave

Richmond Park Avenue

Kencott Cres

Ballater Ave

Grove Road

Carlton Cres

Busby Road

Osbourne Road

Park Blvd

MAXFIELD PARK

Mentors Ave

Lyndhurst Road

Grove Cres

Kencott Road

Shoemakers Gully

Central Road

South Road

Central Road Gully

St James Ave

Little Kew Rd

Little Kew Ave

Duncan Ave

Beechwood Avenue

Collins Green Ave

Park Avenue

COLLINS GREEN

Macdonald Ln

Kew Ln

Delacree Rd

Kingford Ave

Dillon Ave

East Ave

Retirement Cres

Acacia Avenue

WHITFIELD TOWN

Pretoria Rd

Rousseau Road

Retirement Road

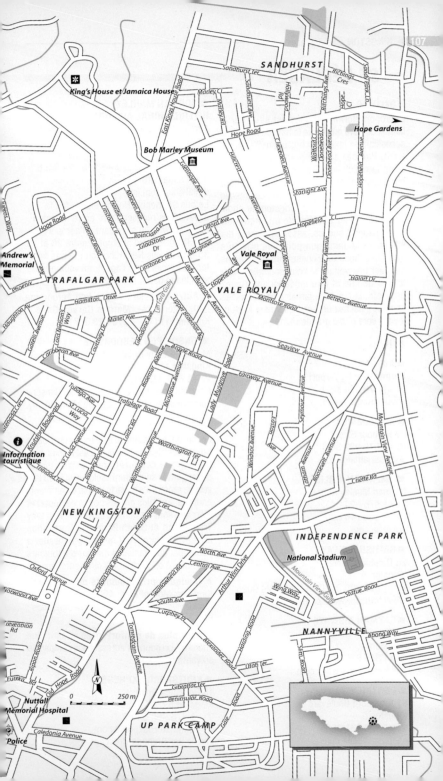

SANDHURST

King's House et Jamaica House

Hope Gardens

Bob Marley Museum

Vale Royal

Andrew's Memorial

TRAFALGAR PARK

VALE ROYAL

Information touristique

NEW KINGSTON

INDEPENDENCE PARK

National Stadium

NANNYVILLE

Nuttall Memorial Hospital

Police

UP PARK CAMP

0   250 m

■ SE DÉPLACER ■

L'arrivée

L'aéroport Norman Manley est situé sur la langue de terre qui ferme la baie de Kingston, accessible en taxi ou en bus (ligne 98 depuis North Parade) en une petite demi-heure, selon la circulation. Beaucoup de touristes choisissant d'atterir à Montego Bay, au nord de l'île, le lieu conserve une ambiance presque provinciale. Pour quitter Kingston, le choix s'impose : louer un véhicule ou emprunter les transports publics, assez efficaces, qui sillonnent la Jamaïque pour des prix très modiques. Nous vous conseillons néanmoins de louer une voiture si vous souhaitez faire le tour de l'île et être indépendant. Soyez prudents, la conduite jamaïcaine est assez sportive ; sachez utiliser très vite le klaxon, il vous sera d'une grande utilité !

Avion

■ AIR CANADA
Norman Manley Airport
✆ +1 876 924 8211
www.aircanada.com

■ AIR JAMAICA
72 Harbour Street
✆ +1 876 922 3460
www.airjamaica.com

■ AMERICAN AIRLINES
Norman Manley Airport
✆ +1 876 924 8452
✆ +1 800 744 0006
www.aa.com

■ BRITISH AIRWAYS
25 Dominica Drive
Kingston 5
✆ +1 876 929 9020 / +1 876 929 9025
www.britishairways.com

■ CAYMAN AIRWAYS
23 Dominica Drive
Kingston 5
✆ +1 876 926 1762
www.caymanairways.com

■ CONTINENTAL
81 Knutsford Boulevard
Kingston 5
✆ +1 800 231 0856
onepass@coair.com

■ NORMAN MANLEY INTERNATIONAL AIRPORT
Aéroport international Norman Manley de Kingston (KIN)
Kingston
✆ +1 876 924 8452 / +1 876 924 8456
www.nmia.aero
nmial@aaj.com.jm
Le bus 98, depuis North Parade, fait la navette très régulièrement entre Kingston et Port Royal, en s'arrêtant à l'aéroport (80 JMD). En taxi : comptez entre 20 et 30 US$ depuis New Kingston (ne pas hésiter à négocier avec l'agent qui vous oriente vers les taxis).

▶ **Autre adresse :** Tinson Pen Aerodrome (vols intérieurs), Marcus Garvey Drive – Kingston 11 (✆ +1 876 923 0371).

■ TINSON PEN AÉRODROME
Marcus Garvey Drive
Kingston 11
✆ +1 876 923 0371
Pour les vols intérieurs. Assure les liaisons commerciales entre Kingston et Montego Bay.

Bus

Le moyen le plus simple et le moins cher de se rendre dans les villes voisines est le mini-bus, qui marque des arrêts réguliers là où les passagers le souhaitent. Selon la ville où l'on veut se rendre, les départs se font de différents endroits. Les plus grands points de départ et d'arrivée sont les centres suivants : Half Way Tree, North et South Parade et Coronation Market, Downtown. Il ne faut pas hésiter à demander aux passants qui sauront toujours vous dire d'où partent les différents bus.

▶ **Quelques prix indicatifs de mini-bus** : Kingston-Morant Bay : 400 JMD ; Kingston-Mandeville : 650 JMD ; Kingston-Ocho Rios : 520 JMD.

▶ **Pour plus de confort** (mais un tarif plus onéreux), on pourra s'adresser à la compagnie suivante :

■ KNUTSFORD EXPRESS
18 Dominica Drive
Kingston 5
✆ +1 876 960 5499
www.knutsfordexpress.com
Entrée par Grenada Crescent

Cette agence propose des trajets en bus climatisé entre Kingston et Montego Bay, et entre Kingston et Ocho Rios. 3 départs par jour. Billets disponibles via le site Internet et directement au bureau Knutsford Express.

Bateau

■ MORGAN'S HARBOUR HOTEL
Port Royal ✆ +1 876 967 8075
Pour la location de bateaux à moteur pour la pêche en gros et croisière, (demander John au Morgan Harbour Hotel).

Voiture

■ BUDGET
53 South Camp Road Kingston 4
✆ +1 876 759 1793
www.budgetjamaica.com
budget@jamweb.net
Ouvert de 8h à 17h du lundi au vendredi. Une agence ouverte tous les jours de 8h à 22h se situe à l'aéroport de Kingston. Voiture économique : à partir de 38 US$ par jour et 228 US$ par semaine en saison haute, et 50 US$ par jour et 300 US$ par semaine la saison basse. Tout type de catégorie, citadine, 4x4 et également VAN pour 100 US$ la journée et 600 US$ la semaine.
Parmi les nombreuses agences, Budget reste le meilleur rapport entre la qualité du service, le prix et surtout les conseils en fonction de l'itinéraire emprunté. En effet, la particularité de ce loueur de tout type de voiture réside dans le fait qu'il vous demande où vous comptez rouler afin de vous donner la voiture adéquate. Il ne faut pas compter en termes de kilomètres mais bien en heures de trajet, vu la qualité des routes. Grâce à un partenariat local, Budget apporte les garanties nécessaires et standards européens avec un sens de l'accueil et du service à la jamaïcaine.

■ FIESTA CAR RENTAL
14 Waterloo Road
Kingston 10
✆ +1 876 926 0133 / +1 876 926 8386
www.fiestacarrentals.com
fiesta@kasnet.com

■ ISLAND CAR RENTAL LTD
17 Antigua Avenue
Kingston 10
✆ +1 876 926 88 61 / +1 876 926 8398
www.islandcarrentals.com
icar@cwjamaica.com

▶ **Autre adresse :** Norman Manley Airport.

■ JAM VENTURE TOURS & SERVICES
2 Trafalgar Road
Kingston 5
✆ +1 876 927 4736 / +1 876 990 0174
www.jamventuretours.com
jamventure@yahoo.com
Location de voiture avec chauffeur.

■ JUTA TOUR & LIMOUSINE SERVICE
49 Lady Musgrave Road
Kingston 10
✆ +1 876 927 4534
www.jutakingston.com
customerservices@jutakingston.com
Location de voiture avec chauffeur.

En ville

Bus
Depuis 1998, les autobus, bien organisés, propres et pas chers, occupent une place de choix dans la vie des Kingstoniens. Les principales gares routières se trouvent à la Parade (parc central) d'une part, et au carrefour de Half Way Tree d'autre part, sous une immense halle couverte. Même si les destinations sont écrites sur les autobus, il est conseillé de s'informer auprès du conducteur ou de la conductrice avant d'embarquer. Si vous devez voyager souvent en autobus, vous ferez mieux d'acheter une carte prépayée. Le prix d'un billet est de 100 JMD pour un trajet sans interruption, quelle que soit la distance. En dehors des lignes de bus classiques à numérotation, de nombreux minibus sillonnent la ville assez efficacement – et pour le même prix. Demandez aux chauffeurs de vous indiquer le moment où descendre !

Taxi
De nombreux taxis sillonnent les rues de la capitale. Comptez entre 400 JMD et 700 JMD pour une petite course en ville, ou pour un trajet Uptown-Downtown. Il est recommandé de prendre les taxis non pas au vol mais sur les parkings des grands hôtels, des centres commerciaux ou dans les stations de taxi réparties dans la ville. Vous pouvez également téléphoner aux compagnies de taxi, qui vous dépêcheront un chauffeur généralement dans les 5 minutes qui suivent votre appel. Il est préférable de se mettre d'accord au préalable sur le montant de la course. Par ailleurs, il est possible de négocier un taxi à la journée. C'est assez coûteux, mais toujours négociable. Une fois la nuit tombée à Downtown, de nombreux faux taxis rôdent. Soyez vigilants !

■ **JUTA**
℗ +1 876 924 8511
La compagnie la plus célèbre de la capitale, qui propose aussi des tours.

À pied

Kingston est une ville si vaste, et les températures y sont si élevées, que la marche à pied est rapidement épuisante pour rallier les différents lieux touristiques. Pourtant, des balades au sein des différents quartiers sont recommandées pour s'imprégner d'ambiances de rue délicieusement authentiques : New Kingston se parcourt à pied, de même que les quartiers de Parade, Coronation Market et du front de mer. Pour le reste, le taxi et les nombreux bus et mini-bus (tous climatisés ou presque) sont l'idéal pour parcourir Kingston de long en large.

■ PRATIQUE

Tourisme – Culture

■ **JAMAICA TOURIST BOARD (OFFICE DU TOURISME)**
64 Knutsford Boulevard
Kingston 5
℗ +1 876 929 9200
www.visitjamaica.com
Ouvert du lundi au vendredi de 9h à 16h30.
Situé en plein cœur de New Kingston, c'est le siège de l'office de tourisme jamaïcain. Le visiteur pourra y trouver beaucoup d'informations, soit directement auprès du personnel, soit en feuilletant les brochures distribuées gratuitement ou en consultant la bibliothèque qui propose des ouvrages sur tous les aspects du pays. Des cartes routières y sont en vente à un prix raisonnable.

■ **NATIONAL LIBRARY OF JAMAICA INSTITUTE OF JAMAICA**
12 East Street
Kingston
℗ +1 876 922 0620
www.instituteofjamaica.org.jm

Représentations – Présence française

■ **ALLIANCE FRANÇAISE**
Centre de ressources sur la France contemporaine
12b Lilford Avenue
Kingston 10
℗ +1 876 978 6996
alliancefr.jm@gmail.com

■ **AMBASSADE DE BELGIQUE**
10 Millsborough Crescent
Kingston 6
℗ +1 876 978 5943
www.diplomatie.be/kingstonfr
kingston@diplobel.fed.be
Ouvert de lundi à vendredi de 8h30 à 14h30.

■ **AMBASSADE DE FRANCE**
Sous la direction de Mme Ginette de Matha (ambassadrice depuis le 17 mars 2012).
13 Hillcrest Avenue
Kingston 6
℗ +1 876 946 4000 / +1 876 818 3828
www.ambafrance-jm-bm.org
frenchembassyjamaica@gmail.com
Ouvert du lundi au vendredi : 8h à 15h30.
Demandes de visas pour la France : du lundi au vendredi de 8h30 à 11h30.

■ **AMBASSADE DE LA RÉPUBLIQUE D'HAÏTI**
2 Monroe Road
Kingston 6
℗ +1 876 927 7595
haitianembassyjam@jamweb.net

■ **AMBASSADE DU CANADA**
3 West King's House Road
Kingston 10
℗ +1 876 926 1500
www.jamaica.gc.ca
kngtn@dfait-maeci.gc.ca

■ **CONSULAT DE SUISSE**
107 Harbour Street
Kingston
℗ +1 876 948 9656
kingston@honrep.ch

Argent

Aucune difficulté pour changer de l'argent dans la capitale. Les grandes banques sont toutes représentées dans le quartier de New Kingston, et ont toutes de nombreuses agences dans la ville. Les bureaux de changes, nombreux, offrent un service performant. Les grands hôtels possèdent aussi un service de change, aux tarifs parfois quelque peu désavantageux ; mais les banques et les bureaux de change (Les Cambios) sont souvent bondés. Le mieux reste de posséder une carte et de retirer de l'argent aux distributeurs automatiques (Scotia Bank met à disposition des distributeurs un peu partout dans la ville).

Moyens de communication

▶ **Téléphones portables.** Une carte SIM avec un numéro local vous coûtera environ 500 JMD. Trois grandes compagnies téléphoniques se partagent le marché jamaïcain : Claro, Lime et Digicel. On trouve dans toutes les rues, dans tous les centres commerciaux, et dans tous les points de vente (même les plus quelconques), les représentants de ces trois marques qui mènent une concurrence rude. Attention, en Jamaïque, on paie toujours une commission sur l'achat des recharges (exemple : une recharge de 300 JMD se vend environ 340 JMD).

■ **DIGICEL**
Partout en Jamaïque
www.digiclejamaica.com
Impossible d'éviter sur l'île le logo DIGICEL, n° 1 de la téléphonie mobile. L'entreprise irlandaise a su détrôner le monopole de LIME en proposant des offres très intéressantes. Le plus avantageux est d'acheter une carte SIM et d'y ajouter du crédit en fonction de ses besoins. Variables de 100 JMD à 1 000 JMD, il y en a pour tous les budgets et on les trouve partout à la vente : kiosque, magasins de souvenirs… Avec ces crédits Digitel, les appels vers l'étranger sont également moins chers.

■ **GENERAL POST OFFICE (GPO)**
13 King Street
Downtown ✆ +1 876 922 21 20
Outre le Bureau général de poste, des bureaux de poste sont présents dans tous les quartiers. On peut acheter les timbres dans la plupart des grands hôtels.

▶ **Autre adresse :** Un autre bureau de poste se trouve au 89 Half Way Road.

Santé – Urgences

Il y a des pharmacies dans la plupart des centres commerciaux. Voici une liste de celles qui restent ouvertes tous les jours jusqu'au soir. Il n'y a pas de pharmacie de nuit en Jamaïque.

■ **ALERTE CYCLONIQUE**
✆ 116

■ **ANDREWS MEMORIAL HOSPITAL**
27 Hope Road, Kingston 10
✆ +1 876 926 7401
www.amhosp.org
Hôpital privé.

■ **APEX HEALTH CENTER**
2A Molynes Road
Half Way Tree ✆ +1 876 960 7923
Un centre médical de bonne qualité, avec des médecins compétents, un service de radiographie et une pharmacie. Consultation aux alentours de 2 000 JMD.

■ **BUSTAMENTE HOSPITAL FOR CHILDREN**
Arthur Wint Drive
Kingston 5 ✆ +1 876 968 0300

■ **KINGSTON PUBLIC HOSPITAL**
North Street
Down Town ✆ +1 876 922 0210

■ **LIGUANEA LANE PHARMACY**
Shop 19 Lane Plaza
Kingston 6
✆ +1 876 977 4927 / +1 876 977 4928
Tous les jours de 8h à 23h.

■ **MANOR PARK PHARMACY**
Shop 1 Manor Park Plaza
184 Constant Spring Road
Kingston 8 ✆ +1 876 924 1424
Tous les jours de 8h30 à 22h30.

■ **POMPIER ET AMBULANCE**
✆ 110

Adresses utiles

■ **POLICE ET DÉPANNAGE**
✆ 119

© SIR PENGALLAN – ICONOTEC

Fruits de l'arbre à pain au marché de Kingston.

■ SE LOGER

Uptown

De la chambre sommaire dans une guest house à la suite avec vue sur la baie de Kingston, il est possible de se loger à tous les prix. Un passage par l'office de tourisme ajoutera les flèches à votre arc mais vous trouverez ci-dessous un large choix d'établissements correspondant à tous les budgets, pour un séjour à Uptown ou vers Crossroads.

Bien et pas cher

Dans cette gamme de prix, il faut surtout visiter les guest houses. Comme dans toute capitale, ces logements pour routards sont moins abordables qu'ailleurs, et souvent situés dans les zones populaires. Il est pourtant possible de trouver des chambres correctes, bien que le confort y soit souvent minimal. Sinon, l'office de tourisme (Jamaican Tourist Board), sur simple demande, vous livrera une liste de quelques *bed & breakfast* familiaux qui offrent de bonnes options de logement à prix corrects (autour de 5 000 ou 6 000 JMD).

■ CHELSEA HOTEL
5 Chelsea Avenue
Kingston 10
✆ +1 876 926 5803
A partir de 60 US$ pour une chambre.
L'hôtel a pour principal, sinon le seul avantage, d'être tout près de New Kingston. Le modeste bâtiment, peu accueillant, ressemble plus à une caserne qu'à un hôtel. Les chambres ont une salle de bains, une TV et l'air conditionné.

■ MIKUZI
5 Upper Montrose
Kingston 10
✆ +1 876 978 4859 / 1 876 889 2070
www.mikuzijamaica.com
kingston@mikuzijamaica.com
Studio avec frigo à partir de 50 US$ (sans petit déjeuner). Appartement avec toilettes et douche privée à partir de 75 US$. Petites

chambres pour backpackers : 30 US$. Egalement une superbe suite, plus luxueuse, à 125 US$ la nuit.
Anciennement baptisé Courtney Cottage. Valérie et ses deux fils, Otto et Shad, ont aménagé quelques chambres de leur guesthouse comme leur propre maison. Située dans une rue particulièrement calme, cette adresse est un tuyau parfait pour ceux qui n'affectionnent pas les grandes chaînes d'hôtels de Knutsford Boulevard. Situé à proximité du Bob Marley Museum, l'endroit est calme et reposant. Pour les chambres qui ne possèdent pas de salle de bains, il faudra vous rendre dehors pour une douche en plein air... Une expérience agréable lorsqu'il fait beau ! Otto possède son atelier de peinture dans la guest house ; n'hésitez pas à lui demander de vous montrer quelques toiles. Elles sont magnifiques ! Pour le petit déjeuner, demandez les bonnes adresses à vos hôtes.

■ REGGAE HOSTEL
8 Burlington Avenue
✆ +1 876 920 6528 / +1 876 968 1694
www.reggaehostel.com
scotty@reggaehostel.com
A partir de 20 US$ pour une chambre en dortoir et 35 US$ pour une chambre privée.
Cette auberge de jeunesse à l'ambiance reggae propose des lits en dortoir et des chambres privées sans salle de bains. Scotty, l'heureux propriétaire de ce lieu, devenu incontournable et idéalement situé, saura vous accueillir ! Un endroit d'échanges et de belles rencontres, à expérimenter autour du bar ou du barbecue. Assisté de Zana et de son sens du relationnel, vous tomberez sous le charme de cet hôtel qui ne paye pourtant pas de mine.

■ SANDHURST GUESTHOUSE
70 Sandhurst Crescent
Kingston 10
✆ +1 876 927 7239

Compter entre 4 300 et 7 000 JMD pour une chambre sans ou avec climatiseur. L'hôtel se trouve un peu loin du centre-ville dans un quartier résidentiel, au nord.

Les chambres meublées de façon kitsch sont correctes, avec air conditionné, téléphone et TV. Piscine et restaurant en terrasse donnent sur les hauteurs verdoyantes de Kingston.

Confort ou charme

Toujours à Uptown, et à des prix un peu plus élevés, voici les hôtels « mid-range », tout indiqués pour passer une nuit ou deux avant de se lancer à la découverte du reste de l'île.

■ ALTAMONT COURT HOTEL

1-5 Altamont Terrace
Kingston 5 ℰ +1 876 929 4497
www.altamontcourt.com
altamontsales@cwjamaica.com
A partir de 130 US$.
Un hôtel moderne et fonctionnel de 58 chambres dans un cadre agréable. Piscine, bar et restaurant, Jacuzzi, accès à Internet, petit déjeuner font le délice des clients. L'équipe parle plusieurs langues.

■ CHRISTAR VILLA

99 Hope Road
Kingston 6 ℰ +1 876 978 3733
www.christarvillashotel.com
A partir de 130 US$.
Un hôtel créé en 1993, fort agréable, qui compte une quarantaine de chambres propres, du modèle de base au studio avec kitchenette (différentes tailles de studios disponibles ; ne pas hésiter à demander à les visiter pour faire votre choix). Situé sur l'un des axes majeurs de la ville, à proximité du Bob Marley Museum, cet établissement est facile d'accès. Petite piscine, appareils de musculation, parking, ainsi qu'un bar et restaurant donnant sur les contreforts des Blue Mountains. Accueil très sympathique.

■ FOUR SEASONS

18 Ruthven Road
Kingston 10 ℰ +1 876 926 8805
www.hotelfourseasonsjm.com
Chambres standard à partir de 100 US$.
En plein cœur de New Kingston, mais à l'écart des grandes artères, l'hôtel a conservé tout le charme d'une vieille maison edwardienne. Ouvert par une charmante dame allemande, Mme Helga Stoekert, le Four Seasons est une institution depuis près de 40 ans. On a le choix entre le bâtiment original plus traditionnel et une aile toute récente. Les 76 chambres sont toutes confortables avec bain, air conditionné, coffre-fort et TV satellite. Les chambres

nouvellement construites encadrent la piscine et sont particulièrement agréables avec de grandes terrasses. Un bar tout neuf à proximité de la piscine, et un restaurant renommé depuis de longues années complètent les installations. La carte propose des spécialités jamaïcaines et allemandes pour faire honneur aux origines de la propriétaire. La cuisine soignée est copieusement servie. Du lundi au vendredi, un buffet jamaïcain est proposé à midi.

■ INDIES HOTEL

5 Holborn Road
Kingston 10
ℰ +1 876 926 2952 / +1 876 926 0989
www.indieshotel.com
indieshotel@hotmail.com
Compter entre 45 US$ et 81 US$ pour les chambres. Téléphone, TV, eau chaude, climatiseur dans la plupart des chambres (selon les prix).
Ce petit hôtel (quinze chambres) est géré par une famille jamaïcaine. La décoration est simple. L'hôtel tient également un petit restaurant qui assure tous les repas de la journée, principalement pour sa clientèle. En face, un restaurant aéré et bien connu dans la capitale, le Indies Pub and Restaurant.

Luxe

Les trois plus grands (et chers) hôtels de la ville sont situés à New Kingston et forment un triangle le long de Knutsford Boulevard. C'est là où le tout-Kingston descend, avec une vue et une situation rêvées pour découvrir la capitale...

■ HILTON KINGSTON

77 Knutsford Boulevard
Kingston 5
✆ +1 876 926 5430
Cet hôtel propose 303 chambres et suites de grand confort. Piscine, jardins, restaurants, boutiques et tous les services d'un hôtel de luxe. Banquets jusqu'à 850 personnes. 2 restaurants, 3 bars, grande piscine, tennis.

■ JAMAICA PEGASUS

81 Knutsford Boulevard
Kingston 5
✆ +1 876 926 3691
www.jamaicapegasus.com
info@jamaicapegasus.com
L'édifice est imposant dressant sa quinzaine d'étages au milieu des quelques buildings du centre-ville. 350 chambres et 15 suites d'une et deux chambres avec air conditionné centralisé, TV, téléphone, café et thé en chambre, sèche-cheveux, coffre-fort, room service 24h/24. Un étage est réservé aux clients allergiques ou délicats (pas de moquettes, oreillers spéciaux...), quatre étages aux hommes d'affaires avec services spéciaux, plusieurs étages aux non-fumeurs. Les installations complémentaires sont importantes : un centre d'affaires avec outils de communication, ordinateurs en libre-service, E-mail, fax, Internet, un bureau de change, une agence de tourisme, deux courts de tennis, une grande piscine au cœur d'un joli parc, une piscine et un terrain de jeux pour enfant, un gymnasium, un salon de beauté qui fait spa, des boutiques chic, une galerie d'art. L'hôtel organise également votre mariage. Rnseignements sur le site Internet.

■ TERRA NOVA

17 Waterloo Road
Kingston 10
✆ +1 876 926 2211 / +1 876 926 9334
www.terranovajamaica.com
info@terranovajamaica.com
A partir de 145 US$ la double.
Si vous préférez les hôtels de charme aux chaînes internationales, voilà une bonne adresse. Cette ancienne demeure bourgeoise, où le célèbre producteur jamaïcain Chris Blackwell a passé une partie de son enfance, date de 1924. La propriété de 4 ha a été offerte comme cadeau de mariage par Harold Alexander à sa jeune épouse. Elle fut transformée en hôtel en 1959 mais a conservé tout son charme tropical, avec des salons intimes et chaleureux, un mobilier ancien et une décoration classique de bon goût. Ici on est tout proche du centre-ville de New Kingston et quasiment en face de Devon House, l'une des visites obligatoires de la capitale. L'hôtel propose des chambres toutes très spacieuses et confortables (air conditionné, TV, téléphone, room service). Le petit déjeuner est servi dans une salle fleurie en partie ouverte sur les jardins. Une jolie piscine avec son solarium et son bar se niche dans le grand jardin tropical. Son traditionnel buffet du dimanche matin est le rendez-vous de Tout-Kingston.

■ THE COURTLEIGH HÔTEL & SUITES

85 Knutsford Boulevard
Kingston 5
✆ +1 876 929 9000
www.courtleigh.com
businesscenter@courtleigh.com
Les tarifs s'échelonnent de 115 US$ pour la chambre de base, tout de même surnommée deluxe room, à 400 US$ pour la suite présidentielle.
Coincé entre le Hilton et le Jamaica Pegasus, cet hôtel fait partie du triangle d'or des grands hôtels de la ville. 127 chambres sont mises à votre disposition.
L'établissement offre dans les chambres toutes les commodités d'un hôtel de bon standing : TV satellite, téléphone, accès Internet, bureau, radio, parking, salle de gym... Le Courtleigh est également équipé d'un business center avec salle de réunion – et de banquet à l'occasion –, ordinateurs connectés à Internet et service de secrétariat. Bar, restaurant, piscine. A la demande, chambres non-fumeurs ; des chambres aménagées pour l'accueil des handicapés.

Downtown

Le quartier de Downtown possède que peu d'hôtels... et c'est tant mieux ! Cette partie de la ville, une fois la nuit tombée, n'est pas très fréquentable. Cependant, en journée, vous pourrez vous balader au milieu des bureaux, des commerces et des édifices publics. Le vieux quartier de la ville a perdu de son panache et n'est vraiment pas très beau ; on n'y croise d'ailleurs peu de touristes. Kings Street est l'artère principale de l'ancien centre-ville qui relie le front de mer à la parade.

■ UNION SQUARE GUEST HOUSE
40 Union Square
Crossroads
✆ +1 876 440 8124
Depuis Crossroads, remonter Half Way
Tree Road vers le nord. La guest-house se
trouve dans une petite rue à droite juste
après Island Grill (qui est situé sur le trottoir opposé).
Chambres doubles entre 2 200 et 4 000 JMD.
Le meilleur rapport qualité/prix à Kingston
selon nous. Au cœur de la capitale (le
quartier de Crossroads marque la jonction

entre Uptown et Downtown), ce bâtiment
anodin est niché dans une petite rue qui
donne sur la grande artère de Half Way Tree
et ses multiples enseignes de restauration
rapide. Il faut sonner pour pouvoir entrer.
Accueil correct et chambres honnêtes avec
salles de bains privées et TV câblée. Certes
le lieu a vécu, le mobilier est minimaliste et
les chambres sur rue peuvent être bruyantes
le soir (sound system dans le bar voisin les
mercredis soir), mais on vous met au défi de
trouver moins cher ! Demandez une chambre
côté cour si vous voulez avoir la paix.

■ SE RESTAURER

Uptown

Sur le pouce

Kingston – et la Jamaïque – est surchargé de
petits bars et bouis-bouis qui permettent de
manger sur le pouce toutes sortes de plats
très bon marché. Ainsi, un poisson grillé avec
des légumes coûte de 350 à 500 JMD, et un
plat très simple comme du calaloo (un légume
vert très singulier) servi avec du pain coûte
250 à 300 JMD, et nourrit son homme. On
trouve également des chaînes locales comme
Juicie Patties ou Island Grill, intéressantes à
essayer. Les enseignes du fast-food américain
sont partout dans le pays et en particulier à
Kingston, dans tous les centres commerciaux
et sur King's Street. De Burger King à Kentucky
Fried Chicken en passant par Pizza Hut et

Wendy's, il ne manque que McDonald's à
l'appel. Ce dernier avait dû plier bagage devant
le refus des Jamaïcains de consommer ses
plats, réputés trop petits.

Bien et pas cher

■ CHELSEA JERK CENTER
7 Chelsea Avenue
Kingston 10 ✆ +1 876 926 6322
Un vrai Jerk Center, sans doute le temple
du jerk à Kingston. On passe la commande
derrière une petite grille dans la file poulet ou
porc, selon son choix. La viande est servie
dans du papier ou dans des boîtes à emporter.
On mange ses mains (petit robinet à
l'extérieur pour se rincer les doigts) dans un
décor de fast-food ouvert sur l'extérieur. Très
bien tenu et rapide.

Cuisine I-Tal

Encore plus végétarien que végétarien, la cuisine I-Tal, c'est-à-dire la façon de cuisiner
rasta, demeure un vrai patrimoine national en Jamaïque. Ni viande, ni poisson, ni pommes
de terre... Tout ce qui pousse sous terre est interdit, ainsi que le sel, les œufs et le lait de
vache. Ceci n'empêche pas certaines préparations I-Tal de se révéler particulièrement
succulentes. Voici l'adresse la plus connue à Kingston, mais vous trouverez aussi, au
bord des avenues de la capitale et tout autour de l'île, de nombreux rastas assis dans des
bicoques en bois qui proposent des plats I-Tal dans des barquettes en plastique.

■ KING ITAL
Caledonia Crescent
Crossroads
A deux pas de Crossroads, une petite entrée peu visible mais annoncée par une grande
fresque vert, jaune et rouge sur un mur blanc.
King Ital est un vaste restaurant qui propose, outre ses soupes et jus de fruits du jour, toute
la gamme des plats Ital (à partir de 350 JMD). On commande au comptoir protégé par
une grille avant de manger au calme dans une grande salle bien aérée. Le jus de carotte
gingembre est incontournable ! Et avec un peu de chance, vous tomberez sur des chanteurs
fameux : Sizzla, entre autres, est un habitué du lieu.

■ **CUDDY'S**
Shop 4-6 New Kingston Shopping Center
Dominica Drive
New Kingston
✆ +1 876 920 8019
www.cuddyzsportsbar.com
cuddyz519@gmail.com
Ferme à 23h en semaine et à 1h le week-end.
Voici un bar à sport très à la mode, avec ses innombrables écrans de télé, son comptoir interminable, ses maillots authentiques de sportifs aux murs et sa clim à fond. Pour les amateurs de football, de cricket ou de tennis, c'est ici qu'il faudra s'attabler pour suivre les matches, entre un bon jus de fruit (150 JMD), un burger (500 JMD), un plat de pâtes (650 JMD) ou une grande glace. Attention toutefois : il faut ajouter à tous les prix de la carte une taxe de service de 10%.

■ **HOT POT**
2 Altamont Terrace
New Kingston
✆ +1 876 929 3906
Ouvert de 6h à 18h du lundi au samedi et de 7h à 2h le dimanche. Entre 600 et 1200 JMD.
En plein cœur du New Kingston, voilà une excellente adresse peu fréquentée par les touristes. Au déjeuner, on y rencontre les employés des entreprises voisines, en soirée on vient y dîner en famille. Les repas de cuisine typiquement jamaïcaine sont servis à l'intérieur ou en terrasse à l'ombre de grands parasols, avec une option takeaway pour les plus pressés.

■ **SOUTH SEA TERRACE**
Shop 16 – Pavillion Mall
A l'étage du centre commercial reconnaissable à son crépis marron et orange, voisin de la station service Total.
Pour manger vite fait et pas cher, plusieurs petits restaurants proposent des plats typiquement jamaïcains, simples et bon marché. Poulet sauce champignon, Stew de haricots rouges, curry d'agneau, rice&peas... Les prix varient entre 350 JMD pour les petites portions (largement suffisantes !) et 420 JMD pour les grandes. Des plats chinois sont aussi disponibles. On mange sur une terrasse pleine d'agréables courants d'air.

■ **STAR APPLE**
94 Hope Road
✆ +1 876 927 9019
Comptez 1500 JMD par personne.
Une magnifique ancienne maison avec salle climatisée et terrasse. Le client est charmé par la finesse du cadre et le tarif plutôt modéré pour déguster le meilleur des plats jamaïcains. Les repas du midi et du soir pourront être soit consommés sur place soit emportés. Une adresse à recommander.

Bonnes tables

■ **AKBAR**
11 Holborn Road
Kingston 5
✆ +1 876 926 3480
A partir de 1000 JMD et jusqu'à 3000 JMD par personne.
Si ce restaurant porte le nom d'un empereur mongol du XVIe siècle, c'est parce que celui-ci était célèbre pour son art de vivre, son hospitalité, la splendeur des fêtes qu'il donnait et l'élégance de son mode de vie. Autant dire qu'ici la cuisine indienne est authentique, avec une carte très variée. Le décor est élégant et les vins sont français pour la plupart ! Le buffet du lundi au vendredi est un vrai régal.

■ **CAFFE DA VINCI**
67 Constant Spring Road – Shop 36
✆ +1 876 906 9051
www.caffedavincija.com
Ouvert du mardi au samedi de 9h à 22h et le dimanche de 17h à 22h.
Un joli endroit tenu par une Italienne. Parfait pour y boire un bon café ou y déguster un bon repas italien !

■ **INDIES PUB AND GRILL**
8 Holborn Road
New Kingston, en face de Indies Hotel
A partir de 1200 JMD par personne.
On y déguste une bonne cuisine jamaïcaino-indienne et des plats internationaux, de la pizza aux hamburgers dans un décor plutôt tropical qu'indien. Des palissades de bambous divisent l'espace en plusieurs petites salles. La terrasse en L est parcourue par une rivière – artificielle bien sûr, mais avec de vrais poissons et de vraies tortues – qu'un petit pont permet de traverser. Une bonne adresse.

■ **CHEZ MARIA**
7 Hillerest Avenue
✆ +1 927 8078
www.chezmaria.webs.com
Ouvert du lundi au samedi de 11h30 à 15h et de 18h à 22h. Comptez environ 1000 JMD pour un plat copieux.
Ce petit restaurant très sympathique vous propose des plats italiens ou libanais.

Excellente adresse, très calme, à environ 5 minutes à pied du musée Bob Marley. Un bar et une terrasse pour déjeuner ou dîner se situent à l'extérieur. La salle à l'intérieur est climatisée. N'hésitez pas à goûter le taboulé libanais : un délice !

■ RED BONES BLUES CAFE

1 Argyle road
Kingston 10
✆ +1 876 978 8262
www.redbonesbluescafe.com
redbones@mail.infochan.com
Ouvert du lundi au vendredi pour le déjeuner et le dîner. Samedi : ouvert pour le dîner. Comptez entre 2000 et 2500 JMD pour un repas complet.
Grand espace proposant des tables à l'intérieur et des tables en plein air. Décoration mode, raffinée et thématique, petites tables intimes, estrade pour les orchestres, ambiance jazzy, c'est l'une des adresses à la mode de la capitale. La cuisine est bonne, jamaïcaine avec des notes nouvelle cuisine européenne et des spécialités de poissons et de grillades. Le service est amical. On peut aussi venir y prendre un verre pour savourer les sessions jazz des orchestres. Programme disponible sur le site Internet de l'établissement.

■ TEA TREE CREPERIE

8 Hillcrest Avenue
✆ +1 876 927 8733
www.teatreecreperie.com
Du lundi au vendredi de 7h30 à 19h, le samedi de 10h à 19h et le dimanche de 10h à 16h.
Comptez 1500 JMD pour une grosse crêpe et un thé. wi-fi.
Situé à quelques minutes du musée Bob Marley, à côté de l'école primaire, ce petit restaurant vous propose un large choix de crêpes salées ou sucrées. Carrie et Maree, mère et fille, gèrent l'établissement avec maestria ! Ces deux Canadiennes sont tombées amoureuses de la Jamaïque et ont créé un petit endroit agréable où l'on a envie de flâner. Idéal pour un petit déjeuner en terrasse, au soleil. Un large choix de thés du monde entier ravira les amateurs.

■ TERRA NOVA

17 Waterloo Road
Kingston 10
✆ +1 876 926 2211
✆ +1 876 926 9334
www.terranovajamaica.com
info@terranovajamaica.com
Comptez environ 4000 JMD par personne.
Le restaurant est réputé dans la bonne société de la capitale pour sa cuisine gourmande, avec ses spécialités déclinées autour des produits de la mer. La cuisine est fort bonne au demeurant, servie par un personnel irréprochable dans un décor intime et élégant. Autre ambiance dans la Terrasse, restaurant classique et aéré qui ne manque pas de charme tropical. On y sert une cuisine jamaïcaine traditionnelle avec les incontournables plats internationaux. Le restaurant propose aussi de fort sympathiques petits déjeuners, copieux et délicieux.

KINGSTON ET SA RÉGION

■ **THE TERRACE**
Devon House 26 Hope Road
✆ +1 876 968 5488
Fermé le dimanche. Comptez 850 JMD pour un plat de pâtes et 2650 JMD pour un plat plus élaboré.
Une adresse idéale pour un dîner à la fraîche, au calme du parc de Devon House, très fréquentée par les touristes. La terrasse du restaurant est très agréable, abritée par une tonnelle verte. Le vendredi, un orchestre anime la soirée. La cuisine est avant tout locale, avec des incursions dans la gastronomie internationale.

Downtown

■ **JAMAICA PEGASUS**
81 Knutsford Boulevard
Kingston 5 ✆ +1 876 926 3691
www.jamaicapegasus.com
Environ 3000 JMD par personne. Petit déjeuner servi de 7h30 à 10h30 (environ 1000 JMD), dîner servi de 19h30 à 22h30.

L'hôtel de luxe possède en son sein deux restaurants :

▶ **Le Columbus.** Cet élégant restaurant à la décoration raffinée se trouve au premier étage de l'hôtel. La carte propose des spécialités italiennes et une bonne cuisine internationale. L'endroit est plus approprié au dîner qu'au déjeuner.

▶ **La Brasserie.** Atmosphère décontractée pour des repas simples de style international en bordure de piscine.

■ **MOBY DICK RESTAURANT AND LOUNGE**
3 Orange Street Downtown
✆ +1 876 922 4468
Compter 400 JMD. Ouvert jusqu'à 20h. Nous vous conseillons de vous y rendre pour le déjeuner. Le quartier n'est pas très agréable une fois la nuit tombée.
On y vient pour déguster la spécialité de la maison (le curry de chèvre) dans un décor simple mais propre et bien tenu.

■ SORTIR

Kingston la nuit, c'est évidemment une expérience bien remuante – et, en choisissant bien son adresse, souvent mémorable. Les Jamaïcains possèdent ce sens inné de la fête, du rythme et de la danse, et la plupart des lieux nocturnes deviennent bouillants vers minuit. Il faut toutefois adopter certaines règles de base pour éviter toute mauvaise fin de soirée : rendez-vous dans les clubs et discothèques en taxis officiels, ne suivez pas des inconnus après la fermeture, n'affichez pas de sommes importantes en liquide ou d'appareils photos onéreux en sortie de bar ou de discothèque... Uptown, où se trouvent la majorité des établissements nommés ci-dessous, est relativement sûre la nuit, bien qu'il faille se montrer prudent. Pour sortir Down Town, emportez avec vous le minimum et évitez les signes extérieurs de richesse. Soyez respectueux, souriant et discret lorsque vous sortez votre porte-monnaie. Etre accompagné d'un local est une bonne manière d'aborder la ville de nuit, plus sûre et pittoresque !

▶ **Pour plus d'informations** sur les endroits où sortir à Kingston et dans toute l'île, consulter le site www.nightlifejamaica.com.

Cafés – Bars

■ **VERANDAH**
38a Trafalgar Road
Un sympathique bar-restaurant où tout est servi en plein air. Idéal pour boire un verre, manger jamaïcain ou international en toute complicité avec la brise du soir. Il est plus agréable d'y aller en groupe.

Clubs et discothèques

Uptown

■ **FICTION LOUNGE**
67 Constant Spring Road
Half Way Tree ✆ +1 876 631 8038
www.fictionloungeja.com
info@fictionloungeja.com
Un nouveau club situé pas trop loin de New Kingston, avec un décor particulièrement soigné et original. Clientèle assortie au lieu et ambiance chaude les soirs de week-end.

■ **JONKANOO LOUNGE**
Hilton Kingston Hotel
77 Knutsford Boulevard
✆ +1 876 926 5430

Ouvert jusqu'à 2h mercredi et jeudi, 3h le vendredi et 4h le samedi. Soirées Rock Steady les mercredis soir.
Une soirée agréable dans l'un des plus luxueux hôtels de la ville pour seulement 300 JMD à l'entrée.

■ PEPPERS
31 Upper Waterloo Road
Musique plutôt internationale. Ambiance branchée, réputée pour ses nombreuses tables de billard et ses soirées à thèmes, dont la soirée salsa du samedi soir.

■ QUAD
20-22 Trinidad Terrace
New Kingston
☏ +1 876 754 7823
Comptez environ 1300 JMD pour entrer dans l'établissement.
Quatre niveaux, quatre climats différents pour se détendre. Au rez-de-chaussée,

Christopher's Jazz Café, climat jazzy avec la clim' à fond. Juste en dessous, Oxygen offre de la musique nord-américaine aux jeunes branchés de Uptown. Les plus osés hésiteront entre l'animation du dernier étage, au Voodoo Lounge, et le go-go club du sous-sol, au Taboo.

■ VILLAGE CAFÉ
Orchid Village Plaza
Barbican Road
300 JMD à l'entrée.
L'un des clubs les plus modernes de la Jamaïque. Concert, compétition de Bikini, défilé de mode, dance-session le week-end : une ambiance avec beaucoup d'imagination.

■ WEEKENDZ CLUB
80 Constant Spring Road
A la différence de l'Asylum, ce club possède un jardin en plein air assez joliment agencé : pelouse verte, terrasse spacieuse et petites tables rondes à l'ancienne...

KINGSTON ET SA RÉGION

Rae Town Sound-System

Depuis maintenant plusieurs décennies, Rae Street, dans Rae Town, un quartier situé au sud-est de Downtown, et à deux rues du légendaire General Penitentiary (cf. Black Uhuru), accueille le dimanche soir des sound systems qui célèbrent la grande ère de la musique jamaïcaine, dans sa plus pure tradition. Le centre névralgique de ces soirées se trouve au milieu de la rue, sur le trottoir sud, à l'abri d'une tente blanche. C'est de là qu'opèrent les DJ des différents sound-systems résidents. De part et d'autre de cette tente, deux murs d'enceintes prêts à écraser le bitume sous le poids des basses. Même si la sélection des disques joués est une autre à chaque fois, l'idée est toujours la même : un peu de soul jamaïcaine en ouverture, du ska, du rock steady, du reggae roots, du lover's rock, mais jamais au grand jamais de musique digitale ou dancehall post 82. Un lieu de rêve pour tous les nostalgiques de la grande époque. C'est dans une ambiance populaire et bon enfant que se retrouvent là un millier de personnes venues partager des bonnes vibrations avant d'entamer une nouvelle semaine. Rae Town est un plongeon direct dans un univers parallèle, hors de l'espace et du temps, unique en Jamaïque et plus encore aux yeux du monde. On se retrouve planté dans un décor de village rue du Far West – dans l'ombre, les maisons coloniales à un ou deux étages imagent ce type de construction –, éclairé de lumières aux tons orangés où se mêlent toutes les catégories d'âge. C'est ainsi que l'on peut assister aux démonstrations de pas de danses d'un jeune aux airs de Tupac en même temps qu'à ceux d'un septuagénaire qui a sorti son trois pièces entretenu depuis trente ans pour l'occasion hebdomadaire. Les deux dansant avec plus de fougue et de phases que James Brown. Pour une soirée plus authentique qu'inoubliable.

▶ **Consignes :** pour se rendre à une soirée de Rae Town, quelques règles fondamentales sont à respecter avec la plus grande rigueur. N'emmener ni appareil photo ni caméra ni objet de valeur. Soyez calme, discret, détendu, de bonne humeur et dans la mesure du possible accompagné. Ne rejetez personne. Comptez au moins 1 000 JMD pour la soirée, cette somme comprenant quelques boissons, un petit plat, un ou deux pots que vous offrirez peut-être à l'occasion d'un bavardage avec vos hôtes ou quelques soupes que vous ne rechignerez pas à payer à une poignée de gamins très demandeurs. Prévoyez aussi de conserver 300 JMD ou 400 JMD pour le taxi du retour.

On y dîne à l'intérieur ou à l'extérieur (à la lumière des bougies) pour un prix raisonnable. Chaque soir de la semaine propose un style différent : reggae, hip-hop, soirées funk années 1980 ou concours de poésie. On y transpire en bougeant frénétiquement sur les tempos dancehall, on se roule dans la mousse (ou dans la boue), on applaudit les candidates d'un Bikini contest, ou on savoure une Smirnoff ice en déambulant au gré des expositions de peinture. L'ambiance et la clientèle changent du tout au tout selon le thème de la nuit, il est donc préférable de bien se renseigner sur la programmation avant de congédier son taxi.

Spectacles

La tradition théâtrale de Kingston, héritée de l'Angleterre, est vivace. Elle laisse une large place aux comédies et aux satires sociales ou politiques, jouées généralement en patwa. Les travaux de la Compagnie nationale de danse et de théâtre (National Dance Theatre Company) sont très appréciés par le grand public.

▶ **Voici un site** pour obtenir des infos sur les pièces et spectacles à l'affiche : www. jamaicanplays.com.

■ CENTER STAGE THEATRE
18 Dominica Drive
✆ +1 876 968 7529
Un théâtre populaire qui propose des pièces et spectacles familiaux.

■ LITTLE THEATRE
4 Tom Redcam Avenue
Kingston 5, dans le voisinage du Stade National
✆ +1 876 926 6129
Historique puisque inauguré en 1961, le « Petit Théâtre » a été rénové plusieurs fois et peut contenir jusqu'à 600 personnes. L'établissement possède comme résidents de marque la Compagnie nationale de dance et de théâtre (National Dance Theatre Company) et la compagnie Pantomime (Pantomime Company).

■ À VOIR – À FAIRE

Kingston est vaste et les points d'intérêts sont forcément épars. Il faudra user des taxis ou des bus publics pour rallier les différents lieux proposés dans cette rubrique. Même si, par exemple, la distance entre Devon House et le Bob Marley Museum est abattable à pied en une petite demi-heure, la route est longue entre Uptown et Downtown. Il faudra cibler ses visites pour éviter de se perdre en trajets, surtout lorsque le soleil brûle.

Uptown

Uptown, ses grands hôtels et ses boulevards ne laissent que peu de place à la visite culturelle. Le Bob Marley Museum et Devon House sont donc les deux grandes attractions, situées toutes deux sur Hope Road. Côté détente et verdure, Hope Gardens est immanquable, presque tout à l'ouest de Old Hope Road, pour un après-midi relax.

© CHARLINE REDIN

Musée de Bob Marley.

■ BOB MARLEY MUSEUM

56 Hope Road
Kingston 6 ☎ +1 876 927 9152
marleyfoundation@cwjamaica.com
Ouvert de 9h30 à 17h du lundi au samedi (dernier tour à 16h). Entrée : 20 US$ (1600 JMD), et 10 US$ (800 JMD) pour les enfants de 4 à 12 ans. Comptez une heure de visite avec un guide.

Ouvert en mai 1986, le musée ne se visite qu'avec un guide et les appareils photo et caméscopes y sont interdits à l'intérieur. L'ancienne maison de Bob Marley, qui y a vécu entre 1975 et 1981, a également abrité son studio d'enregistrement, Tuff Gong, et sa boutique de disques. Dès l'entrée une statue représentant le musicien (réalisée par un français, le sculpteur Pierre Rouzier), guitare en main et poing levé, accueille le visiteur. On vous y conte la vie de la star du reggae, dont les temps forts sont retracés par de grandes photographies exposées sur le mur d'enceinte de la propriété. Vous jetterez un œil attendri sur la reproduction de Wail'n Soul, sa boutique de disques et cassettes de Trench Town, son vélo d'adolescent, sa chambre à coucher et le lieu de l'attentat qui a failli lui coûter la vie en 1976. On vous montre même le trou laissé dans le mur par une des balles tirées sur le chanteur. L'essentiel de l'exposition consiste toutefois en reproductions de coupures de presse, de photos (notamment celle de son mariage en 1966), tickets de concerts et disques d'or. La visite se termine dans le théâtre Bob Marley, par la projection d'un montage vidéo de 20 minutes (en anglais) à base d'interviews qui retracent l'essentiel de la carrière et de la philosophie du chanteur. Une boutique souvenir vous attend sur place, l'occasion de vous offrir un CD de la star. L'album *Legend* sorti en 1984 s'est vendu à des millions d'exemplaires. Une valeur sûre si vous hésitez !

▶ **Le restaurant attenant, le Café Legend,** sert au son de vieux tubes reggae une cuisine jamaïcaine et éthiopienne dans une agréable baraque en bois au toit de palmes. Et si vous êtes à Kingston un 6 février, ne manquez pas les festivités et les concerts qui célèbrent l'anniversaire de la naissance de Bob.

■ DEVON HOUSE

Entrée par Waterloo Road
26 Hope Road ☎ +1 876 929 6602
www.devonhousejamaica.com
Entrée par Waterloo road.
Ouvert de 9h30 à 17h du lundi au samedi et de 11h à 16h le dimanche. Entrée : 850 JMD

avec une glace offerte. Toutes les visites sont guidées. Les tickets s'achètent derrière la maison, au guichet.

Si vous ne deviez connaître qu'un monument à Kingston, c'est sans conteste Devon House qu'il vous faudrait visiter. La maison est sans doute le plus beau joyau de la capitale et bien que la visite soit tout à fait convenue, on ne peut que la recommander. Trônant majestueusement au centre d'un vaste parc, la maison est une splendide demeure de deux niveaux mariant harmonieusement les tons ocre et blanc. Elle a été construite en 1881 par George Stiebel, l'un des premiers Jamaïcains noirs à faire fortune, grâce à ses investissements dans les mines d'or du Venezuela. Il se devait de bâtir pour sa famille une demeure conforme à l'ampleur de sa fortune. Rachetée par le gouvernement en 1967, la maison a été restaurée avec bonheur et meublée dans le respect du style d'origine. Portiques, vérandas, escaliers majestueux, salles de réception aux proportions impressionnantes, salons coquets, salle de musique, bibliothèque, chambres et boudoirs meublés avec une élégance toute britannique égayée de chaleureuses touches tropicales. Les pièces sont vastes et harmonieuses et rendent bien l'atmosphère d'une époque révolue. Le parc est ouvert aux visiteurs qui viennent s'y détendre en famille ou entre amis le week-end. Sur les pelouses, les enfants s'ébattent pendant que leurs aînés paressent au soleil.

■ HOPE GARDENS

198 Old Hope Road (près de Papine)
☎ +1 876 927 1257 / + 1 870 35 05
hopegardensevents@gmail.com
Ouvert de 6h à 18h tous les jours (ferme à 18h30 de mai à août). Parking gratuit. L'entrée est gratuite pour le parc. Pour le zoo : 500 JMD pour les adultes et 300 JMD pour les enfants entre 3 et 11 ans.

C'est Richard Hope, officier de l'armée de Cromwell, qui établit ici son domaine à la fin du XVIIe siècle. Les jardins de 80 ha datent quant à eux de 1881, époque à laquelle le gouvernement a racheté la propriété. Exposition de plantes, recherche en botanique et pépinières, orchidées, cactus, petit zoo et parc d'attractions enfantines. Le parc, peu fréquenté par les touristes, offre un moment de détente loin du chaos urbain de Kingston. Lors de notre passage en septembre 2012, le zoo était ouvert mais de nombreux travaux étaient en cours. Les passionnés pourront y découvrir des iguanes, des crocodiles et de nombreuses variétés d'oiseaux tropicaux. Un snack se situe à l'intérieur du zoo.

■ **KING'S HOUSE ET JAMAICA HOUSE**
℃ +1 876 927 4406
www.kingshouse.gov.jm
kingshouse@kingshouse.gov.jm
*La résidence du gouverneur général est
ouverte de 10h à 17h du lundi au vendredi,
sur rendez-vous.*
Une majestueuse allée de flamboyants conduit
au grand édifice bas et tout blanc au milieu d'un
immense parc fleuri et ombragé par des arbres
géants. A l'origine résidence de l'évêque de l'île,
la propriété a été rachetée par le gouvernement
en 1872 qui souhaitait en faire la demeure du
représentant de l'Angleterre. Comme beaucoup
de bâtiments, celui-ci date en partie de 1909,
l'original ayant été presque totalement détruit
par le tremblement de terre de 1907.

▶ **A proximité se trouve Jamaica House,**
immeuble abritant les bureaux du Premier
ministre et fermé au grand public.

■ **NATIONAL STADIUM**
Independance Park
℃ + 1 876 929 4970
Le déplacement vaut le détour pour aller voir
jouer une équipe de foot de première division
ou encore mieux l'équipe nationale. A l'entrée,
le long du mur derrière la statue de Bob Marley,
on peut admirer des fresques géantes à
l'effigie des plus grands sportifs nationaux.
Achetez-vous un sifflet en plastique, un paquet
de cacahuètes et prenez un strapontin, plus
économique : vous vous retrouverez au milieu
d'une authentique ambiance populaire. Une
bonne façon de rencontrer la vraie Jamaïque.
C'est ici qu'a été célébrée l'indépendance
du pays en 1962 et que s'est déroulé le
concert mythique One Love Peace en 1978,
lors duquel Bob Marley joignit les mains des
deux opposants de l'époque, Edward Seaga
et Michael Manley. Coincé entre les quartiers
de Nannyville et Mountain View, le National
Stadium n'est pas situé au milieu du pire des
ghettos, mais il ne s'agit pas non plus du
quartier le plus *safe* d'Uptown. Sans tomber
dans la paranoïa, soyez sur vos gardes.

■ **UNIVERSITÉ DES INDES
OCCIDENTALES**
Mona Campus
℃ +1 876 927 1660 / +1 876 927 1669
www.uwimona.edu.jm
admissns@uwimona.edu.jm
L'ancienne plantation sucrière de Mona a cédé
la place à l'un des trois campus de l'université
internationale des West Indies. Pas moins de
quatorze pays des Caraïbes de langue anglaise

participent à l'administration de cette université
dont les deux autres campus se trouvent l'un
à Trinidad et Tobago et l'autre à La Barbade.
Ici, sur le campus de la Mona, huit facultés
rassemblent quelques milliers d'étudiants venus
de toutes les îles anglophones. Deux témoins
d'une autre époque, reliques de l'histoire du
campus, ont été conservés. Un vieil aqueduc
traverse la propriété ; il servait autrefois à
acheminer depuis la rivière Hope l'eau nécessaire au traitement du sucre et a même servi
ultérieurement à l'alimentation en eau d'une
partie de la ville. Une petite chapelle où des
services religieux ont lieu régulièrement se
dresse à l'entrée de l'université. D'immenses
fresques murales naïves et colorées illustrent
des scènes de la vie quotidienne, de l'enfance,
exaltent les arts plastiques, la musique et la
danse. La visite ne serait pas complète sans
un détour par l'école de droit Norman Manley
où une pièce est consacrée à la mémoire de
l'ancien leader politique.

■ **VALE ROYAL**
Montrose Avenue
Construite par l'homme le plus riche
du pays, sir Simon Taylor, au début du
XVIIIe siècle, rachetée par le gouvernement
en 1928, cette somptueuse demeure est
aujourd'hui la résidence du Premier ministre.
Malheureusement on ne peut l'admirer qu'au
travers des grilles qui la protègent.

Downtown

Commerces, bureaux et édifices publics
se taillent ici la part belle. Malgré quelques
curiosités architecturales, comme la
National Gallery et l'Institut de Jamaïque
(qui se trouvent à proximité immédiate l'un
de l'autre), le vieux centre-ville a perdu son
ancien panache et on y rencontre peu de
touristes. King's Street en est l'artère principale, et relie le front de mer à Parade.

■ **CORONATION MARKET**
Pechon St
Le plus grand marché populaire de Kingston
se tient de part et d'autre de la Parade, le parc
central du centre-ville. Queens et Kings Street
sont les artères principales de ce marché
particulièrement actif le jeudi et le samedi.
On y trouve de tout, des fruits et légumes
aux vêtements.

■ **CRAFT MARKET (MARCHÉ ARTISANAL)**
Ocean Boulevard
Ouvert tous les jours sauf dimanche.

A l'écart du centre-ville, cet immense marché est abrité sous une structure d'acier datant de 1872. De minuscules échoppes proposent des produits textiles, de la vannerie, des statuettes et objets de bois, des bijoux en écaille de tortue – que les écologistes conseillent de laisser sur les étals –, des cassettes de reggae, bref tout l'éventail des articles d'artisanat.

■ FRONT DE MER

Une bordure herbeuse plantée de quelques arbres, avec des bancs pour s'assoir et admirer l'immense baie de Kingston et le village de Port Royal juste en face. Pas désagréable pour échapper quelques temps au rafus de Downtown. L'impressionnant building abritant le Jamaica Conference Center est construit non loin.

■ GORDON HOUSE

Duke Street et Beeston Street
© +876 922 0200
Possibilité de visiter les galeries publiques gratuitement.
Le bâtiment de brique et de béton construit en 1960 est le lieu des débats du Parlement jamaïcain, baptisé en l'honneur de William Gordon, membre de l'Assemblée jamaïcaine et héros de la rébellion de Morant Bay. Le Headquarters House est juste à côté, qui héberge les bureaux de l'institut national du Patrimoine jamaïquain/Jamaica National Heritage Trust.

■ KINGSTON PARISH CHURCH (ÉGLISE DE LA PAROISSE DE KINGSTON)

Ouvert tous les jours de 7h à 16h30.
Sur le côté sud de la Parade, l'église blanche a remplacé l'église originale construite en 1699 et détruite en 1907. L'orgue qui fonctionne encore date de 1722.

■ MONEY MUSEUM

Bank of Jamaica, Nethersole Place
© +1 876 922 0750
www.boj.org.jm
Ouvert du lundi au vendredi de 9h à 16h.
Dans le siège de la banque de Jamaïque, il raconte l'évolution des moyens de paiement jamaïcains.

■ MUSÉE DES SCIENCES NATURELLES

Institute of Jamaica
12 East Street
instituteofjamaica.org.jm
info@instituteofjamaica.org.jm
Entrée libre. Ouvert de 8h30 à 17h du lundi au jeudi. Le vendredi, fermeture à 16h.

Créé en 1970, grâce au soutien de quelques mécènes amoureux de culture et de sciences, le musée occupe l'un des bâtiments de l'Institut de Jamaïque qui abrite aussi une bibliothèque importante. L'exposition du musée est très modeste et développe à l'attention des écoliers les grandes lignes de l'histoire du pays. La bibliothèque nationale appartient aussi à l'Institut de Jamaïque et se trouve dans un coquet édifice de briques rouges, voisin du précédent.

■ NATIONAL GALLERY

12 Ocean Boulevard
© +1 876 922 1561
http://natgalja.org.jm
Ouvert du mardi au jeudi de 10h à 16h30, le vendredi de 10h à 16h, et le samedi de 10h à 15h. Entrée adulte : 400 JMD, gratuite pour les enfants et les étudiants.
La statue de Bob Marley réalisée par Christopher Gonzales, qui accueille le visiteur à l'entrée du musée, est la sculpture qui devait orner le stade national (Mountain View Avenue) mais elle a été huée et refusée par la population puis remplacée par l'actuelle. L'exposition permanente présente des peintures et sculptures contemporaines, principalement des artistes locaux, avec quelques œuvres cubaines, américaines et australiennes. Différentes écoles, du surréalisme à l'art naïf, sont représentées. Les œuvres sont classées par décennies, ce qui permet au visiteur de suivre l'évolution artistique. On découvrira avec plaisir la section dédiée aux sculptures d'Edna Manley dont l'école d'art porte le nom. Quelques incursions dans des reconstitutions de rues du ghetto permettent d'en apprécier l'expression artistique.

■ NATIONAL HEROES PARK

National Heroes Park
Autrefois un hippodrome, le parc de 30 ha accueille les familles dans des espaces et des aires de jeu bien aménagés. Ici et là, des statues se dressent au détour d'une allée glorifiant un héros national ou un illustre inconnu.

■ NEGRO AROUSED

A l'intersection de King's Street et d'Ocean Boulevard
La statue symbole de la fierté du peuple noir réalisée par Edna Manley, femme et mère de deux Premiers ministres, Norman Manley et Michael Manley, se trouve à l'angle de Kings Street.

■ **PARADE**

Les rues North et South Parade encadrent le parc central de Kingston, le Park William Grant, rénové mi-2010, et marquent le cœur actif de Downtown. Grands magasins et terminaux d'autobus, ambiance survoltée et bruyante, Klaxon et échos de reggae, embouteillages… Le quartier se vide dès 17h pour être complètement déserté. Deux grandes figures de l'indépendance nationale y sont représentées, Norman Manley et Alexander Bustamante.

■ **PARC WILLIAM GRANT**

Saint William Grant Park
Parade

Une forteresse construite en 1694 était autrefois située à l'emplacement du parc. L'endroit a été transformé en parc Victoria à la fin du siècle dernier et une statue de la reine victoria se dressait en son centre. La reine a été remplacée par Alexander Bustamante, père de l'indépendance jamaïcaine. Rebaptisé en 1977 en l'honneur de l'activiste des droits des travailleurs, sir William Grant, le parc possède une fontaine centrale et quelques statues, et a été rénové mi-2010.

■ **STUDIOS TUFF GONG**

220 Marcus Garvey Drive
✆ +1 876 923 9380
www.tuffgong.com
Entrée : 400 JMD.

Ziggy Marley a repris le flambeau de son père et dirige les studios d'enregistrement qui portent l'ancien surnom de la superstar du reggae. De ces portes sortent les productions de nombreux artistes jamaïcains. A l'extérieur, une boutique commercialise les productions Tuff Gong en CD ou cassettes ; l'endroit est idéal pour dénicher la rareté, ancienne ou récente, en série limitée, qui viendra enrichir la collection de l'amateur de reggae.

■ **WARD THEATER**

North Parade ✆ +1 876 922 0453
L'un des plus jolis édifices de la capitale est situé à l'angle nord-est de la Parade où il dresse sa belle façade bleu ciel et blanche. Depuis le Kingston Theater construit en 1774, il y a toujours eu un théâtre à cette adresse et le Ward Theater est le quatrième de la lignée. Créé en 1907, il héberge la Little Theater Company et sa saison est très fréquentée par la haute société de la capitale.

■ SHOPPING

La réputation de Kingston, capitale du shopping, n'a pas encore franchi les limites de l'île ! Ce n'est, certes, pas la ville rêvée pour faire ses achats. Les centres commerciaux à l'américaine sont peu attractifs et seul le fanatique du caddie y trouvera son compte. En dehors du marché artisanal, peu de boutiques proposent des choses en matière d'artisanat et de curiosités locales. Les boutiques dutyfree, réservées aux étrangers, ont toutes une succursale dans la capitale, mais il vaut mieux réserver ses achats pour les centres touristiques de Port Antonio, Treasure Beach, Montego Bay ou Ocho Rios. Les hypermarchés, présents dans tous les centres commerciaux, sont bien approvisionnés.

Uptown

Galerie d'Art

■ **GROSVENOR GALLERIES**

1 Grosvenor Terrace
Kingston 8
✆ +1 876 924 6684
www.artofjamaica.com
grosvenorgallery@cwjamaica.com
Ouvert de 10h à 17h du mardi au samedi.
La galerie expose principalement des jeunes artistes locaux spécialisés dans la peinture, le dessin, la sculpture et le travail de la céramique.

■ **MUTUAL LIFE GALLERY**

2 Oxford Road
Kingston 5
✆ +1 876 929 4302
www.mutualgallery.com
Ouvert du lundi au vendredi de 10h à 18h et le samedi de 10h à 15h. Entrée gratuite. Parking (gratuit également).
Cette galerie créée en 1975 expose une bonne sélection d'artistes locaux. Pour plus d'informations, n'hésitez pas à vous rendre sur le site Internet.

■ **THE BOLIVAR GALLERY AND BOOKSHOP**

1 Grove Road
✆ +1 876 926 8799
www.bolivarjamaica.com
info@bolivarjamaica.com

Ouverte dès 1965 par Hugh Dunphy, cette galerie au nom du célèbre héros de l'indépendance sud-américaine expose des artistes jamaïcains et internationaux, tant peintres que sculpteurs…

Librairie

■ BOOKLAND
53 Knutsford Boulevard
Kingston
✆ +1 876 926 4035
Une librairie bien fournie en beaux ouvrages sur l'île et en littérature locale.

Musique

■ DERRICK HARRIOTT MUSIC SHOP
Twin Gates Plaza
25 Constant Spring Road
Kingston 10
✆ +1 876 926 8027
Un classique. Vinyles et CD se partagent la petite part dans cette boutique orientée vidéos (K7-DVD) en tout genre. On peut dupliquer une K7 vidéo sur un DVD et rencontrer le grand Derrick Harriott.

Downtown

Librairie

■ SANGSTER'S BOOKSTORE
101-103 Water Lane
✆ +1 876 922 3640 / +1 876 922 3648 / +1 876 922 3649
www.sangstersbooks.com
info@sangstersbooks.com
Une des plus grandes librairies de la ville. Vous y trouverez de tout : des nouveautés, des livres de cuisine, de beaux ouvrages sur l'architecture et l'histoire de la Jamaïque – le tout en anglais ! Possibilité de s'y procurer des fournitures.

▶ **Autre adresse :** 33 King street – Downtown.

Musique

La Jamaïque n'est plus ce qu'elle était en termes de disquaires. Si sa capitale comptait des dizaines de boutiques de disques dans les années 1970, il n'en est plus de même. Le marché local s'est en effet complètement effondré. Ainsi, si certains 45T (singles) phares se vendaient à plusieurs dizaines de milliers d'exemplaires sur l'île il y a quarante ans, des tubes équivalents d'aujourd'hui ne se vendent plus qu'à quelques centaines, voire quelques milliers, et presque exclusivement sur le marché local. Les principaux acheteurs de ces disques sont les innombrables sound systems, et le marché s'est peu à peu résolument tourné vers l'export. Le public local, lui, achète des CD gravés ou écoute la radio. Les amateurs devront faire le déplacement à Orange Street (Downtown) pour trouver leur bonheur.

■ KARL'S (RANDY'S)
17 North Parade
Downtown
✆ +1 876 922 4859
Ouvert du lundi au samedi de 10h à 19h.
Une boutique légendaire qui n'a pas bougé depuis plus de trente ans. Au 17, grimper le petit escalier jusqu'au premier étage et vous êtes arrivés. Le grand Carl et le vieux CB vous accueilleront le plus chaleureusement du monde et vous feront écouter ce que vous désirez. Nouveautés en CD, rééditions en vinyles et quelques disques d'occasion.

■ ROCKERS INTERNATIONAL
135 Orange Street
Downtown
✆ +1 876 922 8015
Ouvert du lundi au samedi de 9h à 17h.
Autre boutique mythique qui tient le coup, celle du feu producteur et légendaire claviériste Augustus Pablo. L'endroit est resté tel qu'il a toujours été. On y trouve aussi principalement des nouveautés et quelques albums d'occasion en musique soul.

■ TECHNIQUES
99 Orange Street
Downtown
✆ +1 876 967 4367
Tenu depuis des années par le producteur Winston Riley, et portant le nom de son label, cet endroit fut un haut lieu de la distribution de disques sur l'île. On y trouve aujourd'hui des nouveautés en 45 tours et quelques rééditions d'albums anciens. Le magasin vend également du matériel électronique audio et vidéo.

■ SPORTS – DÉTENTE – LOISIRS ■

■ CAYMANAS GOLF CLUB
☏ +1 876 746 9772
www.caymanasgolfclub.com
A une dizaine de kilomètres à l'ouest de Kingston.
Ce parcours par 72 a été dessiné par Howard Watson au milieu des années 1950. Ce fut le premier parcours complet – 18-trous – de l'île. Il est particulièrement réputé pour la difficulté du trou 12.

■ CONSTANT SPRING GOLF CLUB
Constant Spring Road ☏ +1 876 924 1610
csgc@anngel.com.jm
Un parcours historique puisque créé en 1920. Situé dans la zone résidentielle de Constant Spring, il offre une vue superbe au 13e trou.

■ LIGUANEA CLUB LIMITED
Knustford Boulevard
Kingston 5 ☏ +1 876 926 8144
www.theliguaneaclub-kingston.com
A l'origine une caserne fondée en 1825, cette propriété d'une vingtaine d'hectares est devenue en 1910 un club pour les colons anglais expatriés en Jamaïque. Dans la pure tradition des clubs à l'anglaise, il y a obligation de devenir membre pour avoir accès aux courts de tennis et de squash. Malgré cela, le club revêt une identité associative à but non lucratif. D'ailleurs, le prix de l'inscription n'est pas exorbitant et peut se révéler tout à fait intéressant pour qui se rend régulièrement à Kingston. En effet, en dehors du profil sportif, ce club tient aussi le rôle d'un hôtel – cette ancienne caserne ne manque pas de pièces – et compte pas moins de quarante chambres confortablement aménagées dans un style 100 % colonial, et louées aux membres à un prix très raisonnable comparé aux tarifs en vigueur sur l'île ; les non-membres devront eux s'acquitter du double pour y loger. D'où l'intérêt de gonfler la liste des mille souscripteurs. L'inscription à l'année pour un adulte est de 26 450 JMD, et pour une famille (mari, femme et enfants de moins de 21 ans) de 42 550 JMD environ, taxes non comprises.

■ JAMAICA GOLF ASSOCIATION
Knutsford Boulevard
Kingston 5
☏ +1 876 906 7336 / +1 876 906 7337
www.jamaicagolfassociation.com
Pour tout savoir sur la pratique du golf en Jamaïque.

■ LES ENVIRONS ■

Kingston, ce n'est pas seulement la capitale politique et affairée où se joue tous les jours le destin de la Jamaïque, ni la ville grouillante de vie et d'énergie que les agences de voyages oublient parfois de mentionner dans leurs programmes. Kingston, ce sont aussi les environs, c'est-à-dire les agglomérations toutes proches qui permettent au visiteur ou même à l'habitant de se dépayser un moment en s'offrant une escapade d'une journée. En effet, être à Kingston, c'est être à une demi-heure de différentes activités qu'on ne soupçonnerait pas d'une capitale si pressée, si moderne – comme un bain de rivière à Castelton Garden, sous la protection de plus de mille espèces de plantes tropicales !

■ CASTLETON BOTANICAL GARDEN
Prendre la route de l'intérieur en direction de Port Antonio, à la sortie nord de Kingston par Constant Spring Road. Ouvert de 9h à 17h (18h30 de mars à septembre) tous les jours. Entrée gratuite et guides sur place.

Passionnés de botanique, c'est un véritable sanctuaire de la flore jamaïcaine que vous découvrirez après une vingtaine de kilomètres sur une jolie route en lacets, à la frontière des comtés du Surrey et du Middlesex. Créé en 1862, à partir de plantes originaires du Kew Gardens de Londres, à l'initiative de lord Castleton qui désirait décorer sa demeure, le parc de 6 ha est un pur régal entre fougères géantes, bambous, orchidées sauvages, essences rares et autres raretés comme le strychnos dont on extrait la strychnine. Beaucoup d'essences originaires des terres de l'océan Indien, de La Réunion, de Madagascar et des Indes furent implantées dans ces jardins. Au total, ce sont plus de mille espèces de plantes tropicales. La partie basse du parc longe la rivière Wag Water.
Au-delà du parc, la route descend jusqu'à la Wag Water River et la plaine plantée de canne à sucre, puis continue vers Anotto Bay sur la côte. A l'est Port Antonio, à l'ouest Ocho Rios.

La région de Kingston

Une plage sur l'île de Port Royal, ou dans Port Royal même, au milieu des souvenirs laissés par les pirates de légende, dont Henry Morgan est la figure emblématique ; une randonnée dans la montagne dans le charme des imposantes Blue Mountains, le paysage montagneux le plus spectaculaire de la Jamaïque... La région de Kingston recèle des coins de nature étonnants. Le tout en moins d'une journée !

PORT ROYAL

Le souvenir d'un homme, le terrible pirate Henry Morgan, plane sur cette ancienne Babylone des Caraïbes.

Seize ouragans, neuf tremblements de terre, trois incendies, et une tourmente tropicale, il a fallu beaucoup de ténacité à la ville « la plus dépravée de la chrétienté » pour traverser les siècles du XVIIe au nôtre. Aujourd'hui, ce repaire de mécréants d'un autre temps est un charmant petit village de pêcheurs de quelque 2 000 âmes, assoupi dans la torpeur tropicale. Le petit centre-ville, bien que pittoresque à souhait, est en piteux état et seul le fort Charles, bien conservé et entretenu, offre une trace historique incontournable.

C'est par une mince langue de terre appelée Palisadoes, qui protège la baie de Kingston et dessert également l'aéroport international Norman Manley, qu'on atteint l'ancienne cité des pirates. La ville a été fondée en 1656, un an après la victoire des Anglais sur les Espagnols qui avaient négligé l'endroit.

Histoire

L'anse de Port Royal possédait une position stratégique sur la côte Sud, idéale pour l'attaque des galions espagnols lourdement chargés de denrées et de trésors qui naviguaient entre le continent américain et les îles espagnoles de Cuba et d'Hispaniola. C'est la raison pour laquelle la piraterie internationale de l'époque y installa ses quartiers, sous l'œil bienveillant des Britanniques. Ne pouvant pas soutenir officiellement leurs initiatives, ils ne les décourageaient pas pour autant, trop contents de pouvoir affaiblir le rival espagnol. De leur côté, les pirates payaient cette tolérance en contribuant au développement de l'île et en partageant même parfois le revenu de leurs attaques. Le gouverneur de l'île a vécu à Port Royal jusqu'en 1664 et l'Assemblée jamaïcaine s'y tenait. La ville est rapidement devenue la plus importante du pays et sans doute la plus riche du Nouveau Monde. Les tavernes, salles de jeux et lupanars y étaient légion. A son apogée, en 1692, la ville ne comptait pas moins de 6 500 âmes, environ 1 000 maisons, 2 prisons, de nombreuses églises de différentes confessions (incongrues dans un tel environnement), et de nombreuses forteresses. Le pirate Henry Morgan dirigeait la ville et avait érigé un code de conduite rigoureux, officialisant les pratiques des pirates. Plus tard, cette expérience lui a valu d'être anobli et nommé gouverneur de l'île. Les gens d'église l'avaient baptisée « la ville la plus dépravée de la chrétienté », et à juste titre. On prophétisait que tant de débauche entraînerait la damnation du lieu ; c'est pourquoi le tremblement de terre qui a détruit le 7 juin 1692 a été perçu à l'époque comme une punition divine pour tous les vices dans lesquels se complaisaient boucaniers, pirates, corsaires et autres aventuriers.

« Environ 12 minutes avant midi, le 7 juin, un bruit semblable aux roulements du tonnerre et semblant venir du Nord se fit entendre. Immédiatement, la terre se mit à trembler, et les murs des maisons s'écroulèrent. Il y eut trois chocs, le premier ne fut pas très sévère, le dernier fut le plus terrible. La plus grande partie de la ville s'enfonça dans la mer, qui recula ; puis une vague énorme balaya tout sur son passage, hommes et édifices. Des milliers de personnes périrent noyées. Pendant plusieurs jours, des secousses mineures se firent encore ressentir. Le tremblement de terre fut perceptible dans toute l'île, de nombreuses failles apparurent, des sources se tarirent. A Port Royal, les corps flottaient dans la baie ou pourrissaient à terre. La ville était complètement dévastée. Quelques survivants tentèrent de rendre à la ville son ancienne splendeur, mais un incendie détruisit leurs efforts en 1704. Seul le fort survécut. »

Ainsi, abandonnant derrière elle son infamante réputation, la ville profite de la catastrophe pour se reconstruire sur de nouvelles bases. La politique anglaise évolue. Les pirates sont priés de changer d'activité et de se reconvertir dans des occupations légales. Les récalcitrants sont pendus. Dès 1694, de nouvelles fortifications sont élevées pour protéger la ville des attaques étrangères. La guerre latente entre les Britanniques et leurs voisins français et espagnols maintient la ville sous pression militaire. Protégé par six fortins, avec 145 canons pointés sur le large, Port Royal devient la base navale et militaire principale de la Couronne sous ces latitudes. Le commerce et la vie sociale s'y développent. L'amiral Horace Nelson, arrivé en Jamaïque en 1777 pour diriger les opérations militaires, s'y installe en 1779 comme commandant du fort Charles. Il devra faire face à l'éventuelle attaque des troupes françaises qui combattent l'Angleterre sur le continent nord-américain. Mais vers le milieu du XIXe siècle, la fin des hostilités marque un nouveau déclin, malgré la position stratégique à l'entrée de l'immense baie naturelle de Kingston qui en fait un port de commerce prospère, et ce jusqu'au début du siècle. Le tournant du siècle scellera pour un temps le destin de cette ville à l'histoire mouvementée... Jusqu'à une nouvelle résurrection ? De nombreux projets de réhabilitation du site de Port Royal ont été proposés, du parc d'attractions au complexe touristique de luxe, pour être aussitôt oubliés par les gouvernements successifs. La ville engloutie est l'un des sites archéologiques sous-marins les plus précieux du monde. Les deux-tiers de la ville du XVIIe siècle sont engloutis à quelques centaines de mètres du rivage ; mais jusqu'à présent, les sites sont protégés des plongeurs curieux et n'ont fait l'objet que de recherches officielles très sporadiques. Aujourd'hui, seuls quelques monuments, dont fort Charles et Saint Peter's Church, témoignent du passé glorieux de ce petit village alangui. Port-Royal organise un festival tous les ans, le troisième lundi d'octobre. L'occasion de déguster des fruits de mer et d'écouter de la musique.

Se loger

■ GLORIA'S
5 Queen Street
✆ +1 876 967 8066
Situé au cœur du village, près du front de mer. *Comptez 170 JMD pour une bière et 1 200 JMD pour un plat très copieux.*

Pour déguster un homard frais préparé dans une sauce à l'ail, c'est chez Gloria qu'il faut se rendre. D'ailleurs ici tout amateur de poisson grillé, de fruits de mer et de crevettes trouvera matière à s'attarder sur les longues tables abritées sous tente. On commande directement à côté de la grande cuisine d'où émanent des effluves plus qu'appétissantes avant d'attendre d'être servi (cela peut prendre quelques temps) en dégustant une bière ou un jus bien frais. Les arrivages sont du matin et on peut choisir son homard fraîchement ramené au port par les pêcheurs de Port Royal. Un endroit calme où il fait bon prendre le temps de vivre – et de manger !

■ MORGANS HARBOUR HOTEL
Port Royal
Morgans Harbour Hotel
✆ +1 876 967 8048 / +1 876 631 6925
www.morgansharbour.com.jm
morgansharbour@hotmail.com
Compter entre 97 US$ et 170 US$ pour une chambre simple ou double.
Les 35 minutes en voiture qui le séparent du centre-ville de Kingston en font un point de chute un peu isolé pour un séjour dans la capitale. Toutefois, ce bel hôtel au bord de l'eau offre confort, bon goût et tranquillité. C'est le seul « pirate hotel » de Jamaïque, dixit le gérant. Les 60 chambres, avec leurs parquets de vieux bois, possèdent un charme nostalgique et dominent la piscine. On peut prendre part à des parties de pêche organisées depuis l'hôtel ou se baigner dans les eaux claires du chapelet d'îlots coralliens des Lime Cays, qui déploient leurs plagettes blanches à quelques encablures de l'hôtel. Le restaurant Sir Henry sert des spécialités de produits de la mer sur une jolie terrasse donnant sur la marina où sont amarrés quelques beaux bateaux. Une piscine d'eau de mer et un bar complètent le décor.

Se restaurer

■ ICE CREAM
Dookward Lane
Glaces à emporter pour 50 JMD.
Deux sœurs âgées de presque soixante-dix ans vivent dans cette petite maison où les passants peuvent venir acheter des glaces. La petite pancarte « Ice Cream » située à côté de la porte indique l'endroit. Si la porte est fermée, ne pas hésiter à toquer ! A la sortie de l'école, de nombreux enfants y font la queue. Situé juste en face de l'arrêt de bus, devant un petit square, au bout de Dookward Lane.

À voir – À faire

■ CIMETIÈRE NAVAL

Sur la route entre l'aéroport et Port Royal
Le cimetière est visible depuis la route à un kilomètre avant votre arrivée dans le centre-ville de Port Royal. Le cimetière existe depuis 1682, après le premier tremblement de terre qui secoua l'île. Ici reposent, pour la majorité, des militaires de la marine anglaise décédés entre 1680 et 1880.

■ FORT CHARLES

79 Duke Street
© +876 967 8438
www.jnht.com – tours@jnht.com
Ouvert tous les jours de 9h à 17h15. Entrée : 400 JMD, tour guidé compris (environ 30 minutes).
Après avoir pris l'île aux Espagnols, les Anglais n'ont eu de cesse de la protéger, construisant fortins et forts tout autour des côtes. Fort Charles date de cette époque. Construit en 1656, un an après la victoire de l'armée anglaise sur les Espagnols, c'est aujourd'hui le plus vieux vestige de l'occupation britannique. Bâti en forme de navire, autrefois entouré d'eau, le fort servait à contrôler l'entrée du port. Reconstruit en 1699, après le tremble-ment de terre de 1692, il a longtemps été le fort le mieux armé des Caraïbes. Le fort a été la résidence de l'amiral Nelson qui l'a commandé. L'enceinte crénelée, protégée par des canons, renferme un modeste musée maritime ouvert en 1977.
Chaque mois, des soirées musicales et des concerts sont organisés dans le fort.

▶ **Le musée** : deux petites maisons, dans l'enceinte du fort, témoignent grâce à des objets et des cartes, du passé de Port Royal. Une exposition est consacrée à la vie avant 1692 et l'autre raconte le passé militaire de la ville après le tremblement de terre.

▶ **Giddy House :** accessible à partir du fort, cet entrepôt construit en 1888 offre une vision étrange. Littéralement enfoncé dans le sol, aspiré par les mouvements souterrains lors d'un tremblement de terre en 1907, il penche désormais, toujours debout, à 15% sur son flanc. Marcher à l'intérieur offre une sensation dont est né le nom du lieu : Gizzy, que l'on peut traduire par « étourdi », ou « déséquilibré ».

▶ **Victoria Albert Battery** : il ne reste plus grand chose de l'ancien complexe défensif de la ville qui était composé de bâtiments et de batteries reliées par des tunnels. Un grand canon est toujours là pour témoigner du passé.

Fort Charles.

■ **ROCKFORT MINERAL BATHS**

✆ +1 876 938 5055

A l'est de Kingston, sur la route de Port Royal.

Ouvert tous les jours de 8h à 17h. Comptez 250 JMD par personne.

Cette source d'eau ne mérite une visite que si vous êtes un inconditionnel du thermalisme. En effet, les eaux radioactives et salines de la source fraîche ont des vertus apaisantes sur de nombreux petits maux. L'endroit est assez peu fréquenté pour être agréable, mais vous ne disposerez que d'une heure, tout au plus, pour profiter de l'une des douze piscines privées de l'établissement. Possibilité de vous restaurer et de vous faire masser sur place.

■ **ST PETERS CHURCH**
(ÉGLISE ANGLICANE DE SAINT-PIERRE)

Suivre High Street toujours tout droit, l'église blanche se trouve sur la gauche, immanquable.

Sous des dehors bien modestes, cette église blanche, qui était autrefois en brique rouge, date de 1725. Elle est bâtie sur les ruines de la Christ Church détruite en 1692. L'église contient quelques objets de valeur et d'intérêt historique dont un magnifique orgue en bois de 1743 et un chandelier ; l'assiette de la communion serait un cadeau de sir Henry Morgan. On s'arrêtera devant la tombe de Louis Galdy, un compatriote, pour y déchiffrer son histoire peu banale gravée sur la pierre tombale. Né à Montpellier au début du XVIIe siècle, il a fui la France pour des raisons religieuses avant de rejoindre la grande famille des aventuriers dans sa retraite de Port Royal. Lors du tremblement de terre de 1692, il a été englouti par la mer puis s'en est miraculeusement sorti. Il s'est ensuite enrichi grâce au commerce et à la traite des esclaves. Il est mort de sa belle mort à Port Royal et a été enseveli dans le cimetière de l'église.

Visites guidées

■ **LIME CAY**

La plage de Port Royal

C'est une île minuscule qu'on rejoint en bateau pour 300 JMD les week-ends et jours fériés, 500 JMD en semaine. Attention, ne ratez pas le dernier retour, vous seriez contraint de passer la nuit sur cet îlot aux airs de banc de sable.

« Spanish Town n'a rien d'attrayant »

« Spanish Town n'a rien d'attrayant : les maisons sont en bois pour la plupart, les rues très étroites et irrégulières. Un bâtiment sur deux est en ruine, et l'endroit tout entier revêt un air lugubre et mélancolique. Le palais du Gouvernement est une grande bâtisse de brique, inélégante, avec un portique dont le stuc a souffert des intempéries et qui ne peut prétendre à une beauté architecturale. Sur l'un des côtés de la place où il se dresse, un petit temple abrite une statue de lord Rodney, exécutée par Bacon. Certains des bas-reliefs, sur le socle, m'ont paru bien faits ; mais le vieil amiral est, de façon tout à fait absurde, habillé en général romain, affublé de cothurnes et d'un bâton. Le temple lui-même est à l'opposé du bon goût, avec des voûtes très basses, surmontées de bas-reliefs lourds et disproportionnés. »

▶ *Journal de voyage à la Jamaïque* (1834), M.-G. Lewis, éditions José Corti, 1991.

SPANISH TOWN

La troisième ville du pays, capitale de la paroisse de Sainte Catherine, compte quelque 120 000 habitants et se situe sur la rive droite du Rio Cobre, à une vingtaine de kilomètres à l'est de Kingston. Edifiée sur l'ordre de Diego Colomb, le fils du grand amiral, entre 1525 et 1534, la ville espagnole (ou ville de la plaine, Villa de la Vega, devenue plus tard Santiago de la Vega) est demeurée la capitale de l'île jusqu'en 1872. Seulement considérée comme une capitale administrative par les Espagnols, la ville n'a jamais connu la prospérité et n'a rassemblé, au mieux de sa forme, qu'environ 500 âmes. Mal protégée, mal défendue, elle a été à l'instar de toute l'île la proie des raids des pirates, dont les plus sérieux ont eu lieu en 1597 et 1643. Lors de l'invasion des Anglais, en 1655, la ville n'a pu opposer qu'une résistance de façade. Les Espagnols se sont rendus sans même essayer de combattre. Après avoir demandé quelques jours de sursis pour signer leur reddition, ils en ont profité pour se retirer dans les montagnes toutes proches ou s'enfuir vers Cuba par la côte Nord, emportant avec eux tous leurs biens. Frustrés de s'emparer d'une ville vide, furieux de s'être fait rouler, les Anglais ont détruit tout ce qui rappelait l'ennemi espagnol. La conquête anglaise a ainsi rasé tous les édifices d'origine hispanique. Curieusement, les Britanniques ont baptisé leur nouvelle capitale d'un nom rappelant ses origines. La ville est devenue une capitale administrative prospère et animée. Calico Jack Rackham, le fameux pirate capturé sur la plage de Negril, y a été jugé et condamné à mort en 1720. Mais l'accès à la mer était à l'époque la condition sine qua non d'un développement commercial et la ville était trop loin de la côte. Après une première tentative avortée en 1755, car jugée illégale par le gouvernement anglais, Kingston remplace Spanish Town comme capitale de l'île en 1872. Petit à petit, l'ancienne capitale administrative sombre dans l'oubli et la décadence. Elle n'est même pas épargnée par la nature, qui lui envoie en 1988 le cyclone Gilbert, qui détruit une grande partie du centre historique. Aujourd'hui, une association locale tente laborieusement de redonner vie à la bourgade, mais la tâche est d'une telle ampleur que seule une initiative nationale voire internationale pourrait venir à bout du projet. Le centre commerçant, dont King's Street est l'artère principale, est très animé les jours de marché.

À voir – À faire

De nos jours, le vieux centre est plutôt en piteux état, malgré quelques amorces de rénovation, souvent avortées. Les touristes sont rares, seuls quelques curieux hantent les rues désertes où flotte encore le souvenir de jours plus glorieux. Les affrontements entre gangs ont donné à cette ville une réputation de cité dangereuse, que certains confirment mais qui ne demandera qu'à être démentie par une exploration plus poussée. Le square central est une agréable place carrée entourée de palmiers avec, en son centre, une fontaine. Tout autour sont bâtis les édifices historiques. Spanish Town se prête plus à une excusrsion d'une journée qu'à un séjour prolongé. A noter que le plus vieux pont métallique du Nouveau Monde (1801), aujourd'hui fermé à la circulation, est encore intact au-dessus du Rio Cobre, juste à la sortie de la ville en direction de Kingston.

■ CATHÉDRALE SAINT JAMES
Pour assister à un office, rendez-vous le dimanche à 7h, 8h ou 9h.
Sous des dehors plus modestes que son titre, l'une des plus anciennes cathédrales des Indes occidentales, construite en 1714, cache un bel intérieur bien entretenu, les bancs de bois sentent bon l'encaustique et les objets datant de la colonisation espagnole sont dépoussiérés avec tendresse… Edifiée sur les ruines d'une église espagnole dont les matériaux ont servi à sa construction et restaurée en 1901, elle s'abrite sous un toit en bois. Inscrite au Patrimoine national jamaïcain, son vieux dallage est magnifique et ses vitraux joliment colorés ; de solides colonnes de bois soutiennent la galerie du deuxième niveau, où l'orgue de 1849 est splendide.

■ HOUSE OF ASSEMBLY
Situé sur la place principale de Spanish Town, la House of Assembly fut érigée en 1762 et accueille aujourd'hui les rencontres du conseil de la paroisse Sainte-Catherine. Le bâtiment possède un joli balcon en bois.

■ MEMORIAL TO ADMIRAL RODNEY
Sur le côté nord de la place
Ouvertes gratuitement au public pour consultation du lundi au jeudi de 9h30 à 15h30 et le vendredi de 9h à 15h30.
L'amiral Rodney a été nommé commandant de la Marine des Indes occidentales en 1782 après avoir sauvé l'île d'une invasion franco-espagnole en battant la flotte française au large des Saintes, en Guadeloupe. Cette prouesse lui a valu d'être honoré par un monument fort coûteux. Sous une coupole flanquée de deux canons, la statue en marbre de l'amiral George Rodney réalisée par John Bacon, un artiste anglais du XVIIIe siècle, pèse 200 tonnes. Derrière, se trouvent les Archives nationales de la Jamaïque.

■ WHITE MARL TAINO MIDDEN AND MUSEUM
10-16 East Street Kingston
✆ +1 876 922 0620
www.instituteofjamaica.org.jm
info@instituteofjamaica.org.jm
Sur l'autoroute entre Kingston et Spanish Town.
3 km avant d'arriver à Spanish Town depuis Kingston, le musée est indiqué sur la gauche. Ouvert de 9h à 17h de lundi à jeudi et de 8h30 à 16h le vendredi. Entrée : 300 JMD.
A cet emplacement se trouvait un village arawak qui n'a pas survécu à la colonisation espagnole. Le site est symboliquement occupé par ce petit musée, l'un des rares à honorer la mémoire de la civilisation originelle de l'île.

Visites guidées

■ HELLSHIRE BEACH

Dans les environs de Spanish Town, la plage de Portmore est réputée auprès des Kingstoniens qui vont s'y détendre le week-end en famille.

Une plage agréable et tranquille où il fait bon passer la journée, en dégustant des homards.

■ BLUE MOUNTAINS ■

Un nom qui éveille l'imagination... C'est parce qu'au petit matin, leurs mamelons apparaissent bleus dans la lumière vibrante du soleil levant, et que, certains soirs, dans les brumes d'un fin brouillard, elles prennent des tons bleu sombre, qu'on les appelle les Montagnes Bleues. La chaîne montagneuse aux pentes abruptes domine la plaine côtière, s'étendant de Kingston à Port Antonio. Les montagnes sont recouvertes d'une épaisse végétation, grâce à d'importantes précipitations alimentant de nombreuses cascades et rivières ; un véritable cadeau du ciel aussi pour les plantations de café et les cultures vivrières, qui se développent à flanc de montagne. Jusqu'à un passé récent, seul un réseau d'étroits sentiers muletiers, entretenus par les fermiers pour acheminer leurs produits aux marchés de la capitale, parcourait les montagnes. Le temps passant, les mules ont été remplacées par des camions et beaucoup de ces sentiers ont aujourd'hui disparu pour être remplacés par deux routes principales, celle qui conduit de Anotto Bay à Kingston et celle menant de Buff Bay à Kingston, via Newcastle. Cette deuxième route, bien que longue et escarpée, parfois difficile, est la plus spectaculaire. Très proches de la capitale, les Blue Mountains offrent des possibilités d'escapade d'une journée ou d'excursion guidée sur plusieurs jours. On y fait même parfois un saut tardif pour échapper à la touffeur de Kingston et y dîner à la fraîche, dans des restaurants réputés pour leur cuisine et leur panorama. Les Blue Mountains permettent de multiples possibilités de trekking dans une région encore vierge de développement touristique. Enfin, les moins sportifs pourront aussi découvrir ces merveilleux paysages à bord d'un véhicule, un 4x4 climatisé de préférence. Les routes principales, quoiqu'un peu dégradées et très tortueuses, sont praticables en voiture classique, chaque virage dévoilant dans une sérénité absolue des échappées spectaculaires sur de somptueux paysages tropicaux. Depuis Kingston, la porte d'entrée vers les montagnes se trouve à Papine, au nord-est de la ville, tout au bout de Old Hope Road. De là, on passe d'un cadre urbain à des paysages de jungle en moins de 5 minutes !

Une formation montagneuse menacée ?

Culminant à 2256 m d'altitude au-dessus de la ville de Kingston et de la région orientale, les Blue Mountains constituent le paysage montagneux le plus spectaculaire de la Jamaïque. Elles s'étendent sur 45 km. Cinq sommets, le John Crow (1725 m), le Saint John's Peak (1899 m), le Mossman's Peak (2010 m), le High Peak (2043 m) et, le plus élevé, le Blue Mountain Peak (2220 m), forment le Grand Ridge, l'ossature principale de cette chaîne asymétrique, visible depuis presque partout dans l'île. Depuis Port Royal ou Morant Bay, le Blue Mountain Peak se détache de la frange de collines qui lui servent d'écrin. Depuis l'hôtel Bonnie View à Port Antonio, sa pente nord se découpe sur les rondeurs de la forêt tropicale. Depuis Spanish Town, on l'aperçoit sous un angle différent encore. La chaîne

---

Dormir dans les Blue Mountains

Les Blue Mountains proposent de nombreuses possibilités d'hébergement. La plupart d'entre elles privilégient le contact avec un milieu encore vierge de développement touristique. La route est sinueuse. Les voyageurs sans voiture de location peuvent être pris en charge depuis l'aéroport de Kingston ou le centre de Kingston par les pensions dans lesquels ils ont réservé (prix à négocier avec votre hôte). Quel que soit le style d'hébergement choisi, il est raisonnable de réserver car les Blue Mountains attirent de nombreux Jamaïcains, surtout en fin de semaine et pendant les périodes de vacances scolaires.

principale est bordée au nord et au sud par des formations de collines côtières, et les chaînes des John Crow Mountains à l'ouest. Datant du crétacé, ses sols sont agités de fréquents tremblements de terre et parsemés de sources minérales, dont certaines très chaudes. Autant de signes d'une montagne toujours en cours de formation. Les vallées des rivières incisent profondément les flancs du massif. On y trouve en grande quantité du nickel, du chrome, du fer, du manganèse, de l'argent, du cuivre... Quelques carrières d'un marbre remarquable sont exploitées au sud. Les Blue Mountains ont depuis toujours souffert de la violence des éléments, des cyclones (en particulier Gilbert qui a balayé l'île en 1988), des pluies ou des glissements de terrain qui ravinent leurs flancs. L'érosion, consécutive à une exploitation forestière vieille de quatre siècles, s'accélère avec le développement des communautés et l'utilisation de méthodes de culture modernes. Le succès de la culture extensive du café a entraîné l'utilisation des fertilisants, des herbicides et des insecticides chimiques, ce qui n'est pas sans conséquences sur le fragile écosystème de la région. La population augmente aussi dans les contreforts de la montagne et, petit à petit, les pentes sont grignotées par les cultures. Des mesures ont été prises afin de sauvegarder une nature exceptionnelle et une vie sauvage très riche. Le parc national des John Crow et Blue Mountains occupe désormais quelque 80 000 ha protégés des initiatives destructrices et ouverts à un écotourisme raisonnable.

Faune et flore

La beauté exceptionnelle des Blue Mountains réside en grande partie dans sa flore et sa faune rares. Des forêts impénétrables couvrent une grande partie d'un territoire inexploré. Les mousses couvrent les flancs de collines, des lichens, des fougères arborescentes, des plantes herbacées ou des plantes épiphytes, 65 espèces d'orchidées répertoriées de toutes les couleurs, de nombreuses variétés de broméliacées, de lobélias, de bégonias aux fleurs délicates, de bambous, d'essences tropicales... Au total, plus de 500 espèces botaniques ont été recensées, dont 240 sont endémiques de l'île. Quant à la faune, elle n'est pas en reste. La Tante Katie noire (*Nesopsar nigerrimus*) au brillant plumage de jais, le sorcier de la montagne (*Geotrygon versicolor*),

la timide colombe bleue, le pigeon à la queue rayée de noir (*Columba caribaea*), les oiseaux-mouches, l'oiseau rasta (*Todus todus*) qui attrape les mouches, le solitaire, l'aigrette, les perroquets, les oiseaux du paradis ou les oiseaux de proie... Plus de 250 espèces vivent dans les forêts des Montagnes Bleues, un habitat naturel menacé par la déforestation. L'entomologiste observera criquets, sauterelles, fourmis, araignées, mille-pattes et insectes en tout genre parcourant les coteaux en rangs serrés. Quant à l'amateur de papillons, il comptera 120 espèces de toutes tailles et couleurs. Enfin, reptiles, batraciens, rongeurs et petits mammifères, comme la mangouste, sont aussi au rendez-vous. Une faune exceptionnelle. Plus d'informations : www.jcdt.org.jm.

Transports

De Kingston, via le carrefour de Papine, la route des Blue Mountains s'ouvre au visiteur, qui passe avec stupeur des grandes artères embouteillées et des trottoirs surpeuplés à une route de campagne qui serpente entre les contreforts tapissés d'une végétation épaisse et une vallée au fond de laquelle coule Hope River. Les petites cabanes colorées s'égrainent le long du chemin et piquent de teintes vives les collines verdoyantes. En un kilomètre, on se sent déjà loin de Kingston. Cette route se divise en deux à Cooperage, qui tient son nom des *coopers* irlandais qui, au XIXe siècle, taillaient les coffres en bois dans lesquels était stocké le café acheminé vers l'Europe. Arrivée au croisement : à gauche, c'est la route de Newcastle, via Strawberry Hill et Irish Town, l'une des plus grandes « villes » de la région ; à droite, direction Gordon Town et le Blue Mountain Peak. A noter que les transports publics peuvent vous mener, à prix modique et depuis Papine, jusqu'à de nombreuses localités des Blue Mountains, comme Irish Town, Gordon Town, Mavis Bank... Pourtant, afin de profiter au mieux de ces paysages somptueux, il est recommandé d'affréter un véhicule qui vous mènera directement au lieu désiré (la plupart des guest houses proposent des trajets depuis Kingston pour environ 50 US$). Si vous partez dans les Blue Mountains avec votre propre véhicule, mieux vaut faire le plein d'essence à Papine car il n'y a pas de stations dans les montagnes !

IRISH TOWN

En route vers Newcastle, on traverse Irish Town, où de nombreuses maisons ont conservé des noms irlandais, témoins d'une époque coloniale encore très présente, puis Redlight, un petit village où les soldats de la garnison voisine venaient s'encanailler.

Se loger

Bien et pas cher

■ **RAFJAM'S BED & BREAKFAST**
Red Light – Irish Town
6 Springdale Cove
℘ +1 876 944 8945
℘ +1 876 426 3667
http://bmcn.blogspirit.com
rafjam.productions@gmail.com
Route en direction de Newcastle, jusqu'à Irish Town. De là, continuer jusqu'à Red Light et appeler pour se faire guider, par une route difficile, jusqu'à l'établissement. Difficile d'accès avec une voiture de location, 4X4 indispensable. De la route principale, comptez 20 minutes à pieds, la route n'est pas éclairée de nuit.

Un service au-delà de vos espérances

Tél. (+1.876) 426.3667 / (+1.876) 885.1653
rafjam.productions@gmail.com
www.rafjam.net
 Rafjam Bed

Chambres à partir de 3 000 JMD, et 7 000 JMD avec salle de bains privée. Possibilité de louer la maison entière et un appartement tout équipé à proximité. Réserver à l'avance de préférence. Connexion à Internet.
C'est un petit coin de paradis qu'un couple belgo-jamaïcain (Suzanne et Rafaël) a taillé ici, dans une vallée où coule Hope river et où poussent, dans un murmure permanent, des plantes tropicales de toute beauté. La maison principale, serrée contre la colline, propose 9 chambres (dont un cottage à 8 000 JMD), une cuisine et un séjour agréables. Le patron parle francais et organise, à la carte, des tours dans la région, des randonnées, balades à cheval, découverte de communautés rasta ou excursions vers des chutes d'eau… Il est aussi possible de se faire conduire directement depuis l'aéroport pour 50 US$, ou depuis Papine à Kingston. Sur demande, des repas et petits déjeuners sont préparés et on peut faire une lessive (5 US$) avant de repartir. Quel apaisement de boire une bière fraîche sur la petite terrasse suspendue du Tiki Bar, entouré des cris nocturnes des grenouille arboricoles et des glouglous du torrent.

Luxe

■ **STRAWBERRY HILL**
Irish Town, Saint Andrew
℘ +1 876 944 8400
reservation@islandoutpost.com
A une demi-heure de New Kingston. A partir de 295 US$ pour 2 personnes avec le petit déjeuner continental, et jusqu'à 595 US$ pour la Honey Moon Suite (dont le Jacuzzi sur la terrasse jouit d'une vue imprenable sur Kingston). Les prix grimpent en haute saison.
Voilà une retraite montagnarde pleine de charme, implantée au cœur d'un panorama magnifique, dans un décor digne du XIXe siècle. Dans un domaine de 12 ha de nature sauvage, la propriété est perchée à 1 000 m d'altitude d'où un spectacle fascinant. C'est sur les terres d'une ancienne plantation de fruits du XVIIIe siècle que s'est implanté cet hôtel de grand charme, propriété de Chris Blackwell qui l'a acquise en 1972. Jusque dans les années 1980, la propriété était privée et de nombreux hôtes de marque y ont séjourné, tels les Rolling Stones. C'est là que Bob Marley est venu achever sa convalescence après l'attentat dont il a été victime en 1976. Les treize cottages en bois d'une, deux ou trois chambres, et les quatre studios,

MOUNT EDGE GUESTHOUSE

Nr Newscastle
St Andrews Parish
jamaicamountedge@gmail.com

☎ **876 944 81 51**

KINGSTON ET SA RÉGION

dispersés dans la propriété, sont bâtis dans le style caraïbe traditionnel du XIXᵉ siècle. Les dix-sept chambres à l'élégance simple sont meublées à l'ancienne, avec un souci du détail charmant. Téléphone, TV, magnétoscopes, platines et CD sont disponibles sur demande. Le confort et le service sont irréprochables. La piscine au fond sombre – pour se fondre dans le paysage – frôle Kingston, au loin. La terrasse du restaurant est romantique à souhait. On y sert une nouvelle cuisine jamaï-caine aux mélanges de saveurs audacieux (poisson à la mangue et sauce poivre ou crème brûlée des Blue Mountains), accompagnée d'une belle carte de vins. Comptez 50 US$ pour un repas. Le brunch du dimanche, qui peut accueillir jusqu'à 150 personnes, est l'un des rendez-vous du Tout-Kingston, mais il faut prendre la précaution de réserver sinon l'entrée vous sera interdite. Pour les petits budgets, vous pourrez y boire un petit thé pour assister au coucher du soleil sur les Blue Montains : magnifique.

LA ROUTE DE NEWCASTLE

A l'approche de Newcastle, de coquettes maisons aux exubérants jardins fleuris se détachent des collines. La route est en piètre état. Elle se poursuit tortueuse, tout en lacets, longue succession de virages étroits, jusqu'au village de Hardwar Gap, traversant de très beaux sous-bois touffus. Les ornithologues amateurs pourront y observer un ballet incessant d'oiseaux exotiques… A Section, la route se sépare. Au nord elle s'en va vers Buff Bay (seuls les véhicules 4x4 peuvent l'emprunter), à l'est elle vire vers Guava Ridge et Mavis Bank, le chemin des Blue Mountains. Auparavant, Newcastle accueillait une base militaire britannique, depuis 1962 les locaux abritent un centre de formation de l'armée Jamaïcaine.

Se loger

Bien et pas cher

■ **MOUNT EDGE BED AND BREAKFAST**
Saint Andrew's Parish
Près de Newcastle
☎ +1 876 944 8151
☎ +1 876 944 8974
www.mountedge.com
jamaicamountedge@gmail.com
Situé à 1h30 de route du centre de Kingston. Après Pipenine, tourner à gauche à Mont Edge puis suivre la route. La route est sinueuse. *Entre 30 et 80 US$ pour une chambre. Possibilité pour les « backpacker » de dormir en dortoir pour 15 US$.*
Depuis 15 ans, Mikael Fox (une des figures de l'île) accueille des voyageurs chez lui. Depuis un an, sa fille Robyn est venue lui donner un coup de main. Mount Edge vous propose une formule 3 en 1 : un café, un jardin bio, une guest house, pour une expérience jamaï-caine complète ! Au départ, les backpackers dormaient sur son canapé ; depuis, de jolies petites chambres (avec terrasses face aux Blue Mountains) attendant les voyageurs du monde entier. Une superbe adresse, un petit coin de paradis. L'accueil y est très chaleureux et le personnel très sympathique. Mikael est un personnage incontournable de la Jamaïque. Il vous racontera autour d'un petit verre quelques-unes de ses histoires sur sa terrasse. Après avoir vécu quelques années dans le Sud de la France, Mikael a ramené des recettes de cuisine (il donne des cours d'ailleurs) et quelques mots de français. Mont Edge possède un jardin bio où sont cultivés les légumes qui servent aux cuisiniers pour préparer des petits plats. Tous les jours, les menus sont différents, élaborés par Mikael et Robyn. Un incontournable pour décompresser et vivre une expérience extra-ordinaire.

À voir – À faire

■ **ALEX TWYMAN COFFEE PLANTATION**
Old Tavern Coffee Estate
✆ +1 876 924 2785 / +1 876 399 1222
www.exportjamaica.org/oldtavern
dtwyman@colis.com
Environ 600 m après la Green Hill Guesthouse.
Visite gratuite. Appelez avant de vous y rendre.
Une belle maison ancienne surplombe les plants de café (dont les premiers ont été plantés en 1969) et offre un panorama grandiose sur les montagnes.
Le café produit ici est renommé et les propriétaires s'enorgueillissent de compter parmi leurs clients des têtes couronnées auxquelles le café est directement expédié. Cette plantation est l'une des rares à recevoir des visiteurs ; Dorothy ou son fils David vous y expliqueront le processus de maturation et de fabrication du café et vous proposeront une dégustation de café ainsi que des différents produits dérivés, dont une excellente liqueur de café, s'impose à l'issue de la visite. Vous pouvez acheter du café sur place ou dans une des boutiques de Kingston. La plantation est plus connue sous le nom de son propriétaire que sous son vrai nom, Old Tavern Estate.

■ **THE GAP CAFE**
✆ +1 876 997 3032
Ouvert uniquement le samedi et le dimanche pour le petit déjeuner et le déjeuner.
A 3,5 km de la garnison de Newcastle et à 1 280 m d'altitude, cette halte romantique bénéficie d'un cadre naturel absolument enchanteur. La vue panoramique sur Kingston et le parc Hollywell tout proche est impressionnante. Cet ancien relais pour les voitures d'attelage hébergeait autrefois les visiteurs tardifs, à condition que ceux-ci puissent fournir draps et nourriture. Le spectacle de ces paysages sauvages doit être source d'inspiration, car c'est ici que le Premier ministre Donald Sangster venait rédiger ses discours en toute quiétude. Ian Flemming aurait élu l'endroit pour y concevoir Doctor No, la première des aventures de James Bond. Un kiosque de bois joliment fleuri est suspendu au-dessus de la vallée. On y jouit d'une vue plongeante sur les environs, un lieu idéal pour une pause contemplative. Petit déjeuner, déjeuners et collations en tout genre sont proposés. Amateur de café, sachez que le café Blue Mountains est à l'honneur et qu'il sera moulu et préparé à la demande. Une boutique vend une sélection d'artisanat et de produits locaux. Comptez environ 1000 JMD pour un petit déjeuner copieux.

▶ **Fairy Glade Trail.** C'est une excursion pédestre dont le départ se négocie en face du Gap Cafe. Le chemin s'élève lentement dans les montagnes et, au terme d'une marche de 3h à travers la forêt tropicale, on arrive au pic Saint Catherine.

■ **HOLLYWELL RECREATION PARK**
✆ +1 876 960 2848
L'entrée (2 US$ à 5 US$) se trouve à 200 m du Gap Café. Ouvert de 9h à 17h.
Rattaché au parc national des Blue Mountains depuis 1993, le parc a beaucoup souffert du cyclone Gilbert en 1988. De nombreux arbres ont péri dans la tourmente, mais un plan de reboisement actif a été mis en place, qui commence à porter ses fruits. Outre quelques

---

Newcastle, camp d'altitude

Sir William Gomm, un militaire de haut rang, ayant constaté que les soldats stationnés en montagne se portaient beaucoup mieux que les autres et que leur taux de mortalité était largement inférieur à celui des sections des plaines et des côtes, entreprit de convaincre le gouvernement britannique et les autorités locales d'établir une garnison permanente en altitude. Ainsi est né Newcastle. C'est une Française, Catherine de la Harpe, alors propriétaire de la plantation de café de Newcastle, qui vendit le domaine au gouvernement en 1841 afin que celui-ci y établisse une station de santé en altitude, avec un climat plus sain que celui des plaines où les soldats succombaient en grand nombre à la fièvre jaune.
Le village est toujours occupé par une garnison militaire et la route traverse le camp d'entraînement des Forces de défense jamaïcaines. Au-delà d'une première grille, une esplanade servant de parking ne présente pas d'intérêt majeur en dehors de blasons et des canons à usage décoratif et d'une belle vue sur la capitale.

pistes de randonnées qui promettent de belles découvertes, le parc comporte une aire de pique-nique aménagée et très fréquentée par les Kingstoniens en fin de semaine. On peut aussi y camper, à condition d'avoir prévu son matériel (sinon des cabines en bois peuvent être louées pour la nuit), avec l'autorisation des rangers dont la station se trouve à l'entrée. Ces derniers renseignent les visiteurs sur les balades possibles à partir du parc et peuvent guider des randonnées.

GORDON TOWN

En prenant à droite à Cooperage, la route se lance à l'assaut des montagnes. On traverse vite Gordon Town, un petit village fondu dans la forêt tropicale luxuriante, avant de poursuivre vers Guava Ridge puis Mavis Bank, et enfin vers le plus haut des sommets de la chaîne, le Blue Mountain Peak. A partir de Mavis Bank, les transports publics s'arrêtent et il vaut mieux demander les services de chauffeurs de jeep habitués du coin.

BLUE MOUNTAIN PEAK

Ce n'est qu'au prix d'un lever plus que matinal et d'une lente ascension nocturne de 3 heures dans la forêt tropicale que vous assisterez à ce spectacle inoubliable que constitue un lever de soleil sur les Blue Mountains. L'été, de juin à septembre, est la meilleure période pour l'ascension du pic : les nuits ne sont pas trop fraîches et les petits matins généralement dégagés. La plupart des hôtels et des guest houses du coin organisent l'excursion en compagnie de guides spécialisés, indispensables si l'on grimpe de nuit. Le prix se situe autour de 3 600 JMD. En général, l'acheminement jusqu'à Mavis Bank se fait en 4x4 depuis Kingston, vers 2h du matin. Il est donc recommandé d'arriver la veille et de dormir à proximité de Mavis Bank (*voir « Hébergements » ci-après*). L'ascension à pied commence au plus tard à 4h du matin. Une sacrée marche, et un moment mémorable qui se mérite ! On progresse lentement à la lueur des torches, dans un silence ponctué de bruissements d'insectes et de cris d'oiseaux nocturnes, pour se terminer 10 km et 3 ou

4 heures plus tard, au sommet du pic. La randonnée, sans être réservée aux marcheurs chevronnés, n'est pas toujours facile – ne pas se laisser décourager par l'échelle de Jacob, l'un des passages les plus abrupts, et ne pas s'arrêter au Lazy Man's Peak, le sommet de l'homme paresseux – et peut paraître longue. Un poste de contrôle à Portland Gap permet de camper ou de remplir ses gourdes. Des bungalows sont aussi à louer (2 400-3 600 JMD). Le droit de passage coûte 20 US$ pour les non-résidents. Ensuite, on traverse une végétation dense d'arbres gigantesques, de bambous, bananiers et cocotiers, de lianes et de fougères géantes. Mais quel bonheur, au bout du chemin incertain, de s'asseoir triomphant sur une éminence qui domine toute l'île. Le panorama saisissant qui se déploie au pied de la montagne mérite vraiment l'effort.

On assiste alors au lever du soleil sur la mer et au changement de couleur des montagnes, du bleu profond au vert intense. Là où le regard se pose, les paysages sont extraordinaires, sauvages et inexplorées avec, de part en part, l'esquisse d'un village ou les reflets d'une rivière. Avec un peu de chance et si le temps est particulièrement clair, on a le privilège d'apercevoir l'île de Cuba posée sur l'horizon caraïbe. Au retour, la somptueuse forêt tropicale s'offre aux marcheurs dans un concert de chants d'oiseaux. Attention, les nuits peuvent être très fraîches pour ces latitudes (5 à 13 °C en moyenne), et humides. Prévoir des vêtements et chaussures en conséquence. L'équilibre de l'écosystème des Montagnes Bleues est fragile, aussi voici quelques règles de conduite à respecter au cours de vos excursions dans ce parc naturel :

▶ **Ne jeter aucun détritus.**

▶ **N'allumer des feux** que dans les emplacements prévus à cet effet et avec du bois mort.

▶ **Rester sur les pistes** et ne pas prendre de raccourcis, qui aggravent l'érosion des sols.

▶ **Contrôler le volume du bruit.**

▶ **Pas de marquage** sur les troncs d'arbres, le sol ou les rochers.

Retrouvez l'index général en fin de guide

▶ **Ne cueillir aucune plante** et ne pas perturber la vie animale (nids, terriers).

■ **FORRES PARK**
Mavis Park, Kingston ☎ +1 876 927 8275
www.forrespark.com
Depuis Papine : direction Gordon Town puis Mavis Bank. Rouler le long de la route qui monte jusqu'à Flamstead – bellevue. Rester sur la route principale, pendant 10 à 15 minutes, qui passe devant le « stony castle ». Rester à gauche sur le pont étroit et passez devant l'usine de café, Forres Park est à la prochaine sortie sur votre gauche à l'opposé de « seventh day adventist Church ».
Chambres entre 75 et 220 US$ par nuit.
Forres Park, dans un cadre superbe au cœur des montagnes, offre confort et repos, ainsi qu'un nombre important d'activités toutes proches : randonnées, observation d'oiseaux, Spa, excursions vers le Peak… Les chambres sont belles, joliment décorées, et certaines ont un balcon, un frigo et une salle de bains privée.

■ **WHITFIELD HALL**
Mavis Bank
Blue Mountain Coffee & Lodging
St. Thomas Parish
☎ +1 876 878 0514
www.whitfieldhall.com

Après Mavis Bank, la route monte par une piste très mauvaise vers Whitfield Hall. Un chauffeur et véhicule 4x4 sont indispensables. Possibilité de se faire conduire depuis Kingston pour 80 US$ (appeler à l'avance).
Lit à partir de 1800 JMD en dortoir. Petit déjeuner à 650 JMD. Possibilité de camper dans le jardin.
L'établissement a été ouvert en 1925 par Miss Stedman qui voulait populariser l'ascension du pic quand la première vague touristique est arrivée en Jamaïque. Logement sur demande dans une vieille bâtisse de style colonial, ancienne maison de maître d'une plantation de café. Chambres à deux, quatre, six lits. Ici, pas d'electricité. Ce sont de vieilles lampes à pétrole qui sifflent dans la grande salle commune où flotte une ambiance d'un autre âge. Le gardien du temple, Tiger, vous fera partager sa science des montagnes et pourra vous mener, pour environ 3 600 JMD, jusqu'au sommet du peak, au petit matin, après une tasse du délicieux café des Blue Mountains. Petit déjeuner et repas servis sur demande (prévenir à l'avance). Réservations préférables en haute saison. Un conseil : venir avec ses provisions car tout coûte cher là-haut.

Canon de l'ancien
fort britannique.
© SIR PENGALLAN – ICONOTEC

L'Est

La magie de Kingston et de ses environs ne suffira pas si vous voulez vous faire une juste idée de la Jamaïque. Il faut coûte que coûte faire un tour en province, « in the country », comme on dit ici. L'une des options est de faire un tour complet de l'île, de Kingston à Kingston. Pour cela, nous vous recommandons en tout premier lieu de mettre le cap vers l'est. Vous découvrirez ainsi Bull Bay, dont les montagnes hébergent le siège de l'aile rastafarienne dure, orthodoxe, fondée par le prince Emmanuel : les Bobo Shanti. Saint Thomas, la plus abandonnée des paroisses de la Jamaïque, s'offrira à votre curiosité. Cette paroisse est e le berceau de ce qu'il faudrait appeler le vaudou jamaïcain, le Kumina, une survivance des traditions religieuses africaines. A Morant Bay, la capitale, vous pourrez visiter le lieu de naissance de l'un des héros de la Jamaïque, Paul Bogle. Laissant les côtes abandonnées de Saint Thomas vous vous laisserez happer graduellement par la beauté de la paroisse de Portland, dont Port Antonio est un joyau toujours redemandé par les touristes et les locaux – « le plus ravissant port du monde » dit-on. Avant de continuer vers le nord, vous pourrez faire une halte à la célèbre James Bond Beach, dans la communauté d'Oracabessa.

BULL BAY

A Bull Bay, à 13 km à l'est de Kingston, existe une charmante plage de sable noir appelée Cable Hut, plage locale où vous pourrez rencontrer et discuter avec des Jamaïcains du coin. L'entrée coûte 100 JMD. Non loin de Bull Bay se trouve également Cane River Falls, dont les cascades sont réputées pour avoir été l'endroit favori de Bob Marley qui aimait venir y laver ses locks.

MORANT BAY

Perchée sur une petite élévation, la ville de Morant Bay n'est pas une halte touristique très courue. Cette bourgade de quelque 10 000 habitants est surtout célèbre pour avoir été le théâtre de l'une des dernières révoltes des Noirs. Cette rébellion a fait de nombreuses victimes des deux bords, et s'est terminée par une répression sanglante, marquant une étape décisive sur la route vers l'indépendance. C'est en 1865, moins de trente ans après l'émancipation, que Paul Bogle, un pasteur baptiste noir, soutenu par plus de 300 anciens esclaves, et aidé par William Gordon, un planteur métis membre de l'Assemblée jamaïcaine, a mené sa marche insurrectionnelle contre le palais de justice de la ville, symbole de l'oppression et de l'injustice. La manifestation se voulait initialement pacifique, mais une émeute a éclaté et la police a tiré sur la foule, faisant de nombreuses victimes. En représailles, les insurgés ont mis le feu au palais de justice. Malheureusement, l'incendie s'est propagé et a détruit une grande partie de la ville. Le gouverneur de l'époque, Edward Eyre, prendra des mesures de répression extrêmes. Les deux leaders seront pendus haut et court, sans autre forme de procès, et les représailles dans la paroisse de Saint Thomas seront très sévères : maisons pillées, brûlées, exécutions sommaires... Cette riposte sans discernement coûtera sa place au gouverneur, rapidement destitué et rapatrié par un gouvernement

Les immanquables de l'Est

▶ **Prendre un bain régénérant** dans les sources thermales de la bien connue région de Bath.

▶ **S'arranger pour ne pas manquer un Jerk poulet ou un Jerk porc à Boston Bay,** la patrie d'origine du Jerk.

▶ **Faire une descente en rafting du Rio Grande,** excursion remarquable et classique.

▶ **S'imprégner du charme et de l'ambiance de Port Antonio,** « le plus beau port du monde » dont la population est l'une des plus amicales de l'île.

▶ **Lézarder sur l'une des merveilleuses plages des environs de Port Antonio :** Frenchman's Cove, San San, Blue Lagoon ou Sanku Bay.

anglais soucieux de maintenir un semblant d'équité dans sa colonie, et sensible à une opinion publique progressiste. Quant aux deux acteurs principaux de la cause noire, Paul Bogle et Willliam Gordon, ils rejoindront en 1969 d'autres héros nationaux au panthéon de l'histoire jamaïcaine. Aujourd'hui, Morant Bay, gros bourg tranquille aux maisons en bois, peintes de couleurs vives et de style caraïbe traditionnel, coule des jours heureux et paisibles loin des circuits touristiques classiques. Plus rien ne subsiste de l'ancienne ville coloniale. Le centre ne connaît une certaine effervescence que les jours de marché.

Transports

Comment y accéder et en partir

La route longe la côte, ne s'en écartant que rarement. Elle serpente entre mer turquoise et collines d'un vert profond, dans un écrin de végétation tropicale luxuriante, traversant des villages de pêcheurs animés et des petites communautés rurales. A hauteur du village de Yallahs (à 18 km de Kingston), une immense lagune aux eaux boueuses, protégée de la mer par un mince cordon littoral, déploie un panorama désolé. Des salines datant de l'époque coloniale y sont encore exploitées. Les anses rocheuses aux falaises déchiquetées sur lesquelles une mer agitée répète inlassablement ses assauts propose des points de vue spectaculaires. Les petits étals de fruits tropicaux très colorés (ananas, bananes, noix de coco, mangues, oranges, etc.) sont légion tout au long de la route, prétextes à des haltes rafraîchissantes.

▶ **On quitte Kingston pour Morant Bay** en minibus à partir de East Queen Street, rue adjacente à l'est de Parade. Prix : 200 JMD.

Se loger

Peu de choix à Morant Bay, qui n'est pas véritablement une étape touristique prisée. Brown Guest House, une bonne option, se trouve 5 km plus loin, à Retreat (90 JMD en minibus depuis Morant Bay).

■ BROWN'S GUESTHOUSE
Retreat
✆ +1 876 982 6205 / +1 876 466 1247
www.brownsguesthouseja.com
info@brownsguesthouseja.com
A environ 5 km de Morant Bay, le village de Retreat est blotti entre deux plages. Entre 3 000 JMD et 4 000 JMD pour 2 personnes, petit déjeuner non-compris.

La guesthouse se trouve en contrebas d'un grand jardin donnant accès à la mer. Dans une maison familiale très accueillante, au décor kitsch, cinq vastes chambres doubles avec TV et ventilateur, salle de bains commune, le tout bien tenu. Deux autres bâtiments se dressent au milieu de la belle pelouse. La mince plage de sable est ombragée par les palmiers et offre une vue, au loin, sur les falaises de Yalah.

■ GOLDEN SHORE BEACH RESORT
Lyssons
Winward Drive,
✆ +1 876 982 9657 / +1 876 734 0923
www.goldenshorehotel.com
Compter entre 4 700 JMD et 6 000 JMD par nuit. Petit déjeuner : 350 JMD.
Dans un cadre agréable et plaisant, une manière de profiter de la mer et de la quiétude de la zone. Les 27 chambres possèdent une vue sur la mer. Parking gratuit.

■ MORANT VILLAS HOTEL
1 Wharf Road
✆ +1 876 982 2422
www.morantvillasja.com
cwalker950@yahoo.com
Entre 3 000 JMD et 6 000 JMD pour 2 personnes.
L'hôtel, situé à la sortie du bourg, comprend 20 chambres au confort moderne dont certaines avec kitchenette. Le restaurant bénéficie d'une terrasse qui domine la mer.

Sortir

▶ **A environ 6 km de Morant Bay**, vers l'est, se trouve la petite plage populaire de Prospect. Le week-end, on y trouve une animation joyeuse. Le club VIP, juste à côté, sort ses colonnes d'enceintes et il est bien agréable de se mêler aux habitués pour passer une soirée jamaïcaine authentique.

À voir – À faire

Les trois points d'intérêt historiques de Morant Bay sont regroupés dans un mouchoir de poche autour de la place principale de la ville, au décor de carte postale.

■ ÉGLISE ANGLICANE DE SAINT THOMAS
La petite église de briques rouges aux arcades blanches, située en plein centre-ville, date de 1865. L'une des briques d'un mur de l'église est marquée de la date pour en attester.

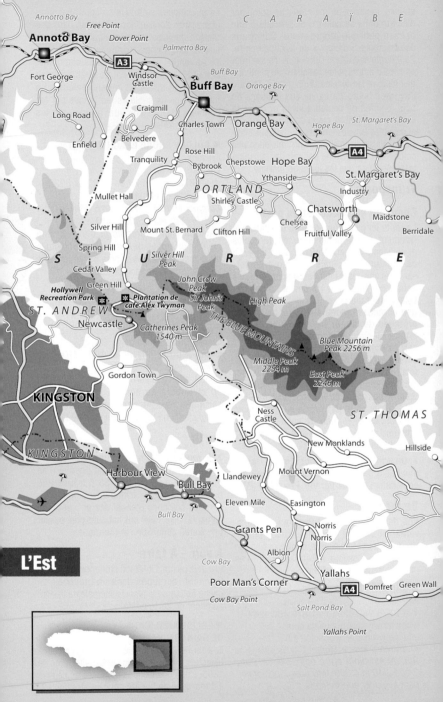

L'Est

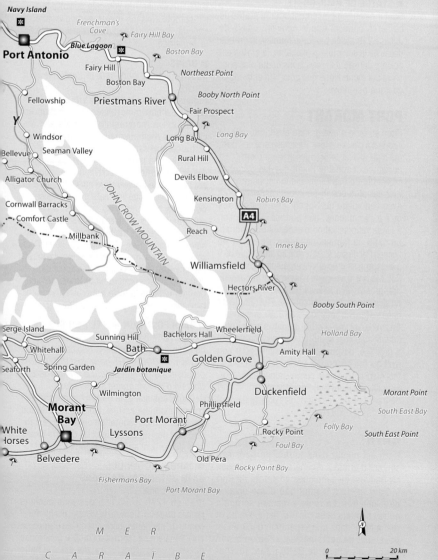

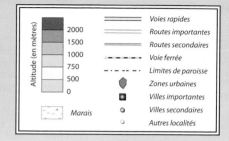

■ **PALAIS DE JUSTICE**

Un véritable tribunal de poche que cette petite bâtisse de briques rouges surmontée d'une tourelle octogonale et flanquée d'une double volée d'escaliers latéraux. L'édifice date de la fin du siècle dernier et a remplacé celui qui avait été incendié par les insurgés de la dernière grande rébellion de l'île. Le tribunal a également été détruit plus récemment par un incendie, en 2007.

■ **STATUE DE PAUL BOGLE**

Quel meilleur emplacement pour la statue de ce héros national que le nouveau palais de Justice ? Réalisée par Edna Manley, la grande dame de la sculpture jamaïcaine, la statue est célèbre dans tout le pays, sans doute plus pour sa valeur symbolique que pour son esthétique quelque peu naïve.

PORT MORANT

Situé au fond d'une grande anse naturelle, le village n'a d'autre intérêt historique que son port, qui a vu arriver le premier arbre à pain. C'est au fameux capitaine Blight que les Caraïbes doivent cette plante, même si cet homme de mer est plus connu pour ses mésaventures avec l'équipage du *Bounty*, l'un des navires qu'il a commandés, que pour sa contribution à l'internationalisation d'espèces botaniques. En 1795, le fameux capitaine, de retour de l'océan Pacifique, s'est arrêté en Jamaïque où il a déchargé sa précieuse cargaison organique à Port Morant. Il a reçu de l'Assemblée jamaïcaine une grosse récompense pour sa contribution au développement agricole de l'île. Replanté dans les jardins botaniques de Bath, une station thermale voisine, l'arbre à pain s'est si bien adapté au climat et aux conditions locales qu'il a proliféré, devenant très populaire pour son fruit qui fait désormais partie des ingrédients incontournables de la cuisine jamaïcaine traditionnelle. Aujourd'hui, Port Morant est un port de transit de denrées agricoles principalement destinées à l'exportation.

BATH

Bath est connu dans toute l'île pour ses sources thermales régénérantes. La direction de Bath est bien indiquée à l'entrée de Port Morant, n'étant distant que d'une dizaine de kilomètres. La route y menant serpente entre cocotiers et bananiers, flamboyants et manguiers, dans une végétation généreuse, traversant de petits hameaux tranquilles. A l'entrée du village de Bath, il faut tourner à gauche avant la petite église de pierre pour atteindre les sources. La route longe ensuite une petite rivière, la Garden River, et se termine 2 km plus loin en cul-de-sac sur un bâtiment quelque peu vétuste qui abrite les thermes de Bath et l'hôtel du même nom. Sur le parking, vendeurs et guides harcèlent les quelques visiteurs de passage de propositions en tout genre : fruits, boissons ou excursions à la source de la rivière (compter 1 heure de marche, produit anti-moustique indispensable) voire surveillance du véhicule. Si votre temps est compté sur l'île, mieux vaut passer votre chemin. Bath n'est pas un incontournable de la Jamaïque.

■ **BAINS**

Ouvert tous les jours sauf le lundi, de 8h à 21h30.

Connues depuis la fin du XVIIe siècle, ces sources d'eau minéralisée sont riches en soufre et en magnésium et soulagent les problèmes rhumatismaux et cutanés. Leurs vertus curatives mises au jour, les sources ont longtemps été monopolisées par les familles des riches planteurs des environs. Les sources ont connu une brève vogue au XVIIIe siècle et Bath est devenu une villégiature chic fréquentée des seuls notables. Les sources, à l'écart des grands axes routiers et touristiques, sont aujourd'hui peu tombées en désuétude. Les bains sont au rez-de-chaussée de l'hôtel. Pour soigner rhumatismes ou maux divers, il vous en coûtera 400 JMD pour une cabine pour deux et 300 JMD si vous préférez vous immerger seul. Compte tenu de la forte minéralité des eaux, la séance n'excède pas 20 minutes.

■ **BATH FOUNTAIN HOTEL AND SPA**

✆ +1 876 703 4345
bathmineralspahotelja@yahoo.com
Environ 6 000 JMD pour les différentes propositions de chambre. Le prix comprend un bain d'une vingtaine de minutes.

Cet hôtel colonial date de 1747 et possède un charme extérieur certain, isolé au fond de son étroit canyon de végétation dense. Le restaurant sert des repas copieux de cuisine locale pour des prix allant de 350 JMD à 800 JMD.

■ **JARDIN BOTANIQUE**
BATH BOTANICAL GARDENS

Entrée gratuite.

Créé en 1779, c'est l'un des plus anciens jardins du pays. Comme le village, il a lui aussi connu de meilleurs jours quand les dames en cure venaient se reposer à l'ombre généreuse de ses grands arbres. La visite est une halte reposante. Vous y découvrirez de nombreuses plantes exotiques comme des bougainvilliers, des manguiers et le fameux *breadfruit* ramené par le capitaine William Bligh en 1793.

MORANT POINT

La péninsule de Morant Bay marque la pointe extrême orientale de l'île. C'est un grand marais couvert d'une végétation désolée de mangrove. La région est surtout visitée pour son phare haut d'une trentaine de mètres. Ce phare, le plus vieux de l'île, est classé monument national. Il a été construit en 1841 par d'anciens esclaves.

REACH FALLS

Dix minutes d'une belle route de montagne conduisent aux chutes spectaculaires qui ont servi de décor à la célèbre scène d'amour du film *Cocktail* avec Tom Cruise. En général, beaucoup d'animation dans cet endroit magique, idéal pour se faire masser le dos par les puissants jets d'eau... Un incontournable de l'île.

▶ **Pratique :** Ouvert du mercredi au dimanche, de 8h30 à 16h30. Comptez 10 US$ pour un adulte et 5 US$ pour un enfant. Mieux vaut être équipé de chaussures adaptées. Impossible de ne pas tomber au milieu d'une horde de touristes. Des boutiques de souvenirs vous proposent une multitude d'objets à ramener dans vos valises. Les prix sont raisonnables.

LONG BAY

La mecque jamaïcaine du surf est une longue plage de sable blanc baignée par une mer aux vagues parfois violentes.
Long Bay est sans doute l'une des plus belles anses de la côte, l'une des plus sauvages aussi. Mais, avant de devenir un spot recherché, Long Bay était un village de pêcheurs, activité qui demeure aujourd'hui sa principale ressource. Quelques pêcheurs se sont reconvertis et proposent des balades en bateau le long de la côte.

■ **BLUE HEAVEN RESORT**
Blue Heaven Long Bay
✆ +1 876 8922 195
www.blueheavenjamaica.net
info@blueheavenjamaica.net
Cottages à louer : à partir de 45 US$ pour une personne et de 60 US$ pour deux dans le Sunrise Cottage, face à la mer.
Depuis 2009, l'hôtel est géré par une famille

italienne : Enrico, Suna et leur fils Noah. L'hôtel est localisé à côté d'une rivière avec un accès à une plage privée. Un restaurant sur place vous propose des spécialités jamaïcaines mais également italiennes (délicieuses pizzas maison).

■ **MONICA'S HIDE OUT**
✆ +1 876 973 9730
Cottages pour 2 personnes entre 30 et 50 US$.
Recommandé aux petits budgets. Ambiance simple et amicale. Les propriétaires jamaïcains proposent deux chambres. Pour les détails et les réservations, mieux vaut passer un coup de téléphone à Monica.

BOSTON BAY

A perte de vue autour de Boston Bay, la terre appartenait à Errol Flynn, cette star de Hollywood qui, à l'occasion du naufrage de son voilier, est tombé amoureux de la Jamaïque et tout particulièrement de la région de Portland. Formidable moteur du développement touristique local, il a acheté d'immenses propriétés qu'il a transformées en élevages et en exploitations agricoles, où il s'est retiré après une carrière cinématographique bien remplie, et que sa veuve gère encore aujourd'hui.
Boston est un gros bourg connu à plus d'un titre, côté gastronomie, côté face sport.
Côté gastronomie, le Boston Style Jerk... tout un programme ! Beaucoup d'échoppes de jerk prétendent cuisiner à la bostonnienne car Boston est réputée dans toute l'île pour être le berceau du jerk, cette méthode de cuisson héritée des *Maroon*. C'est à Boston, ainsi le dit l'histoire, que les Marrons cuisaient la viande de gibier, copieusement épicée, sur des grils faits de branches de pimento, l'arbre qui fournit le poivre-cannelle. De nombreux stands vendent au poids de la viande cuite façon jerk, enveloppée dans du papier aluminium et à dévorer avec la seule aide des doigts.
Côté sport, Boston est réputé pour ses gros rouleaux qui attirent les surfeurs de l'île et d'ailleurs. La petite plage est jolie avec un caractère plus sauvage que la plupart de ses voisines. Les amateurs de farniente et de mer calme préféreront la plage de Winnifred dans le village voisin de Fairy Hill, distant de 3 km sur la route de Port Antonio, l'une des plus idylliques de la région. Pour l'atteindre, il faut prendre la route principale et tourner à droite à la hauteur de la guérite d'un artisan qui fabrique des paniers et autres objets de vannerie.

■ BOSTON JERK CENTER

A la sortie du village, en direction de Port Antonio

Les prix sont fixés au poids, à partir de 300 JMD le quart de poulet.

Avis aux amateurs de sensations fortes et de cuisine authentique ! Les petites guérites abritent sous leur toit de palmes quelques tables qui se côtoient dans une atmosphère chaleureuse et bon enfant. Le Jerk Center ouvre ses stands très tôt le matin, heure à laquelle on commence à préparer la marinade d'épices façon Jerk et à griller la viande. A toute heure du jour, les voyageurs (nombreux) s'arrêtent pour y déguster poissons, porc, poulet ou langouste, cuits à point et d'une saveur incomparable. Les parts sont servies dans une feuille de papier aluminium, on mange sans couverts, *fingers to mouth*, et l'on arrose le tout d'une bière bien fraîche.

■ GREAT HUTS

℡ +1 876 993 8888 / +1 876 353 3388
www.greathuts.com
info@greathuts.com

A partir de 4 400 JMD et jusqu'à 17 000 JMD pour un cottage dans un arbre, avec eau chaude et salle de bains privée.

C'est en 2001 que Paul Shalom Rhodes a acheté un petit bout de terre à un paysan et à commencer à construire ce qui deviendra Great Huts. Un endroit magique. Les chambres sont toutes décorées dans un style africain. Certaines ont même été construites dans les arbres ! Si vous cherchez une escale dépaysante, pas de doute, celle-ci est toute indiquée !

PORT ANTONIO

« *Le plus ravissant port du monde* », selon la poétesse Ella Wheeler Wilox, se love dans un site exceptionnel, un double amphithéâtre vert formé de deux baies jumelles aux eaux turquoise, entre mer des Caraïbes et Montagnes Bleues, surplombé en son centre par la petite colline de Tichfield et protégé au large par Navy Island. Harmonie, sérénité, langueur tropicale, parfum de colonialisme britannique, l'endroit possède un charme indicible, hors du temps et sans pareil, à tel point qu'Errol Flynn prétendait qu'il n'avait « *jamais rencontré de femme aussi belle que Port Antonio* ». Souvent oublié des touristes, Port Antonio offre pourtant une escale de choix lors de votre séjour en Jamaïque.

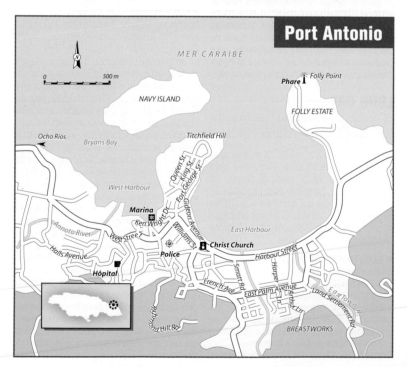

Histoire

De son ancienne splendeur de premier port bananier du pays, Port Antonio a conservé une architecture coloniale dont les plus beaux vestiges se trouvent sur la coquette colline de Tichfield, autrefois choisie comme lieu de résidence par les riches planteurs et les négociants fortunés, tant pour sa vue plongeante sur la baie que pour la fraîcheur que son élévation dispensait. En centre-ville, le contraste est saisissant entre les restes de l'architecture géorgienne et les toits de zinc des bâtisses populaires. Au bas de la colline de Tichfield, l'héritage colonial cède la place à une curiosité qui mérite le détour : le « village Saint George », qui représente soit-disant toutes les influences architecturales européennes en un seul bâtiment. On y trouve de nombreuses boutiques, principalement destinées aux touristes. L'histoire de Port Antonio remonte à la colonisation espagnole, quand les premiers administrateurs de l'île avaient baptisé les deux anses naturelles Puerto Antón et Puerto San Francisco, devenues respectivement East Harbour et West Harbour pour les Anglais. En 1723, la paroisse de Portland est créée par l'administration anglaise. Cinquante années plus tard, on ne comptait encore qu'une vingtaine de maisons à Port Antonio. Le gouvernement anglais va alors déployer des efforts considérables pour inciter de nouveaux colons à venir s'installer sur ces terres encore inhospitalières et à les développer : offre de terres et d'esclaves gratuits, exonération d'impôts... Rien n'y fait. La forêt tropicale est décidément trop dense, trop impénétrable, les moustiques se montrent trop agressifs, la malaria sévit sans relâche et les Marrons retranchés dans les Montagnes Bleues voisines font peser une menace permanente sur la tranquillité des colons. Autant de circonstances propres à décourager les éventuels candidats à la colonisation de terres vierges. Les Anglais poursuivent toutefois leurs efforts pour domestiquer et assainir la région. En 1729, ils construisent le fort Saint George entre les deux ports naturels de la baie – une vingtaine de canons se trouvent encore dans l'ancienne enceinte du fort, aujourd'hui siège de la Tichfield School. Un détachement de la marine anglaise s'installe dans la voisine Navy Island. La ville ne prendra son véritable essor qu'une fois la paix établie avec les Marrons. Le traité signé en 1739 assure une accalmie relative et temporaire dans les hostilités menées par les anciens esclaves.

On dénombrera bientôt trente-huit grandes exploitations agricoles et une centaine de petites plantations. Pourtant, malgré tous ces efforts, seules demeurent quatre plantations en 1854 : en moins d'un siècle, les mauvaises conditions climatiques ont eu raison de l'élan colonisateur. Port Antonio prendra son second envol à l'aube de l'ère bananière ; le fruit est introduit sur l'île par les Espagnols en 1516. Port Antonio devient rapidement la capitale mondiale de la banane. La nouvelle culture s'organise rapidement, l'exportation suit bientôt, et jusqu'en 1890 un ballet incessant de navires animera le port enfin devenu prospère. C'est sur le marché bostonien que le fruit jamaïcain trouve ses débouchés principaux, à l'initiative du capitaine Lorenzo Dow Baker. La Boston Fruit Company est fondée, rachetée plus tard par la United Fruit Company. En homme d'affaires pratique, le capitaine se préoccupe de remplir ses bateaux qui reviennent à vide des Etats-Unis. Comment utiliser ces navires qui sillonnent l'une des plus belles mers du monde ? La solution est trouvée : il décide de faire de Port Antonio une destination touristique pour riches Américains en mal d'exotisme. L'idée fait son chemin et c'est ainsi que les premiers touristes débarquent en Jamaïque au tournant du siècle, inaugurant une tradition qui ne s'est jamais démenti depuis. Entre-temps, en 1905, le capitaine avisé aura construit sur la colline de Tichfield le premier hôtel de tourisme de la région. D'autres suivront et Port Antonio troquera bientôt sa défroque de port bananier contre un costume tout neuf de villégiature pour riches et célèbres... Fort judicieusement au demeurant, puisque l'industrie bananière devait rapidement décliner. L'histoire d'amour entre la star américaine Errol Flynn et la région de Portland va largement contribuer au développement de Port Antonio et de ses environs dans les années 1950. Etabli dans la région, l'acteur achète de nombreuses propriétés dont l'île de Navy Island. Sa renommée attire de nombreux acteurs de la scène hollywoodienne. Décédé en 1959, Erroll Flynn n'a pas pu mener à terme ses ambitieux projets de développement touristique. Cependant, la voie était ouverte et de nombreux hôtels de luxe verront le jour rapidement (Dragon Bay, Frenchman's Cove ou Trident), ponctuant la côte d'oasis de charme. Aujourd'hui, l'activité maritime de Port Antonio se réduit à un chargement hebdomadaire de bananes à partir du Boundbrook Wharf, dans la partie ouest du port, à la sortie de la ville. La tradition touristique, après avoir périclité, a récemment repris du poil de la bête.

L'EST

Port Antonio et sa région distillent un charme magique et attirent une clientèle de touristes amoureux de la nature, du calme et de l'authenticité. Car la région a beaucoup à offrir, entre ses plages, son histoire, son écotourisme et ses traditions culturelles. Première station balnéaire de l'île, Port Antonio est notamment réputé pour la tranquillité de sa population. Un grand tournoi de pêche au marlin bleu anime la ville au cours de la première semaine d'octobre. Nombre de bateaux viennent de tous les ports de la Jamaïque et des îles voisines pour s'affronter dans cette compétition très populaire, où les longs affrontements entre le poisson et l'homme réservent toujours des surprises.

Transports

▶ **De Morant Bay à Port Antonio**, un ticket de minibus ou de taxi collectif coûte environ 300 JMD.

▶ **Vers Oracabessa** : les minibus s'arrêtent à Annotto Bay puis à Port Maria, où il faut changer de véhicule. Port Antonio-Annotto Bay : 180 JMD ; Annotto Bay-Port Maria : 150 JMD ; Port Maria-Oracabessa : 180 JMD.

▶ **Pour les petits déplacements de plage à plage** : empruntez les taxis collectifs ; comptez entre 50 et 150 JMD.

■ **AÉRODROME**
Ken Jones Aérodrome
✆ +1 876 913 3173

■ **EASTERN CAR RENTALS**
16 West Street
✆ +1 876 993 3624
www.portantoniocarrentals.com
info@portantoniocarrentals.com

Pratique

Tourisme – Culture
L'office de tourisme de Port Antonio a malheureusement fermé en 2008. Il faudra donc demander des informations à Kingston ou à Ocho Rios. Cela dit, le personnel des hôtels et des auberges saura vous renseigner et peut parfois organiser des tours vers la vallée Rio Grande et les plantations de café, entre autres.

Argent
■ **BANQUES**
Scotia Bank, First Caribbean Bank sur Harbour et West Street. Tous les grands hôtels proposent des services de change.

Moyens de communication

■ **INTERNET**
▶ **La bibliothèque municipale de Portland**, The Portland Parish Library, est l'endroit idéal pour se connecter le plus facilement et le moins cher à Internet.

▶ **Don JS Computer Center**, au rez-de-chaussée du plaza St Georges. 50 JMD/30 minutes.

▶ **Nettery**, tout en bas de Sommers Down road. 50 JMD/30 minutes. Ouvert jusqu'à 22h.

Santé – Urgences
■ **HÔPITAL**
Naylor's Hill
✆ +1 876 715 5778

Se loger
Le centre-ville de Port Antonio ne dispose que d'une hôtellerie de moyenne gamme. Moins fréquentés par les touristes étrangers, rebutés par l'absence de plage, les hôtels et les pensions ont parfois du mal à subsister. Toutefois, l'offre est large et les touristes perdus n'auront aucune peine à trouver un logement à leur goût. C'est en particulier sur le cap de Titchfield que sont rassemblées les chambres les moins chères en ville.
En centre-ville ou à l'extérieur de Port Antonio, de nombreuses options bon marché s'offrent au visiteur. Le centre-ville, quoique pratique, est quand même éloigné des plages. En revanche, pour les plus gros budgets, nombre d'hôtels de charme s'égrènent à l'est du centre, tout au long de la route entre Fairy Hill et Port Antonio.

Bien et pas cher

■ **DE MONTEVIN LODGE**
21 Fort George Street
À l'angle de Fort Street et Musgrave
✆ +1 876 993 2604
Entre 5 000 et 6 000 JMD pour 2 personnes selon que les bains sont privés ou communs, parmi les seize chambres.
Au sommet de la colline de Tichfield, l'opulente maison victorienne de brique rouge a été construite en 1898 par un notable de Portland, l'honorable Davis Gideon. Le magnifique intérieur en bois a été transformé en hôtel d'une quinzaine de chambres au confort modeste. Le restaurant sert une bonne cuisine

jamaïcaine à un prix raisonnable. Il s'agirait selon les locaux de la plus vieille guest house de Port Antonio. La reine Elisabeth y aurait séjourné...

■ **DRAPERS SAN**
Drapers
℅ +1 876 993 7118
www.go-jam.com/drapersan-e.html
carla-51@cwjamaica.com
Comptez 50 US$ pour 2 personnes, 35 US$ si vous êtes seul, petit déjeuner inclus.
Cette maison, propriété de deux Italiens et gérée par la fille de la charismatique Carla qui parle français, propose six chambres de confort sommaire, mais le ton est à la convivialité. Cuisine italienne à la demande. Pas d'accès direct à la plage malgré un jardin qui donne sur l'eau. Cette guesthouse est bien indiquée par un panneau en bord de route, vous ne pourrez pas la rater. Plages les plus proches : Sanku Bay et Frenchman's Cove.

■ **HOLIDAY HOME**
12 King Street
℅ +1 876 993 2425
www.go-jam.com
holidayhomesilverabuckley@yahoo.com
Chambre simple à partir de 38 US$, chambre double à partir de 45 US$.
Une grande maison en bois de style caraïbe. Neuf chambres bien tenues par Mme Shirley Silvera-Buckley, avec salle de bains et ventilateur. Petit déjeuner ou dîner sur demande à bon marché.

■ **MIKUZI GUEST HOUSE**
Fairy Hill
℅ 1 876 797 2951 / 1 876 480 9827
http://mikuzijamaica.com/portland/
portland@mikuzijamaica.com
A 13 km à l'est de Port Antonio, et à 5 minutes à pied de la plage de Winnifried.

Pour une chambre simple, comptez entre 25 et 30 US$. Cottage de 50 à 70 US$ la nuit.
Cette guest house, qui accueille beaucoup de jeunes jamaïcains venus de Kingston ainsi que des backpackers étrangers, est une bonne adresse pour les petits budgets. Les sept chambres sont correctes. Salle de bains en plein air pour votre douche et toilettes communes. L'ensemble est assez rustique, mais charmant malgré tout. Jahd, le fils de la propriétaire gère la propriété. Très cool, il vous accueillera avec le style jamaïcain : no stress ! D'ailleurs, la terrasse principale de la guest house est propice aux soirées. Des locaux viennent même y boire quelques bières avec les visiteurs, des chanteurs de reggae en passant par des sculpteurs de noix de coco. Une adresse originale pour ceux qui aime voyager un peu à la roots.

■ **TIM BAMBOO**
5 Eveleigh Park Road
(à 50 m d'Allan avenue)
℅ +1 876 993 2049
www.hoteltimbamboo.com
Reservation@hoteltimbamboo.com
Comptez entre 60 et 75 US$ pour une chambre standard, 100 US$ pour un studio et 200 US$ pour une villa avec trois chambres.
Situé à l'entrée est de Port Antonio, proche du centre-ville, c'est un petit hôtel moderne. Les vingt-deux chambres sont bien tenues (salle de bains privée et ventilateur) et sont dispersées autour d'une grande cour intérieure. Toutes sont parfaitement identiques les unes aux autres. Cet hôtel est le seul dans cette partie de la ville, l'entrée est, et se trouve à proximité de nombreux petits bars-restaurants qui proposent un bon éventail de choix de plats à des prix bon marché.

L'EST

Confort ou charme

■ FERN HILL CLUB
Mile Gully Road
Port Antonio
P.O. Box 100
✆ +1 876 993 7374 / +1 876 993 7375
fernhill@cwjamaica.com
Sur les hauteurs de la baie de San San, à
1 km environ de la route principale.
*De 50 à 150 € la nuit. Les prix varient selon
les saisons et la catégorie.*
La vue sur la baie de San San et son cap
surnommé Alligator's Head est magnifique.
En plus de ses trente et une chambres, l'hôtel
est composé de trois piscines – dont une en
forme de marelle – un bar, le Blue Mahoi, et
un restaurant, le Panorama. Il est préférable
de posséder une voiture pour loger dans cet
établissement.

■ IVANOHE'S
9 Queen Street ✆ +1 876 993 3043
ivanhoes@hotmail.com
*De 50 à 70 US$ au premier étage ou au
deuxième étage, plus aérés.*
Une belle maison, une terrasse agréable, voilà
l'une des adresses correctes de la colline,
l'une des plus chères aussi, d'ailleurs les
prix y sont affichés en dollars américains,
signe qui ne trompe pas. Neuf chambres avec
salle de bains privées (nous vous conseillons
les chambres du deuxième étage). Le petit
déjeuner est copieux, ne coûte que 5 US$ et
peut se prendre sur l'une des deux terrasses
qui surplombent la baie est de Port Antonio.
L'accueil est des plus conviviaux.

■ JAMAICA HEIGHTS RESORT
Spring Bank Road
✆ +1 876 993 3305 / +1 876 993 2156
www.jahsresort.com
*Chambres pour Backpackers à partir de
45 US$, chambre près de la piscine à 75 US$
et au sommet de la colline : 95 à 125 JMD.*
Tombé amoureux de la Jamaïque en 1978,
Helmut Steiner – un Allemand très connu à Port
Antonio – a acheté une colline sur les hauteurs
de Port Anotnio au début des années 1980. Il
y a d'abord construit sa maison puis de petits
cottages pour recevoir des amis. L'idée a peu à
peu germé dans la tête de cet ancien professeur
berlinois de philo et de littérature de monter un
hôtel. Il dispose aujourd'hui de huit chambres
réparties dans différents cottages, dont un
principal composé de quatre chambres. Tous
possèdent une vue hallucinante sur la double

baie (est et ouest) de Port Antonio. Belle piscine
partiellement abritée, tennis de table, bar,
restaurant et excursion. Une excellente adresse
bien connue des locaux.

■ JAMAICAN COLORS
Cross Craig, entre Long Bay et Kensighton
✆ +1 876 893 5185
www.hoteljamaicancolors.com
hoteljamaicancolors@hotmail.com
*Comptez 110 US$ la nuit dans une maison pour
trois personnes. Pour un bungalow simple,
comptez 65 US$ la nuit.*
Ce joli hôtel tenu par un couple de Français
se situe près de Manchioneal, un village
de pêcheurs. L'établissement de 4000 m²,
surplombant l'océan, a ouvert ses portes
en 2004. Vous aurez le choix entre louer
une maison ou bien un petit cottage. Bar,
restaurant et piscine. Une bonne adresse où
vous pourrez en plus parler français !

■ MOCKING BIRD HILL
P.O. Box, Port Antonio
✆ +1 876 993 7267
www.hotelmockingbirdhill.com
*Transport et entrée gratuits à la plage de
Frenchman's Cove. Chambre à partir de
190 US$ selon la période et la chambre choisie.*
Abrité dans un écrin fleuri de végétation
tropicale, sur les flancs d'une colline dominant
la côte, ce petit hôtel offre une étape des
plus agréables. Il est géré par Shireen Aga et
Barbara Walker, des artistes très impliquées
dans la protection de l'environnement et le
développement d'un écotourisme harmonieux pour leur région. La piscine en terrasse
surplombe majestueusement le paysage envi-
ronnant et bénéficie d'une vue panoramique
extraordinaire qui englobe le Blue Mountain
Peak. Une télévision et une bibliothèque bien
fournie sur les thèmes art, nature, faune et
flore locales, sont à la disposition des hôtes.
L'ambiance est agréable, intime et conviviale
à la fois. Les propriétaires mettent un point
d'honneur à faire découvrir à leurs hôtes toutes
les beautés de la région dans d'excellentes
conditions car elles connaissent Portland dans
ses moindres détails. Un restaurant gourmet
Mille Fleurs et une galerie d'art complètent
l'ensemble. La galerie Carriacou dispose d'un
espace lumineux où les créations de Barbara
Walker, sculptures et peintures, ainsi que les
créations de quelques artistes jamaïcains
contemporains. Des lectures et des concerts
ont parfois lieu dans la galerie. Possibilité de
se faire masser. Comptez 90 US$ pour un
massage du corps d'une heure.

■ SAN SAN TROPEZ
Juste à l'opposé de la plage Frenchman's Cove
Baie de San San à Drapers
✆ +1 876 993 7213
www.sansantropez.com
Chambres entre 7 000 et 10 000 JMD, petit déjeuner compris. Possibilité de louer des chambres à la semaine.
Cet hôtel qui se trouve sur la route des Sept Anses – dont celle du Français – peut tout à fait s'enorgueillir et briller d'un nom qui sonne french riviera. A proximité de la plage de San San, et juste en face de la plage de Frenchman's Cove, l'établissement perché sur une petite hauteur comporte huit chambres meublées agréablement. Il s'agit d'un des hôtels les plus agréables et conviviaux du secteur. Piscine dans un grand jardin. La cuisine est très appréciée.

Luxe

■ THE JAMAICA PALACE HÔTEL
Hôtel Jamaica Palace Hotel
✆ +1 876 993 7720
www.jamaicapalace.com
pal.hotel@cwjamaica.com
Chambres à partir de 180 US$ environ avec le petit déjeuner. Pour trois nuits dans une grande chambre, avec petit déjeuner et dîner à la carte, comptez 650 US$.
Le Palace s'enorgueillit d'une architecture imposante de style néoclassique, tout en colonnes blanches et marbre, insolite sous les tropiques. Les couleurs dominantes sont le noir et le blanc, donnant l'impression d'un gigantesque échiquier. La décoration est raffinée, composée de mobilier ancien et d'objets de collection. Les 80 chambres et suites sont réparties dans plusieurs édifices de deux niveaux, reliés entre eux par un système d'allées, de patios et de terrasses. Spacieuses et fort confortables (avec salle de bains et air conditionné), les trente-cinq chambres mises à la disposition du client proposent un décor unique parfois étonnant, avec lit rond ou ovale, décoration zèbre ou madras, ambiance arabisante ou asiatique, meubles anciens ou de style, chandeliers ou lustres de cristal, tapis orientaux… Bref, chacun trouvera la chambre à son goût. Le jardin tropical planté de nombreux arbres fruitiers et d'essences rares offre de belles vues sur la mer et la côte découpée. Enfin, on y découvre la plus étonnante des piscines du pays – pas facile d'y faire des longueurs – en forme de… Jamaïque ! Le restaurant intérieur propose une cuisine internationale d'excellente qualité, ainsi qu'un large choix de spécialités locales, servie par un personnel attentif dans un décor raffiné. Le restaurant d'extérieur se déploie en terrasse à proximité de la piscine où sont données des soirées buffet ou barbecue. L'hôtel organise des excursions à la demande et sur mesure. Enfin, côté plage, les hôtes possèdent un passe pour la plage très privée de Frenchman's Cove qu'ils vous donneront à certaines conditions. Sinon, il vous faudra payer les droits d'entrée (700 JMD).

■ KANOPI HOUSE
Traverser Port Antonio et prendre la direction Blue Lagoon
Après Frenchman's Cove, comptez quatre minutes en voiture et tournez à gauche lorsque vous verrez un totem.
✆ +1 876 632 3213
wwwkanopihouse.com
A partir de 300 US$ pour une nuit dans un cottage avec cuisine, salle de bains, petit salon et terrasse.
Une superbe adresse pour ceux qui n'ont pas un budget serré. Michael Fox, le propriétaire d'une guest house dans les Blue Mountains, a créé un véritable petit paradis sur terre. Des dizaines de cottages, joliment décorés avec du mobilier typique des Caraïbes, perchés dans les arbres, se fondent dans la nature luxuriante de cet immense parc. Vous aurez un accès direct sur le Blue Lagoon. Ici, calme, tranquillité et repos sont garantis ! Votre nuit sera rythmée par les petits bruits des animaux et de la nature. Tout a été pensé pour respecter la faune et la flore. Le personnel est extrêmement agréable. Un véritable coup de cœur !

Se restaurer

Bien et pas cher

■ ANNA BANANA RESTAURANT
7 Folley Road
✆ +1 876 715B6533
www.wiyardannabanana.com
info@wiyardannabanana.com
Ouvert tous les jours de 11h à 23h. Concerts live tous les samedis soirs. Parking et wi-fi. Comptez 600 JMD pour un poulet jerk et 1500 JMD pour un plat de poisson très copieux. Une excellente adresse. Très bon rapport qualité/prix. Restaurant ouvert sur une petite plage. Possibilité de manger à l'intérieur ou bien à l'extérieur, sur la jolie terrasse. La carte est longue, et on a envie de goûter à tout !

L'EST

■ SURVIVAL BEACH

24 Allan Avenue
℗ +1 876 384 4730
A la sortie est de Port Antonio, côté mer.
Entre 650 et 1200 JMD.
Un très bon restaurant I-Tal qui, sous une grande paillotte et juste au bord de la mer, sert des plats végétariens à la façon rasta mais aussi des fruits de mer et du poisson. Ambiance détendue, bonne musique et accueil chaleureux entre les palissades de bambou peintes aux couleurs vert-jaune-rouge.

■ THE CHICKEN PLACE

29 Harbour street
℗ +1 876 993 4984
Entre 300 et 450 JMD.
Rien dans le décor de ce restaurant n'incite à la rêverie. On vient plutôt ici pour commander à emporter : poulets cuisinés à toutes les sauces, servis avec une bonne portion de *rice&peas* et de salade, burgers de poisson, curry d'agneau... Cuisine typique et de bonne qualité. Le mieux est d'aller déguster son plat sur le front de mer, face à la baie, ou sur la paisible colline de Titchfield...

Bonnes tables

■ MILLE FLEURS

Hotel Mocking Bird
℗ +1 876 993 7267
www.hotelmockinbirdhill.com
info@hotelmockingbirdhill.com
Entre Port-Antonio et le Blue Lagoon
Ouvert tous les jours. La dernière commande pour le dîner se fait à 21h30. Une grande terrasse ouverte et fraîche s'ouvre sur le merveilleux paysage des collines et de la mer en contrebas. Le soir, voûte étoilée et lueur fragile des bougies, senteurs de la forêt toute proche et parfum des fleurs tropicales, tous les éléments sont réunis pour un dîner romantique à souhait. La nouvelle cuisine jamaïcaine, à la fois traditionnelle et créative, utilise toutes les ressources des produits et épices locaux, mêlant délicatement les saveurs des fruits et des épices.
Quelques créations végétariennes intéressantes et des mélanges sucrés-salés originaux, comme la soupe de noix de coco à l'ail ou les viandes en sauce aux fruits de la passion, de quoi chatouiller toutes les papilles. Et pour ne rien gâcher, les propriétaires sont aux petits soins pour leurs clients. On y sert également des plats végétariens.

■ SAN SAN TROPEZ

Juste à l'opposé de la plage Frenchman's Cove
Baie de San San à Drapers
℗ +1 876 993 7213
www.sansantropez.com
info@sansantropez.com
Ouvert quasiment à toutes les heures de la journée entre 8h et 22h.
Ici la cuisine est italienne, avec une carte de spécialités de pasta et de pizzas, excellentes et bien servies. On dîne dans l'agréable salle à manger très européenne ou sur la terrasse voisine, qui donne sur le jardin de cet hôtel tropico-méditerranéen.

Luxe

■ JAMAICA PALACE

Jamaica Palace
℗ +1 876 993 7720
www.jamaica-palacehotel.com
pal.hotel@cwjamaica.com
Comptez environ 5000 JMD par personne pour un repas complet.
Le restaurant intérieur de l'hôtel a tout de l'exclusivité que l'on peut attendre de son nom. Dans un décor moderne et élégant, agréablement rafraîchi par l'air conditionné, aux tables intimes discrètement éclairées et une atmosphère raffinée, la carte est large, des spécialités jamaïcaines à la cuisine internationale. La cuisine est excellente et joliment servie. Un grand bar très stylé sert apéritifs et cocktails. Le service est efficace et irréprochable.

Sortir

■ CLUB LA BEST

5 West Street
Le club ouvre à 21h30 et peut contenir jusqu'à 800 personnes.
Ouvert en 2006, le club La Best est géré par Chris, un amateur de bonne musique !

■ MARYBELLE'S PUB ON THE PIER

Sur la Marina.
Ouvert tous les jours de 12h à 22h.
Ce joli bar possède une piscine et une jolie vue sur la Marina. Junior, le propriétaire, vous propose un large choix de boissons et de quoi grignoter.

■ ROOF CLUB

11 West Street
℗ + 1 876 449 0852
Comptez 3 US$ pour entrer. Le club ouvre ses portes vers 22h.

Depuis 35 ans, stars hollywoodiennes, *rudeboys* nouvelle génération et rappeurs locaux, touristes anonymes seuls, en couple ou en groupe, tous se retrouvent au Roof Club. Rien d'exceptionnel pourtant dans cette modeste boîte située en plein centre-ville : un grand bar, une piste de danse pas très bien éclairée, des rythmes effrénés, du rhum et de la bière en abondance. Mais le charme de l'ambiance caraïbe rendra la nuit inoubliable. Le plus vieux club de la ville.

■ WOODY'S PLACE

Dans le hameau de Drapers, à la sortie est de Port Antonio en direction de Boston Bay Quand il n'est pas au volant de son taxi, Woody mène la danse dans son bar qu'il anime avec bonhomie. Le vendredi soir, tout un chacun peut venir se défouler et interpréter les chansons de son choix. L'ambiance est garantie, c'est l'occasion de rencontrer les figures locales dans leurs meilleurs numéros, s'époumonant au rythme d'un reggae ou d'un calypso. Les soirées sont bien arrosées, franchement savoureuses et parfois inoubliables. Attention, Woody's Place se trouvant à l'intérieur d'un virage, n'offre aucune possibilité de parking. Pour sortir du bar à une heure tardive, prendre quelques précautions.

À voir – À faire

Les quelques édifices intéressants de Port Antonio sont regroupés autour de la place centrale, qui a conservé un charme tout caraïbe.

■ ATHENRY GARDENS

Nonsuch
℡ +1 876 779 7144
6 km au sud de Port Antonio
Ouvert tous les jours de 10h à 16h. Entrée : 7,50 US$ pour l'ensemble grottes et jardins.
75 ha de parc accrochés sur les flancs des collines qui dominent Port Antonio. De nombreuses plantes, des arbres au feuillage fleuri, des orchidées sont répertoriées et signalées au visiteur tout au long des allées du parc. Il faut prendre la peine d'y monter pour profiter de la vue incomparable sur toute la région dont on jouit depuis la terrasse.

▶ **Grottes de Non Such – Nonsuch Caves.** Au début du siècle, un berger découvrit cette enfilade de neuf grottes qui s'enfoncent profondément dans les entrailles de la colline. Au cours de la visite, le guide vous fera découvrir les étranges figures composées par la fantaisie des formations rocheuses, le hérisson, la vache ou le paysan…

■ BLUE LAGOON

Zion Hill
Portland
℡ +1 876 993 8491 / +1 876 993 7791
Il n'y a pas de tarif officiel pour venir au Blue Lagoon, mais des « gardiens » demandent une contribution. Ne leur donnez pas plus de 200 JMD ! Une partie est accessible gratuitement aux clients de l'hôtel Kanopi.
S'il est un must touristique dans la région de Portland, c'est bien le lagon Bleu. Célèbre bien au-delà des frontières jamaïcaines pour ses eaux aux mille couleurs changeantes, du bleu azur au vert profond, et pour sa profondeur inconnue jusqu'à ce jour. On dit que même le capitaine Cousteau n'a pas pu en atteindre le fond… En tout cas, la version officielle l'estime à plus de 60 m.
Protégée par un récif de corail, sertie dans un profond écrin de verdure, la baie déploie nonchalamment ses eaux tranquilles dans un cadre absolument féerique.
A tel point que les réalisateurs de longs-métrages ou de films publicitaires l'ont inscrit au top des décors naturels parmi les plus extraordinaires du monde. On dit aussi que l'eau verte du lagon, alimentée par des sources souterraines fortement minéralisées, possède des vertus de jouvence.
Mieux vaut venir très tôt le matin pour avoir le bonheur de nager seul et au calme dans ce joyau naturel.

▶ **Le restaurant Blue Lagoon** est malheureusement toujours fermé, malgré une réouverture annoncée depuis plusieurs années !

Ponton sur Blue Lagoon.

© ATAMI RAHI – ICONOTEC

L'EST

© JAMAICA TOURIST BOARD

Frenchman's Cove.

■ CHÂTEAU TRIDENT

Au détour d'un virage de la route qui conduit à Port Antonio, fermant la courbe d'une baie aux eaux turquoise, on aperçoit des tourelles blanches aux toits d'ardoise d'allure médiévale. Le merveilleux château de princesse de contes de fées se découpe, tel un mirage, dans le bleu du ciel. Dressé à la pointe du port naturel de Turtle Crawle Harbour, niché dans un immense parc luxuriant, il apparaît comme un rêve d'enfant dans un parfait décor de carte postale. Le château Trident est réellement une curiosité architecturale et dont l'histoire est un peu mouvementée. Il a fait l'objet de sombres rivalités et jalousies entre les différentes personnes associées dans sa construction, et l'édification du Jamaica Palace serait le résultat d'un défi au propriétaire d'alors. A l'entrée de la demeure, un couple de crocodiles de pierre d'une taille impressionnante monte la garde au sommet d'un majestueux escalier. Au moment de la rédaction, le château était en restauration...

■ CHRIST CHURCH

Harbour St,

Au cœur de la ville, l'église de brique rouge encore en service a été construite en 1840 et restaurée au début de ce siècle. Un lutrin de cuivre offert par le capitaine Baker, fondateur de la Boston Fruit Company, est présent dans cette église. Endommagée après le passage d'une tornade en 1903, elle fut complètement restaurée en 1911.

■ FRENCHMAN'S COVE

Interior Property Road

℃ +1 876 993 7270

www.frenchmanscove.com

FrenchmansCoveResort@gmail.com

Entrée : 700 JMD. Parking gratuit. Comptez 200 JMD pour louer un transat.

L'Anse du Français est la plage la plus photographiée et la plus connue de la Jamaïque, et ce n'est pas sans raison car elle est sans aucun doute l'une des plus belles plages du monde. Parenthèse de sable blanc immaculé, cernée par deux éminences rocheuses qui s'effritent dans la mer, la plage est profonde, plantée de hauts cocotiers qui filtrent la lumière dorée d'un soleil tropical sans concession. Sur le côté gauche de la plage, se trouve l'embouchure d'une toute petite rivière qui termine son cours langoureux en une piscine d'eau douce et fraîche ombragée de grands arbres. Entre l'eau douce et fraîche et l'eau de mer salée et plus chaude, le corps balance... Dans les années 1950, ce petit coin de paradis était l'un des hôtels les plus chers du monde. Aujourd'hui, forte de ce passé glorieux, la propriété vit sur sa réputation bien que son étoile ait singulièrement décliné. Evidemment, cette retraite paradisiaque ne se livre qu'aux happy few qui acquitteront un droit d'entrée de 700 JMD, contribution somme toute bien modeste pour découvrir un tel Eden terrestre, mais en même temps chère. Il vous en coûtera autant si vous désirez une chaise longue et un parasol.

Enfin, pour conserver à l'endroit son côté exclusif et privilégié, seules 60 personnes sont acceptées sur la plage, et une fois le quota atteint, il faut attendre d'éventuelles sorties pour espérer entrer ! La consigne est donc d'arriver tôt le matin… Location de chaises longues et de parasols. Pour organiser une balade découverte de la côte en bateau, réserver par téléphone la veille et compter 20 US$ par personne pour 30 minutes de balade.

▶ **Un grand buffet est organisé chaque jour** qui propose des spécialités locales de jerk ou de poissons et langoustes grillés et tous les fruits du paradis en abondance, à des prix raisonnables.

▶ **Frenchman's Cove dispose aussi de possibilités de logement :** les neuf villas de différentes capacités avec air conditionné, égaillées dans les collines au-dessus de la plage, sont à louer. Vous pourrez choisir entre Harmony Hill, Monserrat, Trinity Hall ou Montpellier, pour 180 US$ pour 2 personnes, petit déjeuner compris.

■ **GEORGIEN COURT HOUSE**
Le tribunal, un petit édifice de brique rouge datant du XVIIIe siècle, est surmonté d'une coupole.

■ **LA MARINA**
Il serait dommage de ne pas se balader le long de la marina de Port Antonio. Bien entretenus, de nombreux bateaux parfois splendides y attendent de partir en mer.

■ **MITCHELL'S FOLLY**
A la sortie est de Port Antonio
Il ne reste que des ruines, certes, imposantes, de la prétentieuse demeure de plus de cinquante pièces au style de temple grec qu'un riche Américain a construit pour son épouse au début du siècle dernier. Une légende locale veut que le toit se soit écroulé le jour où la jeune mariée a franchi le seuil de sa nouvelle demeure. En fait, il semblerait que l'édifice se soit lézardé et effondré petit à petit. Le béton utilisé pour la construction ayant été mélangé avec de l'eau de mer, le sel aurait corrodé les structures métalliques, vieillissant prématurément la maison. Longtemps squattée par des colonies de rastas, les ruines sont régulièrement le décor de prises de vue de

mode ou de publicité ; elles ont servi de décor au tournage de *The Mighty Quinn*, un policier américain dans lequel Denzel Washington avait le premier rôle. Un peu plus loin, la piste continue et conduit au phare de Folly qui date de 1888.

■ **MUSGRAVE MARKET**
West Street
Le marché d'alimentation, haut en couleur et riche de senteurs, est situé en plein centre-ville. La structure initiale date de la fin du XVIIIe siècle.

■ **NAVY ISLAND**
Navy Island
Cet îlot de 25 ha a connu plusieurs existences : base navale, retraite privée de milliardaire hollywoodien (Errol Flynn) puis complexe hôtelier. Initialement baptisée Lynch Island, du nom d'un gouverneur à qui elle avait été offerte en remerciement de services rendus à la Couronne d'Angleterre, l'île est devenue Navy Island quand le premier contingent de marins britanniques y a débarqué pour soutenir les forces militaires alors cantonnées à Fort George, sur la colline de Tichfield, de l'autre côté de la baie. L'île a été transformée en hôpital militaire en 1728. L'histoire de Navy Island est également liée à celle du fruit de l'arbre à pain ramené des îles du Pacifique par le capitaine William Blight. Les 350 plants qu'il a ramenés de Tahiti ont été débarqués à Navy Island, avant d'être transportés au jardin botanique de Bath. La plante est par la suite devenue l'une des plus répandues du pays.

Oubliée de tous, Navy Island devait connaître un renouveau de notoriété et de prestige quand l'acteur Errol Flynn, grand navigateur devant l'éternel, en est tombé amoureux au cours de l'un de ses voyages en 1940, dérouté par une tempête de sa destination panaméenne. Il a acheté l'île pour en faire son repaire favori, loin du stress des studios. C'est lui qui a popularisé la descente du Rio Grande en radeau de bambou, il a même organisé une course de rafts sur le fleuve. A sa mort au début des années 1960, l'île a été revendue par sa famille et a changé plusieurs fois de propriétaires. Transformée en complexe hôtelier, elle est aujourd'hui gérée par une entreprise dépendant du gouvernement jamaïcain. A quelques encablures de Port Antonio, l'îlot est désormais vide de toute activité et se contemple depuis les rives.

L'EST

■ SANKU BAY

Avant French Man's cove en venant de Port Antonio

Trésor de la nature ou bénédiction des dieux, la baie de Sanku est tout à la fois. Cette anse vierge et inconnue même de la plupart des Jamaïcains est un site unique.

Large d'environ 500 m et aussi longue, cette baie partagée entre fonds sableux et rocheux peut être traversée à pied, à la nage ou en barque. On peut se placer en son milieu en n'ayant de l'eau jusqu'aux genoux et ressentir ainsi l'impression d'en être le maître ! Quatre sources d'eau minérale – dont une d'eau chaude –, également réparties le long de l'anse, alimentent la mer en eau douce et fraîche. Au point que l'eau de mer est douce, dessalée. A la quatrième source, la plus vigoureuse, celle de la guérison qui jaillit des dessous de la terre, on peut même nager à contre-courant, dans une eau rafraîchissante à souhait.

■ SAN SAN

Comptez 6 US$ pour profiter de cette superbe plage privée, ouverte tous les jours de 10h à 16h.

La plage est une longue frange de sable blond à la courbe harmonieuse doucement ombragée par des amandiers et protégée par Monkey Island, un îlot que les petits singes de la forêt tropicale ont depuis longtemps déserté. La plage est tellement parfaite qu'on la dirait créée sur mesure, aux dimensions des rêves de luxe, calme et volupté. La plage est gardée et réservée aux clients des hôtels des environs et des propriétaires des luxueuses villas alentour munis d'un passe pour y pénétrer. Si vous ne résidez pas dans l'un des hôtels associés dans l'exploitation de la plage, il vous en coûtera 6 US$ par personne pour avoir accès à cette petite merveille de San San.

■ SOMERSET FALLS

www.somersetfallsjamaica.com
svmennis@gmail.com
Ouvert de 9h à 17h. Entrée : 8 US$.

La rivière Daniel plonge dans une gorge rocheuse naturelle, nichée dans une végétation de forêt tropicale pluvieuse très dense, en formant des cascades impressionnantes et des étangs d'eau claire.

■ TITCHFIELD HILL

Erigée en sentinelle entre les deux baies de Port Antonio, la colline, ancien quartier résidentiel réservé aux riches planteurs, conserve un charme empreint de nostalgie. Les rues grimpent en pente douce jusqu'au sommet, offrant des points de vue incomparables sur la mer. Seuls les vestiges de quelques grandes et élégantes demeures sont encore là pour témoigner de l'ancienne splendeur de la colline qui n'est plus aujourd'hui qu'un quartier populaire un peu délabré. Style victorien, galeries festonnées et décorations gingerbread, les grandes bâtisses en bois aux couleurs délavées offrent l'illusion d'un voyage au temps du sucre roi... Il est agréable de flâner au soleil couchant dans les rues quasi désertes, parmi les enfants qui jouent et les animaux qui paressent sous les derniers rayons du soleil. L'ancien fort George qui défendait la ville est aujourd'hui transformé en école, à la pointe de la colline. C'est sur ce petit cap que se trouvent la plupart des guesthouses de la ville, et du même coup les logements les moins onéreux du secteur.

■ VILLAGE ST GEORGE

Aux pieds de la colline Titchfield

Construit en 1997 par la propriétaire du Jamaica Palace Hotel, Mme Forme, cet édifice surprenant est un melting-pot architectural. Certaines parties de la façade extérieure conduisent en Allemagne, puis aux Pays-Bas, en Angleterre ou encore en Orient. Ce dernier style est très présent à l'intérieur du bâtiment appelé Forme Gallery par les locaux. Une curiosité extravagante qui a coûté une fortune, et dont la peinture a été réalisée en une journée par 200 peintres venus des quatre coins de l'île. Le Village Saint George est devenu une galerie commerçante en stuc très kitsch. Un lieu amusant dont on peut profiter pour se reposer au frais.

■ WINNIFRED

Une des rares plages de la région gratuite.

La très belle plage de sable blanc, aux eaux turquoise, est protégée par un récif corallien. Elle a servi de décor au film *Club Paradise*. Elle bénéficie d'une ambiance survoltée, particulièrement le week-end, reggae et raggamuffin de rigueur. De nombreux petits stands servent une délicieuse cuisine traditionnelle pour un coût modique tandis que des marchands ambulants vendent colliers et bracelets en grains de café. Une plage magnifique. Excellent pour y passer la journée, en famille ou en amoureux. Nous vous conseillions de manger chez Cynthia, la petite cahute à l'extrême droite de la plage. Vous y dégusterez pour quelques dollars des petits plats jamaïcains cuisinés avec passion.

Sports – Détente – Loisirs

■ DESCENTE EN RAFTING DU RIO GRANDE

© +1 876 913 5434 / +1 876 993 5434
Environ 70 US$ pour l'aller-retour et la descente.

Tous les hôtels et les agences de tourisme organisent à la demande l'excursion sur le Rio Grande. Vous devrez vous rendre par une route qui monte en lacets jusqu'à Berridale, lieu d'embarquement des rafts. Si vous possédez un véhicule, négociez la reconduite de la voiture à l'arrivée de la descente, au Rafters Rest. Si vous n'êtes pas motorisé, un taxi vous y conduira. La descente de rivière en raft de bambou est une activité touristique très répandue et proposée sur de nombreuses rivières à travers le pays. Les longs et les étroits radeaux de bambou qui sillonnaient autrefois le Rio Grande servaient à descendre les régimes de bananes depuis les plantations et à les acheminer jusqu'aux quais d'embarquement de Port Antonio. L'activité a été popularisée par les premiers touristes de la région et en particulier par Errol Flynn qui organisait des courses de rafts pour le plus grand plaisir de ses célèbres invités. Aujourd'hui, les rafts pour touristes sont légion et confortablement aménagés avec une petite banquette en bambou, parfois même pourvue de coussins et décorés de fleurs tropicales. Sachez qu'on ne s'improvise pas rafter, et s'ils font évoluer leur longue et frêle embarcation sans difficulté dans les méandres de la rivière, la tâche des rafters est beaucoup plus ardue qu'il n'y paraît et demande un long entraînement et une excellente condition physique. De toutes les descentes proposées à travers le pays, c'est probablement celle du Rio Grande qui retiendra les suffrages. En effet, la balade, qui dure de 2 heures 30 à 3 heures, se déroule dans un cadre de végétation tropicale absolument somptueux, dans un silence profond troué par les chants d'oiseaux. La plus longue rivière de l'île longe gorges encaissées et rives aux pentes douces sous un ciel azur et un soleil de plomb. Le passage du raft silencieux perturbe à peine la paisible vie paysanne uniquement rythmée par la course du soleil. Si vous êtes en couple, ne manquez pas de demander au rafter de vous indiquer l'anse des Amoureux, baptisée ainsi par Errol Flynn, et d'y échanger le traditionnel baiser qui porte bonheur.

La descente se termine à l'embouchure du Rio Grande qui s'élargit considérablement pour se jeter dans la mer, dans la baie Saint Margaret, face au quai du Rafters Rest, le centre d'accueil des visiteurs où une pause rafraîchissante au bar-restaurant est souvent bienvenue.

■ VTT

Blue Mountain-Downhill

Idéal pour les amateurs qui n'apprécient que les descentes ! On grimpe les pentes des Montagnes Bleues en minibus et on les redescend à vélo. L'excursion d'une journée permet de découvrir les paysages de montagnes à moindre effort. Très agréable. D'autres excursions au programme, toujours en VTT : les grottes de Non Such, Bath et ses sources thermales, les chutes de Reach Falls ou variations autour du Rio Grande. Toutes les excursions comprennent casques, gilets, droits d'entrée dans les sites et parcs, boissons à volonté et guide expérimenté.

Shopping

On trouve de tout à Port Antonio, mais peu de produits artisanaux. Les principales boutiques sont situées le long de Market Street et de Harbour Street.

▶ **Le supermarché du 26 Harbour Street** est bien approvisionné en denrées alimentaires et en produits d'hygiène. Tout à côté se trouve le marché traditionnel de la ville où fruits exotiques et légumes colorés côtoient produits d'entretien, chaussures et produits textiles. On y accède par West Street, et le marché s'étale sur quelques ruelles.

▶ **Si l'on pousse jusqu'au bout du marché** (au fond à gauche), on arrive au Craft Market, véritable institution touristique des villes jamaïcaines. Celui-ci est carré et couvert ; les marchands y sont bien plus nombreux que les clients. À l'entrée du hall, une belle fontaine entourée de bancs offre la possibilité de se reposer au frais. Les prix pratiqués sont évidemment moins élevés que ceux pratiqués par les petits stands de bord de route, et les produits sont de bonne qualité. C'est l'occasion de discuter avec les plantureuses commerçantes ou les petites vieilles à la peau tannée par le soleil, des mérites comparés des différentes sortes de bananes ou du poids des noix de coco. Comme dans toutes les villes, le marché entre en effervescence le vendredi et le samedi.

▶ **Le centre commercial du village Saint George**, au bas de la colline de Tichfield, abrite quelques boutiques de vêtements, d'artisanat, une librairie, des agences de tourisme et un bar-restaurant.

■ **GALERIE CARRIACOU**
Dans la propriété de l'hôtel Mocking Bird.
Galerie d'art.
La galerie Carriacou est la seule véritable galerie de la région. Construite en cercle au premier niveau de la maison de Shireen Aga et Barbara Walker, les deux propriétaires de l'hôtel, de grandes baies vitrées diffusent une lumière intense qui met en valeur les œuvres exposées. Peintres ou sculpteurs, les jeunes artistes jamaïcains et cubains contemporains sont à l'honneur. On admirera aussi les sculptures de Barbara qui a étudié les beaux-arts à Dijon et à Genève. La galerie organise des conférences et des expositions temporaires. Après la visite, un cocktail s'impose au bar en terrasse panoramique.

MOORETOWN

Mooretown est l'un des derniers bastions des Marrons – avec ceux d'Accompong (au sud de Cockpit Country) et de Charles Town (Buff Bay). Ces anciens esclaves échappés des plantations, rebelles aux colons anglais qu'ils ont combattu durant de longues années, ont laissé derrière eux une tradition encore vivace, notamment à Mooretown. Le village bénéficie toujours d'une législation héritée des vieux traités historiques qui donnaient aux Marrons un semblant d'autonomie et quelques avantages matériels et fiscaux. Ainsi, les Marrons ne paient pas de taxe sur leur terre, léguée par Nanny... Le village est dirigé par un capitaine, chef des Marrons, aidé d'un conseil élu. La langue traditionnelle, originaire d'Afrique de l'Ouest, n'est toutefois plus qu'un lointain souvenir et peu de choses subsistent des anciennes traditions africaines. Une rencontre avec les autorités locales peut être organisée par les agences de Port Antonio. On arrive aux chutes d'eau voisines de Nanny Falls au terme d'une balade d'une trentaine de minutes.

ANOTTO BAY

Anotto Bay, qui fut à l'époque des grandes plantations bananières un port prospère, tire son nom de la teinture extraite d'un arbre originaire d'Amérique centrale qui poussait autrefois dans la région. Le bourg traversé par la Pencar River s'étire le long d'une seule rue principale, et ne s'anime que les jours de marché. Les rues conservent un charme vieillot que renforcent les galeries couvertes qui courent le long des anciens bâtiments du centre. On jettera un coup d'œil sur l'ancien tribunal et sur l'église baptiste de 1894, un bâtiment rouge et beige aux arcades romanes (si vous passez un dimanche vers 19h, vous pourrez assister au service chanté façon gospel). La station de chemin de fer est inutilisée depuis le passage en 1980 du cyclone Allan. Pour se restaurer, quelques restaurants à l'ombre des galeries (Pick's Restaurant and Lounge). Et pour se distraire le soir, le Roots Club, avec son animation de gogo dancing, retiendra l'attention.

PORT MARIA

Après la prise de l'île par les Anglais, les anciens noms hispaniques ont été troqués contre des noms anglais tout neufs. Ainsi la région autour de la ville de Puerto Santa Maria a pris le nom de Saint Mary et le chef-lieu est devenu Port Maria. Avec la création des comtés en 1758, Saint Mary est rattaché au Middlesex. Un guide de la paroisse de Saint Mary datant de 1897 la décrit comme « *possédant de prospères ressources agricoles, et des atouts géologiques et physiques, un climat sain, traversée de grandes rivières, possédant un sol fertile qui pourrait produire à peu près n'importe quel produit jamaïcain...* ». Ces arguments auront trouvé une écoute attentive chez les investisseurs coloniaux qui y ont établi d'importantes plantations fruitières. A la fin du XIXe siècle, les principaux produits de la région sont le sucre, le rhum, les oranges et les bananes, le pimento, le café, les noix de coco, les bovins et les chevaux. Le port, autrefois actif, est aujourd'hui bien calme. Les deux piliers de l'économie locale actuelle sont toujours l'agriculture et le tourisme, bien que Port Maria ne soit pas une halte touristique très prisée. En fait, la ville même a bien peu à offrir au visiteur, mais la région est splendide. L'approche de Port Maria par les routes de l'est comme de l'ouest est spectaculaire, les collines plongent dans la mer et dessinent une côte dentelée où se succèdent criques et anses profondes dans un contraste de couleurs saisissant. Au large, l'îlot Cabaritta anime la baie d'un point vert dressé sur la mer turquoise. C'est à cause de sa position stratégique et de la vue panoramique sur la mer Caraïbe que le pirate Henry Morgan avait fait de cette région sa retraite sur la côte Nord de l'île. Depuis, de célèbres artistes et des esthètes moins connus ont élu cette région comme retraite secrète et paradisiaque.

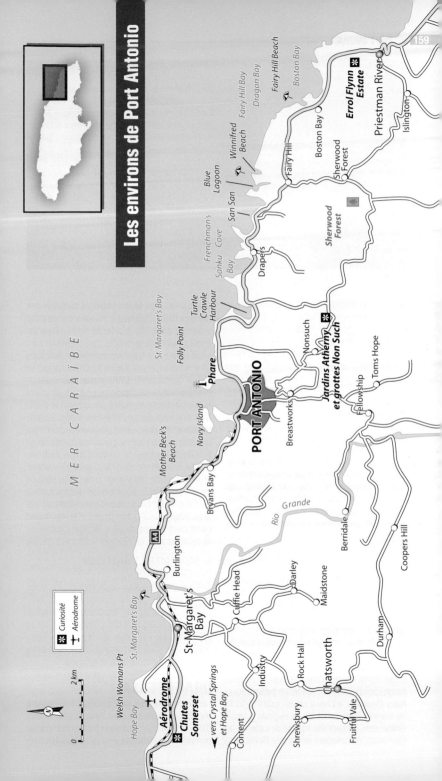

Les environs de Port Antonio

MER CARAÏBE

Welsh Womans Pt

Hope Bay

St-Margaret's Bay

St. Margaret's Bay

Curiosité ✳
Aérodrome ✈

0   2 km

Aérodrome ✈

✳ Chutes Somerset

vers Crystal Springs et Hope Bay

Content

Shrewsbury

Industry

Rock Hall

Cuffie Head

Burlington

A4

Rio Grande

Bryans Bay

Mother Beck's Beach

Navy Island

✳ Phare

Folly Point

St. Margaret's Bay

Turtle Crawle Harbour

Frenchman's Cove

Sanku Bay

Drapers

San San

Blue Lagoon

Winnifred Beach

Fairy Hill Bay

Dragon Bay

Fairy Hill Beach

Boston Bay

Fairy Hill

Boston Bay

Sherwood Forest

Errol Flynn Estate ✳

Priestman River

Islington

Sherwood Forest

PORT ANTONIO

Breastworks

Nonsuch

✳ Jardins Athenry et grottes Non Such

Fellowship

Toms Hope

Berridale

Maidstone

Darley

Coopers Hill

Durham

Chatsworth

Fruitful Vale

Vue sur Firefly et Port Maria (au fond).

■ BLUE HARBOUR
Castle Garden
✆ +1 876 725 0289
www.blueharb.com
A partir de 1500 JMD pour un plat.
De très jolies villas à louer en bord de mer,
mais il est possible de louer une chambre
seule. Réservation recommandée.

■ CASA MARIA HOTEL
Castle Gordon
✆ +1 876 725 0157
www.casamariahotel.net
De 82 à 117 US$ pour une chambre double.
Impossible de rater cet hôtel à la façade rouge
qui surplombe la mer, sur l'axe principal qui
relie Port Antonio à Ocho Rios. Pas incontournable, mais une adresse à retenir si vous avez
besoin de dormir dans les environs.

■ FIREFLY
A 5 km de Port et Maria et 5 km de
Oracabessa.
Juste après l'hôtel Casa Maria, prendre sur
votre gauche. La route qui mène vers Firefly est
un peu sinueuse. Ne pas hésiter à demander
votre route.
www.firefly-jamaica.com
Ouvert de 9h à 17h sauf vendredi et dimanche.
Entrée : 850 JMD pour une visite guidée de
30 minutes.
C'est dans cette propriété que le drama-
turge-poète-écrivain-peintre britannique,
Noel Coward, a choisi de s'établir à la fin
de sa vie. Amoureux de la région, il louait
Goldeneye, la propriété voisine de celle de Ian
Flemming, le créateur de James Bond, pour

y séjourner à plusieurs reprises au début des
années 1940. Quand il a décidé de s'installer
vraiment dans l'île à la fin de cette décennie,
c'est en bord de mer près de Port Maria qu'il
a fait construire sa première maison baptisée
Blue Harbour, en référence aux eaux turquoise
qui la baignaient. Dans cette impressionnante demeure de plusieurs niveaux, avec ses
bungalows pour les hôtes, se côtoyait le gratin
du monde artistique, littéraire, cinématographique et théâtral. Cette propriété, aujourd'hui
transformée en hôtel, garde les traces de sa
fidélité à l'époque de Coward (Blue Harbour,
Castle Garden ✆ +1 876 725 0289 – www.
blueharb.com) qui y a vécu de 1956 jusqu'à
sa mort en 1973. Il a été enterré dans ce lieu
qu'il aimait tant, une sobre pierre tombale sur
la pelouse face à la mer porte cette inscription
on ne peut plus modeste « *Sir Noel Coward, né*
le 16 décembre 1899, mort le 26 mars 1973 ».

■ SAINT MARY'S ANGLICAN PARISH CHURCH
Cette coquette église de pierres est flanquée
d'une tourelle carrée et crénelée. Un petit
cimetière ombragé par des cocotiers se déploie
sur le côté. Lorsque le ciel s'assombrit et qu'un
rayon de soleil se pose sur le petite bâtisse,
avec la mer d'un bleu profond en arrière-plan,
le lieu prend des allures mystiques…

ORACABESSA
Le nom de cette petite station balnéaire
viendrait de l'espagnol Orocabeza, « tête
d'or » en français. Autrefois petit port bananier
prospère, Oracabessa a vu sa fortune décliner

dans les années 1960 et son port abandonné dans les années 1970. La bourgade s'étire le long de la route bordée de maisons banales, qui zigzague entre les collines et la mer. C'est en grande partie sur l'initiative de Chris Blackwell que la bourgade connaît depuis quelques temps un nouvel essor touristique, sans vraiment atteindre le niveau souhaité par le fameux producteur.

Pratique

■ INTERNET RESSOURCE CENTRE
Main Road
✆ +1 876 726 3537
Situé au premier étage de l'immeuble jaune NixNax, à l'entrée est de la ville, juste en face de la guesthouse du même nom.
Ouvert de lundi à jeudi entre 10h et 18h et le vendredi de 9h à 16h. Fermé le week end. Connexion pour 100 JMD la demi-heure.
Petit cybercafé bien pratique pour ceux qui choisiront de loger dans la guesthouse Nix Nax.

Se loger

■ GOLDENEYE
Goldeneye
✆ +1 876 975 3354
www.goldeneye.com
pr@goldeneye.com
Après des travaux, une version toute neuve de cet hôtel, propriété de la société Island du producteur Chris Blackwell, a réouvert ses portes en 2010. Onze nouveaux cottages, de nouvelles suites lagon et deux restaurants flambants neufs ont été bâtis. Autant dire que les prix sont à la mesure du luxe de ce lieu où vécut le créateur de James Bond, Ian Flemming. Une excellente adresse mais qui a un coût.

■ NIX NAX
Main road
Oracabessa
✆ +1 876 975 3364 / +1 876 726 1479
Lits à partir de 1 500 JMD.
Une guesthouse de renommée, et ce depuis plus de 25 ans. A l'entrée est de la ville, la grande maison de trois étages se trouve sur la droite, entourée de végétation. Les dortoirs sont prévus pour 3 ou 4 personnes, disposés autour d'une grande salle commune bien agréable avec cuisine à disposition. Les sanitaires communs sont bien tenus. La terrasse est vaste, ombragée, et de l'école d'en dessous montent les cris des enfants, qui se mêlent à ceux des oiseaux. Domenica et Daniel, les

propriétaires, possèdent aussi l'immeuble de l'autre côté de la route : petit supermarché, bar, petit restaurant, cybercafé…

À voir – À faire

■ FISHER MAN'S BEACH
La très authentique – et gratuite – Fisher man's beach et ses galets est située juste après James Bond Beach. L'occasion de rencontrer les pêcheurs du coin et de se baigner au calme dans un décor tout aussi agréable. Une petite paillote se situe se situe sur la plage, vous pouvez y manger un poisson grillé avec du riz pour 400 JMD. Très peu de touristes.

■ JAMES BOND BEACH
✆ +1 876 975 3399
Ouvert du mardi au dimanche de 9h à 18h. Entrée : 425 JMD
Vues les distances que parcourent certains touristes pour y passer un moment, cette plage semble être la principale attraction d'Oracabessa. Pourtant, on est un peu déçu une fois acquitté le droit d'entrée : bétonné, agrémenté d'un restaurant peu esthétique et d'un terrain de football qui abrite parfois des concerts (notamment le concert annuel Tribute to Bob Marley. Infos : www.islandja-maica.com), le site ne propose qu'une petite bordure de sable qui n'inspire ni au repos, ni à l'imagination. La mer est belle certes, mais ne l'est-elle pas partout dans ce coin de la côte ? Quelques scènes de *Dr No* ont été tournées là…

■ PLANTATION SUN VALLEY
✆ +1 876 995 3075
Au nord d'Oracabessa en empruntant la route B13.
Visites de 1 heure à 30 minutes à 9h, 13h et 14h tous les jours. Visite de la plantation 15 US$ avec sandwich et boissons. Possibilités d'excursion à cheval : 25 US$ pour 1 heure, tour de la plantation 35 US$. La plantation est bien indiquée et se trouve à 5 km de Oracabessa au bord de la rivière Crescent.
Ici, on vit et on travaille en famille. L'exploitation agricole produit et exporte depuis plus de 250 ans des fruits tropicaux, bananes et noix de coco principalement. La visite est guidée par Lorna, la propriétaire, ou sa sœur. On verra les champs, le processus d'emballage des produits exportés, on découvrira également des herbes et des racines aux vertus médi-cinales, le tout dans une ambiance agréable.

L'EST

Vente de produits d'artisanat à Fern Gully.

Le Nord

Lorsque vous abordez la côte Nord de la Jamaïque, sachez que vous entrez dans la partie la plus développée de l'île, après Kingston. S'étendant sur trois paroisses (Saint Mary, Saint Ann et Trelawny), le Nord offre incontestablement la plus grande concentration de choses à voir et à faire. Le visiteur qui atteint la paroisse de Saint Ann découvre une zone importante dans l'histoire du développement de la Jamaïque. En effet, cette paroisse que les Jamaïcains ont baptisée du nom flatteur de Garden Parish (la Paroisse Jardin, à cause de la fertilité du sol en toute saison) symbolise tout à la fois le développement touristique et la reconnaissance mondiale de la Jamaïque, étant le lieu de naissance des deux noms qui ont contribué à faire connaître la Jamaïque à l'international : Marcus Garvey et Bob Marley. Vus pourrez aussi voir l'attraction touristique la plus prisée de l'île, les chutes d'eau de Dunn's River. Les paysages magnifiques qui vous portent à Runaway Bay et Discovery Bay laissent entrevoir les imposantes (et souvent hideuses) façades des hôtels all-inclusive qui ont poussé par dizaines ces dernières années le long de la mer Caraïbe.

OCHO RIOS

Ochie, pour les intimes, portait comme premier nom espagnol Las Chorreras, littéralement « les chutes d'eau », celles de Dunn's River. Les pirates avaient choisi cette région délaissée par les colons comme centre d'opérations sur la côte Nord, un emplacement stratégique pour attaquer les galions espagnols sur leur route entre Cuba et les colonies espagnoles de l'Amérique du Sud. Tolérée, parfois même encouragée par les planteurs locaux avec lesquels le butin était partagé, la gent pirate a prospéré dans la région, garantissant sa prospérité. Petite cité de bord de mer, Ocho Rios s'est industrialisée au début des années 1940 avec le boom de la bauxite (certains gisements sont tout proches) et la construction subséquente d'un quai en eau profonde, aujourd'hui désaffecté, pour l'embarquement du minerai. Ochie est aujourd'hui l'un des trois centres touristiques les plus fréquentés et les plus développés de l'île. L'essor touristique de la ville date de la fin des années 1950, mais il a connu un regain important, en particulier avec l'aménagement d'un port de plaisance pour bateaux de croisière. Cinq à dix de ces monstres de la mer déversent chacun 1 000 à 2 500 passagers, toutes les semaines, dans la ville d'Ocho Rios, idéalement située à égale distance de Port Antonio, Montego Bay et Kingston, et constituant donc une bonne base pour découvrir l'île. Ville aux multiples attraits et aux ressources naturelles extraordinaires, au nombre desquels on compte de luxuriants jardins botaniques, les plus belles chutes d'eaux du pays, des plantations prospères et de belles plages de sable fin, Ocho Rios est l'un des musts touristiques de l'île. Pourtant, sa disposition comme son architecture manquent singulièrement de charme. La ville s'étire sur plusieurs kilomètres d'est en ouest, les plages ayant presque toutes été annexées par des hôtels de luxe « all inclusive », ne laissant à la population locale qu'un accès très limité au littoral... Cité côtière, Ocho Rios ne voit presque pas la mer. Main Street court tout le long de

Les immanquables du Nord

▶ **S'offrir une demi-heure d'escapade souterraine** dans les profondes galeries de la grotte verte, Green Grotto.

▶ **Admirer les rais de lumière que laisse passer le toit de verdure** formé par le feuillage de Fern Gully.

▶ **Voir en amoureux le panorama depuis le Columbus Park** en se laissant aller à l'impression d'être comme sur un bateau.

▶ **Entrer dans la chaîne humaine qui part à la conquête des chutes majestueuses de Dunn's River.**

▶ **Embrasser sur le nez un dauphin** à Dolphin's Cove à Ocho Rios.

▶ **Piquer une tête** dans les eaux turquoise de Runeway et Discovery Bay.

la ville et s'ouvre sur une grande place très animée, plantée d'une horloge bleue, meilleur endroit pour goûter à l'ambiance populaire. De l'artère principale partent quelques courtes rues qui créent le centre-ville, dominé par des tours de béton et une architecture anarchique. La principale plage de la ville, Turtle Beach, se déploie à l'ombre des immenses buildings jumeaux de l'hôtel Jamaica Grande. Ocho Rios est un endroit intéressant pour faire des achats-souvenirs, avec ses nombreux marchés d'artisanat, ses centres commerciaux bien approvisionnés en produits de luxe hors taxes et en produits d'artisanat. Plusieurs fois par semaine, les sirènes des paquebots annoncent de loin l'arrivée de flots touristes, le plus souvent nord-américains, qui investissent la ville pour quelques heures, fondant sur les centres commerciaux à la recherche de bijoux ou de parfums en duty-free, se ruant dans les marchés d'artisanat à la recherche de l'objet qui immortalisera leur passage éclair dans l'île. Pendant ces quelques heures, la ville vit dans une frénésie qui retombe dès que la sirène retentit de nouveau, à la tombée du jour, pour rappeler à bord les visiteurs express. Un conseil, évitez de planifier une sortie shopping ou une visite classique ces jours-là et contentez-vous de profiter de la plage et des sports nautiques... Hôtels, restaurants et bars sont légion, offrant un large éventail de possibilités au visiteur avide de sorties.

Transports

Le centre de transport, d'où partent (et arrivent) tous les minibus à destination des villes du pays, se trouve un peu à l'écart du centre, à 5 minutes à pied. De la place centrale, passez la station-service et descendez par Evelyn Street sur une centaine de mètres. « L'enclos » des bus se trouve dans la rue peu avenante, sur la gauche.

■ BUDGET
✆ +1 876 759 1793
www.budgetjamaica.com
budget@jamweb.net
Voiture économique : à partir de 38 US$ par jour et 228 US$ par semaine en saison haute, et 50 US$ par jour et 300 US$ par semaine la saison basse. Tout type de catégorie, citadine, 4x4 et également VAN pour 100 US$ la journée et 600 US$ la semaine.
30 ans d'expérience pour 250 véhicules à disposition dans les endroits stratégiques de l'île. Les plus par rapport aux concurrents, sont les services proposés tels que les plans

Découvrez la faune et la flore de Prospect Plantation.

à disposition, un GPS si besoin et surtout un téléphone portable local avec carte SIM. Joignables 24h/24, recommandé !

■ CARIBBEAN'S CAR RENTALS
99A Main Street ✆ +1 876 974 2513
Côté est de Main Street, bien indiqué par une grande enseigne.

■ SUNSHINE CAR RENTAL
154 Main Street ✆ +1 876 974 5025
Situé à l'entrée est de la ville, juste en face du Conference Centre.
L'un des loueurs les plus présents de la ville, flotte importante.

Pratique

Tourisme – Culture

■ BLUE MOUNTAINS BICYCLE TOURS
Pineapple Plaza
121 Main Street
✆ +1 876 974 7075
www.bmtoursja.com
info@bmtoursja.com
Excursions dans les Blue Mountains et descentes en VTT depuis les hauteurs.

■ ISLAND HOPPER HELICOPTER TOURS
120 Main Street
✆ +1 876 974 1285
Sorties en hélicoptères : survol de Dunn's River, Spanish Town, Port Royal, Oracabessa, les Blue Mountains, Port Maria, etc. Tarifs : 2 000 US$ pour 4 personnes, 640 US$ pour 6 minutes de vol et 1 400 US$ pour 20 minutes.

LE NORD

© JAMAICA TOURIST BOARD

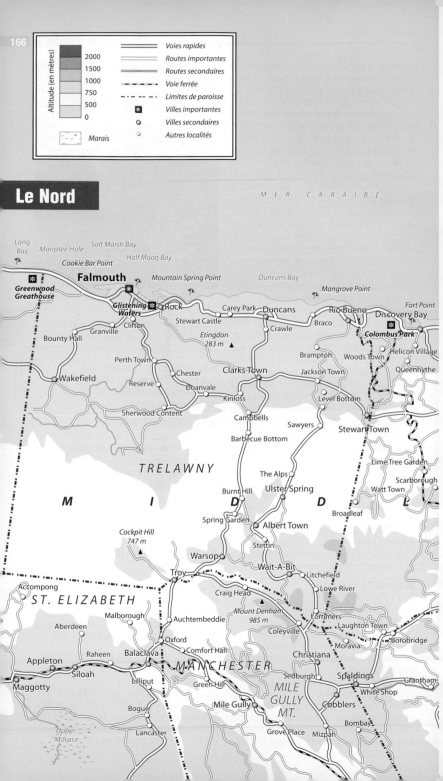

Le Nord

Altitude (en mètres)

2000	
1500	
1000	
750	
500	
0	

Voies rapides
Routes importantes
Routes secondaires
Voie ferrée
Limites de paroisse
Villes importantes
Villes secondaires
Autres localités

Marais

MER CARAÏBE

Long Bay
Manatee Hole
Salt Marsh Bay
Cookie Bar Point
Half Moon Bay

Falmouth
Mountain Spring Point
Duncans Bay
Mangrove Point

Greenwood Greathouse
Glistening Waters ✳ Rock
Carey Park
Duncans
Rio Bueno
Fort Point

Stewart Castle
Crawle
Braco
Discovery Bay

Clifton
Etindgon 283 m ▲
Colombus Park

Granville
Helicon Village

Bounty Hall
Perth Town
Brampton
Woods Town
Queenhythe

Wakefield
Chester
Clarks Town
Jackson Town

Reserve
Duanvale
Level Bottom

Sherwood Content
Kinloss

Campbells
Sawyers

Barbecue Bottom
Stewart Town

T R E L A W N Y
Lime Tree Garden

The Alps
Scarborough

Burnt Hill
Ulster Spring
Watt Town

M
I
D
D
L

Spring Garden
Broadleaf

Cockpit Hill 747 m ▲
Albert Town

Stettin

Warsop
Wait-A-Bit
Litchefield

Troy
Lowe River

Craig Head
Lörrimers

St. ELIZABETH
Accompong
Mount Denham 985 m ▲
Laughton Town

Malborough
Auchtembeddie
Coleyville
Moravia
Borobridge

Aberdeen
Oxford

Appleton
Raheen
Comfort Hall
Christiana

Balaclava
M A N C H E S T E R
Sedburgh
Spaldings
Grantham

Siloah
Green Hill
White Shop

Maggotty
Lilliput
Mile Gully
MILE GULLY MT.
Cobblers

Bogue
Bombay

Upper Morass
Lancaster
Grove Place
Mizpah

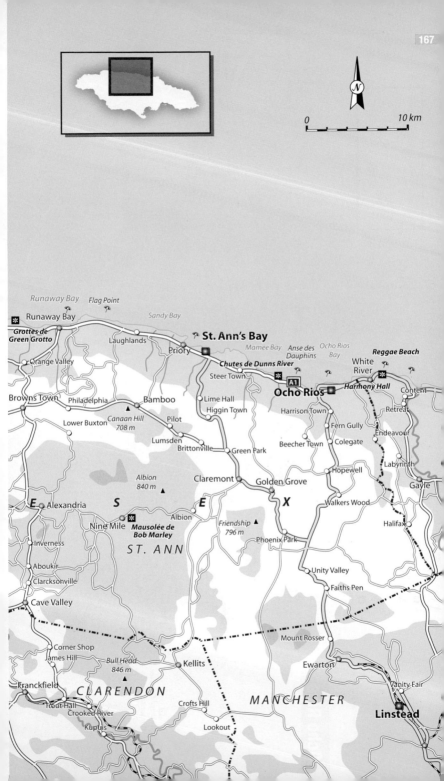

0   10 km

Runaway Bay   Flag Point

Runaway Bay   Sandy Bay
Grottes de
Green Grotto   St. Ann's Bay
        Laughlands   Priory   Mamee Bay   Anse des   Ocho Rios
Orange Valley   Chutes de Dunns River   Dauphins   Bay   Reggae Beach
                                    White
Browns Town   Philadelphia   Steer Town   River
          Bamboo   Lime Hall   Ocho Rios   Harmony Hall
   Lower Buxton   Canaan Hill   Higgin Town   Content
          708 m   Pilot   Harrison Town   Retreat
       Lumsden   Fern Gully   Endeavour
          Brittonville   Green Park   Beecher Town   Colegate
                                Labyrinth
             Claremont   Golden Grove   Hopewell   Gayle
    E   S   E   X
       Alexandria   Walkers Wood
          Albion   Albion   Halifax
       Nine Mile   840 m   Friendship
          Mausolée de   796 m
          Bob Marley   Phoenix Park
    Inverness   ST. ANN
    Aboukir   Unity Valley
    Clarcksonville   Faiths Pen
    Cave Valley

    Corner Shop   Mount Rosser
James Hill   Bull Head
       846 m   Kellits   Ewarton
Franckfield   CLARENDON   MANCHESTER   Vanity Fair
    Trout Hall   Crofts Hill   Linstead
Crooked River
    Kuplis   Lookout

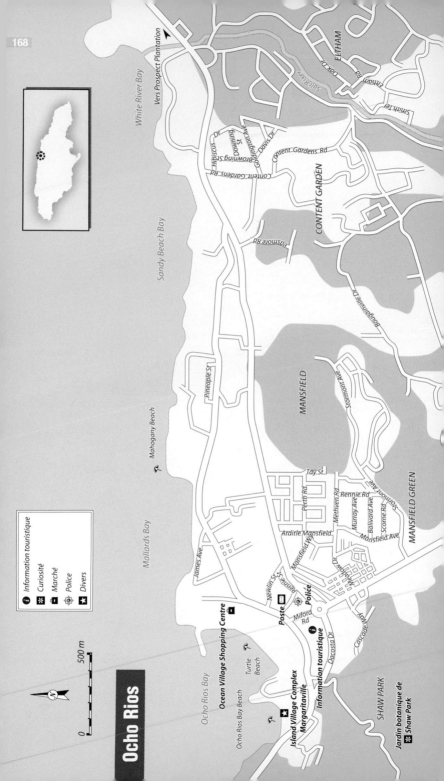

Ocho Rios

168

0   500 m

N

Information touristique
❊ Curiosité
🏛 Marché
👮 Police
★ Divers

Vers Prospect Plantation

White River Bay

ELTHAM

Oak Dr
Edmond Rd
Salt River
Smith Ter

Hibiscus Dr
Downing St
Browning St
Goldington Ave
Content Gardens Rd
Content Gardens Rd

CONTENT GARDEN

Sandy Beach Bay

Pasmore Rd

Bougainvillea Dr

Mallards Bay

Pineaple St

MANSFIELD

Stormont Ave

Mahogany Beach

Tay St
Perth Rd
Methven Rd
Rennie Rd
Murray Ave
Scame Rd
Stormont Ave
Balivard Ave
Arditle Mansfield
Mansfield Ave
Mansfield Wy

MANSFIELD GREEN

James Ave
Newlin's St
Rennie St

Poste ✉
Police 👮
Miford Rd
Information touristique ℹ
Dacosta Dr
Cascade

Ocean Village Shopping Centre 🏛

Ocho Rios Bay

Turtle Beach

Ocho Rios Bay Beach

Island Village Complex
Margaritaville ★

SHAW PARK

Jardin botanique de
❊ **Shaw Park**

■ **JAMAICA TOURIST BOARD**
Main Street
Ocean Village Plaza, Main Street, 1er étage
1er étage
✆ +1 876 974 2570
L'accès n'est pas évident : il faut emprunter un escalier anodin qui grimpe depuis le côté est du plaza Ocean Village et aller ensuite tout au bout du couloir pour trouver les bureau du JTB.
Ouvert de 8h30 à 16h30 du lundi au vendredi et de 9h à 13h le samedi.
Beaucoup de documentations, une aide à la réservation d'hôtels, de véhicules et d'excursions, bref des conseils précieux en particulier pour le voyageur individuel. Le personnel est extrêmement sympathique.

▶ **Autre adresse :** Stand d'information touristique sur main street, peu avant Island Village.

■ **TOURWISE LTD.**
103 Main Street
✆ +1 876 974 2323
✆ +1 876 974 2344
www.tourwise.org
sales@tourwiseltd.com
Depuis 1980, cette agence spécialisée dans le « sur mesure » sort du lot grâce à la gestion très sérieuse de Monika, autrichienne d'origine. Les tours sont identiques à ceux des autres agences réceptives, leurs prix également intéressants, mais l'aspect humain et la rigueur sur les horaires en font une valeur sûre pour les excursions en tout genre. De plus, il sont les seuls à proposer ce lieu hors du temps qu'est Annadale Great House, l'une des plus vieilles demeures de l'île, un secret caché à découvrir. Enfin, ils possèdent leur propre bus et ne sous-traitent quasiment rien. De l'excursion à cheval à la sortie en Rolls-Royce, en passant par des circuits hors des sentiers battus, tout est possible via Tourwise. Demander leur catalogue ou consultez les offres du moment.

Argent

▶ **Change.** Aucun problème à Ocho Rios pour s'approvisionner en monnaie locale. De nombreuses banques et des bureaux de change se côtoient dans le centre-ville, sur Main Street, et dans les centres commerciaux. La plupart des grands hôtels acceptent aussi de changer de l'argent, même aux non-clients.

LE NORD

Moyens de communication

■ CYBERCAFÉ
St James Avenue
Au premier étage du grand bâtiment
Reggae Infierno.
Connexion pour 50 JMD/30 minutes.
Fait aussi centre de réparation d'ordinateurs.

■ POSTE
Main Street
Au niveau du marché d'artisanat
Ouvert du lundi au vendredi de 9h à 17h et le samedi de 8h à midi.

Santé – Urgences

■ SAINT ANN'S BAY HOSPITAL
✆ +1 876 972 2272
En dehors de la ville, à 11km de Ocho Rios.

Se loger

Ocho Rios regorge de possibilités de logement, du complexe grand luxe, souvent en formule tout compris, à la pension modeste en passant par les hôtels de charme. Les hôtels possédant les plus belles plages sont un peu en dehors du centre-ville, et il s'agit pour la plupart d'établissements gigantesques qui fonctionnent selon la formule du tout inclus (*all inclusive*). Les établissements plus modestes et les pensions sont pour la plupart concentrés autour de Main Street et de James Street, en centre-ville.

Locations

■ HERMOSA COVE
Hermosa Street
Pineapple
✆ +1 876 974 3699
www.hermosacove.com
hermosacove@hermosacove.com

Comptez entre 600 et 750 US$ pour louer un cottage en saison haute et entre 300 et 600 US$ en basse saison.
Location de très jolies villas dont certaines sont équipées de piscine. Jetez un œil sur le site internet, un large choix de photos devrait vous aider à faire votre choix.

Bien et pas cher

Difficile de trouver des solutions d'hébergement bon marché à Ocho Rios. La plupart des guest houses proposent des tarifs aux alentours de 50 US$ la nuit.

■ LITTLE SHAW PARK GUESTHOUSE
21 Shaw Park Road
✆ +1 876 974 2177
www.littleshawparkguesthouse.com
littlesawpark_2000@yahoo.com
Emprunter Milford road puis tourner à droite sur Shawpark road. La guesthouse se trouve sur la droite.
Compter 55 US$ pour une chambre de 2 personnes et 65 US$ pour un appartement.
A l'écart du centre-ville et loin des plages, dans les hauteurs fraîches d'une colline au-dessus de la ville, au fond d'un jardin fleuri, cette maison familiale est tenue par Deborah, une Canadienne installée en Jamaïque depuis longtemps. Treize chambres bien tenues avec salles de bains à partager. Certaines chambres disposent de leur propre salle de bains. Un grand salon commun et convivial avec TV câblée. Petit déjeuner, et repas sur demande.

■ MARINE VIEW HOTEL
21 James Avenue
✆ +1 876 974 5753
www.marineviewhotel.info
marineviewhotel@ymail.com

Un petit panneau indique, dans St James street, la petite rue discrète qui part à droite vers l'hôtel.

Chambres entre 55 et 70 US$ pour deux personnes. Comptez 125 US$ pour une chambre pour 5 personnes.

C'est dans une petite rue calme, presque au bout de James Avenue sur la droite, que donne cet hôtel de soixante-cinq chambres, à deux pas du centre. Air conditionné, TV, balcon, les chambres sont correctes. Piscine et solarium. Pas d'accès direct à la plage toutefois.

■ PENSION ROADSTER
Hibiscus Drive
✆ +1 876 974 2910
Suivre la route principale en direction d'Oracabessa. Juste après la station-service bleue Petcom, tournez à droite puis à la première à gauche. La pension se trouve un peu plus loin sur la gauche, pas très bien indiquée.

Chambre double à 4500 JMD, sans le petit déjeuner.

Cette pension familiale, tenue par Marion Rose, offre un environnement calme, avec piscine et petit bar où des locaux viennent parfois boire un verre. Les neuf chambres sont propres et confortables, avec eau chaude et TV câblée. Un peu loin du centre-ville mais proche de Reggae Beach et de la galerie Harmony Hall. Une très bonne option budget qu'il faut réserver longtemps à l'avance car la clientèle est fidèle.

■ PINEAPPLE HOTEL
Derrière Pinneapple Plaza
Main Street
✆ +1 876 974 2727
A l'entrée de la ville.
A partir de 4 000/4 500 JMD la nuit. Chambres avec frigo et cuisine pour 5 000 JMD. Pas de petit déjeuner.

A l'entrée est d'Ocho Rios, à proximité du centre commercial du même nom, l'hôtel compte vingt et une chambres avec air conditionné. Piscine (en travaux lors de notre passage), aire de jeu pour les enfants, restaurant. Un bon rapport qualité/prix, sans plus.

Confort ou charme

■ COTTAGES TE MOANA
Sortie est de Ocho Rios
✆ +1 876 974 2870
www.harmonyhall.com
info@harmonyhall.com
Prendre la petite rue qui tourne à gauche juste après Pineapple Center, en allant vers l'est. La maison se trouve plus loin sur la droite.

Cottage côté mer : 800 US$ par semaine de mai à fin novembre, 950 US$ le reste de l'année. Cottage côté jardin : 700-800 US$ la semaine. De 130 à 150 US$ la nuit pour deux personnes.

Te Moana, c'est l'œuvre de Annabella et Peter, qui louent deux cottages tout équipés, dont l'un donnant directement sur la mer, avec salon, terrasse et chambre à l'étage. Un choix subtil du mobilier, des ornements, des éclairages et des couleurs ; une impression naturelle de « chez soi » et un accueil charmant. Un peu éloigné du centre-ville mais pas trop (15 minutes de marche), avec un accès direct à la mer et la possibilité d'emprunter un kayak pour découvrir les environs par la côte. Une semaine ici, c'est une semaine au paradis.

■ SAND CASTLES
Main Street
✆ +1 876 974 2255
www.sandcastlesochorios.com
sandcastles@cwjamaica.com
Deuxième propriété sur la gauche après Island Village, en venant de l'ouest.
7 400 JMD la nuit.

En plein cœur de la ville, l'hôtel est formé de cinq unités à l'architecture médiévale revue et corrigée façon caraïbe – quatre ailes avec tourelles en bordure de Turtle Beach, dont une partie est aménagée de façon privative et ombragée par des cocotiers. L'hôtel est extrêmement fonctionnel. Les cent soixante-quatorze unités (chambres et appartements avec cuisine) sont confortables et peuvent héberger jusqu'à six personnes. Piscine, solarium et restaurant.

■ SEVILLE MANOR
84 Main Street
✆ +1 876 795 2900
sevillemanorja@yahoo.com
Un hôtel bien tenu, à prix raisonnables : 54 US$ pour une chambre simple et 64 US$ pour une double.

La trentaine de chambres spacieuses permettent de s'installer à plusieurs pour partager une chambre. Un hôtel qui conviendra parfaitement à une bande d'amis venus se détendre quelques jours ou plus à Ochie.

LE NORD

■ **SKY CASTLES**
Columbus Heights
☎ +876 973 4809
www.skycastles.net
sunflowervi@cwjamaica.com
Comptez 110 US$ pour un petit studio.
Cet hôtel qui ressemble, comme son nom l'indique à un château, possède une superbe vue sur la mer. Les chambres et les studios sont décorés avec goût. Piscine et courts de tennis.

■ **THE BLUE HOUSE**
White River Bay
☎ +1 876 994 1367
www.thebluehousejamaica.com
admin@thebluehousejamaica.com
En venant d'Oracabessa, tournez à gauche en face de Couples Hostel. *Chambre pour deux personnes à partir de 180 US$ (220 US$ en saison haute) par nuit, et 240 US$ avec le dîner inclus. Possibilité de louer un cottage à partir de 280 US$ la nuit (320 US$ en saison haute).*
La propriétaire est jamaïcaine mais d'origine chinoise. Elle a ouvert il y a 8 ans, avec sa maman et son frère, cette jolie chambre d'hôtes calme et agréablement décorée. Au total, cinq chambres accueillent tout au long de l'année des touristes du monde entier, des commerciaux en déplacement dans la région et de jeunes couples en lune de miel. Un joli jardin, une superbe piscine et un chef cuisinier que l'on voudrait ramener avec nous : une excellente adresse pour se détendre et se reposer à Ocho Rios. Possibilité de se faire masser sur place. Comptez 90 US$ pour un massage complet du corps d'une heure et 60 US$ pour un gommage corporel. Demandez à votre hôte de vous réserver une séance cocooning.

■ **THE VILLAGE HOTEL**
54 Main Street
☎ +1 876 974 9193
www.villagehoteljamaica.com
villagehtl@cwjamaica.com
67 US$ pour 2 personnes, sans le petit déjeuner ; comptez 86 US$ avec le petit déjeuner en haute saison.
Un petit hôtel vieux de 25 ans en plein centre-ville sans accès direct à la plage. Les trente-quatre chambres possèdent TV, téléphone et air conditionné. Jacuzzi et kitchenette dans certaines chambres. Bar-restaurant, boutique et piscine.

Luxe

■ **BEACHES RESORT (SANDALS)**
☎ +1 876 974 5601
Compter 140 US$ la chambre double et 320 US$ en formule pension complète en basse saison.
Elégance, charme et tranquillité pour ce magnifique hôtel de la chaîne Friends International. Un peu à l'écart du centre-ville, le complexe propose quatre-vingts chambres raffinées dans de petits bâtiments blancs de quatre niveaux nichés dans une vaste propriété. De catégories différentes, les chambres ont toutes balcon, TV, téléphone et air conditionné. La plage privée de sable blanc est vaste et frangée d'arbres qui dispensent une ombre bienvenue. Quatre courts de tennis, un centre de fitness, une belle piscine ronde avec solarium en surplomb de la mer, et des sports nautiques à disposition. Le restaurant est prolongé par une plaisante terrasse fleurie de bougainvilliers. On y déguste une bonne cuisine jamaïcaine et internationale arrosée de vins (français) au son d'un orchestre traditionnel.

■ **HIBISCUS LODGE HOTEL**
Main street
☎ +1 876 974 2676
www.hibiscusjamaica.com
mdoswald@cwjamaica.com
A 200 m avant la place centrale, côté mer. *Chambre standard pour 137 US$, deluxe pour 149 US$. Les prix augmentent en haute-saison. Petit déjeuner inclus.*
Ici on est bien loin de la foule des grands hôtels. Ce petit hôtel ne manque pas de charme, situé dans un vaste jardin fleuri à l'ombre des grands arbres tropicaux. A quelques centaines de mètres seulement du centre-ville, on a pourtant l'impression d'être très loin de tout. Construit tout en dénivelés sur une petite falaise rocheuse, l'hôtel est composé de plusieurs petits édifices blancs de deux niveaux qui dominent la mer. De leur terrasse, les trente chambres parfaites (TV, air conditionné, décor joliment fleuri) offrent une vue panoramique éblouissante sur la mer, dans un calme absolu. Une volée de marches conduit à la minuscule plage privée, construite en surplomb d'une mer translucide. Quelques chaises longues, un escalier pour rejoindre l'eau, et une intimité absolue. Le coin piscine possède un solarium et un Jacuzzi, un tennis complète les équipements. A midi, un copieux buffet est servi sur une terrasse en surplomb de la mer. Le soir venu, on se balance dans

les sièges balançoires du bar pour siroter un cocktail exotique, et poursuivre la soirée au restaurant réputé pour sa cuisine originale.

■ **JAMAICA INN**
1 Main Street
℃ +1 876 974 2514
www.jamaicainn.com
reservations@jamaicainn.com
A partir de 307 US$ pour 2 personnes en demi-pension (petit déjeuner et dîner), et jusqu'à 1 540 US$ pour un cottage pour quatre personnes (deux chambres) avec piscine.
L'un des plus beaux hôtels de la ville, l'un des plus chers aussi. Un ensemble de bâtiments bas de style caraïbe, dans l'intimité d'un vaste parc, encadrent une plage de rêve, sable blanc, palmiers et eaux turquoise. 45 chambres de luxe, décorées avec raffinement, une large véranda donnant sur la mer, un service stylé et irréprochable. Piscine, sports nautiques, tennis, croquet, animation nocturne et excellente table. Isolée sur son promontoire, la suite blanche est meublée d'antiquités jamaïcaines et dispose d'une piscine privée nichée dans la verdure.

■ **SEA PALMS**
℃ +1 876 926 4000
www.seapalmsjamaica.com
cartade@cwjamaica.com
Appartements tout équipés à partir de 145 US$ la nuit en haute saison.
Situé à quelques kilomètres à l'est d'Ocho Rios, face à Harmony Hall, ce complexe propose des appartements en location hebdomadaire. Les petits édifices de trois niveaux sont dispersés dans un grand parc. Une petite crique aménagée artificiellement donne un accès privilégié à la mer, une double piscine et un restaurant complètent les installations.

Se restaurer

Bien et pas cher

■ **THE HEALTHY WAY**
Restaurant I-Tal. Ouvert seulement pendant la journée dans le cadre de Ocean Village Plaza, coté est.
Là, on a le choix entre manger sur place ou emporter les traditionnels plats végétariens accompagnés de jus de fruits, façon I-tal. Formule déjeuner à 320/410/480 JMD selon la taille du plat. Burgers végétariens, stews au tofu... Salle agréable et service amical. Un menu spécial pour le déjeuner (soupe et un patty aux légumes) pour 250 JMD. Nous vous conseillions de tester le jus de gingembre au miel. Ce liquide vert est absolument divin !

LE NORD

■ **JACK RUBY RESTAURANT**
1 James Avenue
Deuxième à droite une fois engagé dans St James Avenue.
Plats autour de 350 JMD.
Il serait impensable de faire étape à Ochie sans penser au légendaire producteur – de Burning Spear notamment – Jack Ruby, qui a puisé son surnom dans le gangstérisme américain, et donc sans passer prendre un repas dans son restaurant. Originaire d'Ochie et décédé en 1986, Jack Ruby a ouvert ce restaurant il y a près de quarante ans. Il est aujourd'hui géré par sa famille et l'on peut y manger toute la gamme de plats que compte la cuisine jamaïcaine. Pourtant, les fans de reggae ne trouveront ici aucune trace ou souvenir du travail exceptionnel du producteur : ni photo, vinyle ou coupure de presse d'époque sur les murs, peints d'un vert pomme criard et uniquement couverts d'une grande fresque. Ventilateurs à fond, grand écran plat et déco simpliste. Un peu décevant, donc.

■ **REGGAE POT RASTARANT**
86 Main Street
✆ +1 876 422 4696 / +1 876 296 3591
Juste en face de Hibiscus Lodge
Restaurant I-Tal. Ouvert tous les jours. Le stew I-Tal coûte de 300 à 350 JMD, et les jus 190 JMD.
Un rendez-vous I-Tal agréable, avec sa façade aux couleurs rasta et sa petite terrasse au fond d'une cour, le long de la rue principale. Raw Moon, Red Root, Honey, Brain Wist, Three Man Strenght. Comprenez : ici que du naturel, du fait maison, du frais et du succulent. Tofu, soja, banane, rice&peas, légumes. Burger végétarien sur demande. A l'intérieur, dans la toute petite salle, on peut s'installer contre le mur couvert d'articles de presse et d'image de Haile Selassie et discuter avec l'un des trois cuisiniers qui officient. Avant d'aller s'installer tranquillement dehors sous un parasol pour déguster cette cuisine originale.

■ **SOLDIERS**
Pineapple center
Sortie est de la ville, le long de la rue principale, côté mer.
Sans prétention (déco basique, service fluctuant selon les heures et le personnel) mais efficace et ouvert même le dimanche. Les plats sont présentés derrière les vitres du comptoir et la plupart des clients choisissent l'option « à emporter » comme en témoignent les dizaines de boîtes en plastique empilées sur le côté, prêtes à l'emploi. Curry d'agneau, poulet jerk ou en stew, poisson grillé… rien que du classique (environ 300-400 JMD). Sont aussi servis des bammies, ces petits pains de cassawa. Une petite terrasse ombragée au bord de la route permet de manger sur place.

Bonnes tables

■ **ALMOND TREE**
83 Main Street
Hibiscus Lodge
✆ +1 876 974 2813
Entre 1100 et 3100 JMD.
C'est au gigantesque amandier qui ombrage sa terrasse que le restaurant gourmet d'Ocho Rios doit son nom. Dîner romantique à la lueur des bougies, au son du chant des grillons, avec pour panorama les reflets scintillants de la lune sur l'immensité de la mer Caraïbe. La cuisine est raffinée, d'inspiration européenne, mâtinée de touches tropicales, les spécialités de poissons et de langoustes sont excellentes. Le service est attentif et personnalisé.

■ **BIBIBIPS**
93 Main Street
Bar et restaurant. Ouvert toute la journée et en soirée. Entre 1000 et 3500 JMD.
Quelques tables sur une terrasse fort agréable en surplomb d'une mer limpide, un peu à l'écart du centre-ville. Une cuisine locale simple, sans surprise. On accède à la petite plage de sable blanc par une volée de marches.

■ **EVITA'S**
Eden Bower Road
✆ +1 876 974 2333
✆ +1 876 974 1012
www.evitasjamaica.com
info@evitasjamaica.com
Plats principaux à partir de 10 US$.
Le restaurant se trouve dans une ancienne maison coloniale, style gingerbread, datant de 1860, perchée sur une haute colline qui domine spectaculairement la baie d'Ocho Rios. Le panorama est à couper le souffle, surtout le soir quand la ville étincelle de mille feux sous un ciel étoilé. Eva a quitté sa Vénétie natale pour adopter la Jamaïque. L'île s'est entichée de la blonde italienne, qui n'a pas oublié d'emporter avec elle le secret des pasta, et de son accent chantant ! Ses recettes traditionnelles tirent le meilleur parti des épices et des produits locaux. Mais on peut venir simplement pour se faire voir

ou côtoyer les stars, principalement américaines, qui ont fait de l'endroit l'un des musts branchés et selects d'Ochie. Il n'est pas rare d'y croiser mannequins, comédiens, chanteurs et musiciens, venus déguster la cuisine de la charmante Italienne. Quant aux prix, sans être bon marché, ils sont tout à fait raisonnables.

■ TOSCANINI
Harmony Hall
✆ +1 876 975 4785
www.harmonyhall.com
info@harmonyhall.com
Quelques kilomètres à l'est de Ocho Rios, sur la droite, en suivant la route vers Port Maria.
Ouvert de 12h30 à 14h30 et de 19h à 22h30. Fermé le lundi. Plats principaux entre 8 et 16 US$.
Ce restaurant italiano-jamaïcain, installé au rez-de-chaussée du beau Harmony Hall, jouit d'une réputation flatteuse dans toute l'île. Dans un décor romantique, on dîne dans la belle salle à manger ou en extérieur, parmi les cris des grenouilles arboricoles et le roulement lointain des vagues. Le chef Pierluigi Ricci propose des spécialités qui mêlent au savoir-faire italien des ingrédients locaux, toujours choisis selon la fraîcheur des arrivages. Résultats : des créations uniques comme le Prosciutto à la papaye. Une valeur sûre.

■ VILLAGE JERK CENTER
DaCosta Drive
Situé juste après la station essence Shell, sur le bord de la route en direction de Montego Bay.
Entre 400 et 800 JMD.
Ce restaurant a la réputation de proposer les meilleurs jerks de la ville et des environs. Il s'agit, par conséquent, d'un endroit très fréquenté où l'on aura plaisir à être. Sous une grande paillotte, la fumée des grils se mélange aux conversations bruyantes. Un bon endroit pour découvrir le jerk jamaïcain typique.

Sortir

La rue des sorties est incontestablement Saint James Avenue, où l'on dénombre plusieurs boîtes de nuit et bars, ambiance locale. Attention toutefois, car alcool et ganja aidant, il n'est pas toujours sûr de s'y promener trop tard le soir. Préférez rentrer en taxi, ou bien accompagné. Côté ouest, plus international et touristique, on trouvera le Hard Rock Café, l'Amnesia, le Island Village et ses concerts réguliers, et le Margaritaville, dans la même enceinte.

■ AMNESIA
70 Main Street
Mutual Security Building
✆ +1 876 974 2633
Ouvert du mercredi au dimanche.
La discothèque locale, très appréciée et appréciable où les Jamaïcains sont aussi nombreux que les touristes. Entre 400 et 550 JMD pour une ambiance reggae dancehall.

■ HARD ROCK CAFÉ
Main Avenue
Côté ouest de la ville, près de Island Village. Immanquable.
La chaîne internationale a ouvert ses portes à Ocho Rios.

■ JAMAIC'N ME CRAZY
Hôtel Jamaica Grande
tour Nord
✆ +1 876 974 2201
30 US$ l'entrée avec boisson à volonté. Ouvert de 22h à 3h.
Ambiance internationale pour la plus grande discothèque d'Ochie.

■ MARGARITAVILLE
Island Village. Main Street
✆ +1 876 675 8800
www.margaritavillecaribbean.com
jobs@margaritavillecaribbean.com
Fondée par le chanteur Jimmy Buffet, cette chaîne de night-club sur plage fait fureur en Jamaïque, d'Ochie à Negril en passant par Montego Bay.

À voir – À faire

A Ocho Rios, le naturaliste consciencieux pourra sans peine se forger un itinéraire botanique sur mesure. Nombreux dans les environs d'Ocho Rios, les jardins botaniques doivent leur luxuriance aux nombreuses rivières et sources naturelles qui ont permis à la nature tropicale exubérante de donner le meilleur d'elle-même. Tous sont comparables et pourtant chacun est unique dans sa disposition, ses orientations et ses panoramas. Ils feront le bonheur des amateurs éclairés de botanique comme des amoureux de la nature ou des simples flâneurs. Pour les profanes, les jardins Coyaba sont probablement l'option à retenir car ils sont sans doute les plus accueillants et les plus complets.

■ **CHUTES DE DUNN'S RIVER**
4 km à l'ouest d'Ocho Rios
℗ +1 876 974 2857
www.dunnsriverja.com
Ouvert de 8h30 à 16h tous les jours. Entrée : 15 US$ pour les enfants de 2 à 11 ans, 20 US$ pour les adultes. Comptez 7 US$ de location de chaussures adaptées (17 US$ sur place). Pensez à prendre un cadenas, sinon vous devrez débourser 500 JMD pour en louer un ! Si vous avez un appareil photo qui permet les prises de vues sous l'eau, ne l'oubliez pas !
S'il est une attraction touristique à ne pas rater en Jamaïque, c'est bien les Dunn's River Falls ! Vous en entendrez parler bien avant d'entrer dans la région d'Ocho Rios et vous les verrez sur tous les dépliants touristiques, cartes postales et jaquettes de livres. Quoi que vous fassiez, vous ne pourrez y échapper, cela relèverait du crime de lèse-Jamaïque ; alors autant s'y résoudre, il faut visiter les chutes de Dunn's River. Dès l'arrivée, avant même l'entrée dans la propriété, le ton est donné : fléchage, immenses parkings, banderoles de bienvenue dans toutes les langues, multiples billetteries, files d'attente, tourniquets d'accès, essaims de touristes resserrés autour des bannières des guides, stands de locations de sandales en caoutchouc qui se révèle bien utile pour grimper dans le lit des chutes, pistes et escaliers bétonnés... Quant au charme naturel et sauvage du paysage, mieux vaut l'oublier. La sortie du site se fera, sans détour possible, par l'immense marché d'artisanat, bien approvisionné au demeurant mais évidemment très cher, où les vendeurs passent leur journée assis devant leur stand à interpeller

les touristes. Entre-temps, le chemin de béton serpente le long des chutes tumultueuses qui dévalent quelque 180 m jusqu'à la mer où la rivière termine son cours. Les chutes impressionnantes s'inscrivent dans un cadre de verdure luxuriante, alternant cascades turbulentes et piscines naturelles. Certains passages semblent toutefois avoir été domptés et consolidés par la main de l'homme. Le principe de l'attraction consiste à s'intégrer dans une chaîne humaine quasi-permanente et à remonter les chutes laborieusement, à la queue leu leu, main dans la main au milieu des flots tumultueux, avec des arrêts photos organisés. L'ascension dure une trentaine de minutes, mais l'effort à fournir n'est pas négligeable. L'aide d'un guide est conseillée car certains passages sont assez périlleux et le courant est par endroits très fort. Les clichés des touristes trempés pris en plein effort par les photographes officiels seront proposés plus tard sur le chemin de la sortie. Les moins téméraires pourront faire le choix de l'option sèche et sans émotion, c'est-à-dire descendre et remonter le long des cascades par les pistes et escaliers de béton. Au bas des chutes, la plage est agréable et mérite une halte baignade. Un bar-restaurant et ses quelques tables ombragées sert directement sur le sable des plats simples. Quelques ultimes conseils pour bien vivre l'excursion : maillot de bain, serviettes de bain et sandales ou tennis de rigueur, change indispensable. Eviter les jours d'escale des croisières, et arriver tôt le matin.

■ **DOLPHIN'S COVE (L'ANSE DES DAUPHINS)**
Quasiment face aux chutes de Dunn's River
℗ +1 876 974 5335
www.dolphincovejamaica.com
info@dolphincovejamaica.com
Tous les jours de 10h à 16h30. Prix variables selon les formules, si vous souhaitez nager avec des dauphins par exemple (plus de 200 US$). Le prix de l'entrée est de 40 US$, et si vous prenez l'option « rencontre avec un dauphin », la facture s'élève à 75 US$.
Ouverte le 9 février 2002, cette attraction unique en Jamaïque accueille chaque jour des centaines de visiteurs venus simplement prendre un verre ou un bain avec les dauphins. C'est en effet cette baignade rare qui a placé l'attraction sous les feux de la rampe, et lui a permis de remporter le World Travel Awards en 2012. Sept dauphins importés du

Vente de produits d'artisanat à Fern Gully.

LE NORD

Mexique avec leurs dresseurs hispanophones occupent un bassin fermé dans la mer, de deux hectares environ. Ce bassin ouvert sur la mer par un passage permet à ces bons amis de l'homme de ne pas se maintenir en captivité, puisqu'il est formellement interdit de tenir des dauphins dans un bassin fermé. Mais les bêtes s'y sentent à merveille, avalant des dizaines de kilos de poissons par jour pour être admirées, caressées et jeter des hommes en l'air. Ils ne sortent donc jamais, et au contraire reçoivent occasionnellement la visite de comparses libres attirés par leur présence. En ce qui concerne l'approche des dauphins, les visiteurs peuvent choisir entre trois formules : le toucher d'un ponton/*touch encounter*, la moins onéreuse ou celle des mauvais nageurs, le toucher au bain/*encounter swim*, accompagné d'une démonstration de danse et de jeu, et enfin la totale, le véritable bain avec les dauphins/*swim with dolphins*, pendant trois quarts d'heure. Le clou de la totale : le foot push ou comment être propulsé dans l'eau, puis en l'air, par deux dauphins qui vous poussent par les pieds. Les attractions dans l'eau sont réservées aux bons nageurs. Vous serez certainement content de repartir avec votre DVD de photos, en train d'embrasser ou de nager avec les dauphins (mais pour cette petite joie, il vous faudra débourser 53 US$). En dehors de cette attraction centrale, l'Anse des Dauphins est un endroit à taille humaine et possède un mini-zoo dévoilant certaines espèces animales de l'île parmi lesquelles iguanes, serpents, tortues, perroquets… et des pirates ! Le personnel est très agréable.

■ FERN GULLY
Sur la route intérieure
en direction de Kingston

De cet ancien lit d'une rivière aujourd'hui asséchée, il ne subsiste qu'un étroit canyon encaissé entre les flancs escarpés de deux collines à la végétation dense. Long d'environ 5 km, et planté à la fin du siècle dernier de plus d'une centaine de variétés d'immenses fougères, l'endroit est protégé et classé parc national. Le toit de verdure formé par le feuillage épais des arbres et des fougères laisse filtrer les rais d'une lumière incertaine, créant une atmosphère unique, parfois oppressante. Malheureusement, il est impossible de s'y promener à pied, la route étant très étroite et drainant une circulation incessante. Depuis quelques années, la pollution liée à l'intensification de ce trafic automobile détruit régulièrement et définitivement certaines variétés de fougères, appauvrissant irrémédiablement ce réservoir botanique unique, au grand dam des défenseurs du patrimoine national.

■ **HARMONY HALL**
Oracabessa main road
℃ +1 876 975 4222
www.harmonyhall.com
info@harmonyhall.com
6 km à l'est d'Ocho Rios, sur la droite en allant vers Oracabessa.
Ouvert tous les jours de 10h à 17h30 sauf le lundi. Entrée libre.

Visite incontournable pour cette ancienne greathouse, tout à la fois musée, galerie d'art, librairie, restaurant et boutique, bref un haut lieu de la culture locale. L'architecture traditionnelle d'Harmony Hall est exceptionnelle et mérite à elle seule le déplacement. La maison, construite dans les années 1830 à côté d'une plantation de pimento, a été achetée en 1980 par ses actuels propriétaires Anabelle Proudlock et son mari Peter, après avoir changé de mains plusieurs fois. Elle a été restaurée dans le parfait respect du style colonial d'origine et inaugurée par le Premier ministre Edward Seaga le 14 novembre 1981. Toute de pierre taillée et de bois, galeries et tourelles festonnées style gingerbread, c'est l'un des plus beaux témoignages du passé colonial de l'île. La galerie d'art s'est donné pour mission de promouvoir la création locale tant artistique qu'artisanale. Elle présente des œuvres d'artistes jamaïcains, huiles, estampes, gravures, des valeurs sûres aux jeunes talents, de l'abstrait au figuratif et à l'art naïf. Pour les amateurs, citons parmi d'autres, Graham Davies, David Boxer, Christopher Gonzales, George Rodney, Allan

Zion, Albert Artwell… Une sélection originale d'artisanat de qualité est présentée dans la boutique. La plupart des objets sont de très jolies créations modernes, peu traditionnelles mais très décoratives. Céramiques, articles de paille, bambou, bois, fer, bijoux, jouets, cadres, bougies, produits culinaires, sauces, confitures, épices… sont autant d'idées de cadeaux originaux. Une ligne de vêtements, Reggae to Wear, inspirée des batiks balinais complète la gamme. La librairie propose des ouvrages de qualité (histoire, architecture, musique, cuisine, mythes locaux, œuvres poétiques ou romanesques en format poche…), quelquefois rares.

■ **JARDINS BOTANIQUES DE SHAW PARK**
℃ +1 876 974 2723
www.shawparkgardens.com
shawparkgardens@cwjamaica.com
Ouvert tous les jours de 8h à 17h. Tours guidés tous les jours entre 8h et 16h. Tarif : 10 US$.

Trop éloigné de la mer au goût des touristes amateurs de sable blanc, l'ancien hôtel Shaw Park a déménagé en bordure de plage à la sortie de la ville. De sa première vie, seuls restent ses dépendances, ses magnifiques jardins luxuriants de 10 ha agrippés aux flancs d'une gentille colline qui domine de façon très spectaculaire Ocho Rios. Fougères, broméliacées, hibiscus, orchidées, anthuriums… L'éloge de la flore locale n'est plus à faire. La végétation s'étage en terrasses qui épousent les flancs de la colline, rafraîchies çà et là par des fontaines. Les visites sont guidées.

© JAMAICA TOURIST BOARD

Harmony Hall.

■ JARDINS ET MUSÉE COYABA & CHUTES MAHOE
Shaw Park Estate
✆ +1 876 974 6235
www.coyabagardens.com
coyaba@hotmail.com
Ouvert tous les jours de 8h à 17h. Entrée : 5 US$ pour les enfants et 10 US$ pour les adultes.

Les amoureux de la nature ne manqueront pas de ce coquet jardin situé sur les hauteurs de Ocho Rios. Une végétation tropicale touffue mais bien domestiquée, une source d'eau douce naturelle qui alimente en grande partie la ville d'Ocho Rios en eau potable, une petite cascade, des étangs peuplés de carpes, d'écrevisses ou de mulets, bref une promenade agréable et relaxante. Dans une grande maison traditionnelle de style colonial, le musée retrace à grands traits l'histoire mouvementée de l'île, depuis l'aube de la civilisation précolombienne des Arawak jusqu'à la période post-émancipation, en passant par les heures glorieuses de la piraterie et les heures plus sombres de la lutte des esclaves pour leur liberté. On n'a pas oublié non plus d'y célébrer les grandes figures jamaïcaines originaires de la région, et c'est ainsi que Bob Marley partage un petit espace avec Marcus Garvey. Le bar, halte rafraîchissante, propose des jus de fruits naturels et du café des Blue Mountains. Rappelons à cette occasion que « coyaba » signifie « paradis » en Arawak.

■ PROSPECT PLANTATION
✆ +1 876 994 1058
www.prospectplantationtours.com
info@prospectplantationtours.com
Contacter la plantation pour connaître les tarifs, fluctuants selon la saison et le type de tour choisi.

Présentée comme l'un des musts du tourisme local, l'excursion très organisée de Prospect ne laisse aucune place à l'initiative personnelle et à l'indépendance. Cependant, la beauté et la richesse de la végétation en font une balade agréable et parfois enrichissante. La très prospère plantation produit principalement des bananes, de la cassave, de la canne à sucre, du café, du poivre-cannelle (*all spices*). La greathouse de Prospect, construite au XVIIIe siècle, reste aujourd'hui une demeure privée qui ne se visite pas. On admirera de loin sa structure sobre et ultra-classique. La propriété héberge un collège, créé à l'initiative des propriétaires, les Mitchell, qui reçoit en pension une quarantaine d'étudiants de toute

l'île. La visite de la plantation se fait en petit train tiré par un tracteur. L'itinéraire passe par les gorges de la tumultueuse White River, sur les rives de laquelle sir Harold Mitchell a construit la première centrale hydroélectrique du pays.

Le point de vue de sir Harold domine une grande partie de la côte Nord de l'île et Cuba, visible par temps clair. La visite (un peu plus d'une heure) est rythmée par une dégustation de fruits et de boissons, une démonstration d'agilité des guides qui grimpent le long des troncs des cocotiers pour cueillir des noix ou l'initiation à la botanique locale. A l'issue du circuit, vous pourrez, moyennant participation financière, planter un arbre pour immortaliser votre passage à Prospect.

■ REGGAE BEACH
Oracabessa main road
A environ 5 km à l'est d'Ocho Rios.
Entrée : 9,50 US$.

C'est une grande grille blanche peu avenante qui marque l'entrée de cette plage, sans doute la plus belle des environs d'Ocho Rios. Une descente douce mène à un oasis de palmiers et de manguiers, au milieu duquel trône un petit bar toit de feuilles de palme et, plus loin – ô délice ! –, une longue plage de sable blanc, encadrée de pointes rocheuses coiffées de végétation qui s'avancent dans les eaux turquoise, fermant ainsi cette anse aux regards indiscrets. Un endroit magnifique où les photographes immortaliseront chaque changement de lumière. On déplorera pourtant le prix d'entrée prohibitif, qui a presque doublé depuis la reprise du site par un nouveau gérant.

■ SPRING FIRE WATER
Juste avant Saint Ann
A la jonction de trois routes, au panneau « Bienvenue à Sain. Ann's Bay », empruntez la route qui part à gauche, face à la mer (10 m avant le panneau). Remontez ensuite de quelques kilomètres jusqu'à un petit pont, et tournez à gauche – vous êtes arrivés ! Ce site non officiel consiste en une source gazeuse minuscule qui s'échappe de la roche dans un bassin avant de se jeter directement dans une rivière. La particularité ? Les gaz rendent l'eau inflammable en surface, inondant l'eau de flammes jaunes sur toute la surface du bassin. La démonstration est opérée par quelques rastas qui squattent l'endroit, dans l'attente de visiteurs. Négocier la démonstration avant tout allumage de briquet.

Les Plages

La plupart des plages d'Ocho Rios sont privées et annexées par les grands hôtels « all inclusive ». Les sites accessibles au public sont peu nombreux :

■ MAHOGANY BEACH

✆ +1 876 974 0833
Accessible depuis la route principale à la sortie du centre-ville en direction d'Oracabessa.
Petite plage classique avec un bar, un terrain de volley et un de basket.

■ TURTLE BEACH

Accès payant.
C'est la plus grande plage de la ville, accessible par le parking de Ocean Village Plaza.

■ WASSI ART

16 Main Street
✆ +1 876 974 5044
wassiart.com
En sortant d'Ocho Rios par l'est, tournez à droite juste après la station-service Petcom.
Ouvert du lundi au samedi de 9h à 17h. Entrée libre.
Wah'see, « super », « extraordinaire », « merveilleux » en patois jamaïcain, voilà l'origine du nom de l'atelier artisanal de poteries et de céramiques le plus réputé de la région. Outre la galerie d'exposition, c'est tout le processus de production des poteries auquel on assiste depuis la conception, le passage au tour, la décoration et jusqu'à la cuisson. La matière première vient de Castleton, dans les montagnes voisines de Kingston. Vous y trouverez également des peintures et de nombreuses idées de cadeaux à des prix abordables (ne pas hésiter à négocier un peu).

Sports – Détente – Loisirs

■ SANDALS GOLF ET COUNTRY CLUB

Main Street
✆ +1 876 975 0119
www.sandals.com
Propriété du groupe Sandals, il se trouve à 3 km d'Ocho Rios dans des collines verdoyantes. Couvrant un terrain de 48 ha planté d'arbres immenses, le golf compte 18-trous (par 71). Le dixième trou jouit de la plus belle vue panoramique sur la mer.

■ TREASURE HUNT GAMING

18 Main Street ✆ +1 876 974 8169
stephen@treasurehunt.com
Cette salle de jeux monumentale ouverte 7j/7 et 24h/24 a été inaugurée par un expatrié belge. Au programme, des dizaines de bandits manchots en tout genre, mais également des machines uniques qui font la fierté des employés comme les courses de chevaux automatiques, la roue de la fortune, et le black jack automatique. Tout ceci dans une ambiance de caverne aux trésors et de bateau pirate, puisque l'édifice lui-même joue le rôle d'une embarcation à tête de mort avec son mât, sa proue et son équipage. Aussi bar, mini-restaurant pour grignoter (finger food) et scène de concert.

Shopping

Ochie est réputé être un haut lieu du shopping jamaïcain. Cet aspect de l'économie locale s'est développé grâce aux passagers des bateaux de croisières qui y font halte pour la journée. Les centres commerciaux sont nombreux ; s'y côtoient vitrines étincelantes des joailliers et étals plus colorés des boutiques de souvenirs. Nombre de marchés d'artisanat ouverts toute la journée proposent des créations locales.

■ CASA DE ORO

Main Street
19 Soni's Plaza ✆ +1 876 974 5392
www.casadeoro.com
Montres suisses (Tag Heuer, Rado, Ebel, Swatch…), bijoux en or et pierres précieuses, parfums (Chanel, Guerlain, Dior…) et maroquinerie de grandes marques (Fendi…).

■ ISLAND VILLAGE

Preuve qu'après Montego Bay et Negril, Ocho Rios est bien le nouveau paradis touristique de la Jamaïque, ce complexe appartenant à Chris Blackwell est une sorte de centre commercial du tourisme jamaïcain, avec davantage de duty-frees que ceux des aéroports du pays. Dans les rayonnages d'une vingtaine de boutiques de souvenirs, on trouve toutes sortes de T-shirts Bob Marley, de crème de rhum à la banane, mais aussi des Rolex et autres produits haut de gamme détaxés… Au centre de cette galerie marchande en plein air, une vaste pelouse surplombée d'une estrade accueille souvent des concerts en fin d'après-midi ou en début de soirée. Au rayon des divertissements, on peut s'arrêter au cinéma diffusant les dernières grosses productions hollywoodiennes ou au bar, Margaritavilla, aux dossiers de tabouret en forme d'ailerons de requin et dont la terrasse donne sur la minuscule plage de sable blanc. Pendant la haute saison, on y juxtapose les serviettes de bain et les transats comme sur la Côte d'Azur, alors que les gamins font la queue pour glisser sur le petit toboggan à eau au premier étage du bar. Un site à la décoration assez réussie : enseigne aux couleurs joyeuses, allées en bois, verdure… Reggae Explosion.

■ KELLY'S RECORDS & ACCESSOIRES
Shop 21, Simmonds Plaza
✆ +1 876 847 9512
www.kellysrecords.com
Un important disquaire d'Ocho Rios. Nouveautés et rééditions de classiques jamaïcains.

■ MARCHÉS D'ARTISANAT
Les nombreux marchés d'artisanat exposent les mêmes créations à des prix sensiblement identiques, mais qui se discutent. Le plus important marché, un véritable dédale de petites échoppes de bois aux toits de palme et de tôle, se trouve dans le centre-ville sur Main Road côté mer. Les autres centres commerciaux possèdent, eux aussi, leur marché, Pineapple Place et Coconut Grove étant les plus importants. Le marché des Dunn's River Falls, particulièrement bien approvisionné, constitue le passage obligé à la propriété.

■ OCEAN VILLAGE PLAZA
Ce centre commercial en plein centre-ville est moins touristique que les autres. Ainsi, il présente de nombreux commerces classiques, dont un supermarché, une librairie, une boutique d'articles de sport et une pharmacie.

■ SONI'S PLAZA
Main Street
Voilà un centre commercial qui commence à vibrer dès que retentit la sirène d'un paquebot. Ici, toutes les boutiques sont dédiées au touriste : artisanat, produits de bouche (café et alcools), textile et surtout boutiques duty-free où se vendent bijoux, parfums et maroquinerie, le tout à des prix réellement intéressants.

SAINT ANN

En quittant Ocho Rios vers l'ouest, on dépasse une zone d'exploitation minière de bauxite et le port d'embarquement de minerai, relié à la mine à ciel ouvert par un funiculaire. Capitale de la paroisse du même nom, Saint Ann est une charmante petite ville bien tranquille à l'écart des circuits touristiques. Saint Ann ne possède pas de ressources touristiques de nature à retenir longtemps le visiteur ; une rapide visite permettra de prendre le pouls de cette ville commerçante et de voir les quelque vieux édifices du centre.

Autrefois un port actif, la ville a été en partie construite, au XVIIIe siècle, avec des éléments venus de New Seville, blocs de pierre taillée, ouvrages en bois, éléments architecturaux décoratifs. Un fort, plus tard transformé en prison, la protégeait des attaques maritimes. A la suite de la révolte de 1831, la ville a vu naître un mouvement réactionnaire qui donnait la chasse aux abolitionnistes.

Saint Ann s'enorgueillit d'être le lieu de naissance de Marcus Garvey, le leader de la cause noire. Christophe Colomb est, lui aussi, à l'honneur, puisqu'une modeste statue perpétue son souvenir.

Se loger

■ HIGH HOPE ESTATE
✆ +1 876 972 2277
www.highhopeestate.com
dr@highhopeestate.com
Comptez 185 US$ la nuit.
Cette guest house tenue par Denis propose cinq chambres disposant de très jolies vues (trois face à la mer et les deux autres face aux montagnes). Vous aurez la possibilité de vous restaurer sur place. Excellent restaurant.

■ ROSE GARDEN HÔTEL
Mammee Bay
juste à l'entrée de Saint Ann en venant d'Ocho Rios
✆ +1 876 972 2825
A partir de 60 US$ pour 2 personnes.
A l'écart de tout centre touristique, isolé dans une petite baie charmante, à mi-chemin entre Ocho Rios et Saint Ann, un petit hôtel agréable dans un havre de calme. Vingt-quatre chambres très bien tenues avec air conditionné, TV, salle de bains et kitchenette complète. Piscine, solarium, plage à quelques minutes à pied.

À voir – À faire

■ ÉGLISE NOTRE-DAME DU-PERPÉTUEL-SECOURS
En remontant l'allée où se dresse la statue de Christophe Colomb, on arrive à une jolie église toute fleurie à l'ombre de cocotiers. Edifiée en 1939, son style est moderne, mais elle a hérité des blocs de pierre venus de Saint Peter Martyr-of-Anghiera, une église espagnole de New Seville, baptisée ainsi en mémoire d'un soldat prêtre du XVIe siècle.

■ STATUE DE CHRISTOPHE COLOMB

A la sortie ouest de la ville, la statue du grand amiral se dresse sur un petit rond-point, en point d'orgue d'une haie fleurie de bougainvilliers au feuillage touffu et aux couleurs denses. Au pied de la statue, une plaque commémore le souvenir de son arrivée en Jamaïque.

■ STATUE DE MARCUS GARVEY

Marcus Garvey Statue

Dans le centre-ville une statue de bronze rappelle le souvenir du héros de la cause noire, l'une des principales figures du mouvement de libération des Noirs du début du siècle, dont la Jamaïque s'enorgueillit d'être le berceau. La statue porte les dates de sa naissance (17 août 1887) et de sa mort (10 juin 1940).

NINE MILE

La province de Saint Ann compte au nombre de ses titres de gloire la naissance de la superstar internationale du reggae. Bienvenue à Nine Mile, ce hameau qui a vu naître la toute première star du pays, à environ deux heures de route d'Ocho Rios. Rendez-vous à Saint Ann, cette ville de la côte Nord d'où sont originaires, entre autres, Marcus Garvey et Burning Spear. Puis il vous faudra quitter le littoral pour vous enfoncer dans les terres. De temps à autre, un panneau indique l'objectif. Traversez les petites villes d'Alexandria et de Browstown. La route qui sillonne les montagnes vertes (si vous conduisez, prudence car les routes sont étroites), fend les hauts plateaux de terre rougeâtre, riche en fer, d'ailleurs grassement exploités par les industriels de l'aluminium dont les énormes camions encombrent les routes trop étroites pour eux. L'arrivée à Nine Mile donne l'impression qu'on a atteint le toit de la Jamaïque. Aucun sommet plus haut que celui-ci à l'horizon. On passe devant une école primaire, une simple bâtisse peinte en jaune et rouge : « The Cedella Booker School » indique une pancarte écrite à la main. Aligné en rang au milieu de la petite cour de récréation, des jeunes enfants dans leur blouse et chemise kaki récitent en chœur l'alphabet. Un paysan torse nu, avec sa bêche sur l'épaule nous interpelle : « *Prenez une photo, c'est l'école que Mama Booka a fait construire pour la ville. Ah, vous cherchez le musée ?* Drive straight, you soon deh ya ! » En effet, quelques centaines de mètres plus haut, on descend de voiture et on frappe à la grille pour faire venir le gardien. « *Bienvenue chez Bob Marley, dans la vraie maison de son enfance !* ».

■ BOB MARLEY CENTRE & MAUSOLEUM

✆ +1 (876) 843 0498

info@ninemilejamaica.com

Tous les jours de 8h à 17h. Entrée avec visite guidée : 1 600 JMD.

Avant Marley, Bob. Malcolm. Avec le temps et le succès du fiston, l'endroit n'a sans doute plus rien à voir avec la modeste bicoque de campagne de l'époque. Quand on y réfléchit, la cour a été bétonnée, les murs rénovés, les toits repeints… Ce qu'on va visiter aujourd'hui relève sans doute plus de l'attraction touristique que du coin de campagne paumé où vivait la famille Malcolm au milieu du siècle dernier. Ici, la vie était simple et paisible, même si l'afflux de touristes profite à quelques locaux qui vendent des cigarettes de marijuana à l'entrée de sa maison. La mère Malcolm était connue pour sa voix touchante, que l'on entendait parfois pendant d'épuisantes journées de labeur aux champs, quand elle louait le Seigneur pour se donner du courage. Le père rassemblait quelques voisins le soir et, devant la maison, ils jouaient du Quadrille, un style ancien proche du mento, dont on retrouve une variante aux Antilles françaises. Voilà le véritable héritage que Bob Marley reçut de ses grands-parents. Une cour donc, avec la maison familiale où vivaient les Malcolm et leurs huit enfants, dont la jeune adolescente Cedella Malcom qui allait bientôt devenir Cedella Marley, et qu'on surnomme aujourd'hui Mama Booka ou Mother B. La mère du prophète rasta. Dans ce village, elle rencontra Norval Marley, un colon anglais qui, malgré sa cinquantaine d'années, profita des faveurs de la jeune Cedella. L'identité de Norval, le père biologique de la star, demeure sans doute l'une des plus obscures parties de la vie de Bob. La star eut souvent des mots durs contre lui lors d'interviews, se déclarant tout simplement orphelin, ou le traitant de « *sale type qui s'était payé sa mère* ». Pourtant, dans la biographie de Bob Marley signée Steven Davis, Cedella le décrit à l'inverse comme un homme bon, ayant bravé les préjugés de son époque en l'épousant dès qu'il apprit qu'elle était enceinte, quitte à se faire déshériter par sa famille bourgeoise. Pendant la grossesse, il vint de Kingston à cheval pour passer du temps avec elle et subvenir aux besoins de la famille Malcolm, nombreuse. Il tenta plusieurs fois de prendre l'enfant à sa charge, essayant de le faire accepter par sa famille, en vain. Quand Norval Marley réalisa qu'il ne changerait pas les préjugés ségrégationnistes de la société conservatrice anglaise, il abandonna son fils. Bob dit toujours n'avoir aucun souvenir de lui. Accolé à la demeure de Mama Booka, un bâtiment de deux étages en construction, avec un bar et une grande terrasse. Quelques disques de platines brillent sur les murs, dont celui du coffret Legend. « *More than 10 millions copies around the world* » indique la plaque dorée. Yoto, un grand rasta à la bouille sympathique, se présente comme un des guides officiels de Nine Miles. Il semble fier d'annoncer que la visite comporte onze étapes. Yoto nous assène cependant un discours assez touchant de vérité : « *Bob vécut à travers sa musique, c'était un esprit fort. Sa philosophie de vie est toujours présente, puisqu'elle influence beaucoup de gens à travers le monde. La meilleure preuve, c'est que vous êtes venus jusqu'ici.* » Une allée de gazon monte vers la seconde cour, avec, sur la gauche, les tombes des grands-parents de Bob Marley et de son oncle. Quelques mètres plus haut, se trouve la petite chambre de Bob et son fameux single bed dont il parle dans la chanson *Is this Love ?* (Yoto aime d'ailleurs finir chacune de ses explications par une chanson de Bob pendant que son groupe inspecte les lieux). C'est une chambre simpliste, perchée sur une butte de terre derrière la maison principale. On y trouve une literie mal en point, une chaise, deux coussins et une petite fenêtre. « *Bob a grandi là. C'était un jeune de la campagne, fondamentalement. Il aimait prendre le temps de faire son thé le matin, monter sur son âne pour aller se promener, dire bonjour aux gens qu'il rencontrait sur son chemin, discuter et partager des vibes avec eux. Il était plus heureux ici qu'à Trenchtown, croyez-moi. Il était même peut-être plus heureux ici que partout ailleurs.* » Quand il regardait par la fenêtre, Bob voyait surtout des collines vertes et le chemin en terre (qui a été goudronné depuis) sur lequel il emmenait pieds nus les quelques chèvres de son grand-père. Au milieu de la seconde cour, voici la pierre (inévitablement peinte en vert jaune rouge) où il aimait s'asseoir pour jouer de la guitare. Il y aurait composé des titres comme *Simmer Down*, ce qui est probable, même si la majorité de son bagage musical vient plutôt de son passage dans le ghetto de Kingston, quand il chantait dans son yard avec Bunny, Peter

et tous les musiciens de la seconde et de la troisième rue de Trenchtown… Juste à côté, le guide présente un brasier en plein air ayant inspiré le titre *Catch-a-fire*, puis un érable sycomore tropical, le fameux sycomore tree de la chanson *Time will tell*. Un bel arbre à l'écorce gris clair et au tronc gigantesque à la base, dommage que quelques touristes irrespectueux y aient gravé leur nom au couteau ! Enfin, le mausolée : une autre bâtisse, aussi modeste que la chambre, dont les vitraux ressemblent à ceux des églises chrétiennes. On se déchausse et on range son appareil photo, avant de franchir la porte. L'espace est occupé par une haute sépulture en marbre couverte de larges étoffes de tissus africains. « *Son frère, ayant été tué accidentellement par les flics à Miami, est enterré avec lui* », explique le guide. Alors que Yoto entame le premier couplet de *Redemption Song*, on fait le tour de la pièce en observant les murs : de vieilles photos de Bob, un dessin représentant Marcus Garvey, une grande photo de Hailé Selassié, le disque d'or australien d'*Exodus*, une bible et un ballon de foot. En sortant, on s'arrête devant un petit autel sur lequel les visiteurs ont déposé des offrandes : une photo de Malcolm X, un poème sur l'amour, des dollars, un billet grec, et d'autres objets en tous genres… Une visite très touristique, que l'on conseille uniquement aux fans de Bob.

■ THE ZION BUS TOUR
✆ +1 (876) 972 2506
info@chukkacaribbean.com
Comptez 8 900 JMD pour une journée complète à Nine Mile depuis Ocho Rios (avec déjeuner, boissons, transport et visite du mausolée de Bob Marley).
A Ocho Rios, on conseillera à ceux qui veulent se rendre à Nine Mile d'y aller en voyage organisé car la route est mauvaise et très mal indiquée. Allen et Gary, les deux chauffeurs du surprenant Zion Bus, vous emmènent pendant cinq bonnes heures dans l'univers de Bob Marley. Musique à fond, bus complètement décoré de photos de Bob : en quelques minutes, vous voici complètement imprégné. Même si le bus est souvent peuplé d'Américains et de touristes venus des resorts d'Ocho Rios, la balade est sympathique et vous évite de vous perdre sur la route. Ceci a bien évidemment un coût !

LE NORD

NEW SEVILLE

C'est parce que ses caravelles vermoulues ne pouvaient effectuer la traversée de retour, à la fin de son quatrième voyage, que Christophe Colomb et ses hommes d'équipage sont restés bloqués dans le village taïno de Maima de juin 1503 à juin 1504.

Le grand amiral a attendu pendant un an que les hommes dépêchés à Hispaniola envoient des secours ; une année pendant laquelle l'administration coloniale espagnole qui l'ignorait maintenant fit la sourde oreille. Pour finir, on lui envoya des navires pour ce qui devait être son dernier voyage de retour vers l'Europe.

Quatre ans après la mort de l'amiral, en 1505, Juan de Esquivel, promu gouverneur de l'île, établissait la Nouvelle Séville ou la Séville d'Or, à l'emplacement du village de Maima. La Nouvelle Séville était alors la troisième ville espagnole du Nouveau Monde après Santo Domingo sur l'île d'Hispaniola et Caparra à Puerto Rico. Juan de Esquivel a établi cette première colonie avec l'aide de 70 hommes. Les carrières environnantes ont fourni les pierres nécessaires à la construction de quelques bâtiments modestes, selon le modèle établi à Santa Fe en Espagne par les Rois Catholiques. Francisco de Garay, succédant à Juan de Esquivel, s'est avéré un excellent administrateur.

Peter Martyr, nommé abbé de Jamaïque en 1524, voulait pour la Nouvelle Séville une église qui puisse rivaliser en beauté et en majesté avec n'importe quelle église d'Europe. La construction a démarré en 1524, interrompue deux ans plus tard par la mort de l'abbé pour ne jamais reprendre. La colonie – quelques ruelles pavées, un fortin, une église et un quai – est restée la capitale de l'île jusqu'en 1534, date à laquelle le site a été abandonné au profit de Spanish Town, en raison du manque de commodité de la côte, très découpée et peu accessible, et du climat malsain qui y régnait et décimait les colons. Autant dire tout de suite qu'il ne reste rien de la première colonie espagnole. Seul l'emplacement de ce qui devait être la plus belle église des Caraïbes est aujourd'hui visible. Quelques éléments décoratifs ont été retrouvés et réutilisés dans d'autres constructions plus récentes. Les archéologues s'acharnent sans grand succès à identifier des bouts de frise ou des blocs de pierre qui témoigneraient de la présence des Espagnols.

Après la prise de l'île par les Anglais, ce premier établissement espagnol est devenu la propriété privée de Richard Hemmings, un officier de l'armée anglaise, qui a si bien servi Oliver Cromwell lors de l'invasion britannique, qu'il en a été récompensé. Transformée en plantation de canne à sucre, le domaine est resté dans la famille pendant plusieurs générations.

RUNAWAY BAY

Runaway Bay, la baie de la Fuite, a hérité son nom de l'époque où les Espagnols, en déroute devant les envahisseurs britanniques dont les forces étaient bien supérieures en nombre, y ont trouvé refuge. C'est de là qu'ils ont pris la fuite vers l'île voisine de Cuba, après avoir abandonné Spanish Town à l'armée anglaise, non sans avoir pris la précaution de brûler ce qu'ils ne pouvaient emporter. Plus tard, perpétuant la tradition, les esclaves en rupture de plantation ont fait de Runaway Bay leur porte de sortie de l'île favorite.

Sur plusieurs kilomètres, de grands complexes hôteliers en formule tout compris jalonnent la baie qui n'a d'autre vocation que touristique. Le visiteur remarquera le chantier de Bahia Principe, à proximité de Discovery Bay, un imposant hôtel appartenant à une compagnie espagnole, le plus grand de la Jamaïque en nombre de chambres, dont l'implantation a suscité beaucoup de remous de la part des Jamaïcains, et ce jusqu'au niveau du gouvernement qui était allé jusqu'à retirer le permis de construire. La compagnie espagnole est notamment pointée du doigt pour non-respect de l'environnement et du droit à la construction.

Se loger

Bien et pas cher

■ **SALEM RESORT**
39 Gloucester Avenue
A l'entrée est du village
✆ +1 876 973 4256
www.marzouca.com/ht_salem.html
marzouca@cwjamaica.com
Chambres de 42 US$ et 71 US$.
22 chambres doubles avec air conditionné, piscine, et un restaurant jamaïcain. Hôtel simple, propre mais loin des standards d'un resort, contrairement à ce que son nom indique. Des excursions sont organisées depuis l'hôtel.

Confort ou charme

■ TAMARIND TREE RESORT HÔTEL
☎ +1 876 973 4106
www.tamarindtreehotel.com
info@tamarindtreehotel.com
A partir de 72 US$ pour 2 personnes. Villa : 200 US$ la nuit.
Cet hôtel-là a choisi le mauvais côté de la route pour s'installer, c'est-à-dire celui qui ne donne pas sur la mer ! Il a tout de l'étape d'autoroute. Vingt-cinq chambres confortables (TV, téléphone, air conditionné) encadrent sa vaste piscine. Location de villas, restaurant et discothèque.

■ VILLA SONATÉ
18 Mary Sunley Crescent
☎ +1876 973 5944
www.villasonate.com
res@villasonate.com
Propriété privée qui a bénéficié d'une rénovation massive et réussie. Située sur les hauteurs des collines de Cardiff Hall, entre Runaway Bay et Saint Ann, en bordure du terrain de golf de Runaway Bay, voici une étape de choix entre les deux villes, offrant le nec plus ultra en termes de services et d'environnement. La Villa Sonaté est un havre de paix et de tranquillité où le repos total est garanti. Pour la petite histoire, elle est née de la combinaison des noms et prénoms des propriétaires. C'est un lieu idéal pour un séjour en famille ou petits groupes, mais aussi en couple (voire en lune de miel d'ailleurs). Les propriétaires ont joué la carte écolo en donnant des noms de fleurs à toutes les chambres ; quant au décor, il s'inscrit en harmonie avec la nature environnante. L'établissement dispose de 15 suites (12 suites standards, 2 suites junior et 1 suite Lune de miel), toutes équipées avec le confort moderne d'une maison de haut standing. Possibilité de déjeuner et de dîner au restaurant le Lantana.

Luxe

■ BREEZES
58 Main Street
Runaway Bay
☎ +1 876 973 2436
www.superclubs.com
Tout compris, à partir de 400 US$ pour 2 nuits.
Le complexe hôtelier est l'une des deux branches de la chaîne SuperClubs, l'autre étant Hedonism III proposant ses services à une clientèle adulte, dont plage nudiste. Dans cette propriété de quelque 8 ha, seuls sont admis les plus de seize ans. Les 238 chambres et suites tout confort, air conditionné, TV, téléphone, terrasse ou patio, sont réparties dans des édifices bas cachés dans la verdure. Restaurants, bars, discothèque et animation permanente, longue plage de sable blanc, piscine, Jacuzzi, centre de fitness, rien ne manque au rendez-vous des vacances SuperClubs. Les sports terrestres et nautiques, golf et tennis surtout, sont à l'honneur.

Se restaurer

■ FIESTA RESTAURANT ET SNACK
A partir de 500 JMD.
Ce restaurant est situé au bord de la route. Il sert des petits déjeuners corrects à un prix très raisonnable et une cuisine simple et rapide de sandwichs, glaces et milk-shakes.

■ SEAFOOD GIANT
Runaway Bay
☎ +1 876 973 4801
Entre 400 et 1 800 JMD.
Le traditionnel toit de palmes abrite quelques tables en bois en retrait de la route. C'est une étape correcte pour déguster quelques fruits de mer en sirotant un cocktail local.

■ TEK IT EAZY
A1 Runaway Bay
Entre 400 et 700 JMD.
Cuisine jamaïcaine classique et pas chère. Une bonne ambiance en terrasse.

LE NORD

■ ULTIMATE JERK CENTER

On peut venir y chercher sa portion de jerk à toute heure du jour ou de la nuit, du moins d'après ce que dit l'enseigne, mais c'est, en réalité, souvent ouvert jusqu'à 1h du matin.

Sortir

La plupart des hôtels et restaurants mentionnés créent de l'activité nocturne. On mentionnera aussi Tek it Eazy, Seafood Giant et Ultime Jerk Center. Certains pourront aller faire un tour nocturne dans les grandes chaînes hôtelières, où il faudra payer un droit d'entrée.

À voir – À faire

■ GREEN GROTTO

Discovery Bay
✆ +1 876 973 2841 / +1 876 973 3217
www.greengrottocavesja.com
greengrottocaves@udcja.com
Tous les jours de 9h à 16h. Entrée : 20 US$ pour les adultes et 10 US$ pour les enfants.
La grotte verte doit son nom aux eaux translucides qui dorment en son fond. Une exploration souterraine de 30 minutes permet de découvrir de profondes galeries sculptées d'une profusion de stalactites et stalagmites. Au bout de ces formations rocheuses, se trouve une grande piscine naturelle aux eaux transparentes qu'on traverse en barque. A la sortie, pour récompenser le touriste méritant, une boisson est gracieusement offerte. En face, un Jerk Center attend les petites faims.

DISCOVERY BAY

La baie de la Découverte, Puerto Seco de son premier nom, fut l'endroit par où Christophe Colomb est arrivé pour la première fois en terre jamaïcaine en 1494, lors de son second voyage. Discovery Bay est devenu depuis un centre touristique prospère, très fréquenté par les Jamaïcains. Une importante mine de bauxite à ciel ouvert se trouve à la sortie du village. Le quai de chargement maritime et les navires qui accostent dans la baie gâchent quelque peu le paysage de cette idyllique carte postale.

■ COLOMBUS PARK

A la sortie de Discovery Bay, en direction de Montego Bay
Ouvert de 9h à 17h. Entrée gratuite.
Dans un grand jardin vert, en surplomb de la mer d'un bleu intense, jouissant d'une vue magnifique sur toute la baie, un musée à ciel ouvert. Le musée expose à l'air libre une collection hétéroclite de vieux équipements

de toute nature. Les canons voisinent avec les ancres marines, les bouilloires à sucre tiennent compagnie aux vieux chaudrons. Une antique locomotive rappelle les trains qui traversaient autrefois les champs pour acheminer le chargement de canne coupée vers les unités de production. Une fresque évoque l'épopée de Christophe Colomb et son débarquement en Jamaïque dans la baie voisine. Quelques échoppes proposent produits d'artisanat et boissons.

RÍO BUENO

Río Bueno est l'un des rares lieux à avoir conservé le nom dont l'avaient baptisé les premiers colons espagnols. Quand Christophe Colomb a abordé la région en 1494, la rivière où il a étanché sa soif a reçu en récompense le nom de bonne rivière. Le village s'est développé autour d'une activité portuaire durant la période de la colonisation et de la prospérité des plantations. Mais, comme beaucoup de petits ports de la région, son importance a décru avec la chute des cours du sucre et de la banane et la disparition des grandes exploitations agricoles. Aujourd'hui petit port de pêcheurs assoupi, Río Bueno accueille quelques rares touristes à la recherche de sérénité et d'authenticité, à l'écart des grands centres modernes. Deux églises modestes, l'une anglicane, l'autre baptiste, les ruines d'un fortin du XVIIIe siècle, Fort Dundas, sont tous les témoins d'une époque révolue.

■ ÉGLISE ANGLICANE DE SAINT MARK

Juste après l'hôtel Río Bueno, en direction de l'ouest, on passe devant la charmante église anglicane de Saint Mark construite en 1833. Son charme bucolique lui vaut de figurer dans de nombreux albums de photos. Un service religieux a lieu tous les dimanches à 11h.

■ GALLERY JOE JAMES

✆ +1 876 954 0046
galleryjoejames@hotmail.com
Ouvert du lundi au vendredi, de 8h à 20h.
Peinture, sculpture, les expositions s'y succèdent mettant en lumière les talents des artistes locaux et attirant les amateurs d'art de toute l'île. Une partie de la galerie est dédiée à la vente d'objets et de sculptures en bois précieux.

■ HÔTEL RIO BUENO

Main Street
✆ +1 876 954 0046
Compter 85 US$ pour 2 personnes avec le petit déjeuner.

Voilà sans doute la halte la plus agréable de la région. Amateurs de calme, de crustacés et d'art, c'est une étape à ne pas manquer. Joe James, un artiste jamaïcain doublé d'un homme d'affaires avisé, a élu domicile dans ce coin très calme, à l'écart des grands centres touristiques, pour donner forme à ses rêves. Il ne faut pas se fier à l'aspect extérieur quelque peu austère de l'hôtel, un ancien entrepôt maritime réhabilité. Le charme est à l'intérieur, murs de pierres, voûtes gracieuses et ombres hospitalières, terrasse dominant la mer… Les vingt chambres sont charmantes et simples, décorées avec goût et agrémentées d'œuvres d'art. Le restaurant Lobster Bowl sert d'excellentes spécialités de langoustes, de poissons et de fruits de mer. Il est ouvert tous les jours matin, midi et soir, mais attention, il faut prendre la précaution de réserver en fin de semaine car il est souvent plein.

DUNCANS BAY

Le petit village de pêcheurs assoupi sous le soleil n'est pas à proprement parler une destination touristique. On retiendra pourtant une coquette église baptiste datant de 1893 et consacrée au Pasteur Knibb qui a fait de la lutte abolitionniste le combat de sa vie.

■ **SILVER SANDS VILLAS RESORT**
✆ +1 876 954 7807
www.mysilversands.com
relax@mysilversands.com
A partir de 150 € la chambre pour deux personnes.
Outre les chambres d'hôtel classiques, il y a la possibilité de louer des villas pour trois nuits minimum ou à la semaine. Le grand complexe compte en effet à peu près cent villas luxueuses de différentes capacités, avec service personnalisé, dans un havre de verdure en bordure d'une merveilleuse plage privée au sable blanc. Restaurant, piscine.

FALMOUTH

A 38 km de Montego Bay, l'ancienne capitale commerciale de l'île, qui a connu son apogée au XVIIIe siècle, est aujourd'hui une petite bourgade de province bien tranquille qui rencontre une effervescence particulière le mercredi, jour du marché hebdomadaire. La ville ne vaut pas forcément le détour. De son passé prestigieux restent quelques trésors d'architecture géorgienne, d'anciens quais d'embarquement, et une organisation urbaine très classique aux artères larges et droites.

LE NORD

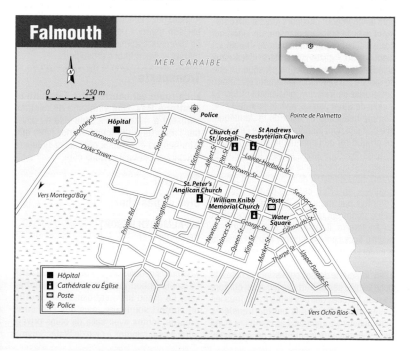

Sans être un centre touristique très développé, Falmouth, la capitale de la paroisse de Trelawny, est une ville historique où les amateurs de vieilles pierres se laisseront un peu séduire. D'ambitieux projets de restauration sont en cours qui prévoient de faire de Falmouth une étape incontournable dans les itinéraires touristiques. On notera la construction du plus récent complexe sportif en Jamaïque, le Greenfield Stadium, d'une capacité de 25 000 places. Ce stade a accueilli en 2007 les matchs et la cérémonie d'ouverture de la Coupe du monde de cricket qui s'était déroulée dans la Caraïbe anglophone. Le tournage du film *Papillon* avec Steve McQueen a été l'occasion de réhabiliter certains édifices. Malheureusement, une restauration plus complète nécessite d'importants budgets qui se font attendre. Pendant ce temps, les intempéries – pluies, orages ou cyclones – endommagent chaque année un peu plus les vieux édifices historiques, grignotant irrémédiablement le patrimoine de la ville. Exemple de ce laisser-aller, la fonderie phoenix bâtie en 1810 située à l'angle des rues Thorpe et Lower Harbour, dont il ne reste que des ruines.

Falmouth organise son tournoi annuel de pêche au marlin bleu en septembre. Des bateaux de toutes tailles convergent alors vers le lagon pour plusieurs jours d'affrontement avec le puissant poisson. Un lagon qui porte d'ailleurs l'intrigant nom de « luminous lagoon » ou « glistening waters », les eaux scintillantes. Une attraction presque unique au monde qui vaut indéniablement un détour. La paroisse de Trelawny, initialement rattachée à celle de Saint James, a vu le jour en 1774. Comme beaucoup de lieux de la Jamaïque, elle doit son nom au gouverneur de l'époque. Le produit roi de l'époque, le sucre, a été à l'origine de sa prospérité. Aujourd'hui Falmouth est surtout apprécié pour sa culture d'ignames (yam), plus de 60 % de la production jamaïquaine – en effet, cette riche paroisse ne comptait pas moins de 88 plantations qui fabriquaient sucre et rhum et l'exportaient en Angleterre. Il fallait une ville moderne et facile d'accès pour remplacer Martha Brae, la première capitale paroissiale enclavée sur la rivière du même nom. Falmouth a vu le jour en 1795, lorsque le conseil paroissial a acheté à la riche famille des Barrett des terres en bordure de mer, bercées par des vents frais. Tous les bâtiments administratifs ont été transférés dans la nouvelle capitale. Les planteurs et les riches négociants y ont établi de luxueuses

maisons et boutiques. Le conseil paroissial contrôlant scrupuleusement le développement urbain, Falmouth est devenu la ville la plus harmonieuse du pays. Avant New York, on a connu ici un réseau d'eau courante. Le port de Falmouth est rapidement devenu l'un des plus actifs de l'île. Au plus fort de son activité commerciale, on dénombrait jusqu'à vingt-sept navires ancrés dans la baie, chargeant du sucre et du rhum et déchargeant esclaves, nourriture, acier, mobilier, vaisselle… Veillant à la quiétude de ses citoyens, la ville bannissait les marins qui troublaient l'ordre. Au-delà de 18h, on les transférait dans une prison de nuit. Le marché aux esclaves fournissait en main-d'œuvre les plantations de la région. Artisans (maréchal-ferrant, menuisier, forgeron, orfèvre) et moyens d'information n'étaient pas en reste et on a bientôt pu compter plusieurs journaux locaux – dont le *Cornwall Chronicle*, le *Falmouth Post*, le *Baptist Herald* – pour rendre compte de l'actualité économique et sociale.

Petit à petit, au XIXe siècle, la ville a perdu de son importance économique et de son éclat avec le déclin du sucre sur le marché international. Son port était inadapté aux nouvelles générations de bateaux et, au tournant du siècle, son activité commerciale a cessé. Aujourd'hui, Falmouth, fier des traces laissées par son glorieux passé, s'active, au travers de diverses commissions et associations, à restaurer ses édifices prestigieux.

Transports

▶ **La route est courte entre Falmouth et Montego Bay.** Une vingtaine de minutes suffisent à rallier la seconde ville du pays, par l'autoroute qui longe la mer ainsi que d'immenses et luxueux complexes hôteliers qui gâchent la beauté de la côte.

Se loger

Bien et pas cher

■ **FALMOUTH RESORT**
Newton street
℃ +1 876 954 3391
bluehorizon@aol.com
Chambres doubles entre 4 000 et 5 000 JMD.
La seule option pas trop chère en centreville. Le grand bâtiment blanc et bleu offre un confort sommaire mais des chambres propres, toutes avec salle de bains privée. Situé à cinq minutes à pied de Water Square,

l'établissement se prêtera plus à un passage rapide qu'à un séjour prolongé… Chambres avec air conditionné et télévision, gardien de nuit et parking dans l'enceinte de l'hôtel.

Confort ou charme

■ FISHERMAN'S INN

A l'entrée de Falmouth en venant d'Ocho Rios

✆ +1 876 954 3427

fishermansinn@jm.com

Compter 125 US$ pour 2 personnes, petit déjeuner compris.

Jolie terrasse sur la mer, piscine presque aussi agréable que la mer mais parfois boueuse. Restaurant-bar.

■ TIME & PLACE

5 km à l'ouest de Falmouth, P.O. Box 93, Falmouth

✆ +1 876 954 4371

www.time.com

Compter 80 US$ pour 2 personnes.

Rien de luxueux dans ce petit établissement, mais si vous cherchez un endroit nature, décontracté et accueillant, c'est celui-là. Une petite langue de plage privée au sable blanc, un bar-restaurant (jerk, langouste, et T-bone steak) aux tables les pieds dans le sable sous une hutte de palmes, des hamacs suspendus aux troncs des palmiers, trois cottages de bois rustiques (chambre double, salle de bains) sur pilotis construits sur le sable.

Good Hope, un rêve de beauté

Un vrai rêve de milliardaire que cette superbe demeure coloniale, solitaire au sommet d'une colline ! Dominant toute la propriété, la maison (on ose à peine l'appeler hôtel tant l'ambiance y est chaleureuse et familiale, tant l'aménagement est peu conventionnel) offre une vue panoramique incroyable sur tous les environs. La propriété a été attribuée en 1742 au colonel Thomas Williams, et c'est en 1755 qu'il y a fait construire la great house. La plantation produisait de la canne à sucre, dont le produit était traité dans l'usine située sur la propriété. Après avoir changé de mains à plusieurs reprises, l'exploitation de 800 ha s'est spécialisée dans la culture d'arbres fruitiers (citrons, oranges, papayes, ackee, noix de coco) et dans l'élevage bovin. Au plus fort de sa prospérité, elle a compté jusqu'à 3 000 esclaves. Très tôt, dans les années 1930, la grande maison est devenue un hôtel, les bâtiments destinés aux esclaves étant détruits. Faisant fi des traditions familiales, la propriété est aujourd'hui gérée, fort bien au demeurant, par un groupe d'hommes d'affaires dont le fameux Chris Blackwell. Ayant renoué avec son architecture géorgienne et sa décoration raffinée d'origine, toute de meubles anglais du XVIIIe siècle, la maison est certainement l'une des retraites les plus charmantes du pays. Un double escalier mène au porche d'entrée. Les salles de réception sont magnifiques : parquets de bois brillant, fraîchement ciré, plafonds décorés… Difficile de faire un choix parmi les dix chambres, toutes différentes, vastes, élégamment décorées de mobilier ancien, climatisées et disposant en prime d'une superbe vue champêtre. Comment résister à la tentation de flâner dans le salon de lecture pour feuilleter les beaux livres sur l'île ou les vieux ouvrages de la bibliothèque, ou de paresser dans la salle à manger à la table du petit déjeuner, de musarder de pièce en pièce pour découvrir les objets d'un autre temps ? En contrebas de la maison principale, une ancienne réserve d'attelages a été transformée en une villa de cinq chambres pour accueillir les familles. Une piscine charmante et un court de tennis sont à la disposition des clients.

■ GOOD HOPE

P.O. Box 50, Falmouth

✆ +1 876 610 5798

www.goodhopejamaica.com

goodhope1@cwjamaica.com

Compter entre 3 500 US$ et 4 400 US$ pour louer un cottage une semaine. Le tarif comprend la location de la villa, la restauration et les services.

Cet espace abrite des villas louées à des groupes pouvant aller jusqu'à une vingtaine de personnes.

Se restaurer

■ GLISTENING WATERS INN AND MARINA

✆ +1 876 954 3229
www.glisteningwaters.com
info@glisteningwaters.com
Plats de fruits de mer et de homard entre 15 et 33 US$, poulet entre 16 et 22 US$.
Derrière le yacht-club, ce restaurant donne directement sur les pontons auxquels sont amarrés des bateaux de plaisance. Une grande terrasse ouverte sur la baie, quelques tables faiblement éclairées et une excellente cuisine de spécialités jamaïcaines, coquillages, crevettes, langoustes au curry, dans une atmosphère décontractée. L'endroit se prête à la flânerie et c'est ici que les eaux du lagon scintillent mystérieusement…

■ NAZZ RESTAURANT & CLUB

Market street
Juste au croisement de Market street et Duke street.
Repas autour de 500 JMD avec boisson.
Ce grand restaurant au plein cœur de Falmouth sert jusqu'à 22h et permet de goûter les plats typiques tout en jetant un œil sur les grandes TV écran plat. Le week-end, le lieu fait aussi club et l'ambiance se réchauffe. Service attentif, qualité honnête. Pas un must mais une adresse pratique pour ceux qui arriveront tard en ville après avoir nagé dans le lagon lumineux…

■ RIVERS & REEF

1 Upper Parade Street
✆ +1 876 286 7198 / +1 876 488 1488
Depuis Water Square, Upper Parade est une petite rue qui descend vers le sud et rejoint Tharp street.
Plats autour de 350/400 JMD.
Dans cette petite rue, bien au calme, le restaurant dont des artistes ont couvert les murs de représentations marines offre une halte bon marché. On mangera de préférence sur la terrasse agréable bien abritée du soleil. La cuisine est authentiquement jamaïcaine et le choix portera sur des plats de poulet ou de poisson.

■ SPICEY NICE

Waters Square
Donnant sur la place principale, avec quelques tables pour s'installer tranquillement à l'intérieur, cette pâtisserie est une bonne option petit déjeuner ou goûter. Gâteaux, muffins, jus de fruits frais… Prix raisonnables (autour de 80 JMD la part de gâteau marbré, de Bulla ou de *plain cake*).

À voir – À faire

■ ALBERT GEORGE MARKET

Water Square
Baptisé ainsi en l'honneur du mari de la reine Victoria, le plus grand marché de l'île a été construit en 1896 pour faire face au développement commercial de la ville. Aujourd'hui, la structure en bois et pierre abrite sous un toit de zinc un marché, une galerie commerciale et un modeste musée qui expose quelques objets domestiques d'un autre siècle, jarres, chaudron, distillateur de rhum…

■ ÉGLISE DU MÉMORIAL DE KNIBB

King et George Streets
Cette jolie église baptiste a été construite en l'honneur du pasteur Knibb qui, débarqué d'Angleterre en 1825, a pris une part active au combat abolitionniste avant de mourir le 15 novembre 1845. L'intérieur de l'église abrite une sculpture au-dessus des fonts baptismaux qui rappelle le combat des esclaves noirs pour leur liberté. La tombe du pasteur Knibb ainsi qu'un mémorial bâti par des esclaves affranchis se trouvent à proximité de l'église. En demandant gentiment, vous pourrez voir la piscine à baptême creusée derrière l'autel.

■ ÉGLISE PAROISSIALE DE SAINT PETER

Duke Street
Coquette église de pierre, un peu massive, construite en 1785 et agrandie en 1842. Un petit cimetière somnole à l'arrière de l'église à l'ombre des flamboyants.

■ GLISTENING WATERS

✆ +1 876 954 3229
www.glisteningwaters.com
info@glisteningwaters.com
2 km avant d'arriver à Falmouth, depuis Rio Bueno, sur la droite, le lieu est bien indiqué.
Tour nocturne sur le lagon lumineux : de 25 à 30 US$, tous les jours de 19h à 21h.
C'est la rencontre entre l'eau douce et fraîche du fleuve Martha Brae et de l'eau salée et tiède de la mer des Caraïbes qui, phénomène extrêmement rare et seulement observé dans deux autres endroits du globe, a donné naissance à de micro-organismes appelés « bioflagellates ». Ces minuscules

organismes créent une bioluminescence qui se traduit, en termes simples, par des lueurs bleuâtres déclenchées par n'importe quel mouvement. Ainsi, du bateau lancé dans la nuit, on peut voir des faisceaux qui bougent au fond de l'eau : des poissons. On s'étonne de voir le sillage du bateau prendre des teintes fluorescentes incroyables. Moment fort : les volontaires peuvent s'immerger dans ces eaux scintillantes pour voir les contours de leur corps s'illuminer lorsqu'ils nagent. Le tour guidé comprend aussi un rappel historique de la ville de Falmouth et du lagon. Un lagon qui, avant l'arrivée des cyclones, voit de nombreux bateaux venir mouiller là : la raison en est que le « *luminous lagoon* », protégé par une mangrove compacte, est l'anse la plus sûre de toute la côte nord lorsque soufflent des vents violents et que la mer se déchaîne.

■ HÔTEL DE JUSTICE
Seaboard street
Depuis Water Square, marcher vers le lagon. Solide bâtiment blanc carré construit en 1815 et rénové après un incendie en 1926, c'est le monument le plus imposant de la ville. Un fronton soutenu par des colonnes de style dorique en marque l'entrée face à la mer. Aujourd'hui l'édifice fait office d'hôtel de ville.

■ MISSION BAPTISTE
Market Street
www.falmouthbaptist.net
Construite en 1798, cette austère bâtisse de pierre est l'une des mieux préservées de Falmouth, authentique témoignage de l'habileté des artisans jamaïcains du XIXe siècle. Le style hésite entre néoclassique et néogothique. L'entrée est protégée par un petit portique donnant sur la rue. Grande hauteur sous plafond et sol de marbre noir et blanc sont les deux caractéristiques de son esthétique intérieure. On prétend que cet édifice était à l'origine le premier temple maçonnique de l'île construit par la loge écossaise de Athol Union. D'agrandissement en embellissement, la construction a tant endetté la loge écossaise que celle-ci n'a jamais pu faire face à ses engagements. Elle a occupé le temple pendant deux années mais l'a ensuite louée pour acquitter ses dettes. Les baptistes ont acheté l'édifice aux enchères en 1832 et l'ont

occupé jusqu'en 1950. Le collège William Knibb s'y est installé en 1961 et y est demeuré quatorze ans.

■ SAFARI VILLAGE
✆ +1 876 954 3065
Tous les jours de 9h à 17h. Entrée : 15 US$.
Le zoo a servi de décor au tournage de scènes du film *Live and Let Die*, l'une des aventures de James Bond. Les locataires des lieux : crocodiles, serpents, batraciens et autres animaux locaux.

■ SALT MARCH
Quelques kilomètres après Falmouth.
Un paysage désolé, une lagune aux eaux brunes, hérissée de troncs d'arbres dénudés, quelques photographies s'imposent. Des petits stands proposent des objets en bois et des coquillages provenant des récifs tout proches et des fruits.

■ WATER SQUARE
Water Square
L'antique citerne d'eau datant de 1798 sert aujourd'hui de rond-point, marquant le centre de la ville. Autrefois, l'eau de la rivière voisine, la Martha Brae, y était stockée et les esclaves venaient de bon matin y remplir seaux et réservoirs pour alimenter les demeures des planteurs. Aujourd'hui, une fontaine moderne surmonte la citerne.

MARTHA BRAE

À 3 km de Falmouth, à l'intérieur des terres, le petit hameau ne conserve rien de l'ancienne capitale de la paroisse de Trelawny. La rivière a emprunté son nom à une princesse arawak qui détenait le secret de l'emplacement d'une mine d'or. La légende prétend qu'elle a entraîné les conquistadores espagnols dans une grotte en bordure de la rivière dont elle a ensuite détourné le cours pour les emprisonner et les noyer. La Martha Brae prend sa source au niveau des grottes de Windsor pour se jeter à l'est de Falmouth dans la baie Oyster. On peut descendre la rivière en radeau de bambou à partir du Rafters Rest, où un parking est à la disposition des touristes. L'excursion dure environ 1 heure 30 au travers de paysages tropicaux somptueux.

LE NORD

À Negril, les eaux sont propices aux plongeons.

L'Ouest

L'Ouest de la Jamaïque est une région importante, qui comprend deux des plus grandes villes touristiques de l'île : Montego-Bay et Negril. L'incontournable MoBay se situe dans la paroisse Saint James. Deuxième plus grande ville de la Jamaïque, et l'une des premières destinations touristiques de l'île, elle accueille entre autres le plus grand festival reggae du monde (le Sumfest) ainsi que le plus grand festival de jazz des Caraïbes (Air Jamaica Jazz and Blues Festival). Saint James, c'est aussi la Rosehall Greathouse, et les légendes de sexe et de vaudou que cachent les murs de cette habitation hantée par l'âme errante de la « sorcière blanche ». Même les oiseaux ne sont pas en reste dans cette paroisse : ils y ont leur sanctuaire, le Rocklands Bird Sanctuary. Nous n'omettrons pas de souligner que le sucre y a longtemps élu domicile, notamment à Montpelier. Quant à l'ouest des paroisses de Hanover et Westmoreland, Negril, bien qu'en étant de loin la ville la plus importante, ne peut à elle seule rendre compte. Ce n'est pas seulement le sable blanc et chaud et les soirées arrosées,, il y a aussi les champs de canne à sucre de Savanna-la-Mar, la mémoire du lieu de naissance du légendaire Peter Tosh gardée à Belmont, sans compter les villages de pêcheurs où il fait bon séjourner un moment pour la paix et la quiétude qu'ils apportent.

MONTEGO BAY

La seconde ville du pays (environ 85 000 habitants), Mobay pour les initiés, est la capitale de la paroisse de Saint James. Cet ancien port sucrier est le pôle touristique le plus ancien et le mieux développé de la côte Nord de l'île. C'est aussi un centre commercial et industriel important avec une activité portuaire dense. Au sud de la ville, le Montego Freeport, installé dans l'embouchure de la Montego River, autrefois un marécage insalubre, est une zone industrielle active avec une zone franche en pleine évolution, qui témoigne de l'importance économique de la ville. Outre le fret, le port en eaux profondes accueille des bateaux de plaisance et de croisières ; le yacht-club de Montego Bay est particulièrement bien fréquenté. La ville ne cesse de croître et de s'étendre, le mirage du tourisme galopant attirant des populations rurales en quête d'hypothétiques emplois. Montego Bay se déploie dans un amphithéâtre protégé par des forêts qui escaladent les collines. La baie est vaste, ourlée d'une succession de belles plages de sable fin et cernée de nombreux récifs coralliens. Pourtant, malgré un décor naturel à faire pâlir d'envie de nombreuses villes côtières, Mobay n'a su échapper à la convoitise des promoteurs immobiliers. Quand bord de mer rime avec béton… Hérissée de hautes tours et d'édifices à l'esthétique approximative, la

La Convention des Nations unies sur le droit de la mer

Ce texte est considéré comme une « constitution des océans » et fut signé le 10 décembre 1982 à Montego Bay lors de la 3e conférence sur le droit de la mer. Ratifié par 154 Etats à ce jour, elle instaura une réglementation plus rigide et une codification du droit international relatif à l'espace maritime. Comme par exemple la réglementation de la taille des eaux territoriales des pays, la définition des « Etats archipels » et l'établissement de zones économiques exclusives à des fins d'exploitation, de conservation et de gestion des ressources naturelles, de recherche scientifique ou de protection de l'environnement. La convention n'est en fait entrée en vigueur qu'en novembre 1994, une fois les pays industrialisés ayant contesté et amendé plusieurs dispositions de l'accord. La France signa le texte deux ans plus tard. En temps que marraine de la convention, Montego Bay a montré l'exemple avec son Marine Park, établi en 1990 et qui court le long de ses rivages, protégé et ainsi parfaitement adapté à toutes les activités, plongée, sports nautiques…

ville digère mal la poussée immobilière dont elle est victime. Les complexes hôteliers de grand luxe, l'aéroport international, le port de plaisance et son quai réservé aux navires de croisières, ont consacré la ville comme l'un des repaires de la jet-set internationale. Mais si les havres de luxe restent encore légion dans la région, le tourisme s'est aujourd'hui largement démocratisé à Mobay. La zone touristique s'étend désormais sur une quinzaine de kilomètres, de Rose Hall à l'est à Reading à l'ouest. La palette des ressources touristiques de Mobay est très large et, d'hôtels de charme en modestes pensions, des plages de sable blanc aux boîtes de nuit branchées, des vieilles demeures historiques au parc naturel sous-marin, des terrains de golf aux plongées sur les récifs coralliens, des marchés d'artisanat aux boutiques de luxe duty-free, chacun y trouvera son compte.

Histoire

C'est au lard espagnol – la manteca – découpé sur les bêtes des élevages de montagne et embarqué au port pour l'exportation, que la deuxième ville du pays doit son nom. Malgré sa proximité avec le lieu du premier débarquement de Christophe Colomb, ce n'est que tardivement que les premiers colons espagnols se sont installés dans la baie. Longtemps isolée, menacée en permanence par les Marrons établis dans le Cockpit Country, la ville n'a connu que récemment un développement significatif avec l'apparition des premières plantations de canne à sucre au XVIIIe siècle. A cette époque, la paroisse de Saint James est rapidement devenue la région la plus importante productrice de sucre de l'île. Les plantations ont été agrandies, les planteurs se sont enrichis et ont édifié des demeures cossues parmi les plus somptueuses de la Jamaïque. L'évolution de la vie sociale a suivi le développement économique et le *Cornwall Chronicle*, le premier journal local, a vu le jour en 1773. L'ère de la banane a succédé à l'hégémonie sucrière dont le déclin a affecté l'économie locale. A l'instar de nombreuses villes du pays, Montego Bay allait connaître un second envol économique. Au tournant du siècle, le tourisme avait déjà pris le relais de l'économie agricole. Le docteur Alexander McCatty, ayant découvert sur sa propriété de bord de mer une source aux eaux bienfaisantes, a développé son activité thermale, encourageant les milliardaires à

> ## Les immanquables de l'Ouest
>
> ▶ **Prendre un bain de mer** aux plages de Doctor's Cave ou de Seawind Club à Montego bay.
>
> ▶ **Marcher le long des kilomètres de plages de Négril.**
>
> ▶ **Etre là mi-juillet pour danser au rythme du Sumfest,** sinon en janvier pour participer au festival de jazz et de blues.
>
> ▶ **Prendre part à la légende de la Sorcière blanche** en visitant la Rose Hall Great House.
>
> ▶ **Nourrir les oiseaux dans le Rocklands Bird Sanctuary.**
>
> ▶ **S'offrir un coucher de soleil sur un bateau…**

venir bénéficier des vertus curatives de sa source. C'est ainsi qu'a été initiée la vocation touristique de Montego Bay. Tels des champignons, les hôtels de luxe ont rapidement germé à proximité de Doctor's Cave, la grotte abritant la source miraculeuse du docteur McCatty. Si les ouragans et les cyclones ont eu raison de ces premiers bastions du tourisme de Mobay, d'autres ont suivi plus résistants, et la tradition touristique ne s'est jamais démentie depuis.

L'OUEST

© SIR PENGALLAN - ICONOTEC

Forêt aux alentours de Montego Bay.

L'Ouest

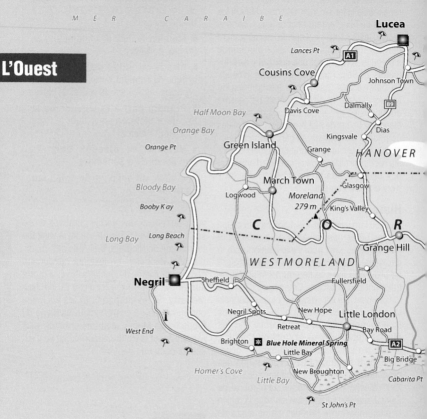

MER CARAÏBE

Lucea

Lances Pt

[A1]

Cousins Cove

Johnson Town

Davis Cove

Dalmally

[B9]

Half Moon Bay

Dias

Orange Bay

Kingsvale

Orange Pt

Green Island

Grange

HANOVER

Bloody Bay

March Town

Glasgow

Booby Kay

Logwood

Moreland
279 m

King's Valley

Long Bay

Long Beach

C

O

R

Grange Hill

WESTMORELAND

Negril

Sheffield

Fullersfield

Negril Spots

New Hope

Little London

i

Retreat

Bay Road

West End

Brighton

Blue Hole Mineral Spring

[A2]

Little Bay

Big Bridge

Homer's Cove

New Broughton

Cabarita Pt

Little Bay

St John's Pt

MER CARAÏBE

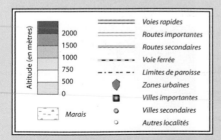

Altitude (en mètres)	
2000	Voies rapides
1500	Routes importantes
1000	Routes secondaires
750	Voie ferrée
500	Limites de paroisse
0	Zones urbaines
	Villes importantes
	Villes secondaires
Marais	Autres localités

N

0   5 km

Lilys Rock

Ironshore
Rosehall Greathouse

Greenwood Greathouse (8 km)

Aéroport international de Sangster

Sign

Orange

Montego Bay

Montego Bay

Paradise
Tryall
Bogue

Elgin Town
Hopewell
Reading
Granville

Mosquito Cove
Blue Hole
Sandy Bay
Flint River
Haddington
Wiltshire
Anchovy

Tom Spring
Maxwell Hall 563 m
Johns Hall

Cascade
Cacoon Castle 477 m
Mount Carey
Spring Mount

Dolphin Head 544 m
Birches Hill 550 m
Thompson Hill
Copse
Montpelier
Springfield
Kensington

Cash Hill

George's Plain Mountain
Miles Town
Shettlewood
Seven Rivers
ST. JAMES

Grange
Alexandria
Chester Castle
Cambridge

Ramble
B8
Garlands

N
Locust Tree
W
Mackfield
A
B7
L
B6
L

Frome
Fort William
Bethel Town
Bruce Hall
Mocho

George's Plain
Haddo
Struie
Lambs River
Stonehenge

Banbury
Roaring River Park
Orange Hill 640 m
Woodstock
Seaford Town
Mocho

Hertford
Petersfield
Darliston
Ginger Hill

Amity Cross

B9
Galloway
Leamington

Wakefield
Ferris Cross
New Roads
Springfield
Four Paths

Savanna-la-mar
Cave
Blackwood 697 m
Redgate

Buff Pt
Mearnsville
Bluefields
Hopeton
Newmarket
Y.S.

Bluefields Bay
Belmont
Mausolée de Peter Tosh
Happy Grove

A2
ST. ELIZABETH

Crack Pond Pt
Auchindown
Whitehall

Palmetto Pt
Culloden
Cotterwood
Baptist

Whitehouse Bay
Whitehouse
Luana

Whitehouse Pt
Brompton
Speculation
The Great Morass

Sandy Ground
Crawford
Hodges

Luana Pt

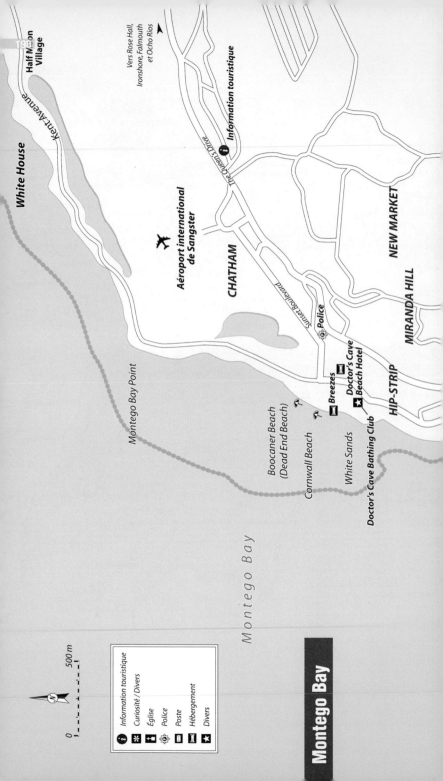

Montego Bay

Montego Bay

Half Moon Village

White House

Kent Avenue

Vers Rose Hall,
Ironshore, Falmouth
et Ocho Rios

Information touristique

The Queen's Drive

Aéroport international
de Sangster

CHATHAM

NEW MARKET

MIRANDA HILL

Sunset Boulevard

Police

HIP-STRIP

Doctor's Cave
Beach Hotel

Breezes

Montego Bay Point

Boocaner Beach
(Dead End Beach)

Cornwall Beach

White Sands

Doctor's Cave Bathing Club

Montego Bay

0   500 m

Information touristique
Curiosité / Divers
Église
Police
Poste
Hébergement
Divers

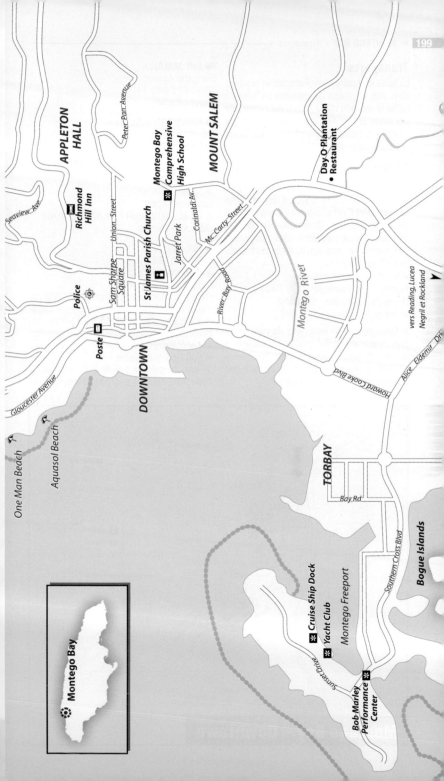

Montego Bay

APPLETON HALL

Peter Pan Avenue

Seaview Ave.

Richmond Hill Inn

MOUNT SALEM

Montego Bay Comprehensive High School

St James Parish Church

Union Street

Corinaldi Av.

Jarret Park

Day O Plantation Restaurant

Sam Sharpe Square

Mc Carty Street

Police

Poste

River Bay Road

DOWNTOWN

Montego River

Gloucester Avenue

Howard Cooke Blvd

Alice Eldemir Dr.

vers Reading, Lucea Negril et Rockland

One Man Beach

Aquasol Beach

TORBAY

Bay Rd

Cruise Ship Dock

Yacht Club

Montego Freeport

Southern Cross Blvd

Sunset Drive

Bob Marley Performance Center

Bogue Islands

Transports

La route est courte entre Falmouth et Montego Bay. Une vingtaine de minutes suffisent à rallier la seconde ville du pays, par l'autoroute qui longe la mer et d'immenses et luxueux complexes hôteliers qui gâchent de leur béton la beauté de la côte.

Comment y accéder et en partir

▶ **Minibus.** Pour arriver et repartir de Montego Bay par les transports publics, il faut se rendre au Transport Centre, situé à l'extrémité sud de Harbour Street, Downtown. De là, des minibus partent sans arrêt (une fois pleins, bien entendu) en direction de Negril, Falmouth, Ocho Rios, Kingston...
Prix indicatifs en minibus :
Montego Bay-Falmouth : 150 JMD.
Montego Bay-Lucea : 180 JMD.
Montego Bay-Negril : 300 JMD.

▶ **Les agences de locations de voiture** les plus intéressantes se trouvent à l'aéroport, à la sortie du terminal des arrivées. Nous vous conseillions tout de même de réserver avant votre arrivée via les sites Internet.

■ **AIR JAMAICA**
Sangster Airport
✆ +1 876 940 9411
www.airjamaica.com

■ **AMERICAN AIRLINES**
Sangster Airport
P.O. Box 1227
✆ +1 876 971 7379 / +1 876 971 4938
www.aa.com

■ **AVIS**
Sangster Airport
✆ +1 876 979 1060 / +1 876 952 0762
www.avis.com.jm

■ **BUDGET**
✆ +1 876 759 1793
www.budgetjamaica.com
budget@jamweb.net
Voiture économique : à partir de 38 US$ par jour et 228 US$ par semaine en saison haute, et 50 US$ par jour et 300 US$ par semaine en saison basse. Tout type de catégorie, citadine, 4x4 et également VAN pour 100 US$ la journée et 600 US$ la semaine.
30 ans d'expérience pour 250 véhicules à disposition dans les endroits stratégiques de

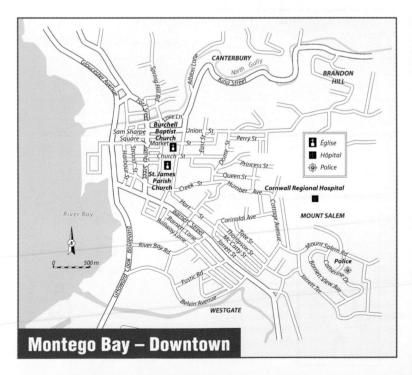

Montego Bay – Downtown

l'île. Les plus par rapport aux concurrents, sont les services proposés tels que les plans à disposition, un GPS si besoin et surtout un téléphone portable local avec carte SIM. Joignables 24h/24, recommandé !

■ ISLAND CAR RENTAL
Sangster Airport
℡ + 1 876 952 5771
www.islandcarrentals.com

■ SANGSTER AIRPORT
℡ +1 876 952 3124
www.mbjairport.com
Depuis le Hip Strip, suivre Sunset Boulevard toujours tout droit jusqu'à atteindre l'immense rond-point. Prendre à gauche vers l'aéroport qui ne se trouve plus qu'à 5 minutes de marche.
Un aéroport moderne énormément fréquenté : la plupart des touristes nord-américains, entre autres, atterrissent ici. Il se trouve tout prêt de la ville (10 minutes en voiture depuis Down Town et 20 minutes à pied depuis Doctor's Cave Beach) et reçoit des vols internationaux et domestiques. Là se trouvent de nombreuses agences de location de voitures.

■ SUNSATIONAL CAR RENTALS & TOURS
26 Sunset Avenue
℡ +1876 371 0573 / +1876952 1212
www.paylesscar.com
sunsational@cwjamaica.com
Un concept unique. Ce tour-opérateur possède ses propres appartements à Montego Bay et propose aussi la location de véhicules. L'entreprise est ainsi à même de gérer avec fiabilité tous vos besoins. Ce business familial combine vision globale avec un service local pour offrir un service personnalisé et irréprochable depuis 1998. Pick-ups et berlines classiques font partie de leur gamme de location ; et en prime, un plan de l'île se trouve dans chaque voiture. Satisfaction garantie !

Se déplacer
Pour se déplacer d'une zone à l'autre de Montego Bay (Iron Shore, Hip Strip et Downtown), comptez entre 80 et 150 JMD par personne avec un « route-taxi », qui transporte plusieurs passagers et se hêle depuis le trottoir. Les taxis ordinaires facturent parfois les courses à des prix déraisonnables, souvent annoncés en dollars US. Toujours négocier avant de monter dans un véhicule. Un trajet Downtown-Hip Strip ne doit pas coûter plus de 400 JMD.

L'OUEST

Je fus ravi par le paysage de Montego Bay

« Je fus ravi par le paysage de Montego Bay, par la propreté et la netteté de la ville ; en vérité, avec la mer qui la baigne et le pittoresque des vérandas et des galeries, il est impossible pour une ville des Indes occidentales, située ainsi et dans un tel climat, de ne pas offrir un aspect agréable. Mais, la première partie de la route surpasse en beauté tout ce que j'ai jamais vu ; elle serpente à travers des terres montagneuses qui m'appartiennent et dont le sommet présente des formes à la fois hardies et très belles ; les flancs ornés de forêts de bambous, d'arbres de campêche, d'épineux jaunes, de figuiers grandes feuilles, et de bois trompette, tous d'un vert vif ; et si complètement recouverts d'une végétation des plus vivaces que lorsque nous découvrîmes une fois un morceau de rocher dégarni, Cubma me le montra comme une curiosité : "Regarde, massa, rocher tout nu ! " »

▶ ***Journal de voyage à la Jamaïque*** (1834), M.-G. Lewis, éditions José Corti, 1991.

Pratique

Tourisme – Culture

■ JAMAICA TOURIST BOARD
18 Queens Drive
✆ +1 876 952 4425
www.montego-bay-jamaica.com
En sortant du centre, prendre direction Falmouth et Iron Shore par Sunset Boulevard. A la sortie du grand rond-point, l'office du tourisme se trouve à droite, dans un immeuble orange flambant neuf, juste en face de l'aéroport.
Le nouveau quartier général de l'office de tourisme, malheureusement excentré et au bord de l'autoroute… Mais le visiteur y trouvera toutes les informations nécessaires pour organiser ses sorties et visites à Montego Bay et dans la région. En cas d'urgence (perte de passeport, etc.), le personnel du Tourist Board peut apporter une assistance précieuse.

Argent

Pas de problème de change à MoBay, banques et bureaux de change sont légion, sans oublier les services de change des grands hôtels (qui pratiquent des taux toutefois plus élevés). Des distributeurs automatiques sont disponibles sur Hip Strip (par exemple Scotia Bank, juste à côté de Doctor's Cave Bathing Club) ou dans les centre commerciaux de Downtown.

Moyens de communication

■ X TREME WIRELESS
Bay West Plaza
1er étage ✆ +1 876 940 7030
Bay West (grand bâtiment rouge orangé) se trouve à DownTown, sur Harbour Street, près du pont qui enjambe la rivière.

Connexion pour 80 JMD par heure. Air conditionné.
Ce cybercafé offre de très bons prix, des machines performantes et un accueil sympathique. Calme, au frais, avec aussi la possibilité de trouver des pièces informatiques, des chargeurs de portables, et de réparer des laptops.

Santé – Urgences

■ AMBULANCE
✆ 110

■ THE CLINICARE PHARMACY
14 Market Street
Down Town
✆ +1 876 952 8510

■ CORNWALL REGIONAL HOSPITAL
Mount Salem
✆ +1 876 952 5100
Un service des urgences 24h/24.

■ HALF MOON PHARMACY
✆ +1 876 953 3770
Dans l'enceinte du centre commercial Half Moon, à Iron Shore.

■ MO BAY HOPE HEALTH CENTRE
Half Moon Plaza
Iron Shore
✆ +1 876 953 3649 / +1 876 953 3981
www.mobayhope.org
mobayhope@cwjamaica.com
Pour les non-résidents jamaïcains, les consultations peuvent être très chères (entre 80 et 150 US$ contre 3 000 JMD pour les nationaux).

Adresse utile

■ POLICE
✆ 119

Orientation

Se repérer à Montego Bay est chose aisée : la ville est divisée en trois parties bien distinctes.

▶ **La partie la plus à l'est, Iron Shore,** est assez éloignée du centre et s'étale sur une dizaine de kilomètres le long de la mer. L'autoroute qui mène à Ocho Rios la traverse. Les grands hôtels *all inclusive* se succèdent, et c'est ici que se trouvent Rosehall Greathouse et les luxueux centres commerciaux de Blue Moon et de Rosehall. On y trouve aussi des marchés d'artisanats et des restaurants bien agréables donnant sur la mer des Caraïbes.

▶ **Le Hip Strip.** Desservi par Gloucester Avenue, il s'agit du coin à la mode, touristique, rutilant, où l'on trouve de tout et qui s'oppose en tous points à Downtown. Ici, les clubs, restaurants, salles de jeux, hôtels de charme et immeubles à l'esthétique douteuse s'alignent devant la mer. La sécurité y règne grâce à la « brigade touristique », et c'est là que l'on profite des plus belles plages de MoBay : Doctor's Cave Bathing Club, Cornwall Beach et Aquasol Beach. En descendant l'avenue, on arrive à un grand croisement qui marque la frontière avec le centre-ville.

▶ **Downtown.** Difficile de croire que le Hip Strip et le centre-ville appartiennent à la même ville, voire au même pays... Ici, rien de clinquant, au contraire, mais une ambiance de rue et un décor plus authentiques, animés, bourdonnants. La rivière North Gully et son marché au nord, la grande avenue Howard Coke le long de la mer, et la Montego River au sud encadrent cette zone où le visiteur ne se hasardera pas dans les rue peu fréquentées une fois la nuit tombée... Les seuls points d'intérêt se situent autour de la place Sam Sharpe. A ne pas rater : le panorama visible depuis Richmond Hill Inn.

Se loger

La zone hôtelière de MoBay s'étend sur une vingtaine de kilomètres de Rosehall à Reading. On y trouve toutes les catégories d'hébergement, de la modeste pension aux hôtels les plus luxueux de l'île, de la nuitée simple à la formule club tout compris. En haute saison, arriver à MoBay sans réservation peut se révéler téméraire, et en été, il est aussi difficile de se loger pendant la période du Sumfest, le festival de reggae.

Bien et pas cher

■ **ASHANTI INN**
50 Thompson Street (à l'angle de Cottage Road)
✆ +1 876 952 7300

Une quinzaine de chambres de 3 000 à 4 000 JMD tarifées en fonction de la saison. Chambre de base avec eau chaude, ventilateur et TV, les autres avec air conditionné.
Une guest house aux airs d'hôtel, tout à fait correcte. Pas de restaurant dans l'hôtel, mais des restaurateurs à domicile travaillent étroitement avec l'équipe du Ashanti Inn. Terrasse sur le toit. Gardien de nuit.

■ **BAY SHORE INN**
27 Gloucester Avenue ✆ +1 876 952 1046
theporkpit@hotmail.com
6 000 JMD la nuit pour une chambre double. Pas de petit déjeuner.
Au centre du Hip Strip, derrière le restaurant Pork Pit – un bâtiment fonctionnel de quinze chambres avec salle de bains et air conditionné.

■ **CARIBIC HOUSE**
69 Gloucester Avenue
✆ +1 876 979 6073
info@caribicvacations.com
Juste à côté du bar Bobsled
A partir de 67 US$ pour 2 personnes.
Un hôtel modeste en plein centre-ville face à la plage de Doctor's Cave, pratique pour une étape. Les dix-sept chambres au confort correct avec salle de bains possèdent l'air conditionné. Préférer les chambres sur jardin, les chambres sur l'avenue étant très bruyantes.

Reggae Sumfest

Montego Bay résonne chaque année des riddims du festival de reggae le plus populaire du monde, qui attire des amateurs venus de la terre entière. Les concerts se tiennent en plein air dans un grand stade en dehors du centre ; ils commencent vers 18h et se poursuivent toute la nuit durant, dans une surenchère permanente d'exploits musicaux de la part des chanteurs et DJ vedettes. Pendant cette période, la ville vibre d'une atmosphère électrique. Elle est submergée par les touristes de toutes nationalités, la circulation devient infernale, les plages sont bondées et les bars à la mode ne désemplissent pas. Il est difficile aussi de trouver un logement sans avoir pris la précaution de réserver longtemps à l'avance. Le festival se tient mi-juillet pendant 5 jours avec une soirée d'ouverture sur la plage.

▶ **Plus d'infos sur** www.reggaesumfest.com.

L'OUEST

■ **COMFORT GUESTHOUSE**
55 Jarrett Terrace, sur Mount Salem Road
✆ +1 876 952 1238
A partir de 4 000 JMD pour 2 personnes.
C'est dans un bâtiment en face de sa propre
maison, que M. Lewis a ouvert cette petite
pension de huit chambres bien tenues avec
salle de bains, au confort correct ; salle de TV,
téléphone et salle à manger dans la demeure
du propriétaire. Petit déjeuner sur demande.

■ **GIBB'S CHÂTEAU GUESTHOUSE**
54 Jarrett Terrace
✆ +1 876 952 7189
Compter 60 US$ pour 2 personnes.
Au calme, sur les hauteurs de Mobay, non
loin du centre-ville, une pension avec vingt
chambres correctes et fonctionnelles (salle
de bains, téléphone, TV et air conditionné ou
ventilateur). Les transferts vers l'aéroport ou
jusqu'aux principaux sites touristiques peuvent
être arrangés sur demande. Le toit-terrasse
panoramique permet de profiter du coucher
de soleil sur la ville.

■ **HÔTEL GLORIANA**
1-2 Sunset Boulevard
✆ +1 876 979 0669
www.hotelgloriana.com
hotelgloriana@cwjamaica.com
Chambres entre 49 et 71 US$. Petit déjeuner
à 8 US$ environ.
La propriétaire, Gloria, est l'auteur d'un livre
autobiographique à succès, *Gloria To Gloriana*.
Un film du même nom a même vu le jour en
2009 ! A proximité du centre-ville et des
plages, cet hôtel est l'idéal pour les petits
budgets, même si la prestation est un peu
chère pour le service. Huit appartements avec
kitchenette, trente-trois chambres pour 1 à
6 personnes, TV, téléphone, salles de bains
privées, piscine et parking. Un restaurant avec
une petite terrasse donnant sur la piscine
anime l'hôtel chaque soir. Le personnel de
l'hôtel n'est pas toujours très chaleureux.

■ **LINKAGE GUESTHOUSE**
32 Church Street
✆ +1 876 952 4546
Compter 35 US$ pour 2 personnes.

L'une des adresses les moins chères du
centre-ville, fréquentée par une clientèle
cosmopolite et jeune.

■ **ORA VISTA GUESTHOUSE**
Richmond Hill
✆ +1 876 940 7075
Entre 3 000 et 4 000 JMD pour 2 personnes.
Ce petit hôtel est accroché aux flancs de
la colline Richmond, juste en dessous du
Richmond Hill Hotel, dominant le centre de
Montego Bay. Quatorze chambres avec air
conditionné ou ventilateur et téléphone.
Piscine. Petit déjeuner et dîner sur demande.

■ **RIDGEWAY GUESTHOUSE**
34 Queen's Drive
✆ +1 876 952 2709
www.ridgewayguesthouse.com
ridgewayguesthouse@email.com
Chambres sans air conditionné à partir
de 35 US$. Entre 50 et 60 US$ avec air
conditionné.
Bonne option si on doit prendre un avion
tôt le matin, car la guesthouse se trouve à
quelques centaines de mètres seulement de
l'aéroport. Les huit chambres avec salle de
bains privée, air conditionné et grand balcon,
se trouvent dans un petit bâtiment à côté de la
demeure des propriétaires qui vous réservent
un accueil chaleureux. Téléphone et TV sont
disponibles dans une salle commune où l'on
prend également le petit déjeuner, située dans
la maison principale.

Confort ou charme

■ **DOCTOR'S CAVE BEACH HOTEL**
Gloucester Avenue
✆ +1 876 952 4355
www.doctorscave.com
Info@doctorscave.com
De 135 à 180 US$ pour 2 personnes.
Presque face à la plage du même nom, sur
l'avenue la plus vivante de Montego Bay,
cette institution locale possède un joli décor
colonial que l'on ne devine pas depuis l'avenue.
Côté rue, protégés par un mur, une piscine,

© JAMAICA TOURIST BOARD

Doctor's Cave Beach.

le restaurant et le bar. Côté jardin, une salle de jeu avec table de ping-pong et billard en accès libre, une salle de fitness, un Jacuzzi et une ambiance relaxante. L'hôtel est très vaste et s'enfonce dans un grand jardin appuyé sur la colline. Il propose quatre-vingt-dix chambres spacieuses, agréables et bien équipées (téléphone, TV, air conditionné, coffre-fort, table et fer à repasser, balcon) sur trois niveaux, dont certaines avec cuisine. On demandera une chambre sur jardin pour être au calme. Petit déjeuner servi au bord de la piscine (mais pas inclus dans les prix). Le restaurant, classique et élégant, sert une cuisine jamaïcaine et internationale d'excellente tenue dans un cadre raffiné. Au bar, tous les mercredis et samedis, soirée punch avec consommation gratuite jusqu'à 20h. Le parking est gratuit et un service d'excursions se tient à la disposition des visiteurs. Enfin, l'ambiance jeune et décontractée et la clientèle cosmopolite font de ce petit hôtel une halte charmante au cœur de la ville.

■ EL GRECO RESORT
Queens Drive
✆ +1 876 940 6116 / +1 876 940 6120
www.elgrecojamaica.com
elgreco@cwjamaica.com
A partir de 125 US$ pour 2 personnes incluant le petit déjeuner.
Un hôtel moderne aux bâtiments massifs, fonctionnels et sans charme. Un peu loin de la plage, l'hôtel est relié à Gloucester Avenue par un ascenseur. Le complexe est bien équipé et les 93 chambres confortables, avec des suites familiales de plusieurs chambres (air conditionné, balcon, TV, kitchenette, téléphone). Tennis et piscine.

■ HOTEL GRACE RICHMOND HILL
Union Street
Richmond Hill
✆ +1 876 952 3859
www.richmond-hill-inn.com
Suivre Union Street jusqu'à rencontrer sur la gauche le panneau qui annonce la pente raide menant à l'hôtel.
A partir de 90 US$ pour une chambre double en basse saison et 115 US$ en hiver.
C'est dans une propriété coloniale exceptionnelle que cet hôtel au parfum de nostalgie, qui domine toute la ville de Mobay, a été établi. Au début du XVIIIe siècle, les Dewars, une branche du clan écossais aujourd'hui connu pour le whisky qui porte son nom, se sont établis dans cette vaste demeure. Tout le charme de l'ancienne maison a été conservé, de la majestueuse route privée qui monte jusqu'à l'hôtel à la structure très aérée de l'ensemble des parties communes, restaurant, piscine, et terrasses en escalier. Une belle collection d'objets anciens, d'antiquités et de tableaux est exposée dans les pièces à vivre. Un petit bâtiment moderne fait face à l'édifice d'origine et abrite vingt chambres confortables (air conditionné, TV, balcon). Le petit déjeuner est servi au bar près de la sublime piscine ou sur la terrasse du Poinciana Room, d'où la vue est sans doute la plus belle sur la baie de Montego. D'ailleurs, la visite du point de vue est possible sans être client à l'hôtel.

L'OUEST

■ **MILBROOKS RESORT**

Half Moon Rosehall

✆ +1876 631 6412

www.milbrooksresort.com

info@milbrooksresort.com

Chambre régulière 311,25 US$ pour deux personnes. Appartement : 410 US$ pour deux personnes. Villa principale : 25 000 US$ par semaine (transports, loisirs et repas non compris).

Nichée sur les hauteurs des collines, en face de l'hôtel Half Moon, cette villa de deux hectares attire l'œil avec ses couleurs (jaune et vert à l'extérieur) et sa forme de champignon. Elle est composée de dix très grandes chambres, et se trouve à une courte distance du parcours de golf de Montego Bay. Sur place, tout tourne autour du bien-être : Jacuzzi dans quatre des grandes chambres climatisées, gymnase, Spa, bar intérieur et bar belvédère, et la fameuse piscine à débordement avec vue sur la côte. Des prestations incroyables ! Enfin, vous apprécierez le souci du détail et la qualité du service pour lesquels Rose Hall est réputé depuis des années. Milbrooks Resort possède aussi un camp à prix très bas pour baroudeurs, entre refuge et vie sauvage. Original !

■ **SAHARA DE LA MER**

✆ +1 876 952 2366

www.saharahotels.com

Compter 60 US$ pour 2 personnes.

Situé à une dizaine de kilomètres à l'ouest de Montego Bay, l'hôtel est joli et sa piscine dominant la mer très agréable.

Elle pallie l'absence de plage à cet endroit de la côte. Les chambres sont correctes avec salle de bains, climatisation et vue sur la mer.

■ **THE GLOUCESTERSHIRE**

92 Gloucester Avenue

✆ +1 (876) 952 4420

www.thegloucestershirehotel.com

thegloucestershirehotel@gmail.com

Comptez 140 US$ pour une nuit.

Ce charmant hôtel idéalement situé a ouvert ses portes en janvier 2012. L'établissement possède un joli restaurant, une piscine et un jacuzzi. Le personnel est très agréable et l'endroit très bien entretenu. Meilleur rapport qualité/prix que l'hôtel Doctor's Cave, plus réputé mais pas forcément plus recommandable.

■ **THE WEXFORD HOTEL**

39 Gloucester Avenue

✆ +1 876 952 2854

www.thewexfordhotel.com

info@thewexfordhotel.com

Entre 124 US$ et 135 US$ pour 2 personnes.

Situation centrale, à proximité des plages, confort et fonctionnalité pour cet hôtel des plus classiques sans grand charme. Ce bâtiment moderne de quatre niveaux propose 61 chambres avec TV, téléphone et air conditionné. Une petite annexe abrite une dizaine d'appartements avec kitchenette qui donnent sur une petite piscine privée. Piscine, bar, restaurant traditionnel avec jolie terrasse, et salle de machines à sous.

Luxe

■ **HALF MOON GOLF TENNIS & BEACH CLUB**

Rose Hall, Montego Bay 80

Iron Shore

✆ +1 876 953 2211 / +1 876 953 2344

www.halfmoon.com

reservations@halfmoon.com

Chambre à partir de 300 € par personne.

Half Moon est sans doute le plus beau complexe hôtelier de l'île, le plus chic aussi. Les stars et les têtes couronnées qui y viennent nombreuses, de Eddie Murphy à la famille de Monaco jusqu'à la reine Elizabeth, ne s'y trompent pas. Dès l'allée principale plantée d'une double haie de palmiers royaux, le ton est donné. Ici tout sera luxe, calme et perfection. La propriété se niche dans un immense parc de quelque 200 ha, dont la longue anse dessine de petites baies et plages particulières. Palmiers, frangipaniers, bougainvilliers, lauriers… Tout a été pensé pour satisfaire le visiteur le plus exigeant, le plus fortuné aussi… On se déplace dans l'immense propriété à bicyclette ou en voiturette de golf, à pied pour les plus courageux. Pas moins de 54 piscines privées, 6 restaurants, 1 village de boutiques, 1 centre de fitness, 13 courts de tennis, 4 courts de squash, 2 courts de croquet, 1 héliport, 1 centre d'activités pour les enfants, 1 golf dessiné par Robert Trent Jones – l'architecte des plus beaux terrains de golf du monde –, 1 centre équestre, 1 gymnase équipé des derniers raffinements techniques (massage, réflexologie, hydrothérapie, sauna, etc.), des sports nautiques de toutes sortes (pédalos, voiliers, planches à voile, kayaks, etc.), le tout décliné en diverses formules, du tout compris à la formule golf, remise en forme ou encore lune de miel, tout un programme pour une étape sur mesure.

La propriété compte 419 chambres et suites spacieuses et élégantes (air conditionné, TV, minibar, téléphone, coffre-fort) avec balcon ou terrasse sur la mer, réparties dans des bâtiments de style colonial, et une vingtaine de villas individuelles (jusqu'à six chambres) de grand luxe, avec personnel de service 24h/24. Les restaurants de la propriété sont ouverts à la clientèle extérieure :

▶ **Seagrape Terrace.** Du petit déjeuner au dîner, on y mange une cuisine caraïbe d'excellente qualité dans une ambiance décontractée.

▶ **Il Giardino.** Ouvert seulement le soir, on peut opter pour un dîner italien en terrasse ou à l'intérieur (air conditionné). Les réservations sont indispensables.

▶ **The Sugar Mill.** Déjeuner et dîner à la lueur des chandelles, dans l'enceinte du terrain de golf.

▶ **Sakura.** Le restaurant japonais se trouve dans le centre commercial de Half Moon. Il sert une cuisine traditionnelle de suchis et teppanyaki.

▶ **La Baguette.** De 6h30 à 18h, ce restaurant informel propose snacks, sandwichs et boissons.

▶ **Royal Stocks.** Un vrai pub anglais situé dans le village commercial. On y sert des plats traditionnels anglais, dans une ambiance généralement bon enfant. Ouvert tard le soir.

▶ **Royal Pavilion.** Repas légers et boissons jusqu'à 18h.

▶ **Planet Xaimaka.** La discothèque ouvre ses portes vers 21h pour faire danser tout ce que Mobay compte de touristes.

▶ **Le Half Moon Village** est l'un des centres commerciaux les plus prisés de Montego Bay. Banque, pharmacie, cabinet dentaire, médecin, avocat, galerie d'art, boutiques de vêtements, bijouteries… Au total, plus de 40 boutiques, de quoi entamer un raid shopping sévère.

■ **HOLIDAY INN**
Kent Avenue
Rose Hall
Iron Shore
✆ +1 876 953 2485
www.caribbeanhi.com
info@sunspreejam.com
Chambre à partir de 380 € la nuit pour deux personnes.
Quand hôtel et béton font bon ménage, ça donne un royaume du tout inclus de cinq cent vingt-quatre chambres qui se dresse à l'écart du centre-ville, plage privée oblige. Différentes catégories de logements confortables avec TV, air conditionné, balcon ou patio, activités sportives terrestres ou aquatiques, club d'enfants, buffets à volonté, discothèque et spectacles, rien ne manque à l'appel.

L'OUEST

■ **SANDALS INN**
Kent Avenue
✆ +1 876 952 4140
www.sandals.com
Dans tous ses complexes hôteliers, la chaîne Sandals pratique la formule du tout compris réservée aux couples. A Montego Bay, les hôtes d'un hôtel peuvent profiter des équipements des deux autres hôtels selon le principe « stay at one, play at three ». Celui-là, un hôtel intime de cinquante-deux chambres réparties sur trois niveaux, se trouve en face d'une petite plage privée à proximité de l'aéroport international de Sangster. Deux restaurants, piscine, sports nautiques, voile, planche à voile et kayak, plongée, billard, animations et soirées thématiques.

■ **SANDALS MONTEGO BAY**
Kent Avenue,
✆ +1 876 952 5510
www.sandals.com
Formule « all inclusive » à partir de 430 US$.
L'hôtel possède la plus grande plage privée de Mobay, sable blanc et mer turquoise sont à l'honneur. Il s'inscrit dans une propriété de 10 ha à la généreuse végétation tropicale. Les prestations de ce complexe sont sensiblement les mêmes que celles du précédent. L'ambiance y est plus jeune et plus décontractée.

■ **SANDALS ROYAL JAMAICAN**
Hôtel Sandals Royal Caribbean Resort & Private Island – Luxury Included Vacation
✆ +1 876 953 2231
www.sandals.com
srj.is@cwjamaica.com
Chambre à partir de 300 €, selon la période et les options. Réservation possible sur le site Internet. Mieux vaut réserver longtemps à l'avance.
Bâti autour d'une ancienne maison de style géorgien qui appartenait à la grand-mère du fondateur de la chaîne Sandals, Butch Stewart, cet hôtel le plus sophistiqué des trois Sandals de Mobay, compte cent quatre-vingt-dix chambres au décor raffiné, toutes spacieuses, avec climatisation, téléphone, TV, coffre-fort, terrasse ou balcon. Les quatre restaurants thématiques, dont un se trouve sur un îlot privé, proposent une cuisine variée, jamaïcaine, indonésienne, méditerranéenne ou gril, trois bars, un piano-bar et une discothèque. Les sportifs seront comblés : sauna, quatre piscines, cinq Jacuzzis, centre de fitness, plongée, tennis, voile, pédalo, voilier, volley-ball, basket, croquet.

■ **SEA CASTLES**
Rose Hall ✆ +1 876 953 3250
www.seacastlesjamaica.com
reservations@seacastlesjamaica.com
Chambre à partir de 70 US$.
Le grand complexe appartenant à la compagnie Friends International est situé quelques kilomètres à l'est de Montego Bay, à l'écart de l'effervescence touristique, au calme d'un immense parc et d'une longue plage de sable blond. Les 150 chambres sont réparties dans des unités massives aux allures de châteaux dont les quatre ailes blanches sont surmontées de toits de tuiles grises. Confort et convivialité sont ici les mots d'ordre. Les chambres, studios et appartements sont équipés pour accueillir jusqu'à six personnes (cuisinette, téléphone, TV, balcon). Côté bouche : un restaurant classique, deux cafés avec une carte simple pour les petits déjeuners et les snacks rapides, deux bars. Côté sports : piscine, tennis, voile, plongée et planche à voile, volley-ball, etc.

Se restaurer

La plupart des hôtels possèdent un ou plusieurs restaurants proposant généralement une carte de spécialités jamaïcaines et d'incontournables plats internationaux de bonne tenue. Les restaurants indépendants sont légion à MoBay et quelques bonnes tables méritent une visite.

Bien et pas cher

■ **ADWA NUTRITION FOR LIFE**
Shop #2
West Gate Shopping Center
South Down Town ✆ +1 876 952 6554
Ouvert de lundi à samedi de 9h à 18h. Autre adresse sur Iron Shore, au Whitter Village (shop 11). A partir de 200 JMD.
Cette enseigne locale de produits de nutrition et de cuisine végétarienne a deux magasins-restaurants. Celui-ci, Down Town, vend tout une gamme de produits naturels et parfois étonnants et, évidemment, sert chaque jour des plats au soja, au tofu, aux haricots et aux légumes épicés. Sain et pas cher : 300 JMD la grosse barquette, sur place ou à emporter pour manger sur la plage. Les jus de fruits sont très originaux et plein de soleil.

■ **JOLLY RODGERS**
Gloucester Avenue ✆ +1 876 971 0058
Tout en haut de l'avenue, opposé à Cornwall Beach, près du marché artisanal.
Plat entre 600 et 1 200 JMD.

Parmi la myriade de restaurants alignés le long du Hip Strip, celui-ci se démarque par ses prix, plus bas, et sa clientèle, plus locale. Le décor est très « pirate » avec devant la porte un comptoir et un boucanier, et à l'intérieur une salle agréable avec sur les murs de grandes fresques représentant un gallion du XVIIIIe siècle. Plats jamaïcains classiques, crevettes, homard mais surtout la soupe du jour, très prisée, qui se vend autour de 250 JMD le bol. Une cuisine de qualité et un accueil souriant.

■ MEMORABILIA
Rose Hall Main road
Iron Shore
✆ +1 876 377 0224 / +1 876 953 8791
En venant de Mo Bay par l'autoroute, c'est le premier restaurant à gauche après avoir passé le centre commercial Blue Diamond et le Burger King.
Plats entre 400 et 1 200 JMD. Soupes autour de 250 JMD.
Original, funky et étonnement décoré, c'est le genre de restaurant-bar qu'on imagine visiter lorsque l'on pense à la Jamaïque. On pénètre dans la propriété par une grande pièce ouverte aux vents, où trônent un billard et des meubles de tous les âges. Le couloir descend vers le vibrant « musée » pirate pour déboucher sur un comptoir circulaire, cerné de vitres qui donnent sur la mer calme. Style cabine de gallion. Odeurs de crevettes à l'ail. De là, deux pas suffisent pour être les pieds dans le sable, à l'ombre d'un palmier trapu, assis devant une soupe du jour, le regard tourné vers l'horizon bleu. En bonus : tous les vendredis c'est soirée cinéma gratuit, avec grand écran et diffusion d'un film dont on connaîtra la nature en téléphonant au préalable.

■ THE NATUREYZER
36 Church Street
✆ +1 876 971 9485
Ce « rastarant » de MoBay, tenu par Brown Sugar, sert toute une gamme de plats I-tal, dont de merveilleuses soupes. La carte des jus est incroyable et change chaque jour.

■ THE PELICAN
Gloucester Avenue
✆ +1 876 952 3171
Ouvert tous les jours jusqu'à 23h. Plats à partir de 500 JMD.
Bien situé, le restaurant est l'une des institutions de Montego Bay. Décoration sobre, bois et banquettes semi-circulaires, clim à fond et service très attentif. La clientèle est très hétéroclite. On mange ici du poisson frais, du homard, des crevettes, du poulet, des pâtes, des salades et des glaces, le tout pas trop cher. Mais ni le décor ni l'ambiance, impersonnels, ni même la cuisine, correcte mais sans plus, ne sont inoubliables.

■ THE PORK PIT
Gloucester Avenue
Face à la plage Aquasol
Ouvert jusqu'à 23h tous les jours. Comptez 650 JMD pour un repas.
On y commande son demi-poulet ou ses côtes de porc derrière un minuscule grillage. La nourriture est présentée dans des paniers de plastique, sans couverts, en plein air, sur une grande terrasse qui domine le Hip Strip. Tout du vrai Jerk Center. Pas cher, évidemment.

Bonnes tables

■ HI LITE CAFE
19 Queens Drive
✆ +1 876 979 9157
Amateurs de coucher de soleil resplendissant ou de vues spectaculaires, ne manquez pas de venir prendre un verre à proximité de l'ancienne retraite jamaïcaine d'Al Capone. Accroché à flanc de colline, construit en partie sur d'immenses pilotis, le bar tout en bois domine de façon singulière la ville de Montego Bay. Depuis sa terrasse se déploie l'une des plus belles vues panoramiques qui soit. L'endroit est idéal, bien qu'un peu excentré, pour prendre un apéritif romantique face au soleil couchant. Le gril prépare une bonne cuisine simple et bien servie. Un simple coup de fil suffit pour qu'on vienne vous chercher à votre hôtel.

■ HOUSEBOAT RESTAURANT AND GRILL
Freeport Road
Bogue Lagoon
✆ +1 876 979 8845
http://thehouseboatgrill.com
houseboat@cwjamaica.com
Ouvert tous les jours, sauf le lundi. Comptez moins de 1000 JMD par personne.
Les nostalgiques des alpages suisses dîneront de spécialités de fondues de fromage, déroutantes sous ces latitudes. Ce bateau de bois ancré dans les méandres de Freeport a connu plusieurs vies, dont certaines pas tout à fait avouables – on murmure qu'il a servi de cercle de jeu, et même de repaire de filles légères. C'est sur cette coque repensée que l'on renouera avec les plaisirs d'une cuisine montagnarde parfois un peu lourde. Le décor est charmant et le service agréable.

L'OUEST

■ **MARGARITAVILLE**
Gloucester Avenue
✆ +1 876 952 4777
www.margaritavillecaribbean.com
info@margaritaville.com
Entre 2 500 et 3 000 JMD.
Il s'en passe des choses au Margaritaville : sports nautiques, pontons et toboggans marins, bar à cocktails, restaurant, rencontres en tout genre, bref l'un des musts du Hip Strip. La boîte de nuit incontournable tous les soirs. Le bar-restaurant est bâti en surplomb de la mer, la salle est en partie couverte. Une large carte mode et internationale de burgers, sandwichs et salades, où la cuisine mexicaine côtoie les pizzas. La liste des cocktails mérite, elle aussi, un détour.

■ **MARGUERITE'S**
Gloucester Avenue
✆ +1 876 952 4777
Ouvert de 18h à 22h30. Transport gratuit depuis les hôtels. Comptez entre 2 000 et 2 500 JMD pour un repas complet.
Voisin du célèbre Margaritaville, ce restaurant discret appartient au même propriétaire. Une grande terrasse fraîche au décor romantique à souhait, en surplomb de la mer, éclairée par la lune et la lueur des bougies. La cuisine est excellente et créative, la carte est résolument orientée vers les spécialités de poissons et de fruits de mer, avec des escapades vers les grands classiques européens revus et corrigés façon caraïbe. Le service enfin est attentif, efficace et sans reproche. L'addition quant à elle reste raisonnable pour une excellente qualité. Bref, une bonne adresse pour un dîner à deux.

■ **TAPAS**
Corniche Road
à l'angle du Coral Cliff Hotel
✆ +1 876 952 2988
Ouvert tous les jours de 18h30 à 22h, excepté le dimanche. Comptez 20 € pour un repas complet.
Juste au-dessus du Hip Strip, c'est sans aucun doute l'une des meilleures tables de Mobay. Le restaurant se niche sur les hauteurs, dans une grande maison de style mexicain dont la terrasse surplombe un joli jardin. On dîne al fresco aux lueurs romantiques des bougies. Nouvelle cuisine non jamaïcaine, saveurs antillaises, influences méditerranéennes, le chef Oliver Magnus (qui règne aussi sur les cuisines du Tryall Beach Club) a décidé de régaler ses hôtes de créations maison :

poulet sauce mangue et moutarde, poisson sauce cacahuète, gaspacho, crevettes à la cajun, autant de spécialités, arrosées de vins de qualité, qui chatouillent les papilles. La formule tapas permet de déguster un peu de chaque spécialité. Enfin, la carte change chaque semaine et de nouvelles créations voient régulièrement le jour. Palais lassés des curries et des jerks, une visite s'impose, mais, attention, prenez la peine de réserver car seulement seize places et une dizaine de tables sont disponibles.

■ **TOWN HOUSE**
Gloucester Avenue
✆ +1 876 952 2660
sneadandsons@hotmail.com
Ouvert tous les jours de 11h à 22h. Repas complet de 15 à 30 €.
Voilà une belle maison du XVIIIe siècle qui a connu plusieurs vies. Construite en 1765 par un riche négociant, David Morgan, elle est devenue, après son décès, la cure de l'église anglicane. Utilisée ensuite comme un club réservé aux notables locaux, elle a même eu l'honneur d'héberger pour une nuit la reine Victoria, lors d'un périple en Jamaïque. Après la Grande Guerre, elle a fait office de temple maçonnique puis d'entrepôt. Enfin, elle est devenue le siège d'un bureau d'avocats, puis une synagogue. Le Picadilly Hotel a succédé à la synagogue et ce n'est qu'en 1967 que le restaurant actuel y a vu le jour. Une atmosphère raffinée pour cette bonne table élégante, rendez-vous favori de la jet-set, des têtes couronnées aux acteurs hollywoodiens. Le décor de cave voûtée et fraîche rappelle un vieux restaurant européen traditionnel. La cuisine jamaïcaine est de bonne qualité, avec des spécialités de langoustes et de poissons, des incursions dans l'exotisme asiatique (porc au satay), ou la cuisine française (champignons au vin rouge). L'addition est à la hauteur du décor, raffinée…

Sortir

La vie nocturne de MoBay est réputée pour être l'une des plus animées de l'île. De nombreuses discothèques se disputent la clientèle touristique. Les plus prisées sont les moins typiques, c'est-à-dire celles des grands hôtels, où l'ambiance est standardisée. Il faut mentionner l'ambiance de rue nocturne, populaire, le lundi soir : Exact Monday. Une sorte de réplique des ambiances de rue qui se pratiquent à Kingston : Uptown Monday et Passa Passa (à Downtown le mercredi).

Cafés – Bars

■ HAVANA CLUB
Quasiment en face du Doctor's Cave Beach
Club
Gloucester Avenue
✆ +1 876 971 0161
www.havanaclub-cigar.com
De gros fauteuils en cuir marron vous
attendent dans une ambiance très cubaine,
pour déguster des cocktails à base de rhum.
Une excellente adresse également pour les
amateurs de cigares...

Clubs et discothèques

■ DOCTOR'S CAVE GROOVY GROUPER
Gloucester Avenue
Hip Strip ✆ +1 876 952 4355
Tantôt calme, les pieds dans l'eau devant un
concert, parfois plus animé comme lors de la
venue de défilés de mode ou de DJs. Le bar de
l'hôtel du même nom organise régulièrement
des soirées à thèmes autour de la piscine. Au
bar, cocktails maisons et billard dans un coin.
Propice aux rencontres. Retenir les soirées
punch du mercredi et du samedi : rhum aux
fruits offert entre 18h et 19h.

■ PIER ONE
Howard Cook Boulevard
Downtown
✆ +1 876 952 2452
www.pieronejamaica.com
C'est une fort bonne ambiance et la fièvre du
vendredi soir quand les touristes se retrouvent
avec les Jamaïcains pour danser toute la nuit
aux sons des derniers reggaes. La discothèque
construite sur le ponton en surplomb de la
mer possède un décor aéré, charmant et
chaleureux.

■ SEAWIND CLUB
En face du Yacht Club, du côté de Montego
Bay Freeport
Sunset Drive
*Comptez 650 JMD pour accéder à la plage
privée et la piscine. Le brunch le dimanche à
volonté est à 2500 JMD.*
Sur cette avenue, tournez lorsque vous verrez
un petit mur ocre entre les resorts et les
grands hôtels. Vous pourrez déposer votre
véhicule sur le petit parking surveillé et gratuit.
Lors de notre passage, l'endroit n'était pas
envahi de touristes. Un groupe jouait de la
musique. La plage n'est pas très grande mais
elle est propre et équipée de transats et de
parasol. L'endroit est paisible et très agréable.

Pour ceux qui préfère, une jolie piscine équipée
d'un bar les pieds dans l'eau vous attend ! La
nourriture est excellente et pas très chère.

■ THE VOYAGE
Gloucester Avenue
✆ +1 876 979 9447
L'entrée de la plage Aquasol se trouve entre
le Hip Strip et Downtown, sur Gloucester av.
Le Voyage est la face nocturne de la plage
d'Aquasol, spécialiste des beach parties sur
MoBay. Programme mouvant, se renseigner
par téléphone. Il y a toujours foule les soirs
de week-end, où sont organisés des concerts
et parfois des combats de boxe.

Spectacles

■ THÉÂTRE FAIRFIELD
Fairfield road ✆ +1 876 952 0182
Situé sur les hauteurs de MoBay, dans le
quartier résidentiel de Fairfield, le théâtre
affiche le programme de ses représentations
à travers toute la ville.

À voir – À faire

■ BURCHELL PARISH CHURCH
Sam Sharpe square
C'est un missionnaire, le révérend baptiste
Thomas Burchell, qui l'a fait bâtir en 1824.
La première congrégation de cette église était
composée d'esclaves. Sam Sharpe, le leader
abolitionniste, y a été diacre.

■ PARC NATIONAL MARITIME DE MONTEGO BAY
Bay Marine Park
Pier One Complex
✆ +1 876 952 5619 – www.mbmp.org
Ouvert de 8h30 à 16h30.
C'est la plus grande des réserves marines de
la Caraïbe et le premier parc national établi en
Jamaïque. Créé en 1992, il s'étend de l'aéroport de Sangster jusqu'à l'îlot de Sea Winds.
Son but est de protéger l'environnement
et les ressources marines de Montego Bay
composés de trois environnements maritimes :
la mangrove, les algues marines et les récifs
coralliens qui abritent chacun de nombreuses
espèces animales et végétales dont la survie
maintient un équilibre écologique fragile.
Un guide des règles à respecter par tous,
visiteurs comme industriels ou pêcheurs,
et des sanctions, sévères, correspondant
aux infractions, a été édité. Il est disponible
auprès des centres de plongée.
Parmi les mises en garde à destination des
touristes, retenons en quelques-unes :

▶ **Ne toucher les coraux** sous aucun prétexte, le plus petit contact pouvant causer des dommages irréversibles.

▶ **Laisser les plantes,** coquillages et poissons dans l'eau, même s'ils sont morts.

▶ **Boycotter les produits d'artisanat** en corail noir ou en écaille de tortue (les tortues marines sont protégées en Jamaïque).

■ **SAM SHARPE SQUARE**
Sam Sharpe Square
Le petit square, point névralgique du centre-ville de Montego Bay, connaît parfois des encombrements automobiles dignes de la place de l'Etoile. Le pasteur Sam Sharpe était le leader de ce qui reste connu comme la « Rébellion de Noël » en 1831. Pendu en place publique à Montego Bay après avoir entraîné dans sa révolte plusieurs paroisses du pays, il est l'un des héros nationaux de la Jamaïque.

Sports – Détente – Loisirs

▶ **Sports nautiques.** Les plages publiques de la ville possèdent toutes des centres de location de matériel sportif : planches à voile, canoës, pédalos, jet-skis, masques et tubas, etc., ainsi que des terrains de sport, et notamment de beach-volley.

▶ **Plongée sous-marine.** Montego Bay est un centre de plongée important de l'île. La faille Cayman, toute proche de la côte, a créé un relief sous-marin fascinant. A moins de 15 minutes du rivage en bateau et à de faibles profondeurs, plus d'une trentaine de sites de plongée intéressants se succèdent le long du National Marine Park. Le terrain de jeu de Penny, les Arches, la grotte des Veuves, les récifs du Lever de Soleil, du Panier, l'Arène, les Canyons, l'Allée de Corail Noir et le Labyrinthe tropical, autant de noms de récifs qui laissent rêveurs. Tous les plongeurs, débutants ou expérimentés, passionnés de poissons ou de végétaux, amateurs d'épaves ou de sites naturels, y trouveront des plongées à leur goût. Au-delà des limites de la réserve, les fonds marins chutent rapidement et d'autres sites plus profonds sont alors accessibles. Beaucoup d'hôtels de luxe proposent des cours de plongée, et une quinzaine d'opérateurs indépendants offrent leurs services sur les plages.

▶ **Pêche en haute mer.** La pêche au gros est l'une des activités favorites de la côte Nord où des tournois se déroulent régulièrement.

Les bateaux mouillent au Pier One. Seaworld possède des bateaux équipés de tout le matériel nécessaire aux plus grosses prises.

▶ **De nombreuses options pour passer d'une heure à une journée complète en bateau,** voilier, bateau à moteur. Renseignements sur les plages ou au Pier One. Une des spécificités de la Jamaïque est le coucher de soleil. De nombreuses agences ou embarcations indépendantes affrètent donc des bateaux pour des virées « coucher de soleil » en fin d'après-midi.

▶ **Amateurs de golf, à vos clubs !** Pas moins de quatre parcours de golf dans l'immédiate proximité de Montego Bay, et parmi les plus prestigieux de l'île.

■ **CALICO CRUISES**
Aquasol Beach
✆ +1 876 952 5860
De 10h à 13h tous les jours sauf lundi et mercredi. 35 US$ par personne. Croisière « Sunset » de 17h à 19h de mercredi à samedi, 25 US$. Départ depuis Pier One.
Les deux voiliers de bois style corsaire sont appontés au Pier One. Ils sillonnent sans relâche la baie et ses environs proposant plusieurs options de croisières où l'ambiance est résolument à la détente. A retenir la journée complète de 10h à 15h, avec pique-nique sur la plage et boissons à gogo, baignades, plongée avec masque et tuba, et animation musicale. Le soir, une croisière plus romantique au coucher de soleil (de 17h à 19h) séduira les couples. Réserver un jour à l'avance, croisières tous les jours sauf lundi et mercredi, transport gratuit depuis les hôtels.

■ **HALF MOON**
Rose Hall ✆ +1 876 953 2560
www.halfmoon.com
reservations@halfmoon.com
Dessiné par Robert Trent Jones, l'un des maîtres incontestés en la matière, ce parcours de golf 18-trous (par 72) s'étend en face du complexe hôtelier de Half Moon. Très vaste (6 509 m de long) et vallonné, il est réputé pour ses surprises et pour la complexité de ses troisième et quatrième trous.

■ **IRONSHORE CLUB-HOUSE**
Pro shop
bar et restaurant Iron Shore
✆ +1 876 953 3681
Dessiné par Robert Moote, le parcours comporte de nombreuses pièces d'eau,

bunkers aveugles et fairways accidentés dans un écrin de végétation luxuriante (18-trous, 6 007 m, par 72).

■ MARTHA BRAE RAFTING

✆ +1 876 952 0889

La descente de la rivière Martha Brae se fait dans les classiques radeaux de bambou, sur environ 5 km, durée 1 heure 30. Le panorama est moins sauvage que certaines rivières.

■ MONTEGO BAY YACHT-CLUB

Sunset Drive ✆ +1 876 979 8038
www.mobayyachtclub.com
Ouvert de 7h à minuit tous les jours.
Possibilité de louer un bateau ou de partir à la pêche en mer. Sur place, un restaurant et un bar vous accueillent toute la journée.

■ ROCKY POINT STABLES

Au sein du Half Moon Club
Iron SHore
✆ +1 876 953 2286
www.horsebackridingjamaica.com
r.delisser@cwjamaica.com
Balade d'une heure sur la plage : 80 US$.
L'un des centres équestres les plus renommés du pays. Leçons, reprises, balades le long de la plage ou excursions en montagne, leçons de polo, attelage, toutes les options sont possibles. Transport organisé vers les hôtels.

■ SAILING JAMAICA FREESTYLE EXPERIENCE

✆ +1 876 381 3229
www.jamaicawatersports.com
dptgonefishing@hotmail.com
Yacht club, tout au sud de la ville.
Une mini-croisière le long de la côte avec tout le cocktail club de vacances à bord : massages, bières fraîches, musique qui rugit sur les flots… Possible aussi, l'aller-retour à Doctor's Cave Beach en navire avec une halte de 3 heures sur la plage. Pourquoi pas ?

■ SEAWORLD

✆ +1 876 953 2188 / +1 876 953 2180
www.diveseaworld.com
Pour les débutants et les plongeurs confirmés, ce club de plongée vous propose différentes formules adaptées à vos envies, y compris pour les plus petits. Prise en charge depuis votre hôtel si vous le souhaitez.

■ TRYALL CLUB

Sandy Bay Main Road
✆ +1 876 956 5660
www.tryallclub.com
reservation@tryallclub.com
A 15 km de Montego Bay
Ce parcours de golf dessiné par le Texan Ralph Plummer est considéré comme l'un des plus beaux du monde. Il se situe dans une ancienne plantation sucrière, aujourd'hui propriété du complexe Tryall, et déroule ses vastes fairways en grande partie en bordure de mer.

■ WHYNDAM

Rose Hall Main Road,
✆ +1 876 953 2650 / +1 876 953 2655
www.wyndham.com
Ce parcours de golf se situe à Rose Hall, à l'est de Montego Bay dans l'ancienne propriété de Rose Hall. Chaque année, il accueille le championnat jamaïcain. C'est un parcours original qui longe par endroits la mer Caraïbe (18-trous, 6 218 m, par 72).

Visites guidées

■ MAROON ATTRACTION TOUR

32 Church Street
✆ +1 876 952 4546 / +1 876 979 0308
Cette agence organise des excursions d'une journée à Accompong, un village habité par les derniers héritiers des Marrons, les anciens esclaves rebelles. Accompong, quelque peu difficile d'accès, se trouve au fin fond de la Jamaïque intérieure. L'agence propose une formule tout compris avec départ matinal (9h) en autobus climatisé, visite du village, déjeuner sur place et surtout une entrevue avec le colonel qui administre le village selon des règles administratives héritées d'un autre siècle. Retour vers 17h.

■ MOBAY UNDERSEAS TOURS

MoBay Undersea Tours
✆ +1 876 940 4465
mobay@n5.com.jm
Qui ne retrouverait pas son cœur d'enfant à bord du sous-marin qui vous emmène dans une excursion unique au cœur des fonds du parc national ? On embarque dans des canots à moteur pour être acheminé vers le bateau équipé de caissons sous-marins. La plus grande partie du bateau est immergée, équipée de hublots et sonorisée pour les explications. Des fiches explicatives individuelles permettent de mieux appréhender le spectacle sous-marin fascinant qui se déroule : bancs de poissons colorés, anémones et coraux, raies géantes, etc. Les départs ont lieu tous les jours depuis le ponton du Margaritaville, à 9h, 11h et 13h30. Compter 40 US$ par personne, 20 US$ pour les enfants de plus de trois ans.

L'OUEST

Les plages de Montego Bay

Inutile de rêver de plages désertes à Montego Bay... Elles n'existent pas, bien que sable blanc, eau turquoise et cocotiers soient au rendez-vous. Si la ville possède dans ses environs immédiats certaines des plus belles plages du pays, on déplorera le fait que la plupart d'entre elles soient annexées par les hôtels de luxe, et donc réservées à la clientèle de ces mêmes hôtels. Les plages publiques (payantes), gérées par des sociétés privées, sont bien entretenues, aménagées de façon plus fonctionnelle que charmante, équipées de sanitaires et de parasols, et surveillées. En fin de semaine, les plages du centre-ville grouillent de monde et bourdonnent d'activité, on se bouscule dans l'eau, on fait la queue aux douches, on se fraie difficilement un chemin vers les bars, et il faut défendre âprement son m² de sable fin. Ces jours-là, on optera plutôt pour des excursions à l'intérieur de l'île ou des visites. En semaine, les plages retrouvent un calme plus en harmonie avec le cadre. La plupart des plages sont payantes, mais deux d'entre elles permettent de se baigner sans prévoir une journée dans le sable : One Man Beach, superbe, et Dead End Beach (aussi appelée Boocaneers Beach), plus au nord.

■ AQUASOL BEACH (OU FLETCHER BEACH)
✆ +1 876 979 9447
Entre Margaritaville et Downtown
Ouvert de 9h à 22h, et beach parties nocturnes. Entrée : 350 JMD et plus cher les soirs d'événements.
C'est la plus grande des plages publiques de la ville. Très fréquentée, elle est très animée. Elle déploie une large bande de sable blanc au bord d'une mer turquoise et parfaitement plate. Bien équipée, elle offre de nombreuses possibilités de sports nautiques et terrestres (tennis, volley-ball). Kiosques, bars et restaurants s'égrènent en fond de plage.

■ BUCANEERS BEACH (OU DEAD END)
Remonter Gloucester avenue vers le nord jusqu'à arriver sur Kent Avenue.
Située au bout de l'impasse de Dead End, c'est une des rares plages gratuites de MoBay. Très fréquentée, elle est toute petite mitoyenne de l'aéroport et donc bruyante car le trafic aérien est intense. Mais ce sont les mêmes sables blancs et eaux turquoise que chez ses voisines, nuisances sonores en plus.

■ CORNWALL BEACH
✆ +1 876 952 4425
entrée : 400 JMD. Ouverte tous les jours.
La plage a sans doute moins de caractère que sa voisine de Doctor's Cave mais, tout de même, c'est un endroit où l'on passe de bons moment, à l'ombre des cocotiers. La plage est bien entretenue, avec un grand bar et un terrain de volley. Vestiaires et sports nautiques.

■ DOCTOR'S CAVE BATHING CLUB
Gloucester Avenue
✆ +1 876 952 1140
www.doctorscavebathingclub.com
drscave@cwjamaica.com
Ouvert de 8h30 à 18h. Entrée : 500 JMD et 250 JMD pour les enfants. Douches en retrait de la plage. Location de masque et tuba pour 500 JMD.
Ue plage de carte postale dont l'histoire commence en 1906 quand le docteur Alexander McCatty fait don de sa propriété de bord de mer à la commune de Montego Bay. La grotte par laquelle on accédait à la plage, et qui lui a donné son nom, a été détruite par un cyclone en 1932. Aujourd'hui la plage fait partie du National Marine Park qui protège faune et flore du récif corallien. On accède à la plage par un bâtiment de béton austère. L'endroit est si bien protégé et enclavé entre les hôtels qu'on ne peut quasiment pas y jeter le moindre coup d'œil avant d'entrer !

■ ONE MAN BEACH
Gloucester avenue
Juste après Margaritaville en venant du nord, après le parc.
accès libre
Exemple typique d'une plage superbe laissée à un entretien sporadique. Entourée de deux plages prestigieuses et bien étanches, One Man Beach déploît une courbe parfaite entre deux longues jetées de pierres. A gauche, quelques arbres comme de beaux parasols. Partout, une eau limpide qui lèche une bande de sable souvent déserte. Gardez tout de même un œil sur vos affaires car il n'y a pas de surveillance. Nombreuses sont les familles et les jeunes du coin à venir nager ici le week-end dans une atmosphère très détendue.

Retrouvez le sommaire en début de guide

Shopping

Montego Bay possède deux centres commerciaux, celui du Half Moon Village et le City Center où sont représentées toutes les marques de luxe (vendues hors taxe) et quelques boutiques d'artisanat. Il est toutefois recommandé d'acheter les produits typiques de l'île (café, sauce jerk, gateaux jamaïcains, rhum…) directement dans les supermarchés locaux où les prix sont plus intéressants.

■ CASA DE ORO
City Center Building
Half Moon Shopping Village
www.casadeoro.com
Les marques françaises de parfum sont toutes représentées dans ces deux grandes boutiques de luxe ouvertes tous les jours sauf le dimanche. Prix tout à fait compétitifs. Les bijoux, montres, vêtements, parfums et accessoires de mode sont signés des plus grands noms internationaux.

■ CHAMBERS BOOKSTORE
68 Barnett Street
Henderson's, 27 Saint James
✆ +1 876 979 0603 / +1 876 952 2551
Une librairie bien approvisionnée.

■ CORAL CLIFF
165 Gloucester Avenue
en face de la discothèque Margaritaville
✆ +1 876 952 4130
www.coralcliffjamaica.com
Dans une ambiance de casino tropical, une bonne centaine de bandits manchots vous attendent au Coral Cliff, impatients de vous faire les poches. Bar, restaurant, karaoké concerts.

■ GALERIES OF WEST INDIAN ART
11 Fairfield Road, Catherine Hall
✆ +1 876 952 4547
www.galleryofwestindianart.com
Plus qu'une galerie d'art, il s'agit là d'une boutique d'artisanat qui propose une excellente sélection de créations originales, bois taillé, objets décoratifs aux couleurs éclatantes – miroir, cadres, coffrets, tabourets…

■ JAMAICA FLAMINGO GIFT SHOP
43 Holiday Village Center
À Rose Hall
Cette enseigne de souvenirs est particulièrement agréable et bien approvisionnée pour faire des petits cadeaux. On y trouve des T-shirts exclusifs de belle qualité, des spécialités de bouche (rhums, café et cigares) et une large sélection d'objets artisanaux originaux.

▶ **Autres adresses :** Saint James Plaza sur Gloucester Avenue, et Queen's Drive à côté du Hi Lite's Cafe.

■ MARCHÉS D'ARTISANAT
Trois marchés regroupent les créations locales : Harbour Street, aux échoppes de bois peintes en rose et protégées de hauts grillages peu avenants, Old Fort, le plus récent, et celui qui se cache derrière des bicoques au début de Gloucester Avenue.

■ EL PASO
Sur la place centrale de James Street. Le disquaire le plus célèbre de la ville.

■ RICHIE SYMBOL
17 Humba Avenue
✆ +1 876 952 3148
Ouvert du lundi au samedi de 10h à 17h30.
Un bon disquaire de MoBay, un peu à l'écart du centre. Tous supports, tous formats, et prix attractifs. Aussi petit studio pour les « dub-plates », ces enregistrements exclusifs destinés à être joués en sound system.

Dans les environs

■ GREENWOOD GREATHOUSE
Greenwood Great House,
✆ +1 876 953 1077
www.greenwoodgreathouse.com
greenwoodgreathouse@cwjamaica.com
Ouvert tous les jours de 9h à 18h. Entrée : 14 US$. A 12 km à l'est de Montego Bay, prendre Greenwood Avenue, la route qui monte depuis Greenwood Plaza, tourner à gauche à Brooks Heights, puis tourner à droite à Belgrade Avenue.
Une grande allée fleurie déclinant toutes les nuances des bougainvilliers mène à la vieille et massive demeure parfaitement entretenue, construite en 1760 par sir Richard Barrett. La solide structure de pierre contraste avec un intérieur chaleureux tout en boiseries. En vedette, le mobilier d'époque témoigne du style de vie d'un autre siècle. On pénètre dans la maison par une immense salle de bal contenant entre autres merveilles, céramiques et porcelaines et une splendide collection d'instruments de musique en parfait état de marche, polyphonies, orgues, piano (du même artisan qui fournissait Beethoven, John Broadwood). La salle à manger à deux niveaux donne d'un côté sur le jardin, de l'autre sur la mer en contrebas. Les chambres au deuxième niveau ont conservé leur mobilier d'origine. De l'immense galerie de bois, l'œil se perd sur une mer aux reflets argent

Les bibliophiles seront séduits par les éditions originales – dont un Dickens – de la grande bibliothèque qui contient plus de 300 ouvrages. Tout au long des pièces, des portraits nous font rencontrer les membres de cette prestigieuse famille. La visite se termine par une halte méritée au bar, aménagé dans les anciennes cuisines extérieures. Au cœur du jardin joliment fleuri, une collection d'attelages du siècle dernier rappelle une époque révolue.

■ MAYFIELD WATERFALLS
Mabel Ewin Drive
✆ +1 876 971 6580
info@mayfieldfalls.com
Le bureau de Mayfield falls tours permet d'organiser des sorties vers ces chutes d'eau peu connues et vraiment bien préservées.

■ ROSE HALL GREATHOUSE
Saint James
✆ +1 876 953 8150
www.rosehall.com
Face au centre commercial du même nom.
Visites guidées de 9h à 18h. Entrée : 20 US$, enfants : 10 US$. Bar et boutique de souvenirs.
Difficile de passer à côté de ce temple du tourisme jamaïcain ! Son nom est inscrit en pierres blanches sur les flancs de la colline au sommet de laquelle trône la plus majestueuse des greathouses du pays. Impossible donc de passer sa route sans la voir. Restaurée avec bonheur par John Rollins, un ancien gouverneur de l'Etat du Delaware, qui, fortune faite dans l'immobilier, a consacré beaucoup de temps et d'énergie à la restauration de ce

monument du patrimoine jamaïcain.
Depuis, nombre d'événements culturels (concerts, ballets) et sociaux y trouvent une scène et un décor dignes des plus prestigieux spectacles. Demeure surmontée d'un toit de tuile grise à l'architecture sévère et presque austère, Rose Hall respecte un principe de symétrie rigoureuse. Une multitude de fenêtres à petits carreaux égayent la façade lui donnant un air de respectable demeure anglaise : ce qui témoigne bien de l'attachement des colons expatriés à leurs racines. Les jardins ceinturant la maison ont domestiqué la luxuriance tropicale pour l'assagir en un décor discrètement fleuri.
Mais revenons à l'histoire mouvementée de cette grande maison. Construite en 1760 par John Palmer, un riche planteur, représentant de la Couronne britannique dans la paroisse de Saint James, cette massive demeure géorgienne a été baptisée du nom de la femme de Palmer, Rose.
Haut lieu de la vie sociale de l'île, la maison a été détruite lors du soulèvement des esclaves de décembre 1831.
Abandonnée à son sort pendant plus d'un siècle, elle devait renaître de ses ruines en 1966 lorsque John Rollins, tombé sous le charme de son histoire, en est devenu propriétaire et l'a restaurée pour un budget colossal de plus de 2 millions de dollars.
Aujourd'hui, son faste retrouvé, Rose Hall Greathouse est une attraction majeure et incontournable de la Jamaïque. Tout à Rose Hall est imposant et, si ni la décoration ni le mobilier ne sont d'origine, tout a été recons-

Chutes de Mayfield.

titué dans le plus grand respect de l'époque. Les pièces vastes et richement meublées témoignent de l'opulence et de la magnificence de la vie des planteurs. Salles de réception, de bal, chambres et antichambres, salon de lecture et salon de musique, rien n'était trop beau – ni trop coûteux – pour reproduire un peu de cette vie au parfum de Vieille Angleterre laissée derrière soi.

Mais ce qui constitue sans aucun doute l'un des attraits majeurs de la maison, c'est la sorcière blanche de Rose Hall qui hante la demeure depuis le XIXe siècle ! Lorsque Anne May Patterson épouse John Rose Palmer, le petit-neveu du fondateur et héritier de la propriété, elle n'est encore qu'une très jeune fille. Moitié anglaise, moitié irlandaise, Annie avait été élevée en Haïti, l'île voisine. Sa nourrice, venue d'Afrique avec des marchands d'esclaves, l'avait initiée aux rites du vaudou. Annie est une jeune femme autoritaire aux appétits sexuels insatiables. Sans doute son premier mari n'est-il pas à la hauteur de ses attentes car, sans autre forme de procès, elle l'empoisonne habilement et sans laisser de trace. Très rapidement remariée, Annie tombe sur un époux guère plus satisfaisant que le premier. Elle le poignarde sauvagement. De nombreux esclaves mâles de la plantation connaîtront un destin fatal après avoir honoré la couche de leur maîtresse. Toujours insatisfaite, malgré les services rendus par les esclaves, Annie convole de nouveau. Cette fois, elle choisit d'étrangler son troisième mari. Des esclaves révoltés finiront par se débarrasser de la demoiselle. Mais, depuis, le fantôme d'Annie, ne laissant pas de repos à son âme torturée, hante les lieux de ses crimes ; l'ectoplasme aurait tué encore plusieurs personnes. Nombre de tentatives ont été menées pour entrer en contact avec Annie. Lors d'une séance de spiritisme en 1978, Annie elle-même a conduit le spirite à la découverte d'une poupée vaudou. L'affaire a fait le tour de l'île.

Telle est la légende à laquelle les Jamaïcains sont attachés et qui vous sera débitée très sérieusement par les jeunes filles en robe de madras qui guident la visite. La vérité est sans doute beaucoup moins dramatique, puisque Anne Palmer s'est éteinte en 1846 après de longues années d'un mariage paisible avec John Palmer. La légende trouve son origine dans un roman fantastique écrit en 1929 par H.-G. de Lisser et dans le fait que Rose Palmer, la première propriétaire de la maison, a effectivement eu quatre maris.

COCKPIT COUNTRY

Environnement sublime aux confins de l'inaccessible, cette vaste étendue de quelque 800 km^2 est l'une des plus méconnues et des moins visitées de l'île, malgré sa richesse tant géologique qu'animale et végétale. La région aux formes bizarres et aux paysages spectaculaires est très vallonnée, en une succession ininterrompue de mamelons dodus, de dômes et de tours karstiques, sillonnée par endroits de profondes dépressions. En effet, l'érosion des formations calcaires vieilles de plusieurs millions d'années a créé des reliefs étonnants aux formes rondes couverts d'une végétation très dense, le plus souvent inextricable. Le Cockpit Country est aussi creusé de dédales de grottes souterraines, difficiles d'accès et dont l'exploration est réservée aux spéléologues avertis. C'est dans cette région peu accessible que les Marrons du nord, ces esclaves africains échappés des plantations, ont trouvé refuge. Ils y ont établi leur quartier général, édifiant villages et réseaux de communication. Depuis leur retraite montagnarde, ils ont résisté de longues années aux colons britanniques contre lesquels ils ont mené une épuisante guerre d'usure qui s'est soldée par une capitulation et un traité de paix. Mais les soldats anglais s'étaient entre-temps équipés de chiens de chasse pour arriver à percer le secret de leur retraite dans le Cockpit.

Aujourd'hui, le Cockpit Country est toujours aussi peu accessible. Quasiment déserte, la région reste vierge de toute exploitation agricole ou forestière ; seuls les contreforts sont un peu domestiqués et habités par de petits fermiers qui y exploitent à grand-peine des petits lopins de terre. Quelques pistes mal entretenues et peu praticables, où la machette est de rigueur, pénètrent cette région primitive. Il n'existe pas de carte précise de la région et vous aurez la surprise de découvrir sur les cartes routières une zone vierge de toute indication.

Paradis en sursis ? Le tourisme galopant, la modernisation et la pollution n'ont pas encore fait trop de dégâts. C'est une faune et une flore quasi intactes qu'on pourra découvrir. Ravissement pour les ornithologues, beaucoup d'espèces sont endémiques au Cockpit Country, perroquets multicolores, colibris délicats, corbeaux, tourterelles. Délectation pour les botanistes, la forêt tropicale déploie son fastueux décor dont les spécialistes prétendent que toutes les espèces n'ont pas encore été répertoriées.

L'OUEST

La fabrication du sucre

« J'ai vu ce matin tout le processus de la fabrication du sucre. Les cannes mûres sont apportées par ballots au moulin où sont employées les femmes les plus propres. L'une d'elles les met dans la machine afin qu'elles y soient broyées, une autre les en sort une fois que le jus en est extrait, et les jette ensuite à côté d'elle, dans une ouverture pratiquée dans le plancher. Un autre groupe de négresses les ramassent et, sous le nom de bagasse, les cannes sont emportées pour servir de combustible. Le jus, qui, au début, est d'une couleur pâle et cendrée, jaillit à flots, tout blanc d'écume, et coule le long d'une rigole en bois jusque dans le bâtiment des chaudières, où il arrive dans une chaudière de cuivre, sous laquelle on allume le feu, et il est alors allongé avec de la chaux pour être concentré. Les parties chargées d'impuretés montent à la surface, tandis que celles qui sont plus pures et plus fluides coulent le long d'une autre rigole dans une deuxième chaudière. Lorsqu'il ne reste plus, à la surface, que l'écume impure à jeter, la première rigole qui communique avec la chaudière est arrêtée, et les parties les plus grossières sont obligées de se frayer un nouveau chemin le long d'une autre rigole qui les conduit à la distillerie où, mélangées à la mélasse ou cassonade, elles sont transformées en rhum. De la seconde chaudière, elles repassent dans la première chaudière, et de là, dans deux autres, et dans ces quatre derniers récipients, on enlève l'écume à l'aide d'écumoires percées de trous, jusqu'à ce que le sirop soit suffisamment débarrassé des impuretés pour être décanté, c'est-à-dire retiré des chaudières et étalé dans les rafraîchissoirs de cuivre où on le laisse se cristalliser.

Le sucre se forme alors et il est transporté dans le « séchoir », où on le met dans des bacs pour le laisser reposer un certain temps pendant lequel les parties qui sont trop pauvres ou trop liquides pour cristalliser, coulent des bacs dans des récipients placés au-dessous : ces écoulements forment la mélasse qui, transportée dans la distillerie et mélangée avec l'écume grossière déjà mentionnée, forment ce mélange à partir duquel est produite, par fermentation, la liqueur spiritueuse de sucre qui, à la première distillation, s'appelle le tafia.

Ce n'est qu'après avoir subi une deuxième distillation qu'il prend le nom de rhum. La bagasse, qui sert de combustible, provient des cannes vidées : ce qui est utilisé comme litière et comme couverture de toits provient des bouts blancs des cannes qui sont en surabondance, une fois qu'on en a prélevé un certain nombre pour être plantées.

Après que ces premiers plants ont été coupés, leurs racines donnent des boutures qui, au moment venu, deviennent des cannes à sucre appelées repousses : leur jus est très inférieur à celui des cannes plantées ; mais, par ailleurs, elles nécessitent beaucoup moins de désherbage et épargnent aux nègres le seul travail pénible, dans la fabrication du sucre, qui consiste à creuser des trous pour les plants.

C'est pourquoi, bien qu'un arpent de repousses ne produise qu'un seul gallon de sucre, tandis qu'un arpent de plants en produit deux, les repousses ont une grande supériorité, dans la mesure où l'économie de temps et de travail permet au propriétaire de cultiver cinq arpents de repousses dans le même temps qu'un seul arpent de plants. Malheureusement, après trois ou cinq récoltes, tout au plus, les repousses en général sont complètement épuisées et il convient d'avoir recours à des plants nouveaux. »

▶ *Journal de voyage à la Jamaïque* (1834), M.G. Lewis, éditions José Corti 1991.

Malheureusement, peu d'agences de tourisme proposent ces excursions, les amateurs étant trop peu nombreux. Les bureaux de tourisme d'Ocho Rios et de Montego Bay peuvent vous orienter vers des guides professionnels. Windsor et ses grottes d'un abord simple constituent une première approche et une clé de cette région qu'il convient de découvrir à pied, à cheval ou par les airs.

Le Cockpit country abrite les localités de Windsor, Albert Town et Accompong.

Cette dernière est le théâtre, chaque année, le 6 janvier, d'un festival important : Accompong Maroon Festival, commémorant le traité de paix de 1739 entre les combattants marrons et les forces coloniales anglaises.

▶ **Plusieurs attractions** situées dans le Cockpit Country sont placées dans le chapitre « Le Sud », du fait de leur plus grande proximité avec Black River. Mais des agences organisent bien sûr les visites depuis Montego Bay et Negril. Voir à l'office du tourisme les tours incluant YS Falls, Appleton Rhum Estate, Accompong, Windsor Caves.

▶ **Pour plus d'informations sur la région :** www.cockpitcountry.com.

■ DE MONTEGO BAY À SAVANNA-LA-MAR

Si l'on souhaite se diriger directement vers le sud de l'île, Sav-la-Mar et Black River, il faut emprunter la route étroite qui monte à l'assaut des collines. Pour cela, il faut sortir de Montego Bay par le sud en suivant Howard Coke Boulevard, puis prendre à gauche sur Alice Eldemir Drive. Au bout de l'avenue, prendre à droite direction Negril, le long de la mer. Au croisement de Reading, à seulement quelques kilomètres de là, la route monte à gauche vers la jungle et file vers Anchovy.

LETHE

15 km au nord-est de Montego Bay. Fort bien situé, entre mer et montagne, ce petit village traditionnel avec ses ressources naturelles et son décor enchanteur peut-être considéré comme une attraction touristique en dehors des sentiers battus. Le pont sur la rivière a été construit par des esclaves en 1828.

■ BAMBOO RAFTING SUR LA GREAT RIVER
Lethe
℗ +1 876 463 0745 / +1 876 394 8929
Peu avant Anchovy, il faut tourner à droite, sur une route qui monte à droite. Lethe se trouve à environ 5 km de là. Mountain Valley Rafting est indiqué à un croisement. La route est en mauvaise état.
Tous les jours. Comptez environ 50 US$ pour 2 personnes, en comptant la remontée jusqu'aux véhicules.
En arrivant dans le trou de verdure et d'eau que constitue le village de Lethe (les locaux prononcent « Liti »), plusieurs capitaines se présentent au visiteur pour leur offrir leurs services. La descente de la Great River sur des embarcations de bamboo est gérée par Mountain Valley Rafting, mais d'autres capitaines indépendants proposent parfois de meilleurs prix. Quoi qu'il en soit, une fois à bord, c'est une croisière d'une heure qui commence sur Great River. Les guides locaux sont intarrissables sur leur forêt, les dizaines de fruits et légumes cultivés sur les rives de cette rivière (ou plutôt ce fleuve car il va se jeter non loin de Montego Bay) qui est tantôt lisse comme un lac et tantôt bouillonnante. L'environnement est magnifique et la jungle se découvre dans toute sa beauté, de manière originale.

■ NATURAL FARM
Suivre le route de Lethe. A un croisement, un panneau rouillé indique à droite Natural Farm et à gauche Mountain Valley Rafting. La route qui part à droite est en très mauvais état, surtout la dernière portion. Mieux vaut être en véhicule 4x4.
Dans une vallée vraiment isolée, ce havre de paix n'est plus que l'ombre de lui-même. Certes, une grande aire de pique-nique permet de grignoter un morceau sous les cocotiers, entre les chèvres qui paissent là. La rivière coule en bas de la propriété et certains débutent des parcours de bamboo rafting ici. Nous recommandons de se rendre à Mountain Valley Rafting pour ce faire. Sinon, Natural Farm ce sont des toilettes bien tenues, et un gardien rasta sympathique qui vous parlera de ce lieu sur lequel il veille depuis de longues années.

L'OUEST

ANCHOVY

Le gros bourg de Anchovy est trop proche de Montego Bay pour être assoupi dans la moiteur des collines. Beaucoup d'activités dans la rue principale et la possibilité de se ravitailler dans les supermarchés et les stations-service. Un garage se trouve à la sortie du village sur la droite, peu après le poste de police. Le sanctuaire des oiseaux se trouve avant d'arriver dans la commune, en venant de MoBay, à quelques kilomètres.

■ **ROCKLANDS BIRD SANCTUARY AND FEEDING STATION**
✆ +1 876 952 2009
Ouvert du lundi au samedi de 14h à 17h. Entrée : 15 US$. Prendre la route de Anchovy par Reading à la sortie ouest de Montego Bay. Peu après le croisement pour Lethe, prendre à gauche une route qui monte et se transforme rapidement en piste caillouteuse. Persévérer malgré l'état de la piste, la station est indiquée.
Grâce à un don quasi surnaturel qui lui permettait de communiquer avec les oiseaux les plus sauvages, et à les apprivoiser, Lisa Salmon fut baptisée du joli surnom de « Dame aux oiseaux ». Cette naturaliste jamaïcaine de renom, passionnément amoureuse de la nature et des oiseaux, s'est retirée loin de toute civilisation, dans les collines de Anchovy qui dominent Montego Bay en 1954. Elle s'installe alors à l'écart du monde et des lumières de la ville, dans une petite maison au confort sommaire, noyée dans un jardin tropical luxuriant, qui possède une vue extraordinaire sur toute l'agglomération de Montego Bay. Lisa baptise sa maison Rocklands.
Là elle va pouvoir donner libre cours à sa passion. Elle apprivoise des oiseaux de toutes sortes, de toutes tailles, de toutes couleurs, locaux ou migrateurs, en accrochant aux branches des arbres des petits récipients, des pipettes contenant de l'eau sucrée.
Petit à petit, les oiseaux s'enhardissent, prennent l'habitude de venir se nourrir à Rocklands qui devient un rendez-vous de la gent à plumes. A force de patience, Lisa réussit même à les nourrir au bout de ses doigts. Les ornithologues accourent du monde entier pour assister à ce spectacle inouï et observer le ballet incessant des oiseaux, voletant de branche en branche dans un doux concert de pépiements, de chants et de battements d'ailes. Devant le succès grandissant de son entreprise, et la curiosité des visiteurs, Lisa a décidé d'ouvrir son jardin au public en 1962. Depuis, Rockland est devenue une halte touristique incontournable pour les amoureux de la nature, mais aussi un lieu de recueillement, de symbiose avec la nature et de sérénité incroyable.
La Dame aux oiseaux ayant rendu l'âme en 2000 dans ses 90 ans, son neveu continue de gérer l'habitation et de recevoir les visiteurs. Après quelques explications sur le mode de vie et les habitudes des oiseaux, on vous confiera une petite pipette d'eau sucrée ; armez-vous alors de patience... et vous aurez peut-être la chance d'accueillir un minuscule oiseau-mouche sur le bout de votre index. C'est l'un des rares endroits où l'on peut observer l'oiseau fétiche du pays, un oiseau-mouche à la queue vert émeraude. Les ornithologues en herbe profiteront des excursions organisées par des guides naturalistes dans les collines environnantes.

MONTPELLIER

Le village est au centre de grandes plantations d'agrumes, oranges et citrons principalement. Il ne reste malheureusement plus aucun vestige d'une grande plantation de canne à sucre du XVIIIe siècle, dont la *greathouse* a été détruite par un incendie. Une petite église anglicane datant de 1847 vaut le détour. Le village est charmant, animé par quelques commerces, des bars et des restaurants sommaires.

CAMBRIDGE

Cambridge est une charmante bourgade agricole, dont le centre est animé en fin de semaine. Elle marque le carrefour des routes secondaires qui desservent Seaford d'une part et Croydon d'autre part. Les traces de l'ancienne voie ferrée et le modeste édifice qui tenait lieu de gare témoignent de l'époque pas si lointaine à laquelle le train reliait encore Montego Bay à Kingston.

SEAFORD TOWN

Attention, une fois arrivé à Seaford, on conseille de faire demi-tour pour retourner à Cambridge, pour continuer vers Mandeville, via Bamboo Avenue, car la route directe est trop mauvaise.
Ce petit village, perdu dans les vallonnements de la campagne jamaïcaine, est connu dans toute l'île. En effet, il se signale par l'architecture, surprenante sous ces latitudes, de ses fermes aux allures germaniques et par la

blondeur et les yeux bleus de ses habitants. Sous l'impulsion du gouvernement colonial qui, sentant l'émancipation prochaine, souhaitait peupler les campagnes jamaïcaines de blancs, quelque trois cents immigrants allemands ont suivi les traces d'un docteur prussien, William Lemonious, et se sont établis dans cette région vers 1835, créant une colonie germanique dont les traditions perdurent aujourd'hui.

Les terres ont été concédées par Lord Seaford qui possédait de grandes propriétés dans la région. L'objectif était double, d'une part limiter, voire empêcher, l'établissement des esclaves noirs libérés comme petits fermiers indépendants, d'autre part créer une zone tampon peuplée de Blancs entre les riches planteurs des vallées et les Marrons établis dans de minuscules exploitations dans le Cockpit Country tout proche. La population est peu métissée, mais le village a depuis accueilli d'autres fermiers, et seulement 25 % de la population de Seaford est aujourd'hui blanche. On compte environ deux cents descendants des premiers colons allemands dont beaucoup répondent à l'un des quatre patronymes, Somers, Eldermeyer, Wedermeyer ou Kameka. Et, il est bien surprenant d'entendre un fermier à l'allure teutonne s'exprimer en patois jamaïcain ou de se faire servir à l'épicerie par une Allemande. On vient de loin pour acheter aux fermiers allemands un cochon ou une chèvre, tué et préparé selon des méthodes particulières. Si l'allemand n'est presque plus parlé aujourd'hui, quelques traditions demeurent et un mini-musée retrace l'histoire peu ordinaire de cette petite communauté rurale.

Une petite église au toit de zinc, construite au sommet d'une colline, domine le village. La région conserve également de cette page de son histoire quelques lieux-dits et villages baptisés de noms aux consonances bien peu anglaises (Hanover, Blenheim, Berlin, Postdam, Bohemia…). Possibilité de dormir sur place ; une guest house se situe dans le même bâtiment que le musée de la ville.

■ **GERMAN HERITAGE TOUR**
✆ +1 876 377 0224 / +1 876 953 8791
Le musée provisoire se trouve tout en haut de la colline. Laissez l'église sur votre gauche et prenez tout de suite à gauche dans la pente jusqu'au terrain de foot.
400 JMD pour la visite du musée et 500 JMD pour la visite plus le tour guidé vers l'église. Appelez à l'avance !
Aujourd'hui, l'histoire peu commune de ces Allemands expédiés dans l'inconnu le plus total au cours du XIXᵉ siècle est racontée dans un minuscule musée. Des photos, des objets et des documents d'époque permettent de saisir l'extrême difficulté qu'a eu cette population à survivre puis à se faire accepter par les Noirs. Une visite originale, intéressante mais un peu onéreuse au vu du contenu.

DE MONTEGO BAY À NEGRIL

La route entre mer et collines longe une côte fort jolie et découpée dans un décor à la végétation abondante, traversant villages et hameaux de pêcheurs. Des hôtels sont dispersés ici et là, profitant de la moindre trouée sablonneuse dans une côte plutôt rocheuse.

HOPEWELL

Le petit village se déploie en bord de mer, offrant une halte au calme à l'écart de la frénésie touristique de Montego Bay. La ville ne vaut pas forcément une escale de plusieurs jours. La plage est une minuscule bande de sable blanc au large de laquelle la carcasse rouillée d'un grand navire, malmené par un violent orage à la fin du siècle dernier, finit de se décomposer, rendant la baignade incertaine. Le village est surtout célèbre pour abriter l'un des complexes les plus luxueux de l'île, un lieu de villégiature à la fois enchanteur et exclusif, Round Hill.

Hopewell possède un marché de fruits et légumes, typique et coloré, le long de la route principale avec une mignonne église perchée en surplomb de la route. Une copieuse brochette de restaurants et tavernes en bord de plage attendent les visiteurs nombreux le dimanche.

L'OUEST

Round Hill.

■ ROUND HILL

P.O. Box 64, Montego Bay
☏ +1 876 956 7050 / +1 876 972 2159
www.roundhilljamaica.com
reservations@roundhill.com
A partir de 245 US$ la nuit pour 2 personnes et de 3 000 US$ la villa de deux chambres pour une semaine en basse saison.
Situé à 15 km à l'ouest de Montego Bay, voilà l'un des fleurons de l'hôtellerie de luxe jamaïcaine. Implantée dans une immense propriété d'une dizaine d'hectares, secrète, fermée par deux promontoires rocheux en bord de mer, vallonnée et fleurie, Round Hill est un lieu tout à fait privilégié où règnent calme et volupté, pour ne rien dire du luxe… Stars et milliardaires, américains de préférence, l'ont adoptée comme un lieu de villégiature favori, certains y possédant même une villa. Cependant, ce paradis pour *happy few* reste un luxe abordable, l'occasion d'une halte de charme sans pareil, à l'écart des itinéraires touristiques classiques. Au creux d'une anse de sable blanc protégée par un récif corallien, un petit édifice élégant aux allures coloniales, le Pineapple House, abrite trente-six chambres vastes et luxueuses avec terrasse donnant sur la mer. Les vingt-cinq villas de rêve avec piscine particulière appartiennent à des propriétaires privés, Merlene Ottey ou

Ralph Lauren entre autres. Certaines sont ouvertes à la location, assorties d'un service de petit déjeuner et d'une voiturette de golf pour circuler dans la propriété. Les villas s'inscrivent sur les flancs d'un demi-amphithéâtre de verdure au-dessus de la mer. Le restaurant déploie sa terrasse face à la plage, il propose une cuisine simple pour le déjeuner et plus sophistiquée le soir, dans une ambiance toute de raffinement et de discrétion. Piscine, sports nautiques ou terrestres, tous les ingrédients d'une étape de rêve sont réunis. De nombreuses formules coexistent depuis la lune de miel à la formule tout compris platinium qui inclut de nombreuses activités sportives. Toutes les excursions sont organisées sur simple demande à la réception.

■ TRYALL ESTATE

Hanover Parish, Alice Eldemire Dr.
☏ +1 876 956 5660
www.tryallclub.com
reservations@tryallclub.com
En poursuivant la route en direction de Negril, on dépasse un carrefour gardé par des hommes en uniforme, protégeant le passage des voiturettes de golf de Tryall. Cette immense propriété s'étend face à la mer, la partie habitation grimpant à l'assaut des collines, la partie loisirs se déployant en bord de mer, toutes les deux séparées par la route de Negril. Deux options d'hébergement cohabitent : cinquante-quatre villas luxueuses avec piscine et personnel (à partir de 350 US$ par jour en basse saison et 580 US$ en haute saison), quarante-cinq chambres d'hôtel élégantes, en cours de restauration pour l'heure. Le club de plage est agréablement aménagé avec un restaurant remarquable pour sa cuisine simple et excellente. Le terrain de golf est l'un des plus réputés de l'île, des courts de tennis et des équipements nautiques sont aussi disponibles. La mer se montre parfois un peu rude car la baie n'est pas protégée.

SANDY BAY

Un petit village de pêcheurs dont la fierté est d'avoir été une retraite pour les anciens esclaves au lendemain de l'émancipation. Créé par le révérend Thomas Burchell, il a été l'un des premiers villages libres de l'île. Une petite église du XIXe siècle est le seul édifice datant de cette période qui soit encore debout. La plage, avec son nom évocateur et alléchant, est une halte possible. Un hôtel-restaurantdancing, Lollypop on the Beach, propose chambres et cuisine jerk. L'Ocean Edge Club, un gogo dancing, est très fréquenté par les Jamaïcains en fin de semaine.

MOSKITO COVE

L'anse magnifique, profonde, largement incurvée, dont les eaux calmes d'une couleur unique vert turquoise sont bordées de mangrove, constitue un panorama idyllique et offre un mouillage idéal pour les bateaux. De nombreux charters proposent des excursions d'une journée depuis Montego Bay, avec pique-nique à Moskito Cove. Aux abords de l'anse, quelques stands proposent fruits frais, viandes cuisinées façon jerk et boissons.

LUCEA

6 000 habitants. Ce charmant port est la bourgade principale de la paroisse de Hanover, sa principale activité restant l'exportation de bananes. Il s'inscrit dans une large baie naturelle protégée par une série de collines verdoyantes. Deux rivières, la East Lucea River et la West Lucea River, encadrent la baie aux eaux calmes dans laquelle paressent quelques barques de pêcheurs. La torpeur du port ne laisse pas deviner que Lucea a été un port commercial important, au XVIIIe siècle. Lucea a été l'un des premiers établissements des colons espagnols, l'ampleur de la baie et sa position sur la côte Nord offrant de multiples avantages. Le capitaine Blight, celui-là même qui a connu quelques mésaventures avec l'équipage de son navire, le *Bounty*, a séjourné cinq ans à Lucea.

Parmi ses hauts faits, n'oublions pas que c'est lui qui a introduit l'arbre à pain dans l'île au retour d'un de ses voyages dans l'océan Pacifique. Plus tard, les Anglais ont fait de Lucea un port sucrier et un centre d'échanges commerciaux actif. On dénombra jusqu'à trois cents navires au XVIIIe siècle. Les petits fermiers ont succédé aux riches planteurs au XIXe siècle, conservant à la ville son activité commerciale. De cette époque datent la plupart des édifices historiques de Lucea.

De son ancienne prospérité, Lucea a gardé un grand charme. Les rues principales affichent un air d'un autre temps avec leurs édifices à l'architecture géorgienne et les vieilles maisons de bois à larges galeries festonnées façon gingerbread, dans un style si typiquement caraïbe que la ville sert régulièrement de décor à des tournages de films. Conscients de la valeur de leur patrimoine, les habitants de Lucea ont fondé une association, la société historique de Hanover, qui a pour objectif d'entretenir et de restaurer les vieux édifices. Le samedi, jour de marché, la ville s'anime autour des stands de fruits et légumes, de poissons et des étals de vêtements et produits manufacturés. A l'ouest de la ville, s'étendent les deux belles plages de Watson Taylor et de Gull Bay, peu fréquentées par les touristes.

Pratique

■ MÉDECIN

Dr Krishna

✆ +1 876 956 2059

Extrémité ouest de Main Street, au fond de la cour à gauche. Un panneau indique le cabinet.

Consultation à 1 000 JMD dans ce petit cabinet sérieux.

■ SEAVIEW PHARMACY

Main street

✆ +1 876 956 2900

www.seaviewpharmacy.com

Se loger

■ GLOBAL VILLA

✆ +1 876 956 2916

www.globalvillahotel.com

Chambres entre 50 et 65 US$; le petit déjeuner n'est pas compris.

Un choix idéal pour passer la nuit à Lucea. Les 9 chambres sont bien tenues, avec ventilateur, air conditionné et eau chaude. L'ambiance est amicale et détendue.

■ WEST PALM HÔTEL

✆ +1 876 956 2321

Sortir du centre-ville en direction de Negril. Arrivé à l'église anglicane, 1km plus loin, prenez à droite. L'hôtel se trouve à gauche, avant l'hôpital.

Chambres entre 2 000 et 4 000 JMD, selon qu'il y a un ventilateur ou l'air conditionné. Connexion Internet possible.

Rien d'extraordinaire mais des chambres propres et pas chères à proximité du centre-ville. La grande bâtisse blanche a connu des heures plus glorieuses et apparaît un peu négligée. Un restaurant qui peut parfois sembler abandonné et certaines chambres sans fenêtre qu'il faut éviter.

Se restaurer

■ SKC'S C'EST LA VIE
Main Road
☎ +1 876 956 2912 / +1 876 397 7725
Depuis le grand croisement, se diriger vers l'est et la route de Montego Bay. Le restaurant se trouve dans un petit renfoncement, sur la gauche.
Ouvert du dimanche au vendredi, de 7h30 à minuit. Plats de poisson ou de poulet entre 300 et 400 JMD.
Un nom français mystérieux, une déco chinoise et des plats jamaïcains… curieuse recette mais, à l'arrivée, une cuisine simple et bon marché, à consommer sur place (décor un peu kitsch toutefois) ou à emporter, comme le font beaucoup de locaux, surtout le dimanche soir.

■ TAPA TOP
Main Road
☎ +1 876 474 8339
Sortie est de la ville, direction MoBay. Au bord de la route.
Ouverte tous les jours, cette petite bicoque peinte en jaune est très courue par les habitants de Lucea. On y sert une soupe du jour pour 200 JMD ou des plats classiques : poulet et rice&peas, poisson parfois, curry d'agneau (300/400 JMD)… On s'assoit à une table au bord de la route en profitant d'une belle vue sur la baie de Lucea.

■ VITAL I-TAL
Se trouve sur la droite à l'entrée de la ville en arrivant de MoBay.
Comptez moins de 10 € pour un repas complet.
Pour vous qui ne mangez ni viande, ni poisson, rendez-vous est pris dans ce restaurant pour déguster un plat I-tal. Immanquable avec ses couleurs vert, jaune et rouge, la grande maison de bois sert des produits frais et bon marché.

À voir – À faire

■ ÉCOLE RUSEA
☎ +1 876 956 2061
En 1764, un réfugié politique français, Martin Rusea, a légué cette propriété à la communauté de Lucea en remerciement de l'accueil que lui avait réservé la population. Un bâtiment de style géorgien, qui abrite une école depuis 1900, y a été construit en 1843.

■ FORT CHARLOTTE
Fort Charlotte
De l'ancien fort militaire qui défendait l'anse et le port de Lucea, il ne reste plus que les traces des murailles marquées par quelques entassements de pierres. Construit en 1756 sous le nom de fort Lucea, il a été rebaptisé en 1778 du nom de l'épouse du roi George III, sous le règne duquel il avait été construit.

■ HANOVER MUSEUM
Hanover Museum
☎ +1 876 956 2584
A la sortie ouest de la ville, en direction de Negril. Ouvert du lundi au jeudi de 8h30 à 17h et le vendredi de 8h30 à 16h. Entrée : 150 JMD.
C'est un ancien poste de police datant du XVIIIe siècle, précisément de 1750, qui abrite ce petit musée communautaire ouvert depuis plus d'une dizaine d'années. Ce modeste musée provincial qui témoigne de l'intérêt et de l'implication de la population locale à l'égard de son patrimoine historique est né de l'initiative d'une association de Lucea. Une haute et solide enceinte en pierre protège le musée des regards indiscrets. A l'intérieur, un ensemble de petits bâtiments rénovés, des jardins bien entretenus, et surtout une fort agréable atmosphère sereine. Il n'y a malheureusement pas grand-chose à y voir aujourd'hui…

■ HANOVER PARISH CHURCH
Watson Taylor Drive
On ne connaît pas avec exactitude la date de construction de cette modeste église, mais le premier acte qui y est recensé est un baptême en 1725. Flanquée d'un petit cimetière, son allure campagnarde est simple. A l'intérieur on pourra remarquer une statue du sculpteur anglais, John Flaxman.

■ HORLOGE DE LA VILLE
Watson Taylor Drive
☎ +1 876 956 2280
Elle a été réalisée en Europe en 1817, à l'initiative d'un propriétaire terrien allemand qui la destinait à l'île de Sainte-Lucie. Sa forme est inspirée du casque que portaient à l'époque les gardes royaux allemands. Envoyée par erreur dans le petit port de Lucea presque homonyme de l'île voisine, elle a été débarquée au grand étonnement des citoyens qui avaient commandé une horloge beaucoup moins imposante. Les dirigeants de la cité de Lucea, la trouvant tout à fait à leur goût, ont refusé de la rendre à ses véritables destinataires et en ont acquitté le prix, réunissant la somme au travers d'une souscription publique.

■ TRIBUNAL

Situé au cœur de la ville, il se signale par le rond-point orné d'une fontaine qui le dessert. Le square porte le nom de sir Alexander Bustamante, originaire de la région. Des colonnes de style corinthien soutiennent le porche du bâtiment, surmonté d'une tour carrée portant l'horloge de la ville. Récemment rénové.

BLENHEIM

Une petite escapade de 15 km aller-retour dans l'intérieur pour découvrir un lieu historique. Aucun risque de se tromper, Blenheim est bien indiqué. Le lieu de naissance d'Alexander Bustamante peut à peine être qualifié de village. Mais l'endroit mérite bien de se détourner des plages pour un petit crochet dans la campagne afin de rendre hommage au premier responsable du gouvernement jamaïcain. Si vous vous trouvez dans les environs un 6 août, sachez qu'une cérémonie officielle s'y déroule à l'occasion de la fête de l'Indépendance nationale. Distante d'environ 8 km de Lucea, la petite communauté rurale reste une halte discrète et peu fréquentée sur les itinéraires des excursions touristiques. Nichée dans les contreforts des montagnes, Blenheim offre une vue panoramique sur la mer et les pâturages environnants. Autrefois, la colline était couronnée par la traditionnelle greathouse qui dominait une plantation de poivre-cannelle, exporté vers la Vieille Angleterre.

■ MUSÉE

℆ +1 876 922 1287
Ouvert de 9h à 17h tous les jours. Entrée : 250 JMD.
La modeste maison de bois au chapiteau de palme, reconstitution de la maison natale du héros national, a été convertie en un modeste musée. Elle abrite quelques reliques de la plantation de 1884 et retrace la vie de l'initiateur du mouvement nationaliste au travers de coupures de journaux et de photocopies de documents.

■ NEGRIL

84 km de Montego Bay, 6 000 habitants, plus de 200 hôtels et pas vraiment de centre. Ne le cherchez pas, il est bâti autour des quelques plazas à l'intersection de West End et du Norman Manley Boulevard. Pas de construction plus haute que le plus grand des palmiers ! Telle est la loi qui régit le développement urbain de Negril, et dieu sait que Negril se développe. On est loin de la plage déserte où quelques barques de pêche reposaient nonchalamment, et qui fit les délices des voyageurs barbus aux cheveux longs et tenues fleuries des années 1970… La baie a été pendant longtemps un repaire de pirates et de nombreux combats maritimes se sont déroulés au large de la côte entre les grandes puissances européennes qui luttaient pour la suprématie dans les Caraïbes. Quelques épaves échouées sur les fonds coralliens témoignent de ce passé mouvementé.

Paresseuse et insouciante, Negril est aujourd'hui devenu la mecque des vacances sable blanc, mer turquoise et soleil. La ville n'existe que grâce aux visiteurs étrangers, chaque année plus nombreux, qui en ont fait la principale station balnéaire de l'île.

Cependant, mieux vaut oublier les plages désertes et les anses solitaires d'autrefois, la merveilleuse beauté naturelle de Negril qui en avait fait un endroit mythique a depuis longtemps été domptée par le développement hôtelier pas toujours suffisamment contrôlé, au désespoir des défenseurs de l'environnement et de l'écologie. Ici, un seul mot d'ordre, farniente et repos, plage, sports et parties de pêche, gueuletons de poissons ou de langoustes, spectacles grandioses des couchers de soleil aux mille nuances… Même la vie nocturne s'est mise au vert, Negril ne brille guère des feux des casinos ou des discothèques. Les touristes ont tendance à leur préférer les dîners romantiques en bord de mer, les longues flâneries sur la plage, les dégustations de cocktails le nez dans les étoiles… A Negril, si on se couche tôt, c'est pour mieux se lever le matin…

Quartiers

7 miles

La zone touristique s'étire sur une quinzaine de kilomètres, bordant sans interruption le littoral de complexes, d'hôtels, de pensions et de restaurants en tout genre. La nature s'est montrée fort généreuse envers Negril, qui possède deux visages. Côté pile, au nord, une plage de rêve, surnommée 7 Miles ; 11 km de sable blanc immaculé, frangé de cocotiers, baigné d'une eau turquoise et chaude, parfaitement claire, et protégée par une succession de récifs coralliens.

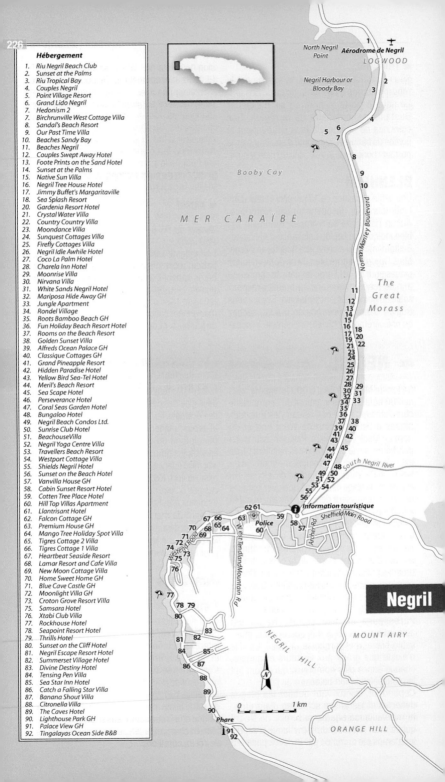

Hébergement

West End

Côté face, au sud, une gentille falaise rocheuse – West End – qui n'excède jamais une douzaine de mètres, dessine sur quelques 3 km une côte spectaculaire, sauvage, aux anses déchiquetées, abritant de petites piscines naturelles baignées par des eaux profondes d'un bleu intense.

Se déplacer

L'arrivée

Bus

▶ **Minibus.** La station de bus et taxis-route se trouve un peu après le grand rond-point du centre-ville, direction Sav-la-Mar.
Montego Bay – Negril : de 350 à 500 JMD.
Negril – Sav-La-Mar : 300 JMD.
Negril – Kingston : 1000 JMD (5 heures de trajet).

Voiture

▶ **La location de voiture,** 4x4 ou berline classique, est surtout intéressante pour visiter la région. L'option deux-roues reste la favorite de nombreux touristes, mais attention tout de même à rester prudent sur les routes parfois dangereuses de l'île !

■ **BUDGET**
✆ +1 876 759 1793
www.budgetjamaica.com
budget@jamweb.net
Voiture économique : à partir de 38 US$ par jour et 228 US$ par semaine en saison haute, et 50 US$ par jour et 300 US$ par semaine en saison basse. Tout type de catégorie, citadine, 4x4 et également Van pour 100 US$ la journée et 600 US$ la semaine.
30 ans d'expérience pour 250 véhicules à disposition dans les endroits stratégiques de l'île. Les plus par rapport aux concurrents, sont les services proposés tels que les plans à disposition, un GPS si besoin et surtout un téléphone portable local avec carte SIM. Joignables 24h/24, recommandé !

■ **ISLAND CRUISER RENTAL**
Norman Manley Boulevard
✆ +1 876 422 2831
www.islandcruiserjamaica.com
info@islandcruiserjamaica.com
A partir de 100 US$ par jour la location de petits véhicules cabriolets.

Le service proposé par Choices est efficace et les tarifs sont compétitifs. On pourra au choix opter pour une Jeep ou une voiture classique selon les escapades prévues. Un service de remise et de récupération des véhicules dans les hôtels facilite les démarches. A partir de 440 US$ par semaine, assurance en plus.

■ **LOCATION DE SCOOTERS ET MOTOS**
Manley boulevard
✆ +1 876 377 3654
✆ +1 876 458 3993
Le long de Norman Manley boulevard.
Location de scooter pour environ 35 US$ la journée et motos pour 50 US$.
De nombreux loueurs de scooters et de motos se disputent les faveurs des touristes. On les trouve établis en rangs serrés le long du Norman Manley Boulevard, face aux grands hôtels. Les tarifs sont à peu près les mêmes, mais les conditions d'assurance et l'état des véhicules sont très variables.

■ **VERNON'S CAR RENTAL**
Plaza de Negril ou Fun Holyday Beach Hotel
✆ +1 876 957 4354
www.vernonscarrental.com
vernonscarrental@gmail.com
Location de Jeep à partir de 50 US$ par jour et 300 US$ par semaine.
Ouverte depuis 1985, cette agence est fiable.

En ville

Taxi

▶ **Taxi.** Negril étant très étendu, il est parfois téméraire de se lancer dans de longues marches sous le soleil. Par conséquent, les route-taxis sont légion, autant que les taxis privés, desservant toute la zone de plage et la route de West End, jusqu'au-delà du phare. Bien sûr, avec l'afflux de devises étrangères, vous vous verrez proposer des prix indécents. Sachez qu'une course entre deux lieux de Norman Manley Boulevard ne doit pas coûter plus de 200 JMD. Pour aller de West End à Norman Manley, comptez entre 200 et 400 JMD, selon les distances. Toujours se faire annoncer le prix avant de monter dans une voiture, et négocier ! Les hôtels disposent souvent de navettes privées et les principaux restaurants proposent aussi un service de prise en charge gratuite, accessible sur simple réservation téléphonique.

L'OUEST

Un écosystème protégé

Cependant, Negril la sage est aussi menacée... Les assauts touristiques toujours plus nombreux perturbent son environnement naturel. C'est pourquoi de nombreuses associations se sont créées, à l'initiative des quelques supporters locaux de l'écologie, pour protéger les richesses naturelles de la région. Grâce aux efforts de ces militants très actifs, deux zones sont aujourd'hui protégées, l'une à terre, l'autre en mer. La Great Morass s'étend à la pointe ouest de l'île. C'est la deuxième zone humide du pays, avec environ 2 500 ha de marais, qui forment un écosystème fragile. L'eau très abondante est naturellement stockée dans des trous bleus formant des sources. On en retrouve la trace dans les noms de nombreux villages du coin : Springfield, Silver Spring, Spring Garden... Cette zone de forêt épaisse et luxuriante se comporte à la fois comme une éponge et comme un filtre, absorbant les sédiments transportés par les rivières depuis les montagnes et les collines. Elle protège ainsi les récifs coralliens de la contamination des eaux boueuses qu'elle retient, permettant aux récifs de bénéficier de la lumière du soleil et d'une eau claire, deux conditions essentielles pour la survie des barrières de corail et de leurs écosystèmes. Le sud de la région abrite, sur plus d'une centaine d'hectares, la plus grande réserve de palmiers royaux de l'île. La Negril Coral Reef Preservation Society, une association créée en 1990, est très impliquée dans la protection des ressources maritimes. L'équilibre naturel qui permet à plus d'un millier d'espèces végétales et animales de vivre dans la mer à proximité des côtes jamaïcaines est fragile. Gardons-nous cependant de jeter la pierre aux seuls touristes, car malgré le développement des sports nautiques motorisés et les comportements pas toujours raisonnables des plongeurs amateurs, les étrangers ne sont ni les seuls ni les premiers responsables de la dégradation de l'environnement sous-marin. La pratique de la pêche à la dynamite, aujourd'hui en partie jugulée, est en effet particulièrement meurtrière pour les récifs coralliens. Dans un effort de régulation de l'espace maritime, des limites ont été définies qui marquent les zones de baignade, les accès au bord de la plage pour les engins motorisés, bateaux et jet-skis, les zones réservées à l'utilisation de ces engins. L'installation de bouées d'amarrage pour les bateaux permet de prévenir l'emploi d'ancres aux dents meurtrières. Ces mesures sont aujourd'hui effectives, mais l'association voit plus loin car sans l'implication de la population locale, rien ne sera possible. Des programmes d'éducation pour les écoliers et de sensibilisation pour la population locale avec conférences, ateliers, séminaires et matériel pédagogique commencent à voir le jour. Un ambitieux programme de recherche pour la construction de récifs artificiels ayant pour but de développer la population marine est à l'étude. Enfin, l'association prévoit aussi la création prochaine d'un parc marin dans les eaux de Negril. La plupart des hôtels de Negril soutiennent les efforts de la Negril Coral Reef Preservation Society et distribuent des brochures informatives dans leur hall ou dans les chambres. Les principales précautions et mises en garde à l'usage des plongeurs, baigneurs véliplanchistes, pêcheurs et autres touristes :

▶ **Ne pas toucher le récif** que ce soit avec les mains, les pieds ou une ancre marine.

▶ **Ne rien jeter dans la mer.**

▶ **N'acheter ni étoile de mer,** ni coquillages ou objet en écailles de tortue.

▶ **Ne pas nourrir les poissons** avec des oursins, coquillages ou étoiles de mer.

Pratique

Tourisme – Culture

■ OFFICE DE TOURISME

Times Square Plaza
Norman Manley Boulevard
Tourist Product Development Company
✆ +1 876 957 9314 / +1 876 957 4803
www.tpdco.org
tpdco@cwjamaica.com
Se trouve au rez-de-chaussée du Times
Square Plaza, sur Manley blv.
Ouvert du lundi au vendredi de 9h à 17h.
Depuis la fermeture de l'office de tourisme
principal, ce bureau est d'une aide précieuse
pour le visiteur qui y trouvera de nombreuses
brochures, cartes… ainsi que des conseils
avisés.

Argent

Les banques sont ouvertes de 9h à 14h du
lundi au vendredi. Les bureaux de change
abondent le long du Norman Manley Boulevard.
La majorité des hôtels vous propose également
de faire du change.

■ NATIONAL COMMERCIAL BANK (NCB)

Sunshine Village
✆ +1 876 957 4117

■ SCOTIA BANK

près du grand rond-point.
Square de Negril,
✆ +1 876 957 4236
scotiabank.com

Moyens de communication

La majorité des hôtels mettent à votre disposition un service postal. Il est quasiment possible
de se connecter tout le temps au wi-fi dans
les hôtels et les restaurants de la ville.

■ NEGRIL CALLING SERVICE

Plaza de Negril dans la galerie au 1er étage
www.negril.com
communicate@writeme.com
*Le cybercentre de Negril, tenu par Victor, offre
un accès rapide à Internet pour 250 JMD de
l'heure, du lundi au samedi de 8h30 à 22h, et
même le dimanche de 10h à 21h.*
Comme son nom l'indique, Negril Calling
Service assure aussi un rôle d'opérateur téléphonique. Cinq cabines dans la boutique, et
trois ordinateurs.

Aussi fax, gravure de CD, cartes de visites,
flyers…

■ POSTE

Juste avant le Sunshine Village, à côté du
King's Plaza
Route du Phare
✆ +1 876 957 9654
Ouvert du lundi au vendredi de 8h à 17h.

Santé – Urgences

■ CLINIQUE DE NEGRIL

✆ +1 876 957 4926

■ HÔPITAL

Savanna la Mar
Barraks Road,
✆ +1 876 955 9946
✆ +1 876 955 2533

■ NEGRIL HEALTH CLINIC

Sheffield Road
✆ +1 876 957 4926
Ouvert du lundi au vendredi de 9h à 18h.

■ PHARMACIE DE NEGRIL

Plaza de Negril
✆ +1 876 957 4076
*Ouvert du lundi au samedi de 9h à 19h et le
dimanche de 10h à 14h.*

Adresse utile

■ POLICE

Route de Savanna-la-Mar
✆ +1 876 957 4268

Se loger

L'unité architecturale de Negril est à peu près
respectée et, contrairement à ses deux rivales
touristiques, Ocho Rios et Montego Bay, Negril
peut s'enorgueillir d'avoir su garder une relative
maîtrise de son développement hôtelier. Deux
options s'offrent au visiteur. La première, les
pieds dans l'eau et le nez dans le sable, c'est
la plage de sable blanc longue de 11 km et ses
hôtels côté plage ou côté jardin. La deuxième
est un plongeon depuis les falaises à pic sur
la mer et couchers de soleil somptueux, c'est
l'intimité du West End. Attention, la plupart
des hôtels de charme cités ici ajoutent aux
prix indiqués des taxes de service qui peuvent
parfois monter à 20 %. Soyez vigilants lors de
votre réservation ; les prix sont ici mentionnés
sans les taxes, qui varient d'un endroit à
un autre.

L'OUEST

La version numérique de ce guide offerte !

1. Rendez vous sur http://boutique.petitfute.com.
2. «Ajouter au panier» la version numérique de votre guide papier, puis «Valider».
3. Entrez le code de remise ci-dessous et cliquez sur « Utiliser un bon de réduction ».

8DCEXJFGZGFW

Le code ne peut être utilisé qu'une seule fois.

4. Cliquez sur « Passez la commande ».
5. Créez votre compte en cliquant sur le lien « S'enregistrer » ou connectez-vous à votre compte existant.
6. Sélectionnez l'adresse de facturation et cliquez sur « Poursuivre ».
7. Sélectionnez le mode de paiement « Valider ma commande offerte », cliquez sur « Poursuivre » puis « Valider la commande ».
8. Cliquez directement sur le lien « Mes guides téléchargeables », ou alors cliquez tout en haut sur le lien « Mon compte », puis à gauche sur « Mes guides téléchargeables » et sélectionnez à droite votre version numérique « Télécharger ».

Formats disponibles* pour smartphones, tablettes, liseuses et ordinateurs PC ou MAC. Offre valable jusqu'au 31/12/2014 sous réserve de l'arrêt de commercialisation de certains titres en France métropolitaine et dans le monde et sous réserve que le nombre de téléchargements soit inférieur ou égal au nombre d'exemplaires de guides papier imprimés.
Connexion internet et espace disque disponible suffisant
Il faut respecter la taille des caractères lorsque l'on rentre le code dans le champ « Code de remise »

* Formats disponibles :
PDF : format lisible avec un lecteur compatible PDF, tel Adobe Acrobat Reader®, dont la dernière version, entièrement gratuite, est accessible sur le site Adobe.
EPUB : Format basé sur XHTML (le format de texte majoritairement utilisé sur le Web), et donc théoriquement lisible sur tous types de périphériques, grâce à de nombreux logiciels de lecture, souvent disponibles gratuitement.
Mobipocket : format lisible avec le lecteur Mobipocket®, particulièrement pratique pour les appareils mobiles (téléphone), et certains e-reader (cybook et Kindle). Voir le site mobipocket pour plus d'informations.
Streaming : format vous permettant d'accéder en streaming aux ouvrages via notre liseuse web. Pour accéder à ce format, vous devez impérativement disposer d'une connexion à l'Internet et d'une largeur d'écran supérieure à 800 pixels. Actuellement compatible avec Firefox 3 ou supérieur, Safari 4 et Internet Explorer 7 ou supérieur

7 miles

Bien et pas cher

■ **ALFRED'S OCEAN PALACE**
Norman Manley Boulevard
℘ +1 876 957 4669
www.alfreds.com
Info@alfreds.com
Proche de Grand Pineapple.
La chambre à partir de 50 US$. Comptez 60 US$ la nuit pour une chambre avec une salle de bains privée.
Le palace d'Alfred, très bien placé au centre de la plage de Negril, est plus connu pour son restaurant, son bar et son animation nocturne que pour ses chambres. On signale toutefois les quelques chambres de cette propriété très conviviale qui donne directement sur la plage car elles sont correctes et bon marché. Alfred, une figure locale, est un fin pêcheur qui prodigue sans réserve ses conseils aux amateurs.

■ **ROOTS BAMBOO**
Norman Manley Boulevard
℘ +1 876 957 4479
www.rootsbamboobeach.com
Chambre pour 2 personnes entre 35 et 65 US$ (sans et avec salle de bains privée). Camping de 12 à 23 US$ pour 2 personnes.
Directement sur la plage, une petite propriété de quelques bungalows en bois tout simples, soit une trentaine de chambres au confort spartiate. Sanitaires communs, répartis en plusieurs blocs ou salle de bains privée. Il est possible de camper, soit en dépliant sa propre tente et en plantant ses piquets, soit en louant une tente sur place, et de profiter des installations sanitaires. L'endroit attire une clientèle jeune et branchée roots. Bar de plage et concerts réguliers de reggae les pieds dans le sable.

L'OUEST

Hébergement de charme à Little Bay

Juste à l'extérieur de Negril, Little Bay offre une solution d'hébergement.

■ **CORAL COTTAGE**
Main Street, Little Bay, Jamaica JMDWD13
Jamaica Westmoreland Parish
℘ +1876 420 4722
coralcottagejamaica@gmail.com
http://coralcottagejamaica.com/
A partir de 80 US$ pour une chambre double en saison basse (entre avril et décembre), petit déjeuner inclus. Pour la semaine, compter 510 US$.
Coral Cottage est prêt à vous offrir un service intime, une expérience confortable pour des vacances de rêve. Le chalet dispose de quatre chambres à coucher : la chambre des orchidées et la chambre du haut, Ackee, puis la chambre avec vue sur le jardin et la chambre du bas, Hibiscus. Chaque chambre dispose également d'un luxueux lit queen-size, parfait pour se reposer avant une excursion sur l'île. La chambre Hibiscus, quant à elle, possède à la fois un lit queen-size et d'un lit double. Situé sur l'une des propriétés les plus convoitées de l'île, Coral Cottage est à quelques pas de l'océan, où vous pouvez nager, plonger, et prendre un vrai bain de soleil. Il propose également une terrasse d'observation privée où les visiteurs peuvent bronzer tout en profitant d'une vue imprenable sur l'océan d'un côté et les pics spectaculaires des montagnes de l'autre. Prix très abordables.

■ WESTPORT COTTAGES

Norman Manley Boulevard

✆ +1 876 957 4736

En venant du centre-ville, passer le pont et continuer 500 m. Westport est la première propriété à droite de la route.

Cottages à partir de 25 US$ la nuit. Douches et toilettes collectives. Comptez 45 US$ pour un cottage avec salle de bains privée. Possibilité de louer des vélos.

C'est sans conteste l'option logement la moins chère de Negril ; vous y retrouverez donc sans surprise de jeunes backpackers. Entouré de hauts murs, le site est un peu exigu mais les cottages en bois sont confortables et propres. Les prix augmentent selon le confort. Une cuisine collective et une petite salle à manger permettent d'être indépendant. De Wesport, on est en 5 minutes sur la plage de 7 Miles et en 10 minutes au centre-ville.

Confort ou charme

■ CHARELA INN

Norman Manley Boulevard

7 Miles beach

✆ +1 876 957 4277

www.charela.com

info@charela.com

En haute saison, chambres doubles entre 183 et 244 US$. Entre avril et décembre, de 126 à 171 US$.

L'une des institutions hôtelières de Negril, située au cœur de la plage, est un hôtel à la fois traditionnel et chaleureux, où l'on se sent immédiatement chez soi. La clientèle est internationale, mais on y entend beaucoup parler français... la famille Grizzle est en partie française. L'hôtel est composé de petits bâtiments de style espagnol, arcades blanches et galeries.

Il possède 49 chambres spacieuses, de différentes capacités, confortables avec salle de bains, air conditionné, radio, sèche-cheveux, balcon ou terrasse (19 sur mer, 30 sur jardin), joliment meublées. Les amateurs de sport ont à leur disposition toutes sortes d'embarcation (planches à voile, voiliers, kayaks, avec leçons gratuites), ainsi qu'une piscine ronde nichée au cœur du jardin luxuriant. Toutefois, en tant que pionnière de l'écologie dans l'île veillant à la protection de l'écosystème de Negril, Sylvie proscrit les Jet-Skis et bateaux à moteur dans la propriété. La plage est profonde, plantée de cocotiers à l'ombre bienfaisante, avec des chaises longues qui tendent langoureusement les bras aux vacanciers avides de farniente. Le restaurant Le Vendôme (excellente adresse au passage) accueille toutes les faims, petites ou grosses, avec un service presque ininterrompu du petit déjeuner au dîner. L'hôtel organise à la demande les transferts à l'aéroport de Montego Bay pour 120 US$ pour 4 personnes.

■ CRYSTAL WATERS VILLAS

Norman Manley Boulevard

✆ +1 876 957 4284

www.crystalwaters.net

crystalwaters@cwjamaica.com

Villa pour 2 personnes entre 140 et 175 US$ selon la saison.

Un complexe d'une dizaine de villas en bord de mer au calme d'un vaste jardin parfaitement entretenu, voilà une bonne option pour les séjours familiaux ou de longue durée. Chacune des villas comporte plusieurs chambres, un vaste séjour, une salle de bains et une cuisine équipée, la TV et le téléphone, et une terrasse agréable. Toutes ont un accès direct à la grande plage privée. Une piscine surplombe la plage, des terrains de jeu sont aménagés dans le jardin et sur la plage. La gentillesse du couple de propriétaires, Nehru et Ina, a conquis de nombreux fidèles qui sont devenus familiers de l'endroit. La durée minimum des locations est de deux nuits.

■ FIREFLY

Norman Manley Boulevard

✆ +1 876 957 4358

reservations@fireflycottagesnegril.com

A partir de 130 US$ la chambre en basse saison et 230 US$ en hiver.

Une étape dans une grande maison au calme d'un petit jardin tropical à la végétation généreuse, donnant directement sur une plage ombragée par l'ample feuillage des amandiers. Confort et indépendance dans les 19 studios et cottages à l'allure romantique, tout en bois, inscrits dans le calme du jardin. Ils possèdent une ou plusieurs chambres, une kitchenette équipée et véranda, air conditionné ou ventilateur. Les familles préféreront le penthouse qui bénéficie d'une vraie cuisine et d'une vaste terrasse. C'est la formule idéale pour une location de longue durée. Aucun interdit n'est de mise dans la propriété, où la nudité a été de mode en des temps pas si lointains. Les arbres fruitiers, avocatiers, pommiers, orangers, citronniers, arbres à pamplemousses ou manguiers, déploient leurs branches et leurs fruits à portée de main des hôtes qui peuvent profiter à volonté de la générosité de la nature. Et pour nourrir les oiseaux-mouches colorés, visiteurs familiers du jardin, on se sert des petites pipettes et des réservoirs d'eau sucrée à disposition dans les arbres. Le bar sert des petits déjeuners copieux et une restauration légère de snacks et de sandwichs. Pour les activités sportives (gymnase, tennis, piscine, Jacuzzi, squash), les installations de l'hôtel voisin Couples Swept Away, sont offertes gracieusement. Et ce qui ne gâche rien, le personnel est gentil et efficace.

■ FOOT PRINTS ON THE SAND
Norman Manley Blvd.
✆ +1 876 957 4300
www.hotelfootprints.com
footeprints@cwjamaica.com
Compter 150 US$ pour 2 personnes. Formule lune de miel (forfait d'une semaine).
Des empreintes de pied sur le sable… Un joli nom pour cette petite propriété nichée au fond d'un beau jardin, tenue par les Foote, une famille jamaïcaine qui officie avec efficacité. L'édifice possède des lignes modernistes originales et peu courantes à Negril. Il propose 30 chambres spacieuses avec bain, air conditionné, télévision et terrasse, dont une suite lune de miel avec un grand Jacuzzi pour deux, le tout sur deux niveaux. L'hôtel donne directement sur sa part de sable blanc, où l'on se prélasse dans les chaises longues à l'ombre des palmiers. Sports nautiques, Jacuzzi et un grand bar-restaurant ouvert sur la plage complètent l'ensemble.

■ GRAND PINEAPPLE
Norman Manley Boulevard
✆ +1 876 957 4408
www.grandpineapple.com
A partir de 130 US$ la chambre pour 2 personnes en basse saison et de 205 US$ par personne en formule tout compris (boisson, repas et sports, tennis, planche à voile, voilier, kayak à volonté).
Idéalement situé au cœur de la plage de Negril, l'hôtel se trouve à proximité immédiate de tous les endroits à la mode. Le complexe qui appartient au groupe jamaïcain Friends International Resorts s'étend de part et d'autre du Norman Manley Boulevard, côté jardin pour ceux qui aspirent au calme parfait, côté plage pour les inconditionnels du sable blanc. Les bungalows de deux niveaux ont adopté un style caraïbe style traditionnel, bois blanc et galeries profondes et s'égrènent dans un plaisant jardin tropical bien domestiqué.

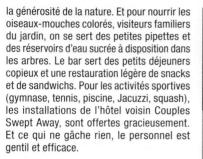

L'OUEST

Ils abritent 65 chambres joliment décorées agréables et fonctionnelles, avec salle de bains, air conditionné, TV satellite, coffre-fort et terrasse. L'ambiance est conviviale et le personnel particulièrement attentif. L'animation est présente juste ce qu'il faut et de multiples activités sportives, tennis, voile, plongée, billard, plongée, sont proposées. La piscine se trouve du côté jardin, mais à vrai dire, quel besoin d'une piscine quand la plage immaculée et les eaux turquoise de Negril vous tendent les bras ? Pour les amoureux désirant convoler dans une île romantique, l'hôtel propose une formule mariage pour 400 US$ tout compris – du massage à la pédicure, du bouquet de la mariée au gâteau, en fournissant le ministre du culte et même les témoins en cas de nécessité. Mieux, pour un séjour de plus de cinq nuitées en formule tout compris, le mariage est offert ! Le restaurant propose un buffet hebdomadaire de gastronomie jamaïcaine sur la plage, à la lueur des chandelles et au son du calypso ou du reggae, et le bar s'est taillé une renommée pour la créativité de ses cocktails exotiques.

■ NEGRIL TREE HOUSE RESORT
Norman Manley Boulevard
✆ +1 876 957 4287
www.negril-treehouse.com
info@negril-treehouse.com
Entre 150 et 170 US$ pour 2 personnes dans une chambre standard.
Joli et bien conçu, il donne directement sur la plage de sable blanc ombragée de parasols, de palmes et d'arbres auxquels sont suspendus des hamacs idéals pour paresser. Les 58 chambres standard et 12 suites sont confortables avec un décor de bon goût, simple et agréable. Toutes ont une terrasse qui donne sur le jardin ou la plage. Piscine, terrain de volley-ball. L'ambiance est conviviale, on s'y sent immédiatement à l'aise. Isabelle Stewart, une compatriote, veille aux réservations et prodigue ses conseils aux touristes francophones. Un bar de plage accueille tous les assoiffés sous son toit de palmes. Le restaurant propose une bonne cuisine insulaire avec une soirée reggae autour d'un buffet de plage le lundi. Sports nautiques, voile, planche à voile et kayak payants. La boutique bien approvisionnée propose une sélection de produits de soins solaires ainsi que des vêtements et des produits d'artisanat.

■ RONDEL VILLAGE
✆ +1 876 957 4413
www.rondelvillage.com
A partir de 130 US$ pour 2 personnes côté jardin, et 150 US$ côté mer (les prix varient selon la saison).
Voilà un charmant petit complexe tout à fait intime qui se déploie dans un cadre verdoyant des deux côtés du boulevard principal de Negril. Côté mer, les 8 villas individuelles de deux niveaux de forme octogonale, typique de l'architecture traditionnelle de Negril, sont luxueuses. Elles possèdent une ou deux chambres, sol de marbre, salon, cuisine, Jacuzzi aménagé en terrasse, et tout le confort (air conditionné et TV satellite, téléphone, service de cuisinière et d'entretien). Côté jardin, 7 vastes chambres classiques, avec air conditionné et balcon ou terrasse, sont abritées dans de petits édifices blancs autour de la piscine. On petit-déjeune ou dîne dans un sympathique bar-restaurant, les pieds dans le sable. Tous les sports nautiques sont disponibles sur la plage. Les amoureux ne sont pas oubliés, des formules mariage (ne pas oublier d'envoyer les documents nécessaires six semaines à l'avance, sinon pas de mariage !) ou lune de miel pour les déjà mariés sont proposées (599 US$).

Luxe

■ HEDONISM II
Norman Manley Boulevard
✆ +1 876 957 5200
www.hedonism.com
A partir de 300 US$ pour une double.
Un géant des formules *all-inclusive* interdites au moins de 18 ans, de la série Superclubs. La particularité de cet hôtel ? Il se partage entre section prude et section *nude*. Un refuge pour les nudistes.

■ SEA SPLASH
Norman Manley Road
✆ +1 876 957 4041
www.seasplash.com
seasplash@cwjamaica.com

BANANAS GARDEN

bananasgarden@gmail.com
☏ **876 957 0909**
☏ **876 353 0007**
West End Road
(en face du Rick's café), Négril.

Chambre double à partir de 171 US$ (entre le mois d'avril et le mois de décembre) et jusqu'à 260 US$ le reste de l'année.
Une bonne combinaison entre les chambres d'une boutique-hôtel et d'un lodge avec accès direct à la plage. Le restaurant offre sa vue agréable sur la mer et un Jaccuzzi se trouve à proximité de la piscine. Ce lieu est le point d'ancrage idéal pour un stop d'une nuit à Negril. On profite ici à loisir de sa fameuse plage de 11 km, où sable blanc et eau turquoise vous attendent.

West End

Là encore, plusieurs choix possibles ; les hôtels les plus agréables mais aussi les plus chers sont construits en surplomb de la mer, avec des solariums et des accès directs à la mer par des escaliers creusés à même la falaise ou des échelles. Ils ne possèdent pas tous des piscines, mais qui s'en soucie à Negril ? Les hôtels et pensions situés côté jardin ou du côté de Great Morass sont plus économiques, mais ne possèdent pas d'accès direct à la mer ; certains possèdent en revanche une piscine.

Bien et pas cher

■ COTTON TREE PLACE
West End Road
☏ +1 876 957 4450
www.cottontreeplace.com
cottontreehotel@cwjamaica.com
4 500 JMD pour 2 personnes avec air conditionné.
L'hôtel, massif édifice de construction récente, possède le charme du béton. Il se trouve à proximité du centre-ville. Les 33 chambres sont fonctionnelles avec salle de bains et kitchenette, TV, balcon. Piscine.

■ LTU – CATCHA FALLING STAR GARDENS
PO Box 3022
Westend Road
☏ +1 876 957 0279
www.negril.com/ltu

catchafallingstargardens@gmail.com
Environ 70 US$ la chambre en saison haute, et 100 US$ la nuit pour un petit appartement avec cuisine.
Ce petit hôtel charmant est sans doute un des meilleurs plans bon marché de Negril. Il compte une dizaine de chambres, sortes de studios, réparties sur une propriété calme, à l'abri de la route de West End. Chaque studio possède deux lits doubles, un coin salon, une salle de bains et un réfrigérateur. Les tarifs sont négociables pour qui désire passer un long séjour. En face de l'hôtel et de l'autre côté de la route a été ouvert un restaurant-bar éponyme : LTU Pub (excellente adresse).

Confort ou charme

■ BANANAS GARDEN
West End Road
☏ +1 876 957 0909 / +1 876 353 0007
Juste en face de Rick's Cafe
www.bananasgarden.com
bananasgarden@gmail.com
Comptez 150 US$ pour un cottage pour deux personnes en saison haute, petit déjeuner inclus (en basse saison, comptez 90 US$).
Nicole et son fils vous accueillent dans leur petit paradis, qui a ouvert ses portes il y a quatre ans et demi. Cette Américaine est tombée amoureuse de l'île lors d'un voyage avec ses parents, et a décidé de tout plaquer pour venir s'installer ici. Derrière ce petit portail violet, on abandonne la frénésie de Negril dans un immense jardin, avec des bananiers et autres arbres tropicaux. Cinq cottages équipés d'une cuisine, d'une salle de bains et d'une terrasse accueillent les visiteurs. Calme et tranquillité seront au programme de votre séjour. Nicole prépare votre petit déjeuner maison chaque matin ; la veille, c'est à vous de choisir ce que vous voulez dans votre assiette. Tout est bio et les produits viennent du jardin ! Excellent rapport qualité/prix. Piscine.

■ BEACHES NEGRIL

West End Road
℡ +1 876 957 9270
www.beaches.com
beachesnegril@cwjamaica.com

Formule club tout compris pour les familles, un concept de la chaîne Sandals. Si les Sandals sont réservés aux adultes, les nouveaux Beaches ont été conçus pour les familles. Le club se trouve à l'entrée nord de Negril en bordure de plage. Les bâtiments de trois étages abritent 225 chambres dont 165 avec vue sur mer. Toutes très confortables, elles possèdent balcon, téléphone, TV, coffre-fort, air conditionné. Un centre de fitness, quatre courts de tennis, et de multiples sports nautiques et terrestres, trois grandes piscines et Jacuzzi, sauna et hammam pour les adultes, les enfants se voient réserver une pataugeoire et un club avec des animateurs spécialisés. Cinq restaurants offrant différentes spécialités et cinq bars, une discothèque et une animation permanente, tous les ingrédients des clubs de vacances sont réunis pour des vacances relaxantes. Gratuité pour les enfants de moins de 16 ans dans certaines conditions de séjour.

■ BLUE CAVE CASTLE

℡ +1 876 957 4845
www.bluecavecastle.com
info@bluecavecastle.com

Pour loger dans ce décor médiéval, compter de 60 US$ (été) à 120 US$ (hiver) pour 2. Une réservation pour 3 nuits minimum est demandée.

Une curiosité mais une véritable hérésie architecturale que ce château de la Belle au Bois dormant qui dresse ses tourelles et ses donjons crénelés bleu turquoise à l'assaut d'un ciel tout juste un peu moins bleu. L'endroit, construit par des New-Yorkais, a de quoi surprendre. Les propriétaires exhibent fièrement leur revue de presse d'articles parus à la gloire de leur délire architectural. On y proclame qu'il n'existe nulle part au monde un endroit pareil, sauf peut-être chez Disney ! Les chambres sont décorées à l'orientale (tapis et tentures, mobilier de bois au ras du sol) et pourvues d'un ventilateur, d'une salle de bains privée et d'un réfrigérateur. L'accès à la mer se fait par un escalier aménagé et la propriété possède une grotte à moitié sous-marine.

■ CATCHA FALLING STAR

West End Road ℡ +1 876 957 0390
www.catchajamaica.com
stay@catchajamaica.com

De 110 US$ à 320 US$ pour 2 personnes suivant la saison.

Magnifique hôtel niché sur une falaise qui surplombe la mer. On pourrait y passer des heures à regarder le paysage. Piscine, transats, tout a été pensé pour que vos vacances ne soient que détente et sérénité. Toutes les chambres sont équipées de l'air conditionné. Le restaurant de l'hôtel, Ivan's Bar, est une excellente adresse pour déguster des plats originaux et typiques. Si vous partez en amoureux, l'adresse est excellente pour les dîners romantiques.

■ MIRAGE RESORT NEGRIL

P.O. Box 33
Lighthouse Road
℡ +1 876 957 0386
www.miragenegril.com
mirage02@cwjamaica.com

D'avril à décembre, comptez 110 US$ pour une chambre double, et 160 US$ le reste de l'année.

Le Mirage, perché sur les hauteurs de West End, offre beaucoup de douceur et une vue imprenable sur la nature. Havre de paix francophone, de taille assez petite pour se sentir comme chez soi. Avec ses 12 grandes chambres, toutes face à la mer des Caraïbes, ce resort apporte une quiétude sans égale. Toutes les chambres sont équipées de l'air conditionné, de la TV câblée, de salles de bains privées avec sèche-cheveux, et surtout une vue spectaculaire et panoramique sur la mer des Caraïbes. Les invités peuvent également profiter de l'unique plage ininterrompue de Jamaïque, 10 km de sable fin bordé d'une eau délicieusement turquoise. A 10 minutes à pied, vous trouverez le fameux Rick's Café et de nombreux bars, restaurants et attractions.

■ ROCK HOUSE

24 West End Road
℡ +1 876 957 4373
www.rockhousehotel.com
info@rockhousehotel.com

A partir de 125 US$ pour une chambre standard en basse saison. Comptez 160 US$ en saison haute.

Encore un hôtel qui a su accommoder nature et architecture. Comme ses voisins, l'hôtel est composé de bungalows individuels de bois éparpillés dans un jardin abondant au bord de la fameuse falaise. L'hôtel est réservé aux plus de 12 ans. Chaque bungalow, luxueusement aménagé, possède son accès privatif à la mer et la magnifique piscine qui jouxte la mer rend cet endroit particulièrement paradisiaque. Les restaurants sont excellents !

■ TENSING PEN
Westmoreland Parish
℃ +1 876 957 0387
www.tensingpen.com
De 120 à 690 US$ par jour selon la saison, la taille et l'emplacement du bungalow. Petit déjeuner compris.
La propriété est réputée pour son cadre naturel à souhait. Les 12 bungalows de bois sur pilotis sont noyés dans un jardin luxuriant en surplomb de la mer. Des sentiers sillonnent la propriété. Mobilier de bois traditionnel, moustiquaire, salle de bains, ventilateur et terrasse. Une grande maison, elle aussi en bois, comporte deux chambres et une cuisine avec les services d'une cuisinière et son propre jardin privatif (comptez 375 US$ par jour en saison basse, et 600 US$ en saison haute).

■ XTABI
Lighthouse Road
℃ +1 876 957 0121
www.xtabi-negril.com
xtabiresort@cwjamaica.com
Entre 52 et 75 US$ pour les chambres économiques en basse saison et jusqu'à 120 US$ pour les cottages en front de mer avec des tarifs dégressifs selon la durée du séjour. Les prix doublent presque en haute saison.
Son nom, Rendez-vous des dieux, est à lui seul tout un programme ! Il est vrai que son emplacement, de part et d'autre de la route du West End, c'est-à-dire côté jardin et côté mer, est exceptionnel. Les 23 cottages de forme octogonale, au choix, nichés dans le généreux jardin tropical ou perchés le long des parois rocheuses et déchiquetées de la falaise, offrent une retraite intime et romantique. Chaque chambre est vaste, mobilier de bois, air conditionné, certaines avec cuisine, et on ne se lasse pas d'un panorama aussi beau que celui qu'on découvre depuis la terrasse privée. De petits solariums en escaliers apprivoisent les parois de la falaise, proposant des espaces intimes pour se dorer au soleil ou plonger dans l'eau. Le restaurant, agrippé à la falaise, est l'endroit idéal pour un dîner romantique face à la mer sous la voûte étoilée du ciel tropical. Toutes les saveurs de la mer façon jamaïcaine, poissons et crustacés, sont au rendez-vous d'une carte savoureuse à souhait.

Luxe

■ SANDALS
West End Road
℃ +1 876 957 5216 – www.sandals.com
A partir de 530 US$ par personne pour deux jours.
Situé à l'extrémité nord de Negril, en bordure de l'immense plage de sable blanc, le complexe ne déroge pas à la règle du tout compris pour adultes de la chaîne Sandals. Nichée au cœur d'une plantation de palmiers de 8 ha, la propriété compte 215 chambres luxueuses (TV, téléphone, coffre-fort, service de café, sèche-cheveux), de six catégories différentes. Activités sports nautiques et terrestres, repas et animations à gogo.

■ THE CAVES
Rock Star ℃ +1 876 957 0269
www.islandoutpost.com
reservations@islandoutpost.com
Suites à partir de 600 US$ par nuit en basse saison.
Un des nombreux hôtels du groupe Island Outpost du fondateur d'Island Records, Chris Blackwell. Luxe, beauté, exclusivité…

Se restaurer

7 miles
Les établissements suivants sont tous accessibles depuis la plage de 7 Miles, et se trouvent à distance raisonnable les uns des autres.

Bien et pas cher

■ MONTANA'S CAFE
Norman Manley Road
℃ +1 876 866 4564
Un peu après le Charela Inn, de l'autre côté de la route.
Petit déjeuner : 300/400 JMD, sandwiches de poisson : 350 JMD, poisson : 600 JMD et homard : 1 300 JMD.
Le seul des restaurants cités dans cette partie à se trouver de l'autre côté de l'avenue. Cette petite maison rouge à la terrasse en bois de bamboo couverte propose une cuisine simple, au calme malgré la route toute proche. C'est un couple de Jamaïcains très aimables qui officie et, en plus des omelettes, des crevettes, des burgers et du poulet grillé, les jus de fruits frais sont excellents. Un bon plan pour le petit déjeuner, où le Ackee & Saltfish national est servi pour 400 JMD. Un bon rapport qualité/prix à Negril.

L'OUEST

Bonnes tables

■ ALFRED'S OCEAN PALACE
Norman Manley Boulevard
✆ +1 876 957 4669
www.alfreds.com – Info@alfreds.com
Proche de Grand Pineapple.
A partir de 800 JMD.
Ici rien de prétentieux, ni le décor, ni la carte ! Le restaurant est bâti directement sur la plage autour d'un immense bar abrité sous une paillote. Très fréquentée à toute heure du jour et de la nuit, autant pour l'ambiance décontractée et conviviale qui y règne que pour ses spécialités : après le petit déjeuner servi jusqu'à midi, puis les burgers, salades et spécialités jamaïcaines, vient le tour des cocktails exotiques dont la carte est fort intéressante. Alfred veille à ce que son restaurant reste l'un des endroits qui bougent à Negril. A chaque jour de la semaine son ambiance musicale : les groupes se succèdent dès 20h sur l'estrade montée à même le sable, attirant de loin une foule bigarrée de locaux et de touristes qui se déhanchent en mesure sous la voûte tropicale étoilée. Les mardis, vendredis et dimanches sont les plus hauts en couleur ; les échos des lancinants riddims reggae retentissent loin sur la plage, et l'on accourt de toute part pour danser et prendre un verre, bière et rhum tenant le haut du pavé dans une ambiance de plus en plus débridée ; la marijuana circule sous le manteau sous le regard nullement dupe des policiers qui surveillent la foule. Attention toutefois aux revendeurs parfois trop pressants ! Le lundi et le jeudi, l'ambiance se fait plus intime autour des groupes de jazz. Le samedi est traditionnellement réservé à la musique country western.

■ KUYABA
Norman Manley Boulevard
✆ +1 876 957 4318 – www.kuyaba.com
A partir de 2000 JMD.
L'une des tables incontournables de Negril, plus pour son ambiance et son décor que pour sa cuisine. Le restaurant, tout de bois, est construit directement sur la plage. Du petit déjeuner jusqu'au dîner (de 7h à 23h), le service est assuré par une équipe sympathique. Un orchestre anime les soirées de 19h à 21h et le jeudi jusqu'à 2h du matin. Cocktails à moitié prix au coucher du soleil. Le soir, le restaurant est régulièrement plein et y trouver une table sans avoir réservé au préalable se révèle compliqué. L'ambiance est à la bonne humeur et à la convivialité. On peut aussi passer la journée sur la plage, chaises longues et parasols disponibles.

Pour le dîner, transport gratuit depuis tous les hôtels sur simple rendez-vous téléphonique.

■ MARGARITAVILLE
Norman Manley Boulevard
✆ +1 876 957 4467
www.margaritaville.com
A partir de 1 800 JMD.
Le petit frère du fameux Margaritaville de Montego Bay s'est installé sur la plage de Negril au grand dam de ses voisins immédiats. Il faut dire que l'ambiance y est parfois chaude et la musique souvent trop forte. Le vendredi, la soirée est consacrée au BBQ Sunset Beach Party qui rassemble son lot de touristes. On y mange sur de grandes tables style cantine, les pieds dans le sable, à la lueur de torches géantes dont les relents de pétrole se signalent de loin à l'odorat des flâneurs. Au menu, beaucoup de plats très américains (hamburgers, etc.).

■ LE VENDÔME
Norman Manley Boulevard
✆ +1 876 957 4277 – www.levendome.com
A partir de 1 800 JMD.
Le restaurant de l'hôtel Charela Inn se distingue de ses voisins par une cuisine aux touches bien françaises. De plus, la plupart des produits utilisés sont issu de la ferme familiale, située à Green Bay, un peu au nord de Negril. Ouvert du petit déjeuner au dîner, le restaurant propose des plats légers au déjeuner (pizzas, salades, burgers), et le soir une carte de spécialités de cuisine jamaïcaine mâtinée de notes françaises (soufflés ou crêpes aux fruits de mer par exemple), arrosées de vins de chez nous. Un menu de cinq plats différents chaque soir permet de découvrir toute la palette des créations maison. La terrasse, vaste et aérée, donne directement sur la plage. Les jeudis et samedis, de petits orchestres interprètent les vieux airs de la musique traditionnelle jamaïcaine, du calypso au ska. Pour terminer la soirée, un bar, tout de bois et rotin, sert cocktails et digestifs.

West End

Bien et pas cher

■ 3 DIVES JERK CENTER
West End
West End Road
✆ +1 876 957 0845 / +1 876 782 9990
threedivesjerk@hotmail.com
Sur la droite de la route en venant du centre, avant RockHouse Hotel. Un grand panneau indique Negril Jerk Festival.
Plats entre 400 et 1 200 JMD.

Sur West End, rares sont les adresses aussi détendues et abordables. En bord de route, entouré de plantes luxuriantes, le restaurant est la référence du Jerk populaire à Negril. Quelques tables rondes sous une paillotte, des braises rougeoyantes sous les pièces de poulets, les poissons entiers ou les breadfruits et un accueil sympa. Cuisine jamaïcaine et bières fraîches. Les haut-parleurs balancent du reggae dans la nuit et, après avoir mangé, on ne manque pas de se diriger vers la falaise, plus loin, où un petit bar et quelques bancs offrent de prolonger ce moment de calme sous le ciel étoilé de Negril.

■ EDDIE'S BAR AND GRILL
West End Road
✆ +1 876 434 6157
Un peu avant Rockhouse.
A partir de 1 000 JMD.
Le meilleur endroit de la ville pour manger du poulet au jer ; et les langoustes y sont tout aussi merveilleuses. Vous ne serez pas déçus !

■ JUST NATURAL
West End Road, à cinq minutes du phare de Negril
Hylton Avenue
✆ +1 876 957 0235
justnatural1@yahoo.com
Comptez 350 JMD pour un petit déjeuner, et 500 JMD pour un déjeuner ou un dîner.
Deux sœurs et un frère (aux cuisines) ont ouvert en 1995 ce petit restaurant végétarien au milieu d'un jardin luxuriant magnifique. Vous mangerez au milieu des bananiers, des pieds de menthe et d'herbes qui sont utilisés pour vous préparer des mets fins et copieux. Les soirs, le jardin est éclairé par des petits lampions : ambiance romantique garantie ! Celles qui voudront ramener des petits bijoux fabriqués maison avec des coques de noix de coco ou des graines auront un large choix de boucles d'oreilles et de colliers en tous genre. Les propriétaires font la collection de drapeaux de tous les pays, et lors de notre passage, il leur manquait toujours celui de la France... A bon entendeur !

■ PUSH CART
✆ +1 876 957 4373
Juste après Rockhouse
Entrées à partir de 500 JMD. Pour les plats, comptez 1250 JMD environ.
L'occasion de déguster une excellente cuisine jamaïcaine. Les cocktails y sont délicieux et l'endroit est parfait pour admirer le coucher du soleil.

■ RAS BODY ORGANIC
West End Road
Face à Tensing Pen
℮ +1 876 283 8650
rasrodyorganics.com
rasrodyskitchen@gmail.com
Moins de 1500 JMD par personne.
Pour les habitants à Négril, il s'agit du meilleur restaurant I-Tal de la ville. Les soupes y sont excellentes !

■ SWEET SPICE
White Hall Road
℮ +1 876 957 4621
Entre 500 et 1800 JMD par personne.
Le restaurant le plus traditionnel de Negril se trouve en centre-ville sur la route de Savanna la Mar. Intérieur sans prétention, tables de bois et ventilateurs. C'est là que vous pourrez déguster une vraie cuisine jamaïcaine, chèvre au curry, poisson escoveitch, cuisine jerk, pepper pot…

■ THE HUNGRY LION
West End Road, côté jardin
℮ +1 876 957 4486
Entre 15 et 30 US$ pour un repas.
Avec son air de club new-yorkais branché, The Hungry Lion sert une forme de cuisine nouvelle et locale, très appréciable. Les plats sont décrits au menu avec une légère excentricité qui donne par exemple les filets de snapper avec leur sauce qui tue, ou le fondant au chocolat qu'on ne voudra pas partager. The Hungry Lion ou comment se régaler dans une ambiance survoltée en se croyant à New York ou à Miami.

Bonnes tables

■ IVAN'S RESTAURANT
A 200 mètres de Rick's Café
Restaurant de l'hôtel Falling Star Resort
℮ +1 876 957 0390
www.catchajamaica.com/ivans.htm
stay@catchajamaica.com
Comptez entre 2500 et 3000 JMD pour un repas complet.
Un cadre magnifique pour déguster des plats excellents ! Après avoir été dévasté par un ouragan il y a cinq ans, le restaurant Ivan's a été intégralement réaménagé. Des petites paillotes abritent des bars et des petites tables sont disséminées sur une terrasse qui surplombe la mer, et qui abrite une jolie piscine. La nuit tombée, l'endroit se transforme en un véritable paradis pour les amoureux.

Bougies, musique, tables face à l'océan : l'endroit est idéal ! Côté gastronomie, difficile de faire son choix, tout est délicieux. Nous vous conseillons tout de même la spécialité de la maison, le Papaya Attoy (des crevettes à la noix de coco servies dans une papaye). Un délice ! Côté dessert, le frozen cheesecake (spécialité de Négril), au chocolat, au beurre de cacahuète et au citron, est succulent.

■ RICK'S CAFE
West End
℮ +1 876 957 0380
www.rickscafejamaica.com
info@rickscafejamaica.com
Plats à partir de 14 €.
Ne pas assister au coucher du soleil depuis le Rick's serait une hérésie à Negril… Vu l'affluence, sans doute la totalité des touristes présents dans la ville se disent la même chose chaque soir ! Dès que le soleil commence à décliner, les cars et les taxis affluent et déversent en flots ininterrompus leurs cargaisons de voyageurs assoiffés sur le parking. Les touristes avides d'images de cartes postales se fraient difficilement un chemin vers le bar où ils devront tenter de couvrir le volume assourdissant de la musique pour attirer l'attention d'une serveuse et faire enregistrer leur commande ; il ne leur restera plus qu'à chercher patiemment un siège face à la mer et à admirer le soleil si celui-ci ne s'est pas couché entre-temps. L'endroit ne retrouve un peu de calme qu'après le coucher du soleil. Petite boutique sur place et concert régulier face au superbe décor. Les plats sont chers et pas forcément excellents. Une bonne adresse pour boire un verre, mais mieux vaut en rester là !

■ ROCKHOUSE RESTAURANT
Rock House Restaurant
℮ +1 876 957 4373
www.rockhousehotel.com
Mitoyen de l'hôtel du même nom, ce restaurant sert les trois repas du jour de 7h à 23h. A partir de 2 500 JMD par personne.
C'est surtout pour les petits déjeuners – et pour la terrasse de bois surplombant la mer – qu'on pourra tenter un repas dans ce haut lieu où les Rolling Stones venaient se détendre dans les années 1970.

Sortir
La vie nocturne de Negril est aussi trépidante et intense que celle de MoBay ou d'Ochie.

Elle se concentre surtout dans les bars de la plage ou dans les terrasses du West End. Les néons et la climatisation des discothèques des hôtels et des boîtes locales ont du mal à rivaliser avec la séduction que distille la longue plage sous le ciel étoilé, dans la douceur de la nuit tropicale. Car c'est la plage qui est la grande dame de la nuit à Negril. C'est elle qui attire comme un aimant les flâneurs en quête d'une terrasse romantique ou d'un concert impromptu dans l'un des bars du bord de mer, ou tout simplement d'une balade romantique au clair de lune, les orteils dans le sable tiède et les vaguelettes fraîches.

▶ **Les bars et restaurants du bord de mer** organisent de façon plus ou moins régulière des soirées avec des groupes de musique ; des flyers sont distribués le jour même sur la plage par des hommes sandwichs hauts en couleur et des affiches annoncent les festivités sur Norman Manley Boulevard. Alfred's Ocean Palace est un des passages obligés d'une virée nocturne car il s'y passe toujours quelque chose ; Kuyaba est aussi un endroit couru, au même titre que Roots Bamboo et son groupe local Hurricane. En jonglant entre Alfred's et Roots Bamboo, vous pourrez tous les soirs assister à des concerts, le plus souvent d'artistes locaux, mais parfois aussi de stars venues de Kingston pour une occasion particulière (entrées entre 500 et 1 000 JMD selon les artistes).

■ **THE JUNGLE**
Norman Manley Boulevard
© +1 876 957 4005
www.junglenegril.com
Côté jardin, sur Norman Manley Boulevard. Immanquable.
Entrée : 10 US$.
C'est la seule vraie boîte locale, hors les discothèques des hôtels. Elle est ouverte jusqu'au petit matin, surpeuplée et surchauffée en fin de semaine.

À voir – À faire

Negril est une ville dédiée au tourisme balnéaire, et pauvre en centres d'intérêt autres que la plage, la mer, les sports nautiques et la vie nocturne, ce qui suffit largement à occuper les longues journées de vacances. En revanche, Negril est un point de départ parfait pour des excursions sur la côte Sud ou à l'intérieur de l'île. Les sites suivants sont plus particulièrement dignes d'attention.

Visites guidées

■ **GANJA TOURS**
Pour toutes vos réservations, consultez le site Internet : jamaicamax.com/tour-reservations. Partout à Negril, le visiteur est abordé par des locaux qui proposent de les emmener, pour une trentaine de dollars US, vers les toutes proches montagnes du Westmoreland où pousse, dit-on, la meilleur ganja de l'île. En choisissant un guide de confiance, vous pourrez découvrir les villages de Springfield et Sheffield et voir des plantations à Orange Hill, site de culture de la weed la plus goûtue de l'île.

■ **JUJU TOURS**
© +1 876 789 4309
jujutours@gmail.com
www.jujutours.com
Forfait à la journée selon la formule choisie. Angela a créé Juju Tours il y a trois ans. Cette Américaine a décidé de quitté New York pour venir s'installer à Negril, dont elle est tombée amoureuse. Elle connait l'île et la ville comme sa poche. Elle vous propose des visites en tout genre : sortie en mer, visite de la campagne jamaïcaine, de jardins rasta ou d'écoles, rencontre avec des pêcheurs, plongeon dans des grottes peu connues ; le tout sur une journée ou pour quelques heures. Une excellente occasion pour ceux qui ont choisi la formule resort de sortir un peu de leur hôtel. Angela s'est entourée d'une équipe sympathique. Elle peut venir vous chercher directement à votre hôtel. Une belle rencontre !

7 miles

■ BLOODY BAY

Au nord de Negril, la baie sanglante marque le début de la station balnéaire. Au XVIIIe siècle, cette baie bien protégée était l'un des repaires favoris des pirates basés en Jamaïque. Ils pouvaient tout à loisir y guetter les galions espagnols faisant route entre l'Espagne et ses colonies, Hispaniola et Cuba, avant de les attaquer. Mais les autorités anglaises veillaient au grain. En 1720, l'armée anglaise capture le pirate Jack Rackam, appelé Calico Jack parce qu'il avait la coquette habitude de porter des sous-vêtements d'Indienne, avec ses hommes d'équipage sur la plage de Bloody Bay. Les prisonniers seront transférés à Spanish Town pour y être jugés. C'est lors du procès qu'on a découvert que deux de ses acolytes portaient jupons ; les deux femmes pirates ont été identifiées, Anne Bonney et Mary Read, et exécutées avec leur capitaine. Les pêcheurs de baleines, eux aussi, avaient coutume de faire relâche dans l'anse. Après avoir déchargé leur cargaison de baleines fraîchement pêchées, les sinistres matelots dépeçaient leurs proies en toute quiétude. Le sang rougissait régulièrement les eaux tranquilles de l'anse. C'est de cette pratique que la baie sanglante a hérité son nom.

■ BOOBY CAY

Situé à la pointe nord de la plage principale, Booby Cay est un modeste îlot de sable blanc ponctué de rochers et couvert de végétation tropicale. Ses plages désertes ont été choisies pour le tournage du film *20 000 Lieues sous les mers*, tiré de l'œuvre de Jules Verne. L'île tient son nom d'un oiseau, le Booby bird qui, après avoir passé une longue année en mer, revient nicher dans les îlots proches de la côte. Ses œufs, autrefois considérés comme un mets raffiné, sont devenus introuvables aujourd'hui. Les Arawak, les premiers habitants de l'île, avaient légué cette tradition gastronomique aux pêcheurs locaux qui ont lentement mais consciencieusement assuré la quasi-disparition de l'oiseau. L'îlot est aujourd'hui une destination idéale pour une excursion d'une journée ; pique-nique, expédition de plongée, balades en voilier, les propositions ne manquent pas pour attirer les touristes.

▶ **Aller-retour en bateau** pour Booby Cay et plongée vers les récifs de corail : à partir de 15/20 US$ par personne. S'adresser aux bateaux *Glass Bottom* alignés au bord de l'eau sur 7 Miles Beach.

■ PHARE DE NEGRIL

Visite gratuite tous les jours de 9h jusqu'au coucher du soleil. Fermé le samedi.

Voilà l'unique concession de Negril à l'architecture du siècle dernier. Construit en 1894 par les soins d'une entreprise française, Barber et Bernard, le phare dresse ses vingt modestes mètres à l'aplomb de la mer, au bout du West End de Negril, à l'extrême pointe occidentale de l'île. Autrefois, le phare était alimenté par du kérosène puis à l'acétylène. Aujourd'hui, concession au progrès technique qui permet de mettre à profit l'ensoleillement tropical de Negril, le phare fonctionne grâce à l'énergie solaire. Le faisceau lumineux balaie la mer jusqu'à 15 km et s'allume toutes les deux secondes.

Shopping

Le commerce est particulièrement bien développé à Negril. Et pour cette raison peut être, ou parce qu'il est le premier centre touristique de l'île, Negril est l'endroit le plus cher de la Jamaïque, quel que soit le produit ou le service vendu. Ainsi, même l'essence coûte ici un peu plus qu'ailleurs. Alors préparez-vous à négocier, mais sans aller jusqu'à vexer le marchand... Vous n'aurez aucune difficulté pour trouver un médicament ou un anti-moustique, une crème solaire ou une cassette de reggae.

▶ **Les centres commerciaux** modernes et bien approvisionnés se livrent une concurrence acharnée.

▶ **Les boutiques** – vêtements, produits de plage, drugstores, jouets, alcools et tabacs, bijouteries, librairies et journaux, etc. – sont nombreuses, et le choix ne manque pas. Rendez-vous pour les bonnes affaires à la A Fi Wi Plaza, quelques centaines de mètres après le bureau de poste, en direction de West End.

▶ **En ce qui concerne l'alimentation et les produits courants,** vous pouvez aller au supermarché Hi-Lo, pour des linéaires dignes des meilleurs hypermarchés français. Time Square, situé sur le boulevard Norman Manley, est une bonne adresse parmi les centres commerciaux.

▶ **Pour l'artisanat,** le Negril Craft Market, sur le Norman Manley Boulevard, juste avant le pont qui enjambe la rivière, est une très bonne référence.

Sports – Détente – Loisirs

▶ **Equitation.** On trouve facilement sur la plage des personnes qui proposent des balades à cheval le long de l'eau (tôt le matin), ainsi que des excursions dans l'intérieur des terres.

▶ **Parachute ascensionnel.** Nul besoin de chercher la base d'envol, le recrutement des candidats au survol de la plage se faisant directement en bord de mer. Les opérateurs ont établi leurs quartiers généraux dans des guérites à même le sable ! Comptez 25 US$ pour un survol de la plage de 10 minutes environ.

▶ **Plongée sous-marine.** Negril offre des sites de plongée particulièrement beaux et bien préservés, malgré la forte fréquentation. Snapper Drop, Turtle Drop, Treasure, White Sands, Chinese, Shark's Reef, Gallerey, Middle Shoal Bottom, Aqua Moon, Spadefish, Kingfish Point, The Arches, Surprise, Throne Room, James Reef, Shallow Plane... Une trentaine de sites de plongée ont ainsi été répertoriés, de Bloody Bay au phare de Negril ; de quoi satisfaire tous les plongeurs, des débutants aux plus chevronnés, et occuper de longues journées de vacances. Les coraux sont spectaculaires, les éponges et les poissons incroyablement colorés. L'eau très claire et chaude permet de plonger dans les meilleures conditions. Les moins téméraires seront ravis d'apprendre que point n'est besoin de plonger profondément pour se faire plaisir, la plongée avec masque et tuba permettant de découvrir de merveilleux spectacles et d'extraordinaires sensations. A ce propos, de nombreuses embarcations dénommées *Glass-bottom Boat* à cause de la plaque transparente qui occupe le fond de la coque proposent des excursions pour aller rêver au-dessus de la barrière de corail. Les masques et tubas sont fournis par les bateliers, qui demandent entre 15 et 40 US$ par personne pour la virée en mer. Tarifs négociables.

■ **COUPLES SWEPT AWAY FITNESS CENTER**
Norman Manley Boulevard
✆ +1 876 957 5960 – www.couples.com

Ouvert de 7h à 23h tous les jours.
Situé dans l'hôtel du même nom, le centre de fitness possède tous les équipements de sports en salle, cours d'aérobic, terrains de squash, courts de tennis, plus piscine à remous, sauna et Jacuzzi.

■ **NEGRIL HILLS GOLF CLUB**
Negril Hills Golf Club
✆ +1 876 957 4638
www.negrilhillsgolfclub.com
Ouvert de 7h30 à 16h.
Situé dans les collines à la sortie sud de Negril, en direction de Savanna la Mar, le parcours (6 035 m, par 72) s'inscrit dans un océan de verdure, avec des fairways ondulants, de nombreuses pièces d'eau et de gentilles élévations.

■ **NEGRIL SCUBA CENTER**
Norman Manley Boulevard
✆ +1 876 383 9533
www.negrilscuba.com
negrilscubacentre@cwjamiaca.com
Séance de 3 heures d'initiation à la plongée pour 80 US$ et sorties en mer pour 250 US$.
Karen McCarthy, une New-Yorkaise passionnée de plongée et amoureuse des fonds sous-marins de Negril, officie depuis près de vingt ans dans le centre de plongée qu'elle a créé, l'un des plus anciens de Negril. Situé sur la plage de l'hôtel Mariner's Beach Club, au centre de la longue plage, le club est ouvert toute la journée, mais les activités commencent tôt le matin. Leçons théoriques et entraînement pour tous les niveaux, du baptême à la plongée de nuit pour les plus chevronnés, certifications Padi, vidéos sous-marines, le tout avec des moniteurs certifiés dont certains parlent français. Leur connaissance détaillée des récifs et des spots de plongée en font des initiateurs de tout premier ordre. Cours de photographie sous-marine, location de matériel, tarifs dégressifs en fonction du nombre de plongées.

■ LA CÔTE SUD-OUEST

La route qui mène à l'est, vers Sav-la-Mar, file le long de la côte et permet d'entrevoir les fameuses Orange Hills, un peu après la sortie de Negril.

SAVANNA-LA-MAR
La capitale de la paroisse de Westmoreland, familièrement appelée Sav' ou Sav-la-Mar, a été créée en 1730. C'est l'une des plus vieilles cités

établies en Jamaïque. Sévèrement touchée par des cyclones en 1748, en 1780, en 1912 puis en 1948, et plus récemment en 1988 par Gilbert (de sinistre mémoire), elle a souvent été rayée de la carte. Lors du premier cyclone, des rapports indiquent que des bateaux ont été retrouvés dans les arbres ; en 1912, le Scooner Latonia a été retrouvé au milieu de Great George Street.

L'OUEST

Cet ancien port sucrier, à l'embouchure de la rivière Cabarita, possède encore quelques modestes édifices anciens qui témoignent de son histoire et retiendront l'attention des stakhanovistes de la vieille pierre. Sav' est aujourd'hui une ville de province, sans cesse reconstruite, active et sans grand charme, qui possède bien peu d'atouts pour séduire le visiteur.

Transports

Comment y accéder et en partir

▶ **Minibus entre Negril et Sav-la-Mar :** 350 JMD (entre Sav-la-Mar et Black River : 450 JMD).

Se loger

■ **CORAL COVE**
Little Bay
2 Hope Road
Westmoreland ✆ +1 876 457 7594
www.coralcovejamaica.com
Juste avant Sav-la-Mar, après la jolie Little Bay se trouve une solution d'hébergement. *225 US$ minimum pour 1 chambre simple.* Un superbe complexe certes un peu perdu, mais bien pratique pour fuir le flot des touristes. Les grandes chambres sont toutes différentes. Certaines vous transportent dans le temps par leur décoration séduisante, à mi-chemin entre l'esthétique de Gaudi et celle des haciendas mexicaines. Que dire de la vue dont on jouit de l'hôtel et de sa plage privée, très convoitées pour les mariages ! Une découverte exclusive du *Petit Futé.*

À voir – À faire

■ **ÉCOLE MANNING**
En 1711, un planteur fortuné, Thomas Manning, légua toutes ses propriétés, terres et demeures, afin qu'une école gratuite pour les paroissiens de Westmoreland y soit développée. La première école Manning a été construite en 1738 et reconstruite de nombreuses fois depuis.

■ **ÉGLISE SAINT GEORGE**
En face du tribunal, l'église paroissiale construite en 1905 n'est qu'une reproduction de la structure originale datant de 1739, balayée par un cyclone en 1780.

■ **FORT**
Au bout de Great George Street
Le mur d'enceinte du vieux fort tient encore debout. Ce modeste fort de province n'a jamais

été terminé et a été endommagé par un cyclone qui a englouti un tiers du bâtiment dans la mer.

BLUE HOLE

Une petite incursion à l'intérieur des terres s'impose aux amoureux de nature pour découvrir la Rivière rugissante et son étonnant « trou bleu ». Indisciplinée et tumultueuse, elle déboule en grondant dans un lit étroit, encaissé dans une gorge de verdure tropicale, formant ici et là des lagons aux eaux sages et des cascades bouillonnantes. En remontant le cours de la rivière, on arrive au hameau de Blue Hole, où s'est formée il y a quelques années une colonie d'étrangers adeptes du rastafarisme. Blue Hole n'est pas très bien indiqué, il ne faut donc pas hésiter à demander son chemin, voir à y aller avec un tour.

■ **BLUE HOLE GARDENS**
✆ +1 876 955 8823
esaumary@hotmail.com
Ouvert de 8h à 18h. Entrée : 8 US$.
Un luxuriant jardin à la végétation indisciplinée est protégé par une haute palissade de bois. À l'intérieur, on découvre une retenue d'eau qui forme une piscine aux eaux d'un bleu profond où les nénuphars géants courtisent les jacinthes d'eau. Un petit plongeon sans risque est possible dans le trou bleu. Au-delà, la piste se poursuit jusqu'à la source de la rivière. L'endroit est aménagé pour recevoir des visiteurs (piscine, restaurant, etc.). Lors de notre passage, un hôtel était en construction, et quasiment fini. L'endroit, couleur jaune poussin, se remarque dans le paysage et propose de nombreuses chambres et une jolie vue sur la campagne alentour.

■ **ROARING RIVER PARK**
Ouvert tous les jours de 9h à 17h. Entrée : 15 US$.
Un parc de récréation familial, avec des aires de détente et un bar-restaurant. De petites boutiques au style naïf peintes de bleu vif et de rouge proposent des souvenirs artisanaux et des cartes postales. L'excursion le long des berges de la rivière et jusqu'aux grottes peut se faire avec l'aide d'un guide, et les propositions affluent, car il y a encore plus de guides que de visiteurs.

BLUEFIELDS

La route continue à longer la côte orientale vers le sud. Elle traverse de modestes hameaux sans histoire, alanguis sous le soleil, dont les barques de pêcheurs reposent sur des plages peu propices à l'extase touristique. Bluefields marque la première étape intéressante de cette partie de la route. Une longue bande étroite de sable blanc s'étend entre une mer bleue aux nuances toujours aussi séduisantes que la route. Cette plage est très fréquentée par les Jamaïcains et le Bluefield Beach Club affiche complet en fin de semaine.

■ CASA MARINER
℡ +1 876 955 8487
L'hôtel se trouve en bordure de route, face à la mer, à la sortie ouest de Bluefield.
Selon la saison, comptez entre 7000 et 10 000 JMD.
Dix-sept chambres simples (ventilateur et salle de bains) sont abritées dans un bâtiment sans charme. L'établissement compte un grand bar avec billards et un restaurant avec une vaste terrasse où un kiosque romantique sur pilotis avance au-dessus de la mer.

■ SHAFSTON GREATHOUSE
Shafston Great House
℡ +1 876 869 9212 / +1 876 997 5076
www.shafston.com
mail@shafston.com
Prendre la piste intérieure à la hauteur du poste de police qui se trouve sur la route principale. La piste est en si piètre état qu'on peut se faire récupérer par un 4x4 de la propriété sur simple coup de téléphone.
A partir de 100 US$ la chambre simple et 180 US$ pour 2.
C'est une ancienne demeure de planteurs qui a connu des jours glorieux au XIXe siècle. Perchée au sommet d'une petite élévation, la grande maison de bois au toit d'ardoise grise a été retapée avec soin. Elle offre des panoramas somptueux sur la côte. Des hamacs pendent aux poutres de la galerie profonde où l'on sert également les repas. Du dortoir style colonie de vacances au camping en passant par des chambres modestes avec salle de bains à partager ou privée, toutes les formules d'hébergement coexistent. Une piscine et un grand bar convivial attendent les visiteurs pour se délasser des excursions de la journée.

BELMONT

La route qui conduit à Black River traverse, après Bluefields Bay, le village de Belmont, célèbre pour être le lieu de naissance du chanteur Peter Tosh, compagnon de Bob Marley et Bunny Livingston au début de la grande aventure des Wailers, et figure emblématique du reggae militant et radical. On

peut y faire halte pour visiter le mausolé et peut-être passer une nuit ou plus dans l'un des cottages Nature Roots afin de profiter des superbes plages des alentours.

■ COTTAGE NATURE ROOTS
Bluefields
Belmont
℡ +1 876 955 8162
www.natureroots.de
info@natureroots.de
Cottages avec balcons. Cuisine et sanitaires communs. Prix modérés.
Brian *le Bush Doctor* et sa famille accueillent les voyageurs dans leur luxuriante propriété, à la rencontre de la vie authentique des agriculteurs, des pêcheurs et des sculpteurs. Les 4 chambres sont réparties entre les bananiers et les arbres à Ackee, et une maison toute équipée peut être louée (2 chambres).

■ MAUSOLÉE DE PETER TOSH
Ouvert tous les jours de 9h à 17h. Entrée : 15 US$.
Le village a pour titre de gloire d'avoir vu naître Peter Tosh, le musicien compagnon des premières heures de Bob Marley, mort assassiné. C'est donc à Belmont que se trouve le mausolée de Peter Tosh, maintenu par son fils Dave et quelques amis. L'endroit, une petite construction vert, jaune, rouge, correctement entretenue, ne possède pas le caractère officiel des sites jamaïcains dédiés à Bob Marley. L'ambiance y est plus familiale et du coup plus intime, la mère de la célébrité vit dans une petite maison derrière le mausolée. On aura la possibilité, pour soutenir ce musée informel, d'acheter quelques CD inédits de l'artiste, des T-shirts ou un poster.

WHITEHOUSE

Ce sont ses petits pains ronds de farine de maïs, les bammies, connus dans toute l'île, qui font la célébrité de Whitehouse. A la sortie du village, des femmes assises devant des petits stands de fortune vendent leur production aux automobilistes de passage. Whitehouse ne présente pas d'intérêt touristique particulier ; la plage est modeste, loin de la splendeur des plages de Negril. Il y a quelques années, lors de la dernière édition, seul le calme et l'authenticité de cette petite bourgade de pêcheurs pouvaient retenir le visiteur. Aujourd'hui, Whitehouse abrite le tout premier hôtel de luxe de la côte Sud, Sandals Whitehouse European Village and Spa, une autre formule de la grande chaîne internationale.

L'OUEST

Treasure Beach.

Le Sud

Loin du tourbillon frénétique des grands pôles d'attraction touristique de la côte Nord, à l'écart des programmes des organisateurs de vacances, le sud de la Jamaïque est encore assez peu visité par les étrangers. C'est pourtant sans doute l'une des régions les plus attachantes du pays. Les paysages y sont sauvages et superbes et elle possède un climat plus sec et une faune et une flore uniques, avec des paysages quasi désertiques hérissés de cactus mais aussi la plus grande population de crocodiles de l'île. La population est chaleureuse et accueillante. Les sites et les curiosités ne manquent pas, des distilleries de rhum aux villages de pêcheurs oubliés par le temps, des réserves animalières aux superbes criques de la côte sauvage et découpée, des anciennes maisons coloniales de Black River aux demeures splendides des riches retraités de Mandeville... Assez logiquement, les possibilités d'hébergement, de restauration et d'activités sportives sont moins variées qu'ailleurs : les grands hôtels sont inexistants et le luxe aux normes internationales n'est pas de mise, mais on trouve partout des petits hôtels de charme ou des pensions modestes et confortables. La grande majorité des visiteurs ne font qu'une excursion d'une journée dans le Sud, inspectant d'un pas rapide les musts inscrits au programme des agences touristiques. Ceux qui choisissent de s'attarder et de musarder découvriront les charmes d'une région qui distille ses secrètes richesses avec délicatesse, et ils seront d'autant mieux accueillis et choyés qu'ils sont peu nombreux.

BLACK RIVER

Cette ville, l'une des plus anciennes villes de l'île, doit son nom à la rivière sur les rives de laquelle elle a été construite. Blotti au fond d'une grande anse, Black River, la capitale de la paroisse de Saint Elisabeth, a de tout temps été une bourgade fort prospère et même avant-gardiste.

La ville peut s'enorgueillir d'avoir été la première ville de l'île à posséder un réseau électrique, installé par les frères Leyden en 1893. L'unité de production constituée d'un énorme fourneau et d'une bouilloire était située dans l'actuelle School Street.

Des tonnes de bois brûlaient pour fournir la vapeur nécessaire au fonctionnement du moteur.

La ville a aussi eu le privilège de voir le premier véhicule automobile du pays, importé en 1903 par un riche planteur. La rumeur veut qu'il ait aussi été l'un des premiers usagers de l'hôpital public ouvert à la même époque ! La ville était autrefois un port très actif défendu des bateaux pirates par un fortin qui se dressait sur l'actuelle Upper High Street. Plus tard, le port est devenu un atout majeur du développement économique de Black River qui, grâce à son emplacement stratégique, connut un essor rapide.

Des quais, partaient les navires alourdis des chargements de sucre, de poivre-cannelle, de café, d'indigo, de cuir et autres produits d'exportation en provenance des plantations et des exploitations voisines.

Mais Black River était surtout l'un des principaux marchés d'esclaves du pays. Les ventes étaient annoncées aux amateurs par des affichettes placardées dans les grandes villes et par des encarts dans les journaux. Les riches planteurs, toujours en quête de main-d'œuvre servile, affluaient de toutes les régions du pays et sillonnaient la ville dans leurs élégants buggies. La Jamaïque était souvent la première étape caraïbe des bateaux négriers en provenance d'Afrique de l'Ouest. Les esclaves étaient débarqués des navires sur le quai Farquharson, à l'embouchure de la rivière, où ils étaient entassés dans des baraquements en attendant d'être évalués et achetés. Maîtres Levy et Palarchy menaient les enchères acharnées au terme desquelles les esclaves étaient acheminés vers leurs plantations respectives en longs convois humains. Aujourd'hui, il ne subsiste que peu de traces de la riche histoire de la bourgade. Avec la chute des cours des principales denrées d'exportation, le port de Black River a perdu petit à petit de son importance pour n'être plus aujourd'hui qu'un modeste port de pêche. Les grandes plantations ont disparu, on n'a pas découvert ici de bauxite, et la côte découpée aux plages de sable gris et aux eaux tourmentées attire peu les touristes. A moitié détruite par un incendie en 1938, la ville coule désormais des jours paisibles.

Ici s'est développé un véritable art de vivre, une chaleur et un sens de la convivialité peu communs.

Le front de mer est très joli et typique des Caraïbes, bordé de maisons anciennes de style colonial festonnées de gingerbread, ornement de bois découpé. Quelques-unes des plus belles demeures victoriennes du pays y somnolent sous un soleil de plomb.

Le port, situé à l'embouchure de la rivière, n'accueille plus que quelques bateaux de pêche, les gros navires ayant depuis longtemps déserté les quais.

Vers l'est, en direction Mandeville, la route enjambe Black River. De là on rejoint, rive gauche, les agences qui proposent des sorties sur le fleuve (voir plus bas).

Le pont métallique date de 1938 et porte le nom de la première famille blanche de Black River, venue de la Vieille Angleterre. A l'origine, une simple barge permettait de traverser la rivière. Pour céder à la modernité, elle a été remplacée par un pont de bois, lui-même supplanté par l'actuel pont.

On jettera aussi un œil sur le poste de police, reconstruit et rénové en 1908, qui date de l'époque de l'esclavage sans qu'on puisse en dater avec exactitude l'origine. Le poste de police servait de prison pour les condamnés de toute la région.

Transports
La ville est petite et accessible à pied.

Pratique

■ **HÔPITAL**
Little Black River Health Centre
✆ +1 876 965 2212
✆ +1 876 965 2224
www.srha.gov.jm

■ **OFFICE DE TOURISME DE BLACK RIVER**
2 High Street Black River P.O.
Hendriks Building
Saint Elisabeth
✆ +1 876 965 2074

■ **POSTE DE POLICE**
✆ +1 876 965 2232

Se loger
Malgré le peu de touristes qui y séjournent, les possibilités de logement ne manquent pas à Black River. Deux options s'offrent au voyageur, soit loger à proximité du centre-ville et du bord de mer, soit le long de la petite plage de sable gris, plus propice à la baignade, qui file à l'est de la ville.

Bien et pas cher

■ **ASHTON GREATHOUSE AND HÔTEL**
✆ +1 876 965 2036
65 US$ pour 2 personnes.
24 chambres confortables avec air conditionné et salle de bains. Un peu à l'écart du centre-ville, sur la route intérieure en direction de Mandeville, l'ancienne demeure bourgeoise se trouve au sommet d'une colline d'où l'on jouit d'une belle vue sur toute la propriété. Il ne reste guère de trace de la maison coloniale d'origine qui a été modernisée pour devenir un hôtel traditionnel et quelque peu désuet dans son architecture et sa décoration. Une piscine agrémentée d'une jolie terrasse et un centre équestre (20 US$ pour 1 heure 30) complètent les équipements de l'hôtel. Deux restaurants, l'un traditionnel et un Jerk Center, le Jerk Pit, qui offre une Friday Night Party très courue.

LE SUD

Les immanquables du Sud

▶ **Admirer les très spectaculaires chutes de YS** dans leur cadre naturel et sauvage.

▶ **Visiter la distillerie de rhum la plus célèbre de la Jamaïque, Appleton Estate,** vieille de près de trois siècles.

▶ **Naviguer sur Black River** en admirant les crocodiles que vous apprendrez à connaître par leurs noms.

▶ **Se rendre en bateau à Pélican Bar** en plein milieu de l'océan et y déguster une bière bien fraîche !

▶ **Participer au festival littéraire annuel de Callabash** à Treasure Beach, fin mai.

▶ **Déguster un homard tout juste tiré de l'eau au Little Ochi** de Alligator Pond.

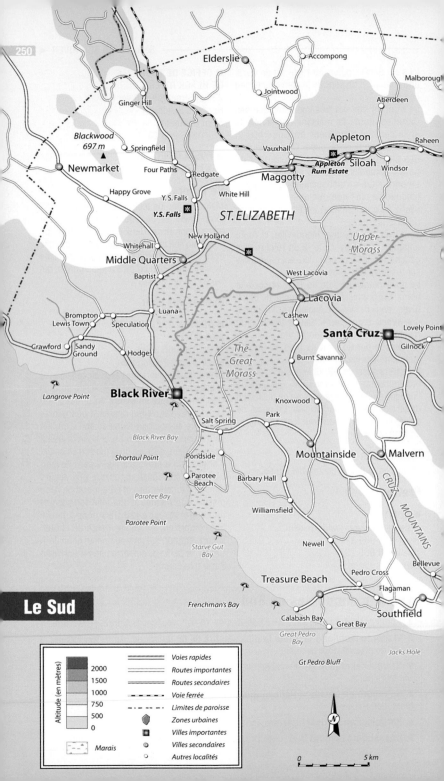

Le Sud

Altitude (en mètres)

2000
1500
1000
750
500
0

Marais

Voies rapides
Routes importantes
Routes secondaires
Voie ferrée
Limites de paroisse
Zones urbaines
Villes importantes
Villes secondaires
Autres localités

0   5 km

Elderslie
Accompong
Malborough
Jointwood
Aberdeen
Ginger Hill
Appleton
Raheen
Blackwood 697 m
Springfield
Vauxhall
Appleton Rum Estate
Siloah
Newmarket
Four Paths
Redgate
Maggotty
Windsor
Happy Grove
White Hill
Y. S. Falls
Y. S. Falls
ST. ELIZABETH
Upper Morass
New Holland
Whitehall
Middle Quarters
Baptist
West Lacovia
Luana
Lacovia
Brompton
Cashew
Lewis Town
Speculation
Santa Cruz
Lovely Point
Crawford
Sandy Ground
Hodges
Burnt Savanna
Gilnock
Langrove Point
The Great Morass
Black River
Knoxwood
Salt Spring
Park
Black River Bay
Shortaul Point
Pondside
Mountainside
Malvern
Parotee Beach
Barbary Hall
Parotee Bay
Williamsfield
Parotee Point
CRUZ MOUNTAINS
Starve Gut Bay
Newell
Bellevue
Pedro Cross
Treasure Beach
Flagaman
Frenchman's Bay
Calabash Bay
Great Bay
Southfield
Great Pedro Bay
Jacks Hole
Gt Pedro Bluff

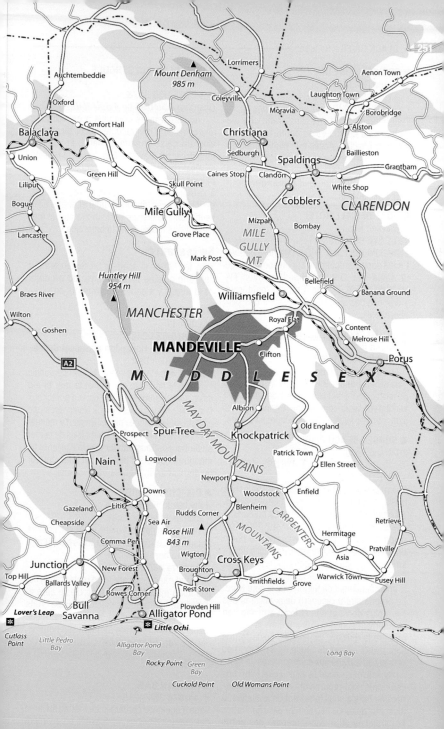

Lorrimers
Aenon Town
Auchtembeddie
Mount Denham
985 m
Coleyville
Laughton Town
Moravia
Borobridge
Oxford
Comfort Hall
Alston
Balaclava
Christiana
Union
Sedburgh
Baillieston
Spaldings
Green Hill
Caines Stop
Clandon
Grantham
Liliput
Skull Point
White Shop
Bogue
Mile Gully
Cobblers
CLARENDON
Lancaster
Grove Place
Mizpah
Bombay
MILE
GULLY
MT.
Mark Post
Bellefield
Huntley Hill
954 m
Williamsfield
Banana Ground
Braes River
MANCHESTER
Royal Flat
Content
Wilton
Goshen
Melrose Hill
MANDEVILLE
Clifton
Porus
A2
M I D D L E S E X
Albion
Prospect
Spur Tree
Knockpatrick
Old England
Nain
Logwood
Patrick Town
Ellen Street
Newport
Woodstock
Enfield
Downs
Blenheim
Gazeland
Lititz
Rudds Corner
CARPENTERS
Retrieve
Cheapside
Sea Air
Rose Hill
843 m
MOUNTAINS
Hermitage
Pratville
Comma Pen
Wigton
Cross Keys
Asia
Junction
Broughton
Smithfields
Grove
Warwick Town
Pusey Hill
Top Hill
New Forest
Rest Store
Ballards Valley
Rowes Corner
Lover's Leap
Bull
Savanna
Plowden Hill
Alligator Pond
Cutlass
Point
Little Ochi
Little Pedro
Bay
Alligator Pond
Bay
Rocky Point
Green
Bay
Long Bay
Cuckold Point
Old Womans Point
MAY DAY MOUNTAINS

M E R   C A R A Ï B E

■ BRIDGE HOUSE INN

14 Crane Road
℡ +1 876 965 2361
Prévoir 4 000 JMD pour une chambre.
Petit bâtiment moderne sans grand charme de quatorze chambres au confort médiocre sur deux niveaux. Accès à la plage. Mais on préféra pousser jusqu'aux pensions suivantes, sur la même route. L'endroit fait également restaurant. Possibilité d'y manger pour 800 JMD environ.

■ PORT OF CALL HÔTEL

136 Crane Road
℡ +1 876 965 2360
Entre 3 200 et 3 500 JMD la chambre double.
L'hôtel donne directement sur une petite plage de sable gris. Dix-huit chambres avec TV, air conditionné, piscine. Un petit restaurant y propose des spécialités locales à des prix abordables.

■ SOUTH SHORE GUESTHOUSE

33 Crane Road
℡ +1 876 965 2172
50 US$ la chambre pour deux.
Voisine du Sunset Beach Club, cette petite pension compte huit chambres modestes avec ventilateur ou air conditionné. L'ensemble est sympathique avec un bar circulaire à l'entrée.

■ SUNSET BEACH CLUB

29 Crane Road
℡ +1 876 634 3938 / +1 876 595 2445 / +1 876 371 8726
Suivre la route après le pont à la sortie est de la ville. La pension se trouve à moins de 2 km.
8 chambres dans les anciens bus ou dans la maison principale, entre 1 800 et 2 500 JMD, selon que les sanitaires sont privés ou non.
Un goût spécial de la Jamaïque. Particulièrement amicaux, le lieu et les gens font de Sunset Beach Club une halte très rafraîchissante après le bourdonnement de Negril et de la côte Nord. Le propriétaire a récupéré deux anciens bus il y a plus de vingt ans et les a aménagé en chambres à coucher. Trônant dans la cour et derrière la maison, les anciens poids-lourds sont peints d'or et de rouge, et sont tournés vers la petite plage aux eaux sombres (la faute à Black River qui se jette un peu plus loin). Les chambres sont propres et on passera volontiers du temps sous l'auvent de la maison à jouer aux dominos et à scruter le large. Cathy, la gardienne de maison, prépare des petits déjeuners délicieux et des repas typiquement locaux pour environ 350 JMD.

■ WATERLOO GUESTHOUSE

44 High Street
℡ +1 876 965 2278
Chambre à 50 US$ ou 4 500 JMD.
La vieille demeure coloniale a encore fière allure, face à la mer et toute proche du centre-ville. Un de ses motifs de fierté, et non des moindres, fut d'avoir été la première maison privée du pays à recevoir l'électricité. La vieille bâtisse abrite le restaurant. Un petit bâtiment à l'arrière compte vingt chambres avec TV, dont seize avec air conditionné et quatre avec ventilateur. La piscine est la bienvenue, la mer n'étant pas idéale pour la baignade.

Se restaurer

Tous les hôtels possèdent un restaurant qui sert une cuisine locale à base de produits de la mer. Il y a peu de restaurants en ville.

■ CLOGGY'S

Crane road
℡ +1 876 634 2424
Entre le Bridge House Inn et Sunset Beach Club, direction l'est.
Comptez entre 700 et 1500 JMD par personne.
Lorsque le soleil se couche et la mer prend des couleurs sombres, il est bon de goûter aux fameuses crevettes de Black River, sous une paillotte qui domine la plage. On peut y manger pour pas trop cher des produits frais de la mer ou du fleuve. Sans oublier que les gérants ne manquent jamais d'installer un haut-parleur ou deux pour animer les eaux calmes.

■ DELICIOUS FOODS

www.blackriverfood.com
info@blackriverfood.ca
Juste avant le pont qui mène vers l'est, prendre à gauche. Le restaurant se trouve à 50 m à droite, au bord du fleuve.
Plats entre 400 et 600 JMD.
Le grand hangar qui abrite ce restaurant n'est pas beau mais il a l'avantage d'être aéré et d'offrir de nombreuses places assises. Fruits de mer et poissons grillés, mais aussi la soupe de haricot qui remplira toujours son homme. Service rapide et soigné.

Sortir

■ PÉLICAN BAR

℡ +1 876 354 4218
Situé à quelques centaines de mètres au large des côtes, ce bar est accessible uniquement par bateau. S'adresser aux pêcheurs sur la plage, ou directement dans les hôtels.

Environ 3 000 JMD aller-retour pour deux personnes depuis Black River. Depuis Treasure Beach, comptez 6000 JMD pour deux personnes. Rêvé par Floyd Forbes, ce bar sur pilotis éloigné de la terre et des hommes est devenu réalité en 2001. Attraction touristique autant qu'îlot de quiétude pour les pêcheurs et les locaux, le bar Pélican, nommé ainsi à cause de la présence nombreuse de ces volatiles marins sur les plages des environs, possède nombre d'attraits. Y boire un jus de fruit ou une bière, les pieds dans l'eau, avant de piquer une tête : un bonheur immense. Rasé par un cyclone en 2004, le Pélican a ressuscité grâce à une donation du propriétaire du Jake's, à Treasure Beach. On pourra jouer aux dominos avec les clients ou le patron et laisser filer le temps jusqu'au soir (le bar n'a pas d'heure fixe de fermeture). Sur le chemin, avec un peu de chance, on peut apercevoir des dauphins qui nagent dans la mer des Caraïbes.

À voir – À faire

■ ÉGLISE PAROISSIALE SAINT JOHN

Au coin de High Street et de North Street, elle est aisément repérable à sa tour carrée et à son toit rouge.
C'est l'une des plus vieilles églises des Caraïbes, sa construction remontant à 1837. C'est sur les ruines d'une autre église en forme de croix qu'elle s'élève. Endommagé par le tremblement de terre de 1907, son toit a été refait en 1908. Ses murs de briques, ses colonnes et son mobilier d'acajou lui donnent un air coquet bien que son allure générale soit plutôt massive. Elle ne possède qu'une seule horloge ornant une des faces de sa tour carrée. Envoyées par erreur dans une paroisse voisine qui se les est appropriées, les trois autres horloges prévues pour habiller les autres faces de la tour de l'église ne sont jamais arrivées à Black River.

■ FRONT DE MER

À l'ouest de la ville, dans ce qui était autrefois le quartier résidentiel de la ville, une frange de belles demeures coloniales bordent une mer aux eaux grisâtres. Elles montrent leur somptueuse architecture géorgienne avec de profondes galeries en bois, des colonnes et des balcons festonnés, dans un ensemble harmonieux et rare aux allures de décor de cinéma. La Villa Magdalena, aujourd'hui propriété de l'église romaine, la Waterloo Guesthouse et l'Invercauld sont parmi les plus belles et les mieux entretenues.

■ PONT DE FARQUHARSON

La nouvelle structure métallique qui enjambe l'embouchure de la Black River date de 1938 et porte le nom de la première famille blanche de Black River, venue de la Vieille Angleterre. À l'origine, une simple barge permettait de traverser la rivière. Pour céder à la modernité, elle a été remplacée par un pont de bois, lui-même supplanté par l'actuel pont.

LES ENVIRONS DE BLACK RIVER

Black River constitue une excellente base arrière pour explorer le sud de Cockpit Country. En 30 ou 40 minutes de minibus on abat la distance entre le centre-ville et les premières arènes naturelles étonnantes de cette région peu habitée et quasiment impénétrable.

▶ **Pour quitter Black River** en direction de Middlequarter ou de toute autre destination à l'intérieur du pays, rendez-vous au carrefour principal (suivre la rive droite du fleuve puis longer le marché) où passent sans arrêt des taxis-route et des minibus à destination de Middlequarter, Santa Cruz...

Middlequarters

Ce village, simple regroupement de quelques maisons au carrefour stratégique des routes entre Black River et Mandeville, est connu dans toute l'île pour ses crevettes. Middlequarters, petit centre de pêche en rivière, n'oublie pas de se signaler à l'attention des automobilistes de passage et de rappeler ce qui fait sa réputation « *You're entering shrimp country* ». Des volutes de fumée s'échappent de petites échoppes de bois qui abritent les chaudrons dans lesquels cuisent, dans une sauce au piment extrêmement relevée, les fameuses crevettes. Les marchandes, assises en petits groupes le long de la route, guettent les véhicules à l'ombre d'un parapluie ou d'un abri de palmes, prêtes à brandir à bout de bras les petits sacs plastiques qui contiennent les crevettes cuites dès qu'un moteur se fait entendre. Attention, pour être sûr de consommer des crevettes fraîches, il est recommandé de s'arrêter aux stands où les crevettes sont en train de cuire plutôt que de les acheter en sachets tout prêts. Ultime conseil d'ami : prévoir une boisson et avoir un morceau de pain à portée de la main avant de déguster cette inoubliable spécialité !

LE SUD

Safari sur la Black River

Plusieurs agences proposent des promenades d'une durée identique (1 heure environ) et au même prix le long de la Black River. Elles sont situées de part et d'autre du pont qui enjambe le cours d'eau. Malgré ses eaux claires, ce fleuve était autrefois connu comme la Coyobana, « la rivière d'ébène », utilisée pour acheminer jusqu'au port des troncs d'arbres dont la sève permettait d'obtenir la teinture indigo, qui a longtemps été un produit d'exportation majeur pour la région, notamment aux XVIIIe et XIXe siècles. Le limon noir qui tapisse le fond du fleuve donne aux flots cet aspect ténébreux, alors que l'eau y est pourtant parfaitement claire. La Black River traverse 7 200 ha, principalement couverts de marécages et d'une végétation touffue : mangrove, nénuphars, fougères, joncs et champs de canne à sucre. Cette réserve naturelle héberge plus d'une centaine d'espèces rares d'oiseaux : des canards, sept sortes de hérons, des aigrettes, des grues, des martins-pêcheurs, ainsi que des papillons et des poissons qui ont choisi les berges de la Black River pour vivre. Cette rivière est surtout réputée pour sa population de crocodiles. Vous apercevrez peut-être le fameux héron dit « crocodile dentist », dont la spécialité est de se nourrir en nettoyant la dentition des crocodiles endormis la gueule largement ouverte. Les naturalistes spécialistes de la région estiment qu'il y a pas moins de 300 crocodiles aux abords de la rivière et dans le « *Great Morass* », le grand marais. Mesurant jusqu'à 5 m de long, certains d'entre eux sont parfaitement domestiqués, habitués à être nourris par les touristes le long de la rivière. Plusieurs agences organisent des excursions sur la Black River. Les services des plus grandes sont strictement identiques.

▶ **Pour une balade individuelle**, on peut se renseigner au port pour embarquer sur une pirogue avec un pêcheur. Attention toutefois à la présence de gilets de sauvetage ; prenez aussi la précaution de vous munir d'un chapeau. Ce genre de promenade permet de s'arrêter où l'on veut pour prendre des photos et donne droit à une découverte des lieux personnalisée. Les prix se négocient autour de 40 à 75 US$ pour 2 personnes.

■ **ALVIN**
✆ +1 876 375 2276
alvinsboathire@yahoo.com
Alvin peut emmener jusqu'à 8 personnes sur son navire. Un guide recommandé.

■ **BLACK RIVER SAFARI**
Rive Est
✆ +1 876 965 2513
Les excursions ont lieu à heures fixes : 9h, 11h, 14h et 16h. 16 US$ le safari et 35 US$ la journée avec Ys Falls, safari et déjeuner. Transport depuis Mobay ou Negril possible.

■ **SAINT ELISABETH RIVER SAFARI**
✆ +1 876 965 2374
Tous les jours de 9h30 à 16h. Autour de 16 US$ par personne.
La balade en bateau est riche en découvertes. Ainsi on se familiarisera avec la ganja dont les plants abondent sur les rives (on regarde, mais on ne touche pas !). On surprendra de nombreux animaux dans leur habitat naturel, oiseaux, animaux marins et crocodiles qui font la réputation de la région. Les moins farouches ont été baptisés : Freddie, Big George, Josephine, Herbert, Lester ou Charlie. Habitués à être nourris, ils n'hésitent pas, pour le plus grand plaisir des touristes, à sortir des fonds ou des repaires broussailleux quand les bateaux arrivent. Certains répondent même à leur nom, reconnaissant surtout l'appel du ventre. De temps à autre, une embarcation sommaire, pirogue ou barque de bois rudimentaire conduite par un pêcheur, remonte la rivière avec les prises du jour, crevettes et crabes. La méthode de pêche est restée la même depuis plus de trois siècles : une nasse de jonc tressé qui s'ouvre par torsion manuelle et d'où les crevettes ne peuvent s'échapper une fois prises à l'intérieur. Le point de rassemblement pour le départ de l'excursion se trouve dans un ancien entrepôt de rhum transformé en centre d'accueil pour les touristes. Les bateaux de différentes tailles, de 8 à 30 places partent régulièrement. L'ambiance est conviviale et chacun retrouve son cœur d'enfant à la recherche des grands animaux. L'excursion est animée et commentée par des guides expérimentés, diserts et forts sympathiques ; des boissons sont servies à bord.

Retrouvez le sommaire en début de guide

■ MIDDLEQUARTERS RAFTING

De 9h à 16h tous les jours, à la sortie de Black River. 20 US$ par personne. Pour cette descente de rivière en raft de bambou, de 5 km et 90 minutes, il est préférable de réserver à Black River auprès des différents opérateurs nautiques.

La balade passe par une grotte de calcaire qui forme un trou bleu alimenté par une source souterraine aux eaux fraîches. On en profitera pour déguster les fameuses crevettes épicées de Middlequarters – papilles sensibles s'abstenir ! Au cours de la descente, une halte dans un « îlot » de palmiers invite à la baignade et à une exploration rapide de la forêt tropicale voisine.

Ys Falls

Les chutes YS – prononcer « why-ess » – sont très spectaculaires ; situées aux confins de la Great Morass et sur les contreforts des Nassau Mountains, dans un cadre naturel et sauvage, elles sont volontairement préservées d'une surexploitation touristique qui risquerait d'en dénaturer la beauté. L'origine du nom YS, le plus court de la Jamaïque, est très controversée. Certains rappellent une origine gaélique, adaptation du mot « *wyess* » qui signifie « enrouler » ou « tordre ». D'autres font remonter l'origine de ce nom, pour le moins énigmatique, à l'année 1634, quand le colonel Richard Scott et son associé John Yates ont acquis la propriété. Ils marquaient les flancs de leurs bêtes et sacs de sucre qu'ils exportaient des lettres YS en retenant les initiales de leurs deux noms. C'est ainsi que l'exploitation était désignée dans la région. Au fil des ans, la propriété a changé de mains de nombreuses fois pour être déclarée en faillite en 1832, et placée sous la juridiction de l'Etat à Londres. En 1837, un Jamaïcain, John Browne, le grand-oncle de l'actuel propriétaire, fit un voyage à Londres pour y acquérir une propriété. Il fut conquis par ce domaine de 1 200 ha à cause de la rivière qui le traverse. Plantation de canne à sucre, élevage de bovins, exploitation du bois, ses activités étaient multiples. Peu à peu, des parcelles ont été vendues et l'immense propriété s'est réduite à sa taille actuelle, toujours respectable, d'un millier d'hectares. On a continué à y produire de la canne à sucre jusque dans les années 1960. Aujourd'hui, la ferme s'est spécialisée dans l'élevage de vaches laitières et de chevaux de course. Une plantation de papayers dont les fruits sont destinés à l'exportation occupe une grande partie du terrain. Ce n'est qu'à la fin des années 1980 que les YS Falls ont reçu la visite des premiers touristes. De nos jours, les abords des chutes sont conçus pour accueillir de nombreux visiteurs. Il y a donc parfois foule, et il faut savoir être patient pour avoir le bonheur de se baigner au calme dans le courant frais.

■ YS FALLS

YS Falls
✆ +1 876 997 6360
www.ysfalls.com
Depuis Black River, emprunter un taxi-route en direction de Santa Cruz (120 JMD) et demander à se faire déposer à l'intersection pour YS Falls. De là, le trajet dure 10 minutes jusqu'aux chutes et coûte moins de 100 JMD par personne.
Ouvert de 8h30 à 16h30 (dernière entrée à 15h30), sauf les lundis et jours fériés. Entrée : 16 US$.

Pour atteindre les chutes, il faut traverser une partie de la propriété en tracteur avec remorque le long de la rivière dans une végétation touffue. Une marche d'une dizaine de minutes permet d'atteindre la cascade principale. Des piscines naturelles qui invitent à la baignade se sont creusées. Vous pourrez même jouer à Tarzan en vous lançant au milieu du courant avec des lianes disposées à cet effet par les guides, mais, attention, le courant est fort. Une piscine naturelle, alimentée par la rivière s'étale en bas des chutes. Au retour, le Jerk Center abrité sous son toit de palmes propose des en-cas épicés et des boissons de bienvenue (entre 450 JMD pour un burger et 600 JMD pour un poisson grillé avec rice&peas).

Bamboo Avenue

Entre Holland et Lacovia (axe principal pour rallier YS Falls et la rhumerie d'Appleton Estate). Vieux de plus d'un siècle et amoureusement entretenus, les bambous s'inclinent gracieusement pour former une arche verte harmonieuse et fraîche sous laquelle court la route. Connus sous le nom de Bamboo Avenue, les 2 km de tunnel vert sont bien une merveille de la nature, même si la main du jardinier appliqué n'est pas tout à fait étrangère à l'ordonnancement rigoureux des bouquets de bambou. On s'en voudrait de quitter l'île sans avoir frissonné sous le dais vert de l'allée la plus célèbre du pays. Une halte pour touristes a été judicieusement aménagée au milieu de l'avenue verte. N'hésitez pas à vous arrêter pour prendre un verre et des photographies qui immortaliseront ce fleuron de l'itinéraire du Sud.

Appleton Estate

Nichée dans la fertile vallée de Nassau, cette distillerie de rhum est la plus célèbre de la Jamaïque. Ici, on a le sens du tourisme et Appleton est inscrit au programme des agences de tourisme de toute l'île. Quand le train fonctionnait encore sur l'île, il desservait Appleton depuis Montego Bay (55 km, 1h30 de conduite). Appleton est une plantation qui fonctionne depuis deux siècles et demi, la plus ancienne sans doute de l'île. Dès 1749, on y fabrique du sucre et, en 1755, la plantation apparaît pour la première fois sur les cartes de l'île sous le nom de Dickinson, du nom des descendants d'un des premiers colons anglais de l'île, qui a participé à la prise de l'île et à la défaite des Espagnols. La plantation restera dans la famille jusqu'en 1871 pour être ensuite revendue et devenir le centre de production le plus important du groupe Wray and Nephew. On découvrira dans la propriété un vieux pressoir à canne, actionné par un âne, qui témoigne des méthodes de travail d'un autre temps. Juste le temps pour les touristes d'immortaliser l'âne sur une pellicule et l'on vous entraîne au cœur de l'énorme usine, la distillerie aux équipements les plus modernes de l'île. Elle se visite partiellement grâce à des petites passerelles métalliques aménagées autour des cuves. On visitera également l'entrepôt de vieillissement du rhum, avant de clore la visite par l'inévitable dégustation et un détour par la boutique. La propriété de 4 600 ha emploie 950 personnes et produit du sucre et du rhum depuis 1749. Elle a été achetée par les actuels opérateurs, Wray and Nephew, en 1916. La canne qui pousse sur environ 1 500 ha donne 16 000 tonnes de sucre et 10 millions de litres de rhum par an. Longtemps réservé au marché interne, le rhum Appleton est désormais commercialisé dans plus de soixante pays, et on le trouve dans tous les supermarchés de Jamaïque. Au-delà de Appleton Estate, la route continue jusqu'à Mandeville en passant par Balaclava.

■ **APPLETON ESTATE « RUM TOUR »**
✆ +1 876 963 9215
www.appletonrumtour.com
appleton@infochan.com
Route-taxi ou minibus en direction De Santa Cruz et demander à se faire déposer à la station-service Texaco (130-150 JMD), d'où partent d'autres véhicules qui passent par Appleton Estate (150 JMD).
Les visites d'une heure environ ont lieu du lundi au samedi de 9h à 16h. 22 US$ par personne.
La visite n'est pas non plus extraordinaire

mais elle reste cependant intéressante. A la fin de celle-ci, on vous laisse dans un petit bar pour y déguster à volonté divers breuvages. Attention si vous repartez en voiture ! La maison vous offre une petite mignonette de rhum en souvenir avant de quitter les lieux. Possibilité d'acheter les productions Appleton sur place. Les tarifs sont les même que dans les supermarchés de l'île.

■ **WINDSOR CAVES**
Sur la route entre Appleton Estate et Balaclava. Compter environ 20 US$ pour une visite guidée.
Nous voilà au cœur du mythique et inextricable Cockpit Country. Connues de tous les spéléologues jamaïcains, les grottes de Windsor restent pourtant sagement à l'écart de toute route touristique. Peu fréquentées, elles ne sont pas équipées pour une visite aisée. Il est possible, mais tout à fait déconseillé, de s'y aventurer seul car le réseau est important. Aux abords des grottes, des Jamaïcains, équipés de lampes indispensables à l'exploration souterraine et connaissant parfaitement le dédale, se proposent pour vous guider. S'enfonçant profondément dans la terre, les grottes, dont certaines ont des dimensions impressionnantes, se succèdent sur plus d'un kilomètre, habitées par des colonies de chauve-souris, dans un labyrinthe de stalagmites, de stalactites et de formations rocheuses surprenantes.

Accompong

Prendre la route de Magotty, à 9 km de Middlequarters, puis une piste d'une dizaine de kilomètres conduit à Accompong via Whitehall. Ce village perdu dans les contreforts de Cockpit Country est l'un des derniers bastions des descendants des Marrons. Le village a été établi en 1739, conformément au traité de paix qui mettait fin aux hostilités entre les anciens esclaves rebelles et les autorités anglaises, et qui garantissaient aux Marrons une semi-autonomie. Il porte le nom d'un des chefs de la rébellion des esclaves marrons, le frère du célèbre leader Cudjoe. Accompong est aujourd'hui l'un des rares villages issus de cette époque qui conserve encore un statut administratif à part. Le colonel est traditionnellement le chef de la communauté. Elu pour cinq ans, il fait autorité sur les affaires purement locales. La communauté est composée de petits fermiers qui exploitent les terres cédées aux Marrons à l'issue du traité et sur lesquelles ils ne paient pas de taxes à l'Etat. Bien peu subsiste des traditions de vie venues de l'Afrique de l'Ouest avec les bateaux d'esclaves. L'exode de la population jeune vers les grandes villes côtières ou la capitale en est souvent responsable. La langue des Comorantees s'est perdue avec le temps, seules quelques bribes de médecine naturelle traditionnelle ont passé l'épreuve du temps et quelques rites religieux perdurent. Le tourisme est ici aussi une manne bienvenue pour l'économie de la communauté et a suscité quelques initiatives de nature à préserver cette identité culturelle. Chaque année, le 6 janvier, un festival commémore la date du traité qui assurait la liberté aux Marrons : musiques traditionnelles et actuelles, danses, buffets... Les touristes accourent pour assister à l'une des dernières manifestations issues des racines historiques et culturelles des Marrons.

▶ **Autres points d'intérêt,** une modeste église presbytérienne, un petit square et un monument à la mémoire du colonel Cudjoe.

▶ **A l'écart du village,** on peut découvrir la grotte de la Paix où fut signé le traité entre Anglais et Marrons. Le plus intéressant reste d'obtenir un entretien avec le colonel qui, outre l'histoire ancienne de la communauté, en raconte l'actualité. Cependant, un tel entretien est difficile à organiser et mieux vaut passer par l'intermédiaire d'une agence de tourisme (*voir à la rubrique « Les environs de Montego Bay » : Marron Attraction Tours y organise des excursions complètes d'une journée*).

TREASURE BEACH

La route qui mène à Treasure Beach, ponctuée de petites fermes où somnolent quelques bêtes dans des enclos cernés de barrières en bois, vous entraîne dans un paysage aride et sauvage, caractéristique de cette partie de l'île. Cette région est la plus sèche du pays et la nature luxuriante cède ici la place à une végétation plus rare où les cactus géants remplacent les cocotiers. Au terme de cette traversée, Treasure Beach : pas une agglomération, pas même un village au sens stricte du terme. Les maisons s'égrènent le long de la côte, parfois rassemblées en hameaux, le plus souvent dispersées et isolées, perdues en bout de pistes cailloutteuses. Treasure Beach, un nom comme une promesse, on n'est pas déçu : c'est une véritable oasis de sérénité et de calme. Les plages sont d'une beauté sauvage et sereine. La côte est découpée, anses profondes et falaises hautaines, la mer parfois violente, la nature peu domestiquée. Ici, le temps s'arrête, la vie s'écoule au ralenti, au rythme de la course du soleil, de la nature, dans une harmonie et une sérénité, toutes naturelles. On redécouvre des vertus comme le sens de l'accueil, l'hospitalité, le temps de prendre le temps... L'endroit se compose d'une succession de plusieurs baies, bordées de plages et séparées par des promontoires rocheux. D'est en ouest, se succèdent Great Bay, Calabash Bay, Frenchman's Bay et Billy Bay ; Calabash et Frenchman constituant le cœur de Treasure Beach. On y rencontre beaucoup d'oiseaux multicolores de différentes espèces.

Si le tourisme est une source non négligeable de revenus, l'agriculture vivrière et l'élevage, ainsi que la pêche, restent la base de l'économie locale. Les solides barques de pêche partent tous les matins à l'aube au-delà du récif de corail, vers les Pedro Keys, d'où elles rapportent leurs prises au coucher du soleil. A leur retour, les barques tirées sur le sable à la force des bras déchargent poissons, crustacés ; l'une des scènes locales quotidiennes à ne pas manquer. Tout le monde est au rendez-vous, les badauds, les femmes, les enfants, les chiens et les oiseaux toujours à l'affût d'une proie facile. Les responsables de la petite coopérative locale sont là pour acheter le poisson aux pêcheurs. Dès les affaires conclues, ils chargent les camionnettes et partent prestement revendre leurs lots de produits de la mer aux restaurateurs des grands centres touristiques. Ici, rares sont les activités organisées. La principale occupation est de laisser filer le temps et de profiter de la sérénité ambiante pour se ressourcer.

▶ **Pour plus d'informations :** www.treasurebeach.net

Transports

Comment y accéder et en partir

Depuis Black River, on peut rallier Treasure Beach en minibus ou taxi-route. Départ de Black River sur le front de mer puis changement à l'intersection de Pedro Cross. De là, d'autre taxis descendent vers les baies de Treasure Beach, où se trouvent la plupart des hôtels et des pensions. En voiture, comptez 35 minutes de route entre Black River et Treasure Beach.

Pratique

Argent

Un distributeur d'argent se trouve au croisement principal de Treasure Beach.

LE SUD

Moyens de communication

La plupart des guest houses et des hôtels proposent une connexion Internet. Pourtant, il arrive souvent que le réseau ne fonctionne pas, et ce dans toute la localité.

Se loger

Locations

■ BARUKAMBA

Rocky Hill Road ✆ +1 876 426 73 33
www.airbnb.com/rooms/810226
bookings@barukamba.com
Location d'une jolie maison à Treasure Beach à partir de 62 € la nuit.
Une Française, Véronique, installée à Treasure Beach avec son compagnon, gère la location de cette jolie maison de 150 m² qui surplombe l'océan. N'hésitez pas à prendre contact par mail pour réserver. Véronique vous donnera de bonnes idées et de précieux conseils sur place !

Bien et pas cher

■ GOLDEN SAND BEACH RESORT

Calabash Bay ✆ +1 876 965 0167
http://goldensandstreasurebeach.com
goldensandsguesthouse@yahoo.com
De 45 US$ à 80 US$ la chambre.
La propriété donne directement sur la plage de Frenchman's Beach. Très fréquentée par les Jamaïcains, elle est composée de quatre petits bâtiments dans lesquels se répartissent quinze chambres avec salle de bains privée. Une cuisine commune permet de se mettre aux fourneaux. Des excursions peuvent être organisées sur place pour les YS Falls, Black River ou la distillerie de rhum Appleton.

■ NUESTRA CASA

Billy's Bay
✆ +1 876 965 0152
www.billysbay.com
roger@billysbay.com
Chambre à partir de 40 US$ la nuit en été et 50 US$ en hiver.
Lillian Brooks a choisi l'un des endroits les plus calmes du pays pour prendre sa retraite en Jamaïque. Aujourd'hui trop faible pour s'occuper de sa guest house, c'est son fils, Roger, qui reçoit des touristes, de préférence des couples, dans sa maison. D'humeur assez changeante, Roger peut s'avérer un peu lunatique mais est malgré tout poli. Une grande véranda, une terrasse ombragée sur le toit, la proximité de la plage de Billy's Bay et tout le confort d'un cottage anglais. Trois chambres doubles décorées avec goût et confortables, dont une avec salle de bains privée, toutes avec ventilateur. En option, petits déjeuners à l'anglaise dans la douceur tropicale. Une des meilleures adresses de Treasure Beach, il est prudent de réserver.

■ SHAKESPEARE COTTAGE

À proximité du Treasure Beach Hôtel
✆ +1 876 965 0120
www.shakespearecottage.net
reservations@shakespearecottage.net
Entre 25 US$ et 80 US$ selon la formule d'hébergement.
Le cottage se cache dans un grand jardin. Il abrite cinq chambres bien tenues, avec salle de bains à partager, et des cottages. La cuisine commune est à la disposition des hôtes.

■ WAIKIKI GUESTHOUSE

Frenchman's Bay ✆ +1 876 965 0448
20 US$ avec salle de bains à partager, 35 US$ avec bain privé.

Treasure Beach vit de la pêche.

Une petite pension modeste mais plutôt agréable. Les six chambres sont réparties dans deux maisons au milieu d'un grand jardin et donnent directement sur la plage de Calabash Bay. Un bar-restaurant sous une paillote propose une restauration simple à la demande.

Confort ou charme

■ **4 M'S COTTAGE GUESTHOUSE**
Frenchman's Bay
À proximité du Treasure Beach Hotel
℡ +1 876 965 0131
De 40 US$ à 60 US$ pour 2 personnes.
Six chambres avec bains privés dans une maison moderne. Possibilité de planter sa tente (15 US$) dans le jardin planté de cocotiers et de bougainvilliers. On peut au choix préparer sa propre cuisine ou commander ses repas.

■ **JAKES**
Rue principale
Calabash Bay ℡ +1 877 526 2428
www.jakeshotel.com
Entre 115 et 325 US$ par nuit pour une chambre, petit déjeuner compris. Pour un appartement comprenant quatre chambres, comptez 600 à 750 US$ selon la saison.
Le lieu le plus fameux de Treasure Beach, connu dans toute l'île et au-delà de ses frontières pour son ambiance cool, décontractée mais intime, et son décor stylisé aux couleurs chaudes et aux tonalités romantiques. Les 20 cottages indépendants sont rarement libres. Toutes sont conçues différemment, meubles jamaïcains sculptés à l'ancienne, estrades, lits à moustiquaires, peintures d'artistes locaux, poteries, murs délavés ocre, rose ou bleu lavande, terrasses et arches, ventilateurs, mélange d'influences mauresques et caraïbes. Chaque salle de bains est doublée d'une douche

extérieure. Ici, ni TV, ni téléphone dans les chambres, mais des bougies, des fleurs fraîches et de la sérénité. Sally – la femme du réalisateur et écrivain Perry Henzel – est à l'origine de ces décors de rêve et son fils, Jason, gère cet endroit à nul autre pareil. Une petite piscine d'eau de mer ombragée et décorée de jolies mosaïques tombe en cascade dans la mer. Avec la collaboration des pêcheurs locaux, Jason – qui connaît la région comme sa poche – organise des excursions dans les environs, des parties de pêche, des balades en mer et jusqu'à Black River. Depuis trois ans, l'hôtel s'est doté d'un spa qui vous propose des massages et des soins. Une adresse exceptionnelle à ne pas rater !

■ **SUNSET RESORT**
℡ +1 876 965 0143
www.sunsetresort.com
wahoo@cwjamaica.com
Entre 95 et 135 US$ la nuit.
Située au bout de Calabash Bay, la petite propriété domine la longue plage de sable gris à laquelle on accède par une volée de marches. La taille de l'hôtel (sept chambres portant chacune un nom différent) garantit un calme absolu et une ambiance intime et relaxante. Les chambres de différentes catégories encadrent une petite piscine très kitsch ornée d'un jet d'eau. Vastes, avec air conditionné et TV, elles donnent sur la mer. Une villa de trois chambres avec cuisine est aussi disponible à la location (environ 300 US$ selon la saison). Une grande terrasse surplombe la mer. Le restaurant dont les tables jouxtent la piscine propose une carte jamaïcaine agrémentée de plats internationaux. L'hôtel propose aussi une formule en pension complète. Un sentier descend en pente douce vers la plage balayée par les vagues et dominée par de grandes maisons privées.

LE SUD

■ **TREASURE BEACH HOTEL**
South Coast
48 High Street
St Elizabeth
✆ +1 876 965 0110 / +1 876 965 2305
www.jamaicatreasurebeachhotel.com
treasurebhotel@cwjamaica.com
*A partir de 90 US$ pour 2 personnes en basse
saison et de 100 US$ en haute saison.*
C'est le plus vieil hôtel du coin, une institution
dans la région. L'établissement est situé au
sommet d'une petite élévation qui domine
une belle plage. Les installations sont nichées
dans un grand parc tropical fleuri et ombragé,
plein de lézards, de papillons et d'oiseaux,
qui descend en pente douce vers la mer. On
accède à la plage de Frenchman's Bay en
moins d'une minute. Les trente-deux chambres
sont réparties dans plusieurs bâtiments dont
une aile récente qui abrite les vingt chambres
les plus agréables, spacieuses, confortables,
meublées avec les traditionnels lits jamaïcains
à quatre montants, équipées d'air conditionné,
TV, téléphone et terrasse donnant sur la mer.
Deux piscines en bas du parc, en surplomb
de la mer, sont entourées de chaises longues.
Le restaurant Yabba et le bar Seahorses sont
situés dans le bâtiment d'accueil.

Se restaurer

Bien et pas cher

■ **SMURFS**
A 5 min en voiture de Jakes
Devanture bleue
*Comptez environ 500 JMD pour un petit
déjeuner complet.*
Une excellente adresse où se retrouve tous les
Jamaïcains de la ville. Parfait pour y déguster
un petit déjeuner typique : ackee, omelette,
pancakes... La petite terrase est particuliè-
rement agréable !

Bonnes tables

■ **FRENCHMEN'S REEF RESTAURANT**
A côté de Jakes, face à l'océan
Saint Elizabeth
✆ +1 876 965 3049
www.frenchmansreeftreasurebeach.com
info@frenchmansreeftreasurebeach.com
Comptez 1000 JMD pour une langouste.
Idéalement situé, face à la mer l'établissement vous propose des petits déjeuners,
des déjeuners et des dîners, en terrasse ou à
l'intérieur. Un large choix de pizzas, de pâtes,
de poissons, de poulet et de spécialités locales
vous est proposé. Nous vous conseillons
la langouste, pas chère et délicieuse. Les
amateurs de cocktails pourront y découvrir
de fabuleux mélanges !

■ **JACK SPRAT**
French Man Bay
Rue principale
Juste à coté de l'hôtel du même nom
✆ +1 876 965 3583
www.jakeshotel.com
Un grand panneau jaune annonce ce lieu,
voisin de Jake's.
Belle réussite que ce restaurant-bar qui,
depuis 5 ans, au milieu d'une pelouse, étale
paresseusement sa grande terrasse dont
les tables sont traversées par des arbres. A
l'intérieur, on passe sa commande tout en
détaillant les belles affiches et couvertures
de vinyles reggae accrochées aux murs. Les
prix sont corrects : bonnes pizzas entre 850 et
1 200 JMD (essayez celle aux crevettes),
soupe de conques, homard et poisson à
toutes les sauces... Retour dehors, sous les
néons et les étoiles, dans une ambiance très
« cool ». Quelques familles de Mandeville et
des visiteurs en quête de sérénité prêtent une
oreille distraite au reggae débité par les hauts-

parleurs. Au bar, tout aussi joliment décoré, les bières coûtent 230 JMD et les serveurs ont le secret de quelques cocktails maison. Enfin, on pourra faire escale au petit magasin qui vend des tee-shirts et quelques disques, ou bien s'installer sur la petite plage au bout du jardin pour digérer, bercé par le bruit des vagues. Le restaurant est tenu par Sally et son fils, la propriétaire de l'hôtel du même nom : une des meilleures adresses de la ville.

■ JAKES
Rue principale
Calabash Bay
✆ +1 877 526 2428
www.jakeshotel.com
stay@jakeshotel.com
Compter 1 000 JMD pour un repas complet.
Jakes possède un restaurant plein de charme tout comme l'hôtel. On est sûr d'y faire des rencontres agréables autour d'un verre et d'un air de reggae… Le restaurant est l'endroit branché du coin. Il est ouvert du petit déjeuner au dîner et sert une cuisine jamaïcaine nouvelle manière, avec toutefois des plats classiques tels les saltfish and ackee, rice and peas, escovitched fish, des spécialités locales comme le poisson à la vapeur, la salade de fruits de mer. Les créations du jour sont affichées sur une ardoise et le menu change tous les jours. L'endroit revêt un charme magique le soir, la terrasse arrière est particulièrement agréable, quelques tables éclairées de bougies, sous les arbres, avec la mer qui frémit toute proche. On peut aussi opter pour la partie avant, abritée sous un toit de palmes, et partager l'une des grandes tables conviviales. Certains soirs sont animés par des petites formations musicales, d'autres, par des bœufs spontanés. Les prix pratiqués sont très raisonnables.

■ YABBA
Treasure Beach Hotel
Franchman's Bay
✆ +1 876 965 2305
Le restaurant domine la propriété qui descend vers la plage. Classique, il propose une cuisine jamaïcaine traditionnelle avec des spécialités de poissons et de langoustes. Un endroit tranquille et charmant pour un dîner au son des grenouilles qui inondent le parc de leurs cris. Le Sea Horse Bar est une halte agréable avec ses tables sous une grande véranda.

Sortir
Pas de vie nocturne trépidante à Treasure Beach. Jakes et Jack Sprat sont sans conteste les endroits pour prendre un verre tardif. Quelques bars locaux sont ouverts en fin de semaine le long de la rue principale, direction le Treasure Beach Hotel. Le Fisherman's Bar est le seul endroit à tenir lieu de discothèque. En fin de semaine, des danseuses s'y déhanchent nues, au rythme de la musique, sous les regards indifférents des pêcheurs locaux et plus émoustillés de quelques rares touristes.

À voir – À faire

■ LOVER'S LEAP
Southfield
✆ +1 876 870 0895
Prendre un taxi à Treasure Beach direction Junction jusqu'à Southfield (200/300 JMD). De là, en prendre un autre jusqu'à Lover's Leap (le chauffeur tournera à droite en sortant de Southfield au niveau de l'arrêt de bus Lion's CLub International) pour environ 100 JMD. Le chemin est faisable à pied en une petite demi-heure depuis Southfield.
Ouvert dès 8h30. Entrée libre.
Monsieur Chardley était éperdument amoureux de sa jeune esclave, mais celle-ci lui préférait un bel esclave appartenant à une plantation voisine. Ils nouèrent une tendre relation à l'insu de M. Chardley, qui n'avait d'autre projet que de séduire la jeune fille. Quand Monsieur Chardley apprit la liaison des tourtereaux, il devint fou de douleur et fit des pieds et des mains pour les amener à la rupture, avec un résultat contraire à ses espérances. En effet, les liens du jeune couple d'esclaves n'en devinrent que plus forts.

LE SUD

Fou de jalousie, il menaça le jeune homme de mort, mais le couple poursuivit secrètement sa relation. Lors d'un rendez-vous nocturne sur les flancs de la falaise, dans un recoin qui leur servait de nid d'amour secret, les amants furent surpris par le vieux M. Chardley qui les avait suivis. Se voyant découverts, ils décidèrent de se donner la mort plutôt que d'avoir à souffrir une séparation et des représailles certaines. Enlacés, ils sautèrent du haut de la falaise dans la mer. On n'en entendit plus jamais parler, mais la légende dit qu'un rayon de lune les recueillit et les transporta dans un lieu où ils purent vivre paisiblement leur amour. Joli nom hérité d'une jolie légende, chantée en reggae par Bim Sherman, pour cette falaise de 510 m qui domine toute la région. Le point de vue est protégé par une propriété et une grande maison avec terrasse qui offre un somptueux panorama : la côte est découpée et la mer déploie à perte de vue des eaux parfois agitées. Le spectacle est grandiose. Le phare ne se visite pas. Des randonnées jusqu'au bas de la falaise peuvent être organisées à condition d'avoir prévenu un jour à l'avance.

Visites guidées

■ **CAPTAIN JOSEPH'S BOAT TOUR**
✆ +876 376 9944 / +876 508 1856
captainringabell@gmail.com
Comptez 6 000 JMD pour un aller-retour vers Pélican Bar.
Connu à Treasure Beach, le « cap'taine » vous embarque à bord de son bateau aux couleurs de la Jamaïque pour une virée sympathique. Souriant, il ne manque pas de clients. N'hésitez pas à négocier le prix ou à partager votre embarcation avec d'autres touristes.

Shopping

■ **CALABASH CRAFTERS OU HOUSE OF TREASURE CRAFT SHOP**
www.treasurebeach.net/guide/
Associations d'artisans du sud de l'île qui réalisent parmi les plus beaux objets traditionnels que l'on puisse trouver en Jamaïque. Sac à main en noix de coco, toiles, chemises, chapeau, sandales, balais. Ne pas hésiter à demander à Sally, propriétaire de Jakes, de bonnes adresse pour dégotter de jolies pièces.

■ **CALALOO**
A deux minutes en voiture de Jakes
✆ +1 876 390 3949
www.callaloo-jam.com
sophiejamaica@yahoo.com
Ouvert tous les jours de 9h à 18h.

Sophie, cette française installée à Treasure Beach, propose dans sa boutique de nombreux objets de décoration raffinés et des vêtements réalisés sur l'île. Vous y trouverez plein de petites choses pour les enfants (jouets, vêtements, etc.).

■ **CRÉATION DE BIJOUX – VERONIQUE LINARD**
✆ +1 876 426 7333
www.thegirlandthemagpie.be
v@thegirlandthemagpie.be
Véronique est une jeune femme belge installée depuis quelques mois à Treasure Beach. Elle crée chez elle de magnifiques bijoux à partir de matériaux qu'elle récupère sur l'île. Des pièces originales qui sont souvent portées lors de défilés en Jamaïque. N'hésitez pas à la contacter si vous passez à Treasure Beach. C'est une excellente amie de Sally, propriétaire de Jakes ; n'hésitez pas à lui demander de l'appeler.

MANDEVILLE

105 km à l'ouest de Kingston, 40 000 habitants. Mandeville est la ville principale du comté de Manchester et du sud du pays. La ville la plus coquette de l'île s'étend sur un plateau cerné de douces montagnes à 610 m d'altitude.
La paroisse de Manchester a été créée en 1814 et baptisée du nom du gouverneur de la Jamaïque de l'époque, le duc de Manchester. En 1816, la capitale de la paroisse a, quant à elle, été baptisée du nom du fils du gouverneur, le vicomte de Mandeville. La ville, située à une altitude qui lui assure un climat sain et frais, est rapidement devenue à la période coloniale une villégiature pour riches colons et expatriés. La communauté britannique l'avait d'ailleurs consacrée station de montagne du pays.
C'est ainsi que s'est développée cette architecture traditionnelle anglaise dont témoignent encore le square central et l'hôtel de justice, et qui caractérise Mandeville. La ville peut s'enorgueillir de posséder le plus vieux terrain de golf des Caraïbes. Les demeures luxueuses se sont multipliées et la tradition se perpétue de nos jours, faisant de cette ville-jardin et de ses environs le paradis des retraités aisés qui y coulent des jours tranquilles.
L'activité économique de Mandeville, la cinquième ville du pays par la taille, n'est cependant pas négligeable, loin de là. En effet, outre la tradition agricole, café, citron, élevage, héritée de la colonisation, d'importants gisements de bauxite ont largement contribué à enrichir cette région, créant de nombreux emplois dès 1950.

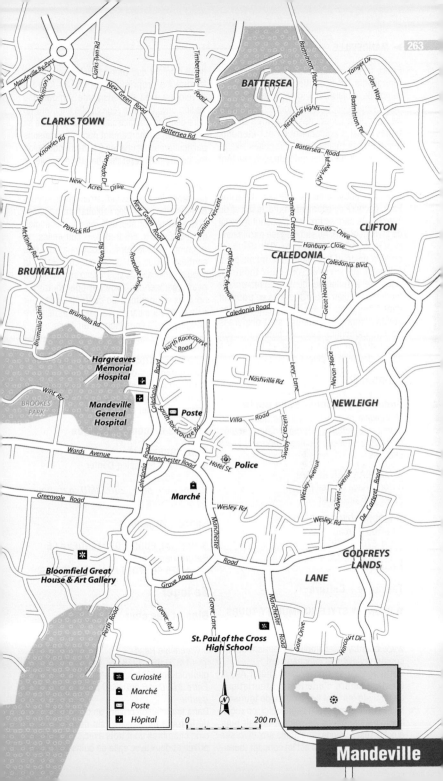

BATTERSEA

Mandeville By-Pass

Atkinson Dr

Clarks Twn Rd

Timbertrails

New Green Road

Road

Badminton Place

Tanget Dr

Glen Way

CLARKS TOWN

Battersea Rd

Reservoir Hghts

Battersea Road

Knowles Rd

Badminton Ter.

New Acres Drive

Fernacho Dr

City View Pl.

CLIFTON

McKinley Rd.

Patrick Rd

Bonito Cr

Bonito Crescent

New Green Road

Bonito Drive

Bonito Crescent

Hanbury Close

CALEDONIA

Caledonia Blvd.

BRUMALIA

Graham Rd

Rosedale Drive

Confidence Avenue

Great House Dr

Brumalia Gdns

Brumalia Rd

Caledonia Road

North Racecourse Road

Caledonia Road

Levy Lane

Nevon place

NEWLEIGH

Hargreaves Memorial Hospital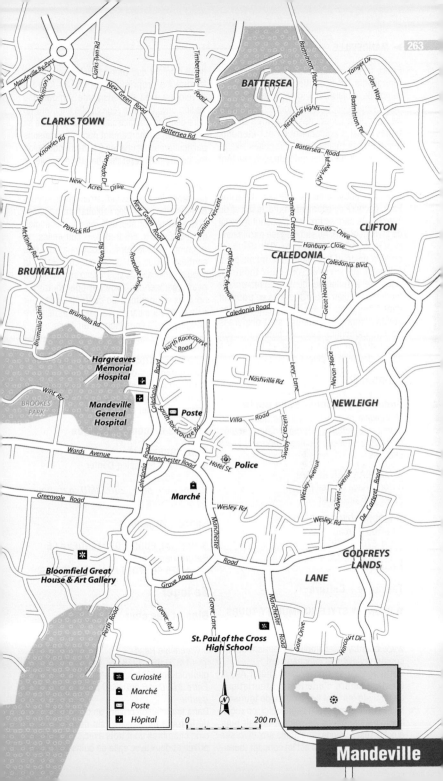

Wint Rd.

BROOKES PARK

Nashville Rd.

Mandeville General Hospital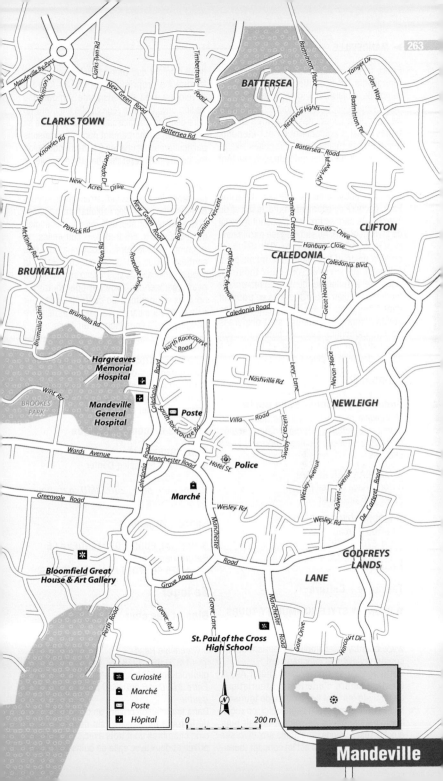

South Racecourse Rd.

☐ **Poste**

Villa Road

Swaby Crescent

Wards Avenue

Manchester Road

Hotel St.

⊛ **Police**

Wesley Avenue

Advent Avenue

De Carteret Road

Greenvale Road

🛒 **Marché**

Wesley Rd.

Wesley Rd.

❄ **Bloomfield Great House & Art Gallery**

Manchester Road

GODFREYS LANDS

LANE

Perth Road

Grove Road

Grove Rd.

Grove Lane

Manchester Road

Gore Drive

Harcourt Dr

❄ **St. Paul of the Cross High School**

Légende	
❄	Curiosité
🛒	Marché
☐	Poste
✚	Hôpital

N

0   200 m

Mandeville

Enfin, le rôle de carrefour commercial de Mandeville est essentiel dans l'économie régionale. Aujourd'hui, c'est une bourgade de province bien tranquille, loin du tohu-bohu de la côte, à l'écart des itinéraires touristiques aussi. L'agglomération est étendue, les quartiers résidentiels composés exclusivement de maisons individuelles partent à l'assaut des collines environnantes. Le centre-ville se réduit à un mouchoir de poche, concentré autour du square, le Cecil Charlton Park, encadré de bâtiments municipaux et du marché. Au nord se trouve l'imposant tribunal de style géorgien. Au sud, l'église paroissiale date de la même époque, du XIXᵉ siècle ; à côté, la poste et la bibliothèque municipale. A l'ouest du parc s'élèvent deux théâtres, l'Odéon et le Tudor. Des centres commerciaux modernes et bien approvisionnés se trouvent dans l'immédiate proximité. En revanche, les points d'intérêt touristiques sont dispersés dans la campagne alentour dans un rayon d'une dizaine de kilomètres, et le touriste assidu devra se déplacer en voiture.

Transports

Comment y accéder et en partir

Mandeville ne propose aucune agence des loueurs de voitures internationaux ; seules de petites agences locales proposent leurs services.

■ **MAXDAN CAR RENTAL**
6 North Race Course Road
✆ +1 876 962 5341

■ **MOONGLOW CAR RENTALS**
3 Caledonia road
✆ +1 876 962 9097

Pratique

Tourisme – Culture

■ **COUNTRY STYLE COMMUNITY TOURS**
62 Ward Avenue
✆ +1 876 962 7758
www.countrystylecommunitytourism.com
countrystyle@mail.infochan.com
Cette agence se trouve dans l'hôtel Astra. C'est un centre d'information touristique généraliste qui tient lieu d'office de tourisme local, l'officiel ayant plié bagage. Ici, on reçoit les touristes, on les renseigne, on fait pour eux les réservations préalables aux diverses visites dans la région. C'est un concept touristique original que Diana MacIntyre Pike, la fougueuse propriétaire de l'hôtel Astra a développé avec enthousiasme. Amoureuse de son pays et de sa région, elle a à cœur de faire découvrir la face cachée de l'île et de sa population : hébergement dans des maisons particulières, excursions à la demande selon les centres d'intérêt de chacun, découverte de la vie des communautés rurales voisines (dix-huit villages sont répertoriés), de la vie paysanne locale, des industries ou des petits métiers artisanaux, des exploitations agricoles et des petites fermes, des églises, des écoles ou des hôpitaux, des traditions culturelles, de la faune et de la flore… Tout cela, loin des sentiers battus et toujours au contact de la population locale. De plus, Diana assure qu'elle peut organiser des vacances pour toutes les bourses et pour tous les goûts. Il suffit pour cela de lui faire part de vos désirs et de votre budget, et elle vous établira un devis.

Argent

Nombreuses banques dans les artères commerçantes de la ville et les centres commerciaux, notamment Scotia Bank et National Commercial Bank au Manchester Shopping Center et sur Caledonia Road.

Moyens de communication

■ **INTERNET CAFÉ**
Manchester Shopping Center
✆ +1 876 961 1829
Connexion pour 200 JMD par heure. 20 ordinateurs.

Santé – Urgences

■ **HÔPITAL PUBLIC DE MANDEVILLE**
Hargreaves Avenue
✆ +1 876 962 7033 / +1 876 962 2288

Se loger

Bien et pas cher

■ **GLENROCK GUESTHOUSE**
3 Greenvale Road
✆ +1 876 961 3278
glenrockhotel@yahoo.com
Entre 3 000 et 6 000 JMD pour une chambre double.
Dans une maison privée, un peu trop proche de la route mais assez loin du centre-ville, cinq chambres dont trois avec salle de bains privée et deux avec salle de bains à partager.

■ KARIBA KARIBA GUEST HOUSE
39 New Green Road
✆ +1 962 8006
Comptez 50 US$ pour une chambre double avec petit déjeuner.
La guest house se situe un peu avant le centre-ville (mieux vaut avoir une voiture) ; soyez vigilants, la route n'est pas facile à trouver. Dans leur maison, en pleins travaux d'agrandissement lors de notre passage, ce couple anglo-jamaïcain accueille des touristes et des locaux en déplacement à Mandeville. Les chambres sont spacieuses, propres et bien isolées. L'accueil est sympathique et convivial. Une excellente adresse et un bon rapport qualité/prix pour la région.

Confort ou charme

■ ASTRA COUNTRY INN
62 Ward Avenue,
✆ +1 876 488 7207 / +1 876 488 7758
countrystyle@mail.infochan.com
Tout proche du centre-ville
Compter environ 70 US$ pour 2 personnes.
Mandeville ne possédant pas de bureau de l'office de tourisme jamaïcain, c'est donc l'hôtel Astra qui tient lieu de centre de renseignement et d'orientation sous la houlette de Diana McIntyre, la dynamique propriétaire, pionnière du tourisme communautaire. L'hôtel, quant à lui, compte une quinzaine de chambres et de studios équipés.

■ GOLF VIEW HOTEL
51 Caledonia road
✆ +1 876 962 4477
A partir de 132 US$ pour 2 personnes.
L'hôtel est situé à proximité immédiate du centre-ville. Le petit bâtiment moderne et tout blanc est fonctionnel. Ses quatre ailes encadrent une piscine agrémentée de chaises longues, de parasols et d'arbres. Les chambres sont confortables, avec salle de bains, TV, air conditionné ou ventilateur, et se déploient sur trois niveaux, desservies par une galerie qui court autour de l'hôtel. Restaurant, bar, accès au parcours de golf voisin. L'accueil est convivial.

■ MANDEVILLE HOTEL
4 Hotel Street
✆ +1 876 962 2460 / +1 876 962 9764
www.mandevillehoteljamaica.com
reservations@themandevillehotel.com
A partir de 105 US$ pour une chambre double.
Il ne reste plus que des photos du vieil hôtel à l'architecture géorgienne qui recevait encore les touristes dans les années 1960. En 1971, un petit édifice moderne et sans doute plus fonctionnel a remplacé ce qui fut l'une des plus charmantes bâtisses de Mandeville, le club et le mess des officiers, transformé successivement en Waverley Hotel, puis Brooks Hotel avant de devenir le Mandeville Hotel. Les chambres confortables (TV, air conditionné) s'étendent sur trois niveaux, surplombant une piscine agréable et un vaste jardin fleuri. L'ensemble est au calme, bien qu'à proximité immédiate du centre-ville. Le personnel est particulièrement attentif et agréable. Le restaurant en partie ouvert sur le jardin est fort agréable ; c'est l'occasion de déguster un excellent petit déjeuner typiquement jamaïcain ou le barbecue hebdomadaire du mercredi. Le pub, le Manchester Arms, est l'endroit pour discuter développement industriel avec les cadres canadiens de l'usine de bauxite voisine. Des services annexes sont proposés tels change ou baby-sitting.

Se restaurer

Bien et pas cher

■ CENTENARY RASTARANT
Il se trouve à la sortie du marché, dans l'allée qui mène au parc.
Comptez 600 JMD par personne.
Le restaurant I-tal de Mandeville. Tous les classiques, en assiette ou en sandwich.

■ THE DEN
35 Caledonian Street
✆ +1 876 962 3603
Ouvert tous les jours sauf dimanche. Entre 600 et 2500 JMD pour un repas.
Il propose une cuisine chinoise classique avec des spécialités de curry.

Bonnes tables

■ BLOOMFIELD GREAT HOUSE
8 Perth Road
✆ +1 876 962 7130
Comptez 1200 JMD pour un plat copieux.
Ce restaurant vous propose non seulement une magnifique vue sur la ville mais aussi des plats délicieux, très bien cuisinés (nous vous conseillons le filet de poisson cuisiné aux fruits tropicaux). Les propriétaires, un australien et sa femme jamaïcaine, ont décidé de créer ce petit paradis niché sur les hauteurs de Mandeville. Une adresse incontournable si vous passez dans le coin !

LE SUD

■ **GOLF VIEW HÔTEL**
51 Caledonia road
© +1 876 962 4477
Entre 1500 et 2000 JMD par personne.
Le restaurant de l'hôtel propose une cuisine jamaïcaine sans surprise, servie dans une ambiance familiale, sur une terrasse surplombant la piscine où vous croiserez plus de représentants de commerce que de touristes en goguette. Ici, on a simplifié la formule, pas de carte mais des plats du jour qui dépendent du marché.

■ **MANDEVILLE HÔTEL**
4 Hotel Street
© +1 876 962 2460 / +1 876 962 9764
www.mandevillehoteljamaica.com
reservations@themandevillehotel.com
Comptez entre 2000 et 2500 JMD par personne.
Une excellente cuisine jamaïcaine dans les plus pures traditions, servie sur une terrasse calme, ouverte sur la piscine et le parc de l'hôtel. Le service est agréablement nonchalant. Le petit déjeuner propose une option buffet très alléchante. C'est l'occasion de découvrir le petit déjeuner jamaïcain typique : la morue au ackee.

Sortir

Pour une vie nocturne bien remuante, pas d'hésitation, retournez à Négril, à Kingston ou à Mobay ! A Mandeville, les divertissements nocturnes ne sont pas monnaie courante, même si les sound systems animent les soirées du week-end.

À voir – À faire

■ **ALCAN BAUXITE FACTORY**
Shooter's Hill
© +1 876 962 3141
On ne peut pas dire que ses installations soient une ode à l'esthétique. Mais comme c'est à la bauxite que Mandeville doit l'essentiel de sa prospérité, la ville reconnaissante a fait de l'usine une institution touristique. La visite des infrastructures de l'usine ne sera sans doute pas un des temps forts d'un séjour en Jamaïque. Les visites se font de temps en temps et visent surtout le public scolaire.

■ **DEMEURE DE CECIL CHARLTON**
Huntington Summit
© +1 876 926 2274
Ouvert tous les jours sauf le mercredi et le samedi, téléphoner pour prendre rendez-vous. Visite gratuite.

Maire de Mandeville pendant plus de vingt ans dans les années 1970 et 1980, Cecil Charlton a aussi été le président de la Commission nationale de l'eau, dont le scandale financier de 1995 éclaboussa plus d'une réputation lorsqu'on découvrit que plus de 40 % des revenus de la Commission avait enrichi des personnes privées. Grand amateur de chevaux, il a possédé la plus belle écurie du pays, l'une des meilleures des Caraïbes. Il a aussi été président de la Société de paris hippiques, Charles Off Betting, dont les boutiques sont aujourd'hui présentes dans le moindre village. Ce self-made-man, si fier de la maison qu'il a fait construire une fois sa fortune assurée, l'a ouverte au public. L'énorme édifice moderne, octogonal et massif, plus prétentieux qu'élégant, est perché tel un gros champignon au sommet d'une colline et domine des jardins bien ordonnés qui auraient séduit le Facteur Cheval. Salon rond aux proportions cyclopéennes avec poste de télévision central multifacettes, chambre à coucher de la maîtresse de maison style bonbonnière Las Vegas, salle des trophées gagnés sur les champs de course, séjour avec accès direct à la piscine à la fois intérieure et extérieure, gigantesques volières et clapiers à l'extérieur où sont entassés des animaux tristounets…

■ **ÉGLISE SAINT MARK**
Elle fait face au parc, à l'opposé du tribunal.
On franchit un jardin coquet avant d'atteindre la lourde porte de bois de cette église construite en 1820. A l'extérieur se déploie le cimetière de Mandeville où les tombes des éminents citoyens des siècles passés côtoient celles de soldats anglais n'ayant pas réchappé d'une sévère épidémie de fièvre jaune. Le dimanche, l'église reçoit les fidèles en grande tenue, robes en dentelle ou volantes et chapeaux enrubannés pour les dames, costumes noirs stricts et cravates pour les messieurs. Les chants religieux résonnent bien au-delà de l'enceinte de l'église.

■ **JAMAICA STANDARD PRODUCTS COMPANY**
Williamsfield, à 2 km du centre-ville
© +1 876 963 4211
Entrée : 200 JMD.
Le touriste est le bienvenu dans cette fabrique aux dimensions d'atelier familial. Si l'usine ne paie pas de mine, c'est pourtant ici qu'on fabrique l'un des meilleurs cafés du monde,

le Blue Mountains Coffee, à partir des grains cueillis un à un selon des règles rigoureuses. Les journées consacrées à la torréfaction sont les plus intéressantes, car on peut assister au processus complet de la fabrication du café. Un modeste stand de vente propose le café d'appellation contrôlée Blue Mountains à un prix bien plus intéressant que celui des supermarchés. Téléphoner pour prévenir de votre visite en évitant les fins de mois consacrés aux inventaires.

Créée à Kingston le 17 septembre 1942 par Leslie Minott, la compagnie a commencé par exporter des épices jamaïcaines vers la Grande-Bretagne et les Etats-Unis. Pendant les années de guerre, les exportations suspendues, la société se tourne vers l'embouteillage de sirop. En 1943, le fondateur décide de s'établir à Mandeville et démarre la production d'huile de pimento qu'il va exporter vers l'Europe et ses industries du parfum. La production de café ne démarre qu'en 1952, à l'occasion du boom des cours internationaux. La Jamaican Standard Products est aujourd'hui la plus grosse entreprise du pays pour la production de café avec 45 % de la production exportée. Au plus fort de la saison, pendant la période de la cueillette, la société emploie quelque 450 personnes.

■ **JARDIN
DE MADAME STEPHENSON**
New Green Road
℡ +1 876 962 2338
Entrée : 5 US$.
La respectable madame Carmen Stephenson montre avec fierté ses orchidées, ses anthuriums, ses ortaniques et les autres merveilles tropicales qui fleurissent son extraordinaire jardin. Elles lui ont valu une réputation nationale et de nombreuses récompenses lors des expositions horticoles locales. Visite sur rendez-vous uniquement, à organiser avec l'hôtel Astra ou le Mandeville Hotel.

■ **MARSHALL'S PEN**
Contact : Ann Sutton, Marshall's Pen
P.O. Box 58, Mandeville
℡ +1 876 904 5454
C'est vrai qu'il est difficile à trouver ce Marshall's Pen, mais si vous prenez la précaution de demander « la maison du vieux M. Sutton », vous comprendrez vite qu'ici tout le monde connaît et vous finirez par arriver aux colonnes de pierres qui marquent les limites de la propriété, distante de 5 km du centreville de Mandeville. Un étroit chemin de terre vous conduira à la maison quelques centaines de mètres plus loin. Autrefois propriété du comte de Balcarres, gouverneur de l'île de 1795 à 1801, l'exploitation s'étendait sur plus de 1 600 ha. L'ancienne plantation ne produit maintenant de café que pour sa propre consommation, et les 120 hectares restants sont aujourd'hui consacrés à l'élevage bovin avec quelque 200 têtes de bétail. Le fils du propriétaire, Robert Sutton, ornithologiste de renom, et coauteur d'un guide sur les oiseaux de la Jamaïque, *Birds of Jamaica. A Photographic Field Guide*, en a aussi fait une réserve naturelle. Les observateurs d'oiseaux, scientifiques et photographes de tout poil, particulièrement bienvenus et très privilégiés, peuvent bénéficier de logement sur place (studio avec cuisine, compter 30 US$) avec organisation d'excursions à la recherche de l'oiseau rare. En effet, plus d'une centaine d'espèces d'oiseaux ont été répertoriées dans cette réserve familiale, dont 23 des 25 espèces endémiques de l'île. Les amateurs de belles maisons admireront cette fastueuse demeure coloniale, aux parfums de campagne anglaise. Construite en 1755, murs épais et étroites fenêtres à petits carreaux, elle renferme des trésors de mobilier et de documents, livres anciens, peintures, photos de famille, etc., pieusement conservés au fil des générations par la famille. Les visites ne se font que sur rendez-vous pris par téléphone, de préférence le matin. Le droit d'entrée est de 15 US$ par personne.

■ **SQUARE CECIL**
Charlton Park
Centre névralgique de la vie urbaine, ce minuscule jardin offrant un havre de verdure bien poussiéreux n'est plus aujourd'hui très fréquenté compte tenu de l'activité environnante. Mais on se prend à imaginer le temps où les élégantes et les messieurs bien mis venaient s'asseoir à l'ombre des grands arbres pour échanger les derniers ragots de la vie locale.

LE SUD

■ **SWA (SOROPTIMIST WOMEN'S AUXILIARY) CRAFT CENTER**
7 North Crescent
Ouvert du lundi au vendredi jusqu'à 16h.
Situé juste derrière le centre commercial le plus fréquenté de Mandeville, en plein centre-ville, ce centre artisanal ouvert depuis octobre 1978 a été fondé et est géré par les dames patronnesses de l'église Saint Mark, dont la devise est éloquente : « Dieu donne aux oiseaux leur nourriture, mais ils doivent voler pour l'obtenir. » Le centre a pour objectif d'offrir une formation et un emploi de courte durée à des jeunes femmes dans le besoin. Le gift shop de l'atelier propose des produits artisanaux, de la pâtisserie aux poupées en chiffon, en passant par les travaux d'aiguilles et de crochet dans un esprit bon enfant tout à fait sympathique.

La création la plus célèbre de l'atelier est Jah Clarence, une poupée rasta, et sa femme Queen Clarice ; créés en 1985, ils ont fait des petits et leur clan de rastafariens s'est étendu pour offrir un grand choix de poupées de chiffon. La visite est l'occasion de rencontrer l'une des vieilles dames bien pensantes de Mandeville qui supervisent le centre. Sachez enfin que tous les dons sont les bienvenus.

■ **TRIBUNAL**
Ce monument en pierre de taille, vieux de trois siècles, est le plus vieux vestige de la ville. Bien conservé, il domine la place centrale et le parc. L'amateur avisé notera son bel escalier double et son portique d'entrée soutenu par des colonnes de style dorique.

Sports – Détente – Loisirs

■ **MANCHESTER GOLF CLUB**
Caledonia Road
☎ +1 876 962 2403
Les amateurs de petite balle blanche pourront se vanter d'avoir fait un parcours original de neuf trous sur le plus vieux terrain de golf des Caraïbes qui date de 1860 (9 trous, 2 618 m, par 35). Le club-house du siècle dernier a été remplacé par une structure moderne et le complexe, agrandi de courts de tennis et de squash.

Dans les environs

■ **MAGIC TOYS**
Walderston
Une fois à Walderston, prendre un petit chemin sur la gauche, juste avant le carrefour pour Christiana. Magic Toys est indiqué ; dans le
doute, demander aux personnes qui attendent un taxi collectif au carrefour. Ouvert tous les jours sauf le dimanche.
Lassé des contraintes et du climat de son Angleterre natale, William Robson a transplanté sa fabrique de jouets londonienne en Jamaïque, en 1983. La visite de Magic Toys est intéressante autant pour l'atelier artisanal où sont conçus et réalisés les jouets de bois que pour le coup d'œil sur la propriété. La maison construite par les Moravians en 1895 évoque la vieille Europe avec ses fenêtres à petits carreaux, ses murs épais et son toit gris. L'atelier abrite une douzaine d'artisans rompus à la découpe des bois locaux (blue mahoe surtout), à la reproduction des couleurs lumineuses de la faune locale et à l'assemblage de pièces de toutes formes. Les magnets, puzzles, mosaïques, miroirs, enseignes, et autres objets de décoration, les accessoires, barrettes, broches, pin's, sont conçus par William qui trouve sa principale source d'inspiration dans les trésors de la faune et de la flore locales. C'est l'idéal pour faire de petits cadeaux originaux à prix d'usine, à partir de 35 JMD. Et si les motifs vous semblent familiers, c'est que vous les aurez déjà remarqués dans l'un des hôtels ou restaurants dont William a réalisé la décoration ou au pavillon de la Jamaïque à l'Exposition internationale de Séville en 1992.

CHRISTIANA

Christiana est la bourgade la plus importante de la partie orientale de la Central Range, une région peu élevée à l'habitat dispersé. Le village se trouve à 18 km de Mandeville, sur une élévation naturelle dont le climat très frais (la température nocturne peut descendre à 6 °C) et la végétation ne rappellent en rien les tropiques. On s'imaginerait volontiers sous d'autres latitudes, dans les contreforts des montagnes de climats tempérés. Le climat très sain de Christiana en fait une villégiature agréable. La région a développé une agriculture riche et variée. L'architecture est ici moins tropicale et prend parfois des airs franchement britanniques. La bourgade s'enorgueillit d'églises moraviennes au style architectural simple et typique du siècle dernier, toutes de pierres grises et toits d'ardoise avec des jolies horloges naïves. Les plus belles églises sont celle de Bethany, de Zorn et de Mizpah. Perchées au sommet de petites collines, elles sont en parfait état et accueillent régulièrement des services. Pour les visiter, le moyen le plus sûr est de s'adresser à Monica Zijdemans, la propriétaire de l'hôtel Villa Bella.

Le marché est actif du jeudi au samedi, les fermiers des environs déchargent leur cargaison de légumes et de fruits, mais ce sont les femmes qui tiennent les stands et négocient les prix.

▶ **Le 24 décembre, on célèbre Johnkanoo, une fête d'origine africaine.** Des personnages costumés et masqués défilent au rythme de danses traditionnelles. Les artisans et les fermiers des environs envahissent la petite bourgade. On y organise un grand marché nocturne, la principale attraction, avec ses produits artisanaux et les traditionnelles denrées alimentaires. Les rues sont fermées au trafic et l'on danse dans les rues tard dans la nuit, jusqu'au petit matin.

▶ **Le reste du temps,** la vie nocturne de Christiana est réduite au minimum. Dans cette petite communauté de fermiers, on se lève très tôt et l'on se couche avec le soleil ou presque.

Se loger

■ **HÔTEL VILLA BELLA**
Christiana
A 15 minutes de Mandeville
✆ +1 888 790 5264
www.hotelvillabella.com
villabella@live.com
Chambre double : 72 US$ sans petit déjeuner et 96 US$ avec. Transferts possibles vers les aéroports les plus proches.
Elle porte bien son nom cette grande villa perchée en haut d'une verte colline ! Coquette à l'extérieur, ravissante à l'intérieur, de mobilier de style, bois chaleureux et formes rondes, une ode aux années 1940. Les dix-huit chambres sont toutes différentes avec un mobilier d'origine. Salon de lecture et de jeux de société, salon de télévision aux canapés profonds, on se retrouve dans une ambiance familiale et chaleureuse. Tradition britannique oblige, le *five o'clock tea* est servi à la demande dans le respect des usages. La terrasse surplombe le jardin bien entretenu, fleuri et ombragé, où poussent bananiers, citronniers et lauriers, une invitation à la flânerie. On se sent tellement bien ici que nombre de Kingstoniens viennent s'y délasser le week-end. Le restaurant, le Nasturtium Dining Room, est sans conteste l'une des meilleures tables de la région. Sa terrasse

romantique et fleurie mérite à elle seule une visite. Quant à la cuisine, elle est particulièrement soignée, proposant quelques créations et des variations originales sur les bases culinaires jamaïcaines et asiatiques : chinoise (poulet Sechuan) et japonaise (poulet teryaki) ou française (filet de poisson meunière).

À voir – À faire

▶ **Excursions dans les environs.** Monica, la propriétaire de l'hôtel Villa Bella, organise des excursions dans les environs (comptez entre 20 et 30 US$). On y découvrira la réserve forestière de Gourie, où se visite une grotte abritant une rivière souterraine aux eaux cristallines. Des pistes se fraient un chemin étroit dans la végétation dense et les essences rares. Le réseau de grottes est parmi les plus importants du pays et il est recommandé de ne pas s'y aventurer sans guide. Les vieilles églises moraviennes de la région datant de la moitié du XVIIIe siècle séduiront les amateurs de vieilles pierres. La plantation de café et de bananes de Glastonbury est un témoin des grandes plantations du passé. Les botanistes amateurs seront comblés par le sanctuaire d'orchidées de Martin Hill, où poussent plus de 100 espèces de cette fleur mythique, dont 25 espèces endémiques de l'île.

DYKE HILL & LOW WOODS

Située peu après Spaldings sur la route de Grantham, Dyke Hill n'est autre qu'une colline, mais quelle colline ! Un mont qui se distingue des autres parce qu'il les domine à 360 degrés et donne l'impression, quand on y a grimpé, d'être sur le toit de la Jamaïque rurale, face à un éparpillement de monts et vaux, d'habitats dispersés, et de petites parcelles aux mille nuances de verts. Dyke Hill se présente elle-même comme une fourmilière de parcelles que se partagent quelques fermettes isolées qui y cultivent ignames en rangs serrés, choux, oranges, pamplemousses, et toutes sortes de fruits et légumes jamaïcains. L'excursion s'avère être une bonne excuse pour un pique-nique à l'ombre des quelques manguiers du sommet.

Non loin de là, plus bas dans la vallée, le lieu-dit de Low Woods est la rivière rêvée pour un bain rafraîchissant en fin d'une chaude après-midi. Excursion idéale pour découvrir le monde rural du centre de la Jamaïque et connaître son potager sur le bout de doigts.

LE SUD

JUNCTION

Impossible de mieux porter son nom : ce gros bourg est le carrefour obligatoire entre les routes de Mandeville, Treasure Beach et Alligator Pond. Rien de très esthétique dans ces immeubles qui abritent des commerces, des supermarchés ou des garages. Mais on y trouve de tout et c'est l'occasion de se ravitailler. De là arrivent et partent les taxis-route en direction du Nord et de Mandeville (200 JMD), de Treasure Beach (300 JMD) ou d'Alligator Pound (200 JMD).

■ **HOT SHOT DESIGN & INTERNET**
ℂ +1 876 607 8064
A l'étage de l'immeuble bleu et blanc planté en contrebas du carrefour principal.
Connexion à Internet pour 60 JMD la demi-heure.
Ce cybercafé et studio d'infographie est tenu par une gentille dame britannique venue s'installer en Jamaïque. Accueil sympa et machines récentes. Possibilité d'imprimer pour 15 JMD la copie.

ALLIGATOR POND

Depuis Mandeville, prendre la route de Black River, puis à Gutters, tourner à gauche en direction de la côte. On peut aussi arriver à Alligator Pond par Treasure Beach et la route de Southfield. Enclavé entre deux massifs montagneux, à l'écart des grands axes de communication, le petit village de pêcheurs se trouve au bout d'une route poussiéreuse qui se termine en piste. La bourgade est restée traditionnelle et l'on y respire l'air d'une autre époque. Les maisons de bois primitives sont construites juste en retrait de la plage, les pirogues de bois peintes de couleurs vives sont tirées sur le sable à l'abri des vagues, les filets de pêche ravaudés par les plus âgés séchant au soleil. Un terre-plein central poussiéreux tient lieu de centre du village. Quelques bâtiments plus solides encadrent cette place. Quelques taxis collectifs fatigués attendent de faire le plein de voyageurs pour partir sur Mandeville. Quelques boutiques, une épicerie, un bazar, et un marché à ciel ouvert où les marchandises sont disposées à même le sol sur des feuilles de plastique pour tous commerces. Toute l'activité du village se concentre autour de la plage, le matin à l'arrivée des bateaux de pêche. Les équipages débarquent exténués les prises du jour, poissons, coquillages, langoustes,

crabes, araignées, etc., et les transvasent dans des paniers ou des seaux pour les vendre dans une cohue indescriptible de cris, d'appels et d'injonctions en patwa. Petit à petit, le marché s'organise, des cercles étroits se forment autour des récipients, où se côtoient les acheteurs des coopératives, les grossistes et les restaurateurs venus parfois de loin. Les négociations et les transactions démarrent. On s'arrache les quelques touristes qui, peu avertis des prix, constituent une clientèle de choix. Le visiteur pourra alors choisir sa langouste ou son crabe. Le vendeur inclut dans son prix les services d'une échoppe voisine, un peu à l'écart de la plage, où le client peut déguster son achat accommodé selon ses goûts et arrosé d'une bière bien fraîche. Alligator Pond est une plage très fréquentée par les habitants de Mandeville. Ils débarquent en rangs serrés en soirée ou les fins de semaine pour venir y déguster en bande du poisson grillé, bercé par le ressac de la mer, sous un ciel scintillant. Les restaurants de fortune, des petites guérites de bois et de palme, ne manquent pas, regroupés à proximité du centre du village en bordure de la plage. L'institution locale s'appelle Little Ochie, dont la renommée n'est plus à faire. A l'ouest d'Alligator Pond se trouvent les quais de Port Kaiser, à l'abri de hauts grillages de fer et bien gardés depuis de petites guérites en dur. Propriété privée de la Kaiser Bauxite Company, le port sert à l'embarquement du produit de l'extraction minière sur d'énormes bâtiments qui croisent au large et partent vers l'Amérique. Ici aboutit une ligne de chemin de fer privée qui permet d'acheminer la bauxite depuis les mines. Tout autour se déploient installations de la compagnie, terrains de sports et unités d'habitation.

■ **LITTLE OCHI**
Sur la plage
ℂ +1 876 382 3375 / +1 876 610 6566
http://littleochie.com
En fin de semaine, difficile d'y trouver une place aux heures de repas. Familles et employés de la mine de bauxite voisine, les groupes sont attablés les pieds dans le sable dans une ambiance chaleureuse, faisant durer le plaisir du repas à l'ombre des parasols de palme. Les vieux bateaux de pêche aménagés avec tables, bancs et parasols, sont les favoris des familles et des enfants. Langoustes, crabes, lambis, poissons de toutes sortes, grillés, frits ou bouillis, au curry, en sauce

escoveitch, aux épices, tous les produits de la mer sont accommodés selon les goûts de chacun et la bière ne fait jamais défaut… Les prix sont abordables et l'on pourra déguster des queues de homards fraîches pour moins de 1 300 JMD. Il faut aller commander directement à côté de la grande cuisine fumante, pour pouvoir choisir la quantité souhaitée. Ensuite, passage à la caisse avant d'aller trouver une table pour attendre son repas.

MILK RIVER BATH

La route entre Alligator Pond et Milk River Bath est particulièrement belle. Très peu fréquentée, l'ancienne piste d'une trentaine de kilomètres a cédé la place à une étroite route bitumée qui serpente dans un décor quasi désertique, entre une mer turquoise bordée de cocoteraies et les collines à la végétation rare des May Day Mounts, qui culminent à Rose Hill (845 m). À une quinzaine de kilomètres d'Alligator Pond, on dépasse la réserve naturelle d'Alligator Hole, à la hauteur de la rivière et de la vallée de Canoe. Des éléphants de mer et des crocodiles habitent l'endroit, mais il faudra vous armer de beaucoup de patience pour pouvoir les observer, d'autant plus que les balades en bateau sur la rivière ne sont plus assurées. Les sources d'eau chaude sont en effet la principale attraction. Au-delà des bains, la route se transforme en une piste poussiéreuse qui finit face à la mer, 3 km plus loin, à Farquhars Beach, un modeste village de pêcheurs. De rudimentaires baraques en bois s'égrènent le long de la route, quelques échoppes tiennent lieu de boutiques, les pirogues colorées sont tirées sur le sable, et la vie s'écoule paisiblement. Ne soyez pas surpris si les enfants vous dévisagent de façon un tantinet appuyée : les touristes sont rares dans le coin !

■ **MILK RIVER BATH**

✆ +1 876 902 4657 / +1 876 902 6902
Ouvert de 9h à 17h tous les jours.
Voilà une halte réparatrice pour ceux qui souffrent de rhumatismes. La source d'eau chaude (environ 32 °C degrés), extrêmement radioactive, à la minéralité bienfaisante, figure au nombre des stations thermales fréquentées par les Jamaïcains depuis de longues années. Ouverte en 1794, la station accueille pour la plupart de ses visiteurs des habitués revenus témoigner de la vertu curative de l'eau. L'entrée coûte 4 US$. Les immersions sont limitées à une quinzaine de minutes à cause de la radioactivité élevée de l'eau. Il est aussi possible de se faire masser.

■ **MILK RIVER BATH HOTEL**

✆ +1 876 902 4657 / +1 876 902 6902
Une vingtaine de chambres au confort modeste, 117 US$ la double avec salle de bains privée et petit déjeuner, 137 US$ avec petit déjeuner, déjeuner et accès aux Baths.
L'hôtel a été rénové et se situe à quelques mètres de l'établissement thermal. Le restaurant sert des repas dans la plus pure tradition locale.

MAY PEN ET OLD HARBOUR BAY

La paroisse de Clarendon n'a rien à offrir en matière de tourisme. La traversée de cette grosse agglomération bourdonnante d'activité, où pétaradent moteurs et klaxons, est difficile. A 3 km au sud de la bourgade de Hold Harbour, le petit village de pêche de Old Harbour Bay conserve le charme des villages du bout du monde. Au loin, les îlots jumeaux des Goat Islands dessinent leurs silhouettes. Admirez et passez votre chemin.

LE SUD

ORGANISER SON SÉJOUR

Pense futé

▬ ARGENT ▬▬▬▬▬▬▬▬▬▬▬

Monnaie

La monnaie officielle de la Jamaïque est le dollar jamaïcain. Toutefois, le dollar américain est accepté presque partout.

Taux de change

Taux de change (avril 2013). Notez que le dollar jamaïcain est très fluctuant. La référence est donc bien souvent le dollar américain, surtout dans les grands hôtels et à l'entrée des attractions touristiques.

▶ **100 JMD** : 0,80 € / 1 € = 126 JMD.

▶ **100 JMD** : 1 US$ / 1 US$ = 100 JMD.

Coût de la vie

▶ **1 litre d'essence** : 0,80 €.

▶ **1 jus de fruit** : de 0,60 à 2 €.

▶ **1 bouteille d'eau** : de 0,80 à 1€.

▶ **1 bière** : de 1,60 à 3 €.

▶ **1 paquet de cigarettes** : à partir de 6,50 €.

▶ **1 repas dans un restaurant local** : de 4 à 10 €.

▶ **1 repas dans un restaurant international** : de 12 à 50 €.

Budget

▶ **Petit budget :** à partir de 5 000 JMD/jour (environ 50 €)

▶ **Moyen budget :** autour de 12 000 JMD/jour (environ 120 €)

▶ **Gros budget :** plus de 18 000 JMD/jour (environ 180 €)

Banques et change

Le contrôle du change interdit de sortir la monnaie locale du pays. Tous les achats peuvent être réglés en monnaie locale. Le dollar américain (US$) est accepté dans la plupart des hôtels, restaurants, boutiques, supermarchés et stations-service, mais à des taux peu avantageux. Il est recommandé de régler ses achats de préférence en dollars jamaïcains. Toutes les banques jamaïcaines, ouvertes entre 9h et 14h, ont un service de change. Dans les zones touristiques, des bureaux de change complètent le service des banques mais à des taux variables.

▶ **Bureaux de change**. Outre les bureaux situés dans les aéroports de Kingston et de Montego Bay, les bureaux de change sont nombreux, surtout à Kingston et dans les principales villes touristiques de l'île. Parmi les plus répandus, citons FX Traders et DBG'S Cambio. Noter qu'en Jamaïque, curieusement, on les appelle de leur nom espagnol, *cambio*. On peut aussi changer l'argent dans les hôtels, dans certains supermarchés et dans les magasins de souvenirs. Le meilleur endroit pour acquérir de la monnaie jamaïcaine reste néanmoins la banque.

▬ **NATIONAL CHANGE**
✆ 01 42 66 65 64
www.nationalchange.com
info@nationalchange.com
N'hésitez pas à contacter notre partenaire en mentionnant le code PF06 ou en consultant le site Internet. Vos devises et chèques de voyage vous seront envoyés à domicile.

Moyens de paiement

▶ **Toutes les cartes de paiement internationales sont acceptées** à peu près partout dans l'île. Elles permettent de régler la plupart des achats et des frais sur place, ainsi que de changer de l'argent dans les banques ou encore de tirer de l'argent dans les distributeurs automatiques. Prévoyez d'avoir du liquide lorsque vous vous rendez dans les zones rurales, où on ne trouve pas toujours de banques avec distributeur.

▶ **Attention** lors des paiements par carte bancaire, la conversion en US$ se fait généralement à des taux très désavantageux !

▶ **Les banques, bureaux de change** ainsi que les hôtels, restaurants et magasins acceptent les Traveler's Cheques et l'American Express en US$.

Cash

Le paiement en liquide demeure la manière la plus utilisée en Jamaïque. Il est recommandé de vérifier le nombre de coupures qui vous sont données quand vous changez de l'argent ou quand on vous rend la monnaie ; personne ne s'en offusquera et on vous le conseillera plutôt.

Transfert d'argent

Avec ce système, on peut envoyer et recevoir de l'argent de n'importe où dans le monde en quelques minutes. Le principe est simple : un de vos proches se rend dans un point MoneyGram® ou Western Union® (poste, banque, station-service, épicerie…), il donne votre nom et verse une somme à son interlocuteur. De votre côté de la planète, vous vous rendez dans un point de la même filiale. Sur simple présentation d'une pièce d'identité avec photo et de la référence du transfert, on vous remettra aussitôt l'argent.

Carte de crédit

▶ **Avant votre départ,** pensez à vérifier avec votre conseiller bancaire la limitation de votre plafond de paiement et de retrait. Demandez, si besoin est, une autorisation exceptionnelle pour la période de votre voyage.

▶ **En cas de perte ou de vol** de votre carte de paiement, appelez le serveur vocal du groupement des cartes bancaires Visa® et MasterCard® au (00 33) 892 705 705 ou (00 33) 836 690 880. Il est accessible 7j/7 et 24h/24. Si vous connaissez le numéro de votre carte bancaire, l'opposition est immédiate et confirmée. Dans le cas contraire, l'opposition est enregistrée mais vous devez confirmer l'annulation à votre banque par fax ou lettre recommandée.

▶ **En cas de dysfonctionnement de votre carte de paiement** ou si vous avez atteint votre plafond de retrait, vous pouvez bénéficier d'un *cash advance*. Proposé dans la plupart des grandes banques, ce service permet de retirer du liquide sur simple présentation de votre carte au guichet d'un établissement bancaire, que ce soit le vôtre ou non. On vous demandera souvent une pièce d'identité. En général, le plafond du *cash advance* est identique à celui des retraits, et les deux se cumulent (si votre plafond est fixé à 500 €, vous pouvez retirer 1 000 € : 500 € au distributeur, 500 € en *cash advance*). Quant au coût de l'opération, c'est celui d'un retrait à l'étranger.

Traveler's Cheques

Ce sont des chèques prépayés émis par une banque, valables partout, et qui permettent d'obtenir des espèces dans un établissement bancaire ou de payer directement ses achats auprès de très nombreux lieux affiliés (boutiques, hôtels, restaurants…). Ils sont valables à vie. Leur avantage principal est l'inviolabilité : un système de double signature (la deuxième étant faite par vous devant le commerçant) empêche toute utilisation frauduleuse. A la fin de votre séjour, s'il vous en reste, vous pourrez les changer contre des euros ou les restituer à votre banque qui les imputera à votre compte courant. A noter que le paiement par chèque classique est rarement possible à l'étranger. Lorsque c'est le cas, l'utilisation est compliquée et très coûteuse.

Pourboires, marchandage et taxes

▶ **Taxes.** Pour les hôtels et restaurants, les prix sont souvent annoncés hors taxes. Outre la General Consumption Charge (équivalent de notre TVA), de 16,5 %, il faut par ailleurs ajouter 10 à 12 % pour le service. Il convient donc de faire préciser les tarifs et de lire attentivement les menus des restaurants.

▶ **Un pourboire** est toujours apprécié mais, dans le cas d'une taxe de service, on pourra s'en dispenser.

▶ **Les prix** sont presque toujours affichés dans les restaurants, donc pas de négociation ici. Par contre, il faut s'habituer à discuter les prix en général (taxis, souvenirs, etc.).

Duty Free

Puisque votre destination finale est hors de l'Union européenne, vous pouvez bénéficier du Duty Free (achats exonérés de taxes). Attention, si vous faites escale au sein de l'Union européenne, vous en profiterez dans tous les aéroports à l'aller, mais pas au retour. Par exemple, pour un vol aller avec une escale, vous pourrez faire du shopping en Duty Free dans les trois aéroports, mais seulement dans celui de votre lieu de séjour au retour.

ORGANISER SON SÉJOUR

© Véronique Burger / Phanie - RDC

10 000 personnes

meurent chaque jour des causes de la sous-nutrition dans le monde.

La mission d'Action contre la Faim est de sauver des vies en éliminant la faim par **la prévention**, **la détection** et **le traitement de la malnutrition**, en particulier pendant et après les situations d'urgence liées aux conflits et aux catastrophes naturelles.

En 2011, Action contre la Faim est venue en aide à plus de 6,5 millions de personnes dans le monde.

SOUTENEZ NOTRE COMBAT
www.actioncontrelafaim.org

ACTION
CONTRE LA
FAIM
ACF INTERNATIONAL

Ne jamais oublier, ne jamais renoncer

Pour renforcer la confiance, votre Comité de la Charte évolue !

AGRÉÉE PAR

COMITÉ DE LA CHARTE
don en confiance

DON
en
CONFIANCE
comitecharte.org

■ ASSURANCES

Touristes, étudiants, expatriés ou professionnels, chacun peut s'assurer selon ses besoins et pour une durée correspondant à son séjour. De la simple couverture temporaire s'adressant aux baroudeurs occasionnels à la garantie annuelle, très avantageuse pour les grands voyageurs, chacun pourra trouver le bon compromis. A condition toutefois de savoir lire entre les lignes.

Choisir son assureur

Voyagistes, assureurs, secteur bancaire et même employeurs : les prestataires sont aujourd'hui très nombreux et la qualité des produits proposés varie considérablement d'une enseigne à une autre. Pour bénéficier de la meilleure protection au prix le plus attractif, demandez des devis et faites jouer la concurrence. Quelques sites Internet peuvent être utiles dans ces démarches comme celui de la Fédération française des sociétés d'assurances (www.ffsa.fr), qui saura vous aiguiller selon vos besoins, ou le portail de l'Administration française (www.service-public.fr) pour toute question relative aux démarches à entreprendre.

▶ **Voyagistes.** Ils ont développé leurs propres gammes d'assurances et ne manqueront pas de vous les proposer. Le premier avantage est celui de la simplicité. Pas besoin de courir après une police d'assurance. L'offre est faite pour s'adapter à la destination choisie et prend normalement en compte toutes les spécificités de celle-ci. Mais ces formules sont habituellement plus onéreuses que les prestations équivalentes proposées par des assureurs privés. C'est pourquoi il est plus judicieux de faire appel à son apériteur habituel si l'on dispose de temps et que l'on recherche le meilleur prix.

▶ **Assureurs.** Les contrats souscrits à l'année comme l'assurance responsabilité civile couvrent parfois les risques liés au voyage. Il est important de connaître la portée de cette protection qui vous évitera peut-être d'avoir à souscrire un nouvel engagement. Dans le cas contraire, des produits spécifiques pourront vous être proposés à un coût généralement moindre. Les mutuelles couvrent également quelques risques liés au voyage. Il en est ainsi de certaines couvertures maladie qui incluent une protection concernant par exemple tout ce qui touche à des prestations médicales.

▶ **Employeurs.** C'est une piste largement méconnue mais qui peut s'avérer payante. Les plus généreux accordent en effet à leurs employés quelques garanties applicables à l'étranger. Pensez à vérifier votre contrat de travail ou la convention collective en vigueur dans votre entreprise. Certains avantages non négligeables peuvent s'y cacher.

▶ **Cartes bancaires.** Moyen de paiement privilégié par les Français, la carte bancaire permet également à ses détenteurs de bénéficier d'une assurance plus ou moins étendue. Visa®, MasterCard®, American Express®, toutes incluent une couverture spécifique qui varie selon le modèle de carte possédé. Responsabilité civile à l'étranger, aide juridique, avance des fonds, remboursement des frais médicaux : les prestations couvrent aussi bien les volets assurance (garanties contractuelles) qu'assistance (aide technique, juridique, etc.). Les cartes bancaires haut de gamme de type Gold® ou Visa Premier® permettent aisément de se passer d'assurance complémentaire. Ces services attachés à la carte peuvent donc se révéler d'un grand secours, l'étendue des prestations ne dépendant que de l'abonnement choisi. Il est néanmoins impératif de vérifier la liste des pays couverts, tous ne donnant pas droit aux mêmes prestations. De plus, certaines cartes bancaires assurent non seulement leurs titulaires mais aussi leurs proches parents lorsqu'ils voyagent ensemble, voire séparément. Pensez cependant à vérifier la date de validité de votre carte car l'expiration de celle-ci vous laisserait sans recours.

▶ **Précision utile :** beaucoup pensent qu'il est nécessaire de régler son billet d'avion à l'aide de sa carte bancaire pour bénéficier de l'ensemble de ces avantages. Cette règle ne s'applique en fait qu'à la garantie annulation du billet de transport – si elle est prévue au contrat – et ne concerne que l'assurance, en aucun cas l'assistance. Les autres services, indépendants les uns des autres, ne nécessitent pas de répondre à cette condition afin de pouvoir être actionnés.

ORGANISER SON SÉJOUR

Voyagez malin, assurez-vous futé !

Parce que voyager dans le monde ou à côté de chez vous, vous expose à de nombreux risques et qu'il serait dommage de rater vos vacances, PETIT FUTÉ a créé spécialement pour vous une gamme complète d'assurances voyages à des prix malins ! Que vous voyagiez seul, en couple, en famille, entre amis… que vous soyez sportif ou grand voyageur… à chacun sa solution futée !!

Assurance Multirisque à partir de 13,50 € / personne

Découvrez toutes nos offres, informations et conseils sur :
■ **ASSUR FUTÉ**
✆ 05 34 45 31 52
www.assurancefute.com

Choisir ses prestations

▶ **Garantie annulation.** Elle reste l'une des prestations les plus utiles et offre la possibilité à un voyageur défaillant d'annuler tout ou partie de son voyage pour l'une des raisons mentionnées au contrat. Ce type de garantie peut couvrir toute sorte d'annulation : billet d'avion, séjour, location… Cela évite ainsi d'avoir à pâtir d'un événement imprévu en devant régler des pénalités bien souvent exorbitantes. Le remboursement est la plupart du temps conditionné à la survenance d'une maladie ou d'un accident grave, au décès du voyageur ayant contracté l'assurance ou à celui d'un membre de sa famille. L'attestation d'un médecin assermenté doit alors être fournie. Elle s'étend également à d'autres cas comme un licenciement économique, des dommages graves à son habitation ou son véhicule, ou encore à un refus de visa des autorités locales. Moyennant une surtaxe, il est également possible d'élargir sa couverture à d'autres motifs comme la modification de ses congés ou des examens de rattrapage. Les prix pouvant atteindre 5 % du montant global du séjour, il est donc important de bien vérifier les conditions de mise en œuvre qui peuvent réserver quelques surprises. Dernier conseil : s'assurer que l'indemnité prévue en cas d'annulation couvre bien l'intégralité du coût du voyage.

▶ **Assurance bagages.** Voir la partie « Bagages ».

▶ **Assurance maladie.** Voir la partie « Santé ».

▶ **Autres services.** Les prestataires proposent la plupart du temps des formules dites « complètes » et y intègrent des services tels que des assurances contre le vol ou une assistance juridique et technique. Mais il est parfois recommandé de souscrire à des offres plus spécifiques afin d'être paré contre toute éventualité. L'assurance contre le vol en est un bon exemple. Les plafonds pour ce type d'incident se révèlent généralement trop faibles pour couvrir les biens perdus et les franchises peuvent finir par vous décourager. Pour tout ce qui est matériel photo ou vidéo, il peut donc être intéressant de choisir une couverture spécifique garantissant un remboursement à hauteur des frais engagés.

■ BAGAGES ■

Que mettre dans ses bagages ?

Quelle que soit la saison, il fait chaud en Jamaïque. Emportez des shorts, des T-shirts et des chemises à manches courtes, ainsi que des chaussures légères et respirantes. N'oubliez pas un vêtement de pluie ou un petit parapluie, si vous comptez explorer la région de Portland et des Blue Mountains.

▶ **Pour les régions centrales** à altitude moyenne, prévoyez un sweat-shirt, un pull léger ou un blouson d'été pour les soirées qui sont souvent fraîches, mais jamais froides.

▶ **Pour des randonnées dans les Blue Mountains**, prévoyez au moins une paire de chaussures de marche et un ou deux pulls légers.

Réglementation

▶ **Bagages en soute.** Généralement, 20 à 23 kg de bagages sont autorisés en soute pour la classe économique et 30 à 40 kg pour la première classe et la classe affaires. Si vous prenez une des compagnies *low cost*, sachez qu'elles font souvent payer un supplément pour chaque bagage enregistré.

▶ **Bagages à main.** En classe éco, un bagage à main et un accessoire (sac à main, ordinateur portable) sont autorisés, le tout ne devant pas dépasser les 12 kg ni les 115 cm de dimension. En première et en classe affaires, deux bagages sont autorisés en cabine. Les liquides et gels sont interdits : seuls les tubes et flacons de 100 ml maximum sont tolérés, et ce dans un sac en plastique transparent fermé (20 cm x 20 cm). Seules exceptions à la règle : les aliments pour bébé et médicaments accompagnés de leur ordonnance. Enfin, si vous souhaitez ramener des denrées typiquement françaises sur votre lieu de villégiature, sachez que les fromages à pate molle et les bouteilles achetées hors du Duty Free ne sont pas acceptées en cabine. Pour un complément d'informations, contactez directement la compagnie aérienne concernée.

Excédent

Lorsqu'on en vient à parler d'excédent de bagages, les compagnies aériennes sont assez strictes. Elles vous laisseront souvent tranquille pour 1 ou 2 kg de trop, mais passé cette marge, le couperet tombe, et il tombe sévèrement : 30 € par kilo supplémentaire sur un vol long-courrier chez Air France, 120 € par bagage supplémentaire chez British Airways, 100 € chez American Airlines. A noter que les compagnies pratiquent parfois des remises de 20 à 30 % si vous réglez votre excédent de bagages sur leur site Web avant de vous rendre à l'aéroport. Si le coût demeure trop important, il vous reste la possibilité d'acheminer une partie de vos biens par voie postale.

Perte – Vol

En moyenne, 16 passagers sur 1 000 ne trouvent pas leurs bagages sur le tapis à l'arrivée. Si vous faites partie de ces malchanceux, rendez-vous au comptoir de votre compagnie pour déclarer l'absence de vos bagages. Pour que votre demande soit recevable, vous devez réagir dans les 21 jours suivant la perte. La compagnie vous remettra un formulaire qu'il faudra renvoyer en lettre recommandée avec accusé de réception à son service clientèle ou litiges bagages. Vous récupérerez le plus souvent vos valises au bout de quelques jours. Dans tous les cas, la compagnie est seule responsable et devra vous indemniser si vous ne revoyez pas la couleur de vos biens (ou si certains biens manquent à l'intérieur de votre bagage). Le plafond de remboursement est fixé à 20 € par kilo ou à une indemnisation forfaitaire de 1 200 €. Si vous considérez que la valeur de vos affaires dépasse ces plafonds, il est fortement conseillé de le préciser à votre compagnie au moment de l'enregistrement (le plafond sera augmenté moyennant finance) ou de souscrire à une assurance bagages. A noter que les bagages à main sont sous votre responsabilité et non sous celle de la compagnie.

Matériel de voyage

■ AU VIEUX CAMPEUR
www.auvieuxcampeur.fr
infos@auvieuxcampeur.fr
Fondé en 1941, Au Vieux Campeur est la référence incontournable lorsqu'il s'agit d'articles de sport et loisirs.

■ DELSEY
www.delsey.com
La deuxième marque mondiale dans le domaine du bagage, présente dans plus de 110 pays, avec 6 000 points de vente. Delsey offre un grand choix de sacs de voyages.

■ INUKA
www.inuka.com
Ce site vous permet de commander en ligne tous les produits nécessaires à votre voyage, du matériel de survie à celui d'observation en passant par les gourdes ou la nourriture lyophilisée.

■ SAMSONITE
www.samsonite.com
Samsonite est le leader mondial de l'univers des solutions de voyage. Les produits sont distribués sous les marques Samsonite, Samsonite Black Label, American Tourister, Lacoste et Timberland.

■ TREKKING
www.trekking.fr
Trekking propose dans son catalogue tout ce dont le voyageur a besoin : trousses de voyage, ceintures multipoche, sacs à dos, sacoches, étuis… Une mine d'objets de qualité pour voyager futé et dans les meilleures conditions.

ORGANISER SON SÉJOUR

Retrouvez l'index général en fin de guide

■ DÉCALAGE HORAIRE

Fuseau horaire : UTC-5 (temps universel moins 5 heures). Pas de passage à l'heure d'été. 6 heures de décalage horaire avec la France en hiver, 7 heures en été.

■ FORMALITÉS, VISA ET DOUANES

De façon générale, pour tout séjour supérieur à un mois, l'obtention préalable du visa est obligatoire. Toutefois, pour un court séjour, le visa peut être délivré à l'arrivée, sur présentation d'une réservation d'hôtel et du billet de retour. Le renouvellement sur place est possible pour une durée n'excédant pas un mois supplémentaire.

Attention aux conditions d'entrée pour vos animaux de compagnie. Renseignez-vous avant votre départ pour savoir comment ils pourront vous accompagner.

Obtention du passeport

Les passeports délivrés en France sont désormais biométriques. Ils comportent votre photo, vos empreintes digitales et une puce sécurisée. Pour l'obtenir, rendez-vous en mairie muni d'un timbre fiscal, d'un justificatif de domicile, d'une pièce d'identité et de deux photos d'identité. Le passeport est délivré sous trois semaines environ. Il est valable dix ans. Les enfants doivent disposer d'un passeport personnel (valable cinq ans).

▶ **Conseil futé.** Avant de partir, pensez à photocopier tous les documents que vous emportez avec vous. Vous emporterez un exemplaire de chaque document et laisserez l'autre à quelqu'un en France. En cas de perte ou de vol, les démarches de renouvellement seront ainsi beaucoup plus simples auprès des autorités consulaires. Vous pouvez également conserver des copies sur le site Internet officiel mon.service-public.fr – Il vous suffit de créer un compte et de scanner toutes vos pièces d'identité et autres documents importants dans l'espace confidentiel.

Formalités et visa

■ ACTION-VISAS
69, rue de la Glacière (13e) Paris
✆ 0 892 707 710 – www.action-visas.com

■ VSI
19-21, avenue Joffre
Epinay-sur-Seine
✆ 0 826 46 79 19 – www.vsi-visa.com

Spécialiste des visas d'affaires, touristiques et de groupe, VSI se charge des vos formalités à votre place, y compris dans l'urgence. VSI facilite ainsi le voyage de chacun et garantit de partir dans le pays indiqué.

■ WORLD VISA
117, rue de Charenton (12e) Paris
✆ 06 09 83 82 29
www.worldvisa.com

Douanes

Si vous voyagez avec 10 000 € de devises ou plus, vous devez impérativement le signaler à la douane. En dehors de ce cas, vous n'avez rien à déclarer lors de votre retour en France. Vous êtes autorisé à acheter pour vos besoins personnels des biens dans un autre Etat membre de l'UE sans limitation de quantité ou de valeur. Seules exceptions : tabac et alcool pour l'achat desquels, au-delà des franchises indiquées, vous devez acquitter les droits de douane et la T.V.A. Les franchises ne sont pas cumulatives.

Tabac

▶ **Jusqu'à 5 cartouches de cigarettes** (soit 1 kg de tabac) sans aucune formalité.

▶ **De 6 à 10 cartouches,** vous devez produire un document simplifié d'accompagnement (DSA) à obtenir auprès de la douane.

▶ **Ramener plus de 10 cartouches** de cigarettes (ou 2 kg de tabac) est interdit dans tous les cas. Saisie et pénalité sont alors à prévoir.

▶ **Attention, les quantités** ci-dessus s'appliquent par moyen de transport, pour les véhicules particuliers et les camions, quel que soit le nombre de passagers à bord. Si le transport s'effectue en moyen de transport collectif (car, train, bateau, avion) ces quantités s'appliquent par passager adulte.

■ DOUANES FRANCAISES
✆ 0 811 20 44 44
www.douane.gouv.fr
dg-bic@douane.finances.gouv.fr

■ HORAIRES D'OUVERTURE

Les commerces sont ouverts de 8h-9h à 19h-22h. Certains restaurants locaux ouvrent entre 6h et 7h du matin pour le petit déjeuner, et ferment souvent à 19h. Les autres restau-rants jamaïcains et internationaux ferment leurs cuisines entre 21h30 et 23h, mais, dans l'ensemble, les Jamaïcains petit-déjeunent copieusement, grignotent à midi et dînent tôt.

■ INTERNET

On trouve des cybercentres et des cyber-cafés dans toutes les agglomérations. Tous proposent des connexions haut-débit et facturent des tarifs horaires raisonnables, compris en moyenne entre 120 JMD et 200 JMD (entre 1,15 € et 1,90 €). Les tarifs s'élèvent jusqu'à 400 JMD (soit 3,90 €) de l'heure dans les villes touristiques. L'ensemble des hôtels et des guest houses proposent le wi-fi.

■ JOURS FÉRIÉS

▶ **New Year's Day** (Jour de l'an) : 1er janvier

▶ **Ash Wenesday** (Cendres) : 13 février

▶ **Good Friday** (Vendredi Saint) : 29 mars

▶ **Easter Monday** (Pâques) : 1er avril

▶ **Labour Day** (Fête du Travail) : 23 mai

▶ **Emancipation Day** : 1er août

▶ **Independance Day** : 6 août

▶ **National Heroes Day** : troisième lundi d'octobre

▶ **Christmas Day** (Noël) : 25 décembre.

■ LANGUES PARLÉES

L'anglais est la langue officielle mais le patwa, aussi appelé créole jamaïcain, reste la langue nationale. La plupart des insulaires utilisent cette langue pour leurs échanges courants, mais s'adressent volontiers en anglais aux étrangers. Dans certaines zones, notamment rurales, le patwa est cependant la seule langue parlée et elle peut s'avérer difficile à comprendre. Il peut s'avérer fort utile de d'inté-grer quelques mots de patwa à votre voca-bulaire quotidien : la population apprécie que l'étranger fasse preuve d'effort linguistique, et cela présente certains avantages, notamment celui d'être moins surtaxé. Les Français, rares sur l'île et réputés rebelles, bénéficient d'une image sympathique aux yeux des Jamaïcains, et la langue française, assez peu parlée sur l'île, suscite souvent l'intérêt et la curiosité.

▶ **Apprendre la langue :** il existe différents moyens d'apprendre quelques bases de la langue, et l'offre pour l'auto-apprentissage peut se faire sur différents supports ; CD, vidéo, cahiers d'exercices ou même directement sur Internet.

■ **ASSIMIL**
11, rue des Pyramides (1er) Paris
contact@assimil.com
Métro Pyramides (lignes 7 et 14).
Assimil est le précurseur des méthodes d'auto-apprentissage des langues en France, la référence lorsqu'il s'agit de langues étran-gères. Un principe, unique au monde, de l'assimilation intuitive.

■ **POLYGLOT**
www.polyglot-learn-language.com
Ce site propose à des personnes désireuses d'apprendre une langue d'entrer en contact avec d'autres dont c'est la langue maternelle. Une manière conviviale de s'initier à la langue et d'échanger.

■ **TELL ME MORE ONLINE**
www.tellmemore-online.com
Sur ce site Internet, votre niveau est d'abord évalué et des objectifs sont fixés en consé-quence. Ensuite, vous vous plongez parmi les 10 000 exercices et 2 000 heures de cours proposés. Enfin, votre niveau final est certifié selon les principaux tests de langues.

■ PHOTO

Photo sous-marine

Eau, sable, pluie poussière : en voyage, votre appareil est mis à rude épreuve. Vous pouvez le protéger en achetant une housse de pluie (50 € environ) ou une pochette étanche (à partir de 10 €). En vinyle ou PVC, ce type de pochette permet même d'effectuer des clichés sous-marins jusqu'à 3 ou 5 m selon les modèles. Vous en trouverez notamment chez Nautistore ou Pearl.fr. Dans le cas où vous n'auriez pas pensé à vous munir de ce genre d'accessoire avant le départ, un bon vieux sac plastique assurera une protection minimale. A noter : si votre appareil a été mouillé, n'essayez surtout pas de l'utiliser pour voir s'il fonctionne, c'est le meilleur moyen de l'endommager réellement. Laissez-le sécher 48 heures à l'air libre, boîtier ouvert.

Conseils pratiques

▶ **Vous prendrez les meilleures photos tôt le matin** ou aux dernières heures de la journée. Un ciel bleu de midi ne correspond pas aux conditions optimales : la lumière est souvent trop verticale et trop blanche. En outre, une météo capricieuse offre souvent des atmosphères singulières, des sujets inhabituels et, par conséquent, des clichés plus intéressants.

▶ **Prenez votre temps.** Promenez-vous jusqu'à découvrir le point de vue idéal pour prendre votre photo. Multipliez les essais : changez les angles, la composition, l'objectif… Vous avez réussi à cadrer un beau paysage, mais il manque un petit quelque chose ? Attendez que quelqu'un passe dans le champ ! Tous les grands photographes vous le diront : pour obtenir un bon cliché, il faut en prendre plusieurs.

▶ **Appliquez la règle des tiers.** Divisez mentalement votre image en trois parties horizontales et verticales égales. Les points forts de votre photo doivent se trouver à l'intersection de ces lignes imaginaires. En effet, si on cadre son sujet au centre de l'image, la photo devient plate, car cela provoque une symétrie trop monotone. Pour un portrait, il faut donc placer les yeux sur un point fort et non au centre. Essayez aussi de laisser de l'espace dans le sens du regard.

▶ **Un coup d'œil** aux cartes postales et livres de photos sur la région vous donnera des idées de prises de vue.

▶ **À savoir :** les tons jaunes, orange, rouges et les volumes focalisent l'attention ; ils donnent une sensation de proximité à l'observateur. Les tons plus froids (vert ou bleu) créent de leur côté une impression d'éloignement.

Développer – Partager

Plusieurs sites proposent de stocker vos photos et de les partager directement en ligne avec vos proches.

■ FLICKR

www.flickr.com
Sur Flickr, vous pouvez créer des albums photo, retoucher vos clichés et les classer par mots-clés tout en déterminant s'ils seront visibles par tous ou uniquement par vos proches. Petit plus du site : vous avez la possibilité d'effectuer des recherches par lieux et ainsi découvrir votre destination à travers les prises de vue d'autres internautes. D'autant plus intéressant que nombre de photographes professionnels utilisent Flickr.

■ FOTOLIA

fr.fotolia.com
Fotolia est une banque d'images. Le principe est simple : vous téléchargez vos photos sur le site pour les vendre à qui voudra. Le prix d'achat de base est fixé à 0,75 € et peut monter jusqu'à plusieurs centaines d'euros par cliché. Pas nécessairement de quoi payer vos prochaines vacances, mais peut-être assez pour réduire la note de vos tirages !

■ PHOTOWEB

www.photoweb.fr
Photoweb est un laboratoire photo en ligne. Vous pouvez y télécharger vos photos pour commander des tirages ou simplement créer un album virtuel. Le site conçoit aussi tout un tas d'objets à partir de vos clichés : tapis de souris, livres, posters, faire-part, agendas, tabliers, cartes postales… Les prix sont très compétitifs et les travaux de qualité.

■ PICASAWEB

picasaweb.google.com
Un site pour mettre en ligne ses photos et les partager avec vos amis en les invitant à les consulter.

■ POSTE

On en trouve un peu partout. Ils sont généralement ouverts du lundi au vendredi de 9h à 17h. Le prix d'un envoi en format lettre économique pour la France est d'environ 1 €. Délai d'acheminement variable, mais comptez au moins 2 semaines.

■ QUAND PARTIR ?

Climat

▶ **En termes de climat,** la meilleure saison pour partir est comprise entre octobre et avril. C'est la plus agréable car la moins chaude et la plus ensoleillée. Mais c'est aussi la haute saison touristique : hôtels et plages sont bondés et les prix sont plus élevés.

▶ **De mai à août,** les températures sont un peu plus élevées, l'air plus humide, et les fins d'après-midi souvent nuageuses et parfois pluvieuses.

▶ **La saison cyclonique,** à éviter, s'étend de juillet à septembre.

■ **MÉTÉO CONSULT**
www.meteo-consult.com
Sur ce site vous trouverez les prévisions météorologiques pour le monde entier. Vous connaîtrez ainsi le temps qu'il fait sur place.

Haute et basse saisons touristiques

▶ **Haute saison touristique :** de décembre à avril

▶ **Basse saison touristique :** de mai à novembre

Manifestations spéciales

▶ **Reggae Sumfest** : le plus grand concert de reggae du monde se tient à Montego Bay à la mi-juillet. Infos : www.reggaesumfest.com.

▶ **Independence Day (6 août)** : chaque année, l'anniversaire du jour de l'Indépendance est célébré avec passion tout autour de l'île, et particulièrement à Kingston, avec une grande parade flottante et un concert de gala.

■ SANTÉ

Il n'y a pas de risques sanitaires majeurs en Jamaïque. Craindre au pire une insolation ou des piqûres de moustique ! Quelques cas de dengue ont été observés, et la grippe aviaire a touché le pays, mais rien d'inquiétant. Aucune vaccination n'est nécessaire pour entrer dans le pays ; vérifiez simplement que vos vaccins sont à jour. Aucune précaution particulière concernant la nourriture ou l'eau n'est à observer non plus. Tous les médicaments et les produits de parapharmacie courants sont disponibles sur place, à des prix toutefois assez élevés.

▶ **Eau**. L'eau du robinet est potable dans tout le pays, et filtrée dans la plupart des hôtels. Pas de précautions particulières à prendre, et pas de soupçon à avoir sur les glaçons ! L'eau minérale, locale ou importée, est assez chère.

Conseils

Pour vous informer de l'état sanitaire du pays et recevoir des conseils, n'hésitez pas à consulter votre médecin. Vous pouvez aussi vous adresser à la Société de médecine des voyages du centre médical de l'Institut Pasteur au ✆ 01 40 61 38 46 (www.pasteur.fr/sante/cmed/voy/listpays.html) ou vous rendre sur le site du Cimed (www.cimed.org), du ministère des Affaires étrangères à la rubrique « Conseils aux voyageurs » (www.diplomatie.gouv.fr/voyageurs) ou de l'Institut national de veille sanitaire (www.invs.sante.fr).

Maladies et vaccins

Dengue
Cette fièvre assez courante dans les pays tropicaux est transmise par les moustiques. La dengue se traduit par un syndrome grippal (fièvre, maux de tête, douleurs articulaires et musculaires). Il n'existe pas de traitement préventif ou de vaccin. Ne prenez jamais d'aspirine. Cette maladie pouvant être mortelle, il est fortement recommandé de consulter un médecin en cas de fièvre.

Grippe aviaire

La grippe aviaire touche habituellement les volatiles. Toutefois, le virus peut se transmettre occasionnellement à l'homme. Cette transmission ne concerne en principe que des personnes en contact direct avec les animaux atteints, mais certains cas ont pu suggérer une exceptionnelle transmission de personne à personne. Il est recommandé d'éviter tout contact avec les volailles, les oiseaux et leurs déjections (ne pas se rendre dans les élevages ou sur les marchés aux volailles), d'éviter aussi de consommer des produits alimentaires crus ou peu cuits, en particulier les viandes ou les œufs, et, enfin, de se laver régulièrement les mains. Info' Grippe Aviaire au ✆ 0 825 302 302 (0,15 € la minute).

Hépatite A

Pour l'hépatite A, l'existence d'une immunité antérieure rend la vaccination inutile. Elle est fréquente lorsque vous avez des antécédents de jaunisse, de séjour prolongé à l'étranger ou êtes âgé de plus de 45 ans. L'hépatite A est le plus souvent bénigne mais elle peut se révéler grave, notamment au-delà de 45 ans et en cas de maladie hépatique préexistante. Elle s'attrape par l'eau ou les aliments mal lavés. Si vous êtes porteur d'une maladie du foie, la vaccination contre l'hépatite A est hautement recommandée avant tout type de voyage où l'hygiène est précaire. Elle doit être effectuée en deux fois mais la première injection, un mois avant le départ, suffit à assurer une protection pour un voyage de courte durée. La deuxième (six mois à un an plus tard) renforce la durée de l'immunité pour des dizaines d'années.

Hépatite B

L'hépatite B est plus grave que l'hépatite A. Elle se contracte lors de rapports sexuels ou par le sang. Le vaccin contre l'hépatite B est à faire en deux fois à un mois d'intervalle (mais il existe des vaccinations accélérées en un mois pour les voyageurs pressés), puis un rappel six mois plus tard pour renforcer la durée de la protection.

Centres de vaccination

Pour plus d'informations, vous pouvez consulter le site Internet du ministère de la Santé (www.sante.gouv.fr) pour connaître les centres de vaccination proches de chez vous.

■ **CENTRE DE VACCINATIONS INTERNATIONALES AIR FRANCE**
148, rue de l'Université (7e)
Paris
✆ 01 43 17 22 00
vaccinations@airfrance.fr
Ouvert du lundi au vendredi de 8h45 à 18h – nocturne le jeudi jusqu'à 20h – le samedi de 8h45 à 16h. Fermeture les dimanches et jours fériés uniquement.

▶ **Autre adresse :** 3, place Londres, bâtiment Uranus 95703 Roissy Charles-de-Gaulle. ✆ 01 74 29 32 36 ou 01 48 64 98 03. Ouvert de 13h30 à 16h du lundi au vendredi, uniquement sur rendez-vous.

■ **INSTITUT PASTEUR**
209, rue de Vaugirard (15e)
Paris
✆ 0 890 710 811
✆ 03 20 87 78 00
www.pasteur.fr
L'Institut Pasteur, créé en 1888 par Louis Pasteur, est une fondation privée à but non lucratif dont la mission est de contribuer à la prévention et au traitement des maladies, en priorité infectieuses, par la recherche, l'enseignement, et des actions de santé publique. out en restant fidèle à l'esprit humaniste de son fondateur Louis Pasteur, le centre de recherche biomédicale s'est toujours situé à l'avant garde de la science, et a été la source de plusieurs disciplines majeures : berceau de la microbiologie, il a aussi contribué à poser les bases de l'immunologie et de la biologie moléculaire. Le réseau des Instituts Pasteur, situé sur les 5 continents et fort de 8500 collaborateurs fait de cette institution une structure unique au monde. Sur le site internet, vous pouvez consulter la liste des vaccins obligatoires pays par pays.

▶ **Autre adresse :** 1, rue du Professeur Calmette 59019 Lille.

En cas de maladie

Un réflexe : contacter le Consulat de France. Il se chargera de vous aider, de vous accompagner et vous fournira la liste des médecins francophones. En cas de problème grave, c'est aussi lui qui prévient la famille et qui décide du rapatriement. Pour connaître les urgences et établissements aux standards internationaux : consulter les sites www.cimed.org – www. diplomatie.gouv.fr et www.pasteur.fr

Assistance rapatriement – Assistance médicale

▶ **Assurance – Assistance médicale**. Sachez tout d'abord qu'il est possible de bénéficier des avantages de la Sécurité sociale, même à l'étranger. A l'international, des garanties de sécurité sociale s'appliquent et sont mises en œuvre par le Centre des liaisons européennes et internationales de Sécurité sociale (www.cleiss.fr) chargé d'aiguiller les ressortissants dans leurs démarches. Mais cette prise en charge a ses limites. C'est pourquoi souscrire à une assurance maladie peut s'avérer très utile. Les prestations comprennent la plupart du temps le rapatriement, les frais médicaux et d'hospitalisation, le paiement des examens de recherche ou le transport du corps en cas de décès.

▶ **Rapatriement sanitaire par les opérateurs de cartes bancaires**. Si vous possédez une carte bancaire Visa® et MasterCard®, vous bénéficiez automatiquement d'une assurance médicale et d'une assistance rapatriement sanitaire valables pour tout déplacement à l'étranger de moins de 90 jours (le paiement de votre voyage avec la carte n'est pas nécessaire pour être couvert, la simple détention d'une carte valide vous assure une couverture). Renseignez-vous auprès de votre banque et vérifiez attentivement le montant global de la couverture et des franchises ainsi que les conditions de prise en charge et les clauses d'exclusion. Si vous n'êtes pas couvert par l'une de ces cartes, n'oubliez surtout pas de souscrire une assistance médicale avant de partir.

■ **SÉCURITÉ SOCIALE**
11, rue de la Tour des Dames Cedex 09
75436 Paris
℃ 01 45 26 33 41
www.cleiss.fr
Plus d'informations sur l'assistance médicale à l'étranger au Centre des Liaisons Européennes et Internationales de la Sécurité sociale (Cleiss).

Médecins parlant français

Pour connaître les coordonnées des médecins habituellement consultés par les Français, on peut appeler l'ambassade de France.

Hôpitaux – Cliniques – Pharmacies

■ **ANDREWS MEMORIAL HOSPITAL**
27 Hope Road, Kingston 10
Kingston
℃ +1 876 926 7401

Urgences

Le 119 est le numéro des urgences générales (incendie, accident, dépannage, etc.).

ORGANISER SON SÉJOUR

© JAMAICA TOURIST BOARD

Flore autour de Green Grotto.

■ SÉCURITÉ ET ACCESSIBILITÉ ■

▶ **Criminalité**. C'est en grande partie à la violence des ghettos de Kingston que la Jamaïque doit son taux de criminalité élevé. Les armes y sont monnaie courante, et si on ajoute à cela le trafic de drogue et les querelles politiques entre gangs, on arrive à des taux d'homicides records. Au cours de l'année 2008, on a officiellement recensé 1 600 meurtres liés à la criminalité, un taux trois fois plus élevé que celui de la ville de New York, qui compte pourtant cinq fois plus d'habitants. Selon les années, électorales ou non, les chiffres oscillent entre 600 et 1 700 morts violentes. Cette criminalité est toutefois confinée dans les quartiers pauvres de la capitale ; il s'agit pour la plupart de règlements de compte entre gangs et/ou entre trafiquants.

▶ **Drogue**. La possession et la consommation de drogue, y compris de ganja, le nom local de la marijuana, sont illégales et passibles de prison. La consommation de marijuana, bien que légalement interdite, est tolérée pour les rastafariens, qui la revendiquent comme partie intégrante de leur religion. Le trafic de drogue est présent dans tout le pays et les sollicitations nombreuses. Aux nombreuses propositions de toutes sortes, une seule réponse : non. Les peines infligées aux étrangers trouvés en possession de drogue vont jusqu'à la prison ferme !

Dangers potentiels et conseils
Pour connaître les dernières informations sur la sécurité sur place, consultez la rubrique « Conseils aux voyageurs » du site du ministère des Affaires étrangères : www.diplomatie. gouv.fr/voyageurs. Sachez cependant que le site dresse une liste exhaustive des dangers potentiels, qui peut donner – à tort – une image un peu alarmiste de la situation du pays.

Femme seule en voyage
Les Jamaïcains sont généralement polis et courtois. Ainsi, une femme voyageant seule se verra souvent interpellée en des termes flatteurs (*empress*, *princess*, *queen*, *sista*, etc.). Malgré tout, il faudra se méfier de certaines propositions, surtout dans les grands centres touristiques comme Negril et Montego Bay, où le concept de « gigolo rasta » est largement développé. Pour le reste, une vigilance le soir dans les grandes villes et un minimum de prudence lors de déplacements nocturnes permettront de tenir à distance les dangers.

Voyager avec des enfants
Pour voyager avec des enfants, pas de souci majeur. On préférera la location d'un véhicule (avec ou sans chauffeur) à l'utilisation des transports en commun, souvent surchargés. L'eau du robinet est potable et les conditions sanitaires sont bonnes (pas de paludisme par exemple). Prévoir un bon anti-moustique et des chapeaux.

Voyageur handicapé
Si vous présentez un handicap physique ou mental ou que vous partez en vacances avec une personne dans cette situation, différents organismes et associations s'adressent à vous. La Jamaïque est encore loin de répondre à toutes les normes concernant les personnes handicapées. A part les beaux hôtels de charme qui possèdent des ascenseurs et des rampes d'accès, la plupart des établissements de l'île ne sont pas encore au point.

■ ACTIS VOYAGES
www.actis-voyages.com
actis-voyages@orange.fr
Voyages adaptés pour le public sourd et malentendant.

■ ADAPTOURS
www.adaptours.fr
info@adaptours.fr

■ AILLEURS ET AUTREMENT
www.ailleursetautrement.fr
contact@ailleursetautrement.fr
Pour des personnes souffrant de handicap physique et/ou mental.

■ ASSOCIATION DES PARALYSÉS DE FRANCE
www.apf.asso.fr
Informations, conseils et propositions de séjours, en partenariat avec Evénements et Voyages.

■ COMPTOIR DES VOYAGES
2-18, rue Saint-Victor (5ᵉ) Paris
✆ 0 892 239 339 – www.comptoir.fr
Fauteuil roulant (manuel ou électrique), cannes ou béquilles, difficultés de déplacement... Quel

que soit le handicap du voyageur, Comptoir des Voyages met à sa disposition des équipements adaptés et adaptables, dans un souci de confort et d'autonomie. Chacun pourra voyager en toute liberté.

■ ÉVÉNEMENTS ET VOYAGES – ADAPTOUR

www.evenements-et-voyages.com
contact@evenements-et-voyages.com
Sports mécaniques, sports collectifs, festivals et concerts, Événements et Voyages propose à ses voyageurs d'assister à la manifestation de leur choix tout en visitant la ville et la région. Grâce à son département dédié aux personnes handicapées, Événements et Voyages permet à ces derniers de voyager dans des conditions confortables.

■ HANDI VOYAGES

12, rue du Singe
Nevers
✆ 0 872 32 90 91 / 09 52 32 90 91 / 06 80 41 45 00
handivoyages.free.fr

Cette association assure l'aide aux personnes à mobilité réduite dans l'organisation de leurs voyages individuels ou en petits groupes. Elle propose un service d'aide à la recherche d'informations sur l'accessibilité mais aussi la mise en relation avec des volontaires compagnons de voyage. En outre, dans le cadre de l'opération « Des fauteuils en Afrique », Handi Voyages récupère du matériel pour personnes à mobilité réduite et le distribue en Afrique.

■ OLÉ VACANCES

www.olevacances.org
info@olevacances.org
Olé Vacances propose d'accompagner des personnes adultes handicapées mentales.

Voyageur gay ou lesbien

La Jamaïque est malheureusement un pays où l'homophobie est courante. Il s'agit donc pour les couples gay de ne pas se livrer à des effusions en public, car l'homosexualité est encore passible de peines de prison dans le pays.

■ TÉLÉPHONE

Comment téléphoner ?

▶ **Pour appeler de Jamaïque vers la France**, composez le + 11 33 suivi du numéro de votre correspondant sans le 0.

▶ **Pour appeler de France vers la Jamaïque**, composez le + 1 876 puis le numéro à 7 chiffres.

▶ **En local :** composez le numéro à 7 chiffres.

Téléphone mobile

▶ **Utiliser son téléphone mobile :** Si vous souhaitez garder votre forfait français, il faudra avant de partir activer l'option internationale (généralement gratuite) en appelant le service clients de votre opérateur. Qui paie quoi ? La règle est la même chez tous les opérateurs. Lorsque vous utilisez votre téléphone français à l'étranger, vous payez la communication, que vous émettiez l'appel ou que vous le receviez. Dans le cas d'un appel reçu, votre correspondant paie lui aussi, mais seulement le prix d'une communication locale. Tous les

appels passés depuis ou vers l'étranger sont hors forfait, y compris ceux vers la boîte vocale.

▶ **La compagnie nationale de téléphone est Cable & Wireless Jamaica, concurrencée par Digicel, Claro et Lime** sur le réseau mobile. Le prix des communications locales et internationales est très raisonnable, il est donc préférable de se procurer un téléphone portable – si vous restez plusieurs semaines – plutôt que d'utiliser les lignes des hôtels, qui coûtent en moyenne sept fois plus cher ! Il y a partout des boutiques Cable & Wireless, Claro ou Digicel qui vendent des téléphones cellulaires. Comptez au minimum 1 800 JMD pour un appareil à carte sans abonnement. On peut aussi acheter une carte SIM avec un numéro local pour 500 JMD, dans les agences Claro ou Digicel (n'oubliez pas de débloquer votre portable avant de voyager). On trouve des recharges partout, jusque dans la rue ou les stations-service, à 100, 200, 300 et 500 JMD (précisez votre réseau avant d'acheter). Le prix des communications n'est pas très élevé.

ORGANISER SON SÉJOUR

Retrouvez l'index général en fin de guide

S'informer

■ À VOIR – À LIRE ■

Librairies de voyage

Paris

■ ITINÉRAIRES
60, rue Saint-Honoré (1er)
℗ 01 42 36 12 63
www.itineraires.com
itineraires@itineraires.com
M° Louvre-Rivoli
Ouvert du lundi au samedi de 10h à 19h.
Depuis sa fondation en 1985, cette librairie est idéale pour s'évader, choisir sa destination, commencer à organiser son voyage, ou pour s'imprégner de la culture d'un pays avant d'y séjourner. Toutes les possibilités sont ici à combiner. Une sélection aussi complète que possible qui offre en guise d'horizon un panorama complet des pays du monde entier. Car cette librairie se dit elle-même dédiée à la connaissance des pays du monde, et le tout est tout simplement classé par pays. 3, 2, 1, partez ?

■ LIBRAIRIE DE VOYAGEURS DU MONDE
55, rue Sainte-Anne (2e)
℗ 01 42 86 17 37
www.vdm.com
M° Pyramides ou Quatre-Septembre
Ouvert du lundi au samedi de 9h30 à 19h.
Située au sous-sol de l'agence de l'agence de voyage Voyageurs du Monde, cette très belle librairie est logiquement dédiée aux voyages. Vous y trouverez tous les guides en langue française existants actuellement sur le marché, y compris les collections relativement confidentielles. Un large choix de cartes routières, de plans de ville et de région vous est également proposé ainsi que des méthodes de langue, des ouvrages truffés de conseils pratiques pour le camping, trekking et autres réjouissances. Rayon littérature et témoignages, récits d'éminents voyageurs et quelques romans étrangers.

■ LIBRAIRIE EYROLLES PRATIQUE
63, boulevard Saint-Germain (5e)
℗ 01 46 34 82 75
www.eyrolles.com

M° Maubert-Mutualité ou Cluny-La Sorbonne et RER Saint-Michel
Ouvert de 9h30 à 19h30.
Consacrée à la vie pratique, cette boutique se présente sur deux niveaux dont un entièrement dédié au tourisme. Voyageurs du monde, bienvenue au « paradis eyrollien ». Vous trouverez tout pour préparer votre escapade : cartes, guides, plans… Il ne vous reste plus qu'à prendre vos billets.

■ LIBRAIRIE MARITIME OUTREMER
55, avenue de la Grande-Armée (16e)
℗ 01 45 00 17 99
www.librairie-outremer.com
M° Argentine
Ouvert du lundi au samedi de 10h à 19h.
La librairie de la rue Jacob a rallié les locaux de la boutique avenue de la Grande-Armée. Des ouvrages sur l'architecture navale, des manuels de navigation, des ouvrages de droit marin, les codes Vagnon, les cartes du Service hydrographique et océanique de la marine, des précis de mécanique pour les bateaux, des récits et romans sur la mer, des livres d'histoire de la marine… tout est là. Cette librairie constitue la référence dans ce domaine. Son catalogue est disponible sur Internet et en format papier à la boutique.

■ LE MONDE DES CARTES
50, rue de la Verrerie (4e)
℗ 01 43 98 85 10
www.ign.fr
M° Hôtel-de-Ville
Ouvert du lundi au samedi de 11h à 19h.
Vous trouverez dans cette belle librairie pléthore de cartes (on n'est pas à l'Institut géographique national pour rien), guides de toutes éditions, beaux livres, méthodes de langues en version poche, ouvrages sur la météo, mappemondes, conseils pour les voyages… Les enfants ont droit à un coin rien que pour eux avec des ouvrages sur la nature, les animaux, les civilisations, etc. Quant aux amateurs d'ancien, ils pourront se procurer des reproductions de cartes datant pour certaines du XVIIe siècle.

■ ULYSSE

26, rue Saint-Louis-en-l'Ile (4e)
℡ 01 43 25 17 35
www.ulysse.fr
ulysse@ulysse.fr
M° Pont-Marie
Ouvert du mardi au samedi de 14h à 20h.

C'est le « kilomètre zéro du monde », comme le clame le slogan de la maison, d'où l'on peut en effet partir vers n'importe quelle destination grâce à un fonds extraordinaire de livres consacrés au voyage. Catherine Domain, la libraire et fondatrice depuis quarante ans de la librairie, est là pour vous aider dans votre recherche, notamment si vous voulez vous documenter avant d'entreprendre un court ou un long séjour.

Membre de la Société des Explorateurs, du Club International des Grands Voyageurs, fondatrice du Cargo Club, du Club Ulysse des petites îles du monde et du Prix Pierre Loti, elle est vraiment une spécialiste du voyage. Vous trouverez ici aussi de nombreuses cartes non disponibles dans les librairies habituelles.

■ AU VIEUX CAMPEUR

2, rue de Latran (5e)
℡ 01 53 10 48 27
www.auvieuxcampeur.fr
M° Maubert-Mutualité
Ouvert du lundi au vendredi de 11h à 19h30. Le samedi de 10h à 19h30. Nocturne le jeudi jusqu'à 21h.

Les magasins Au Vieux Campeur disposent d'une librairie dédiée au tourisme sportif. Vous y trouverez guides, cartes, beaux livres, revues et un petit choix de vidéos principalement axés sur la France. Le premier étage met à l'honneur le sport, les exploits et découvertes. Vous pourrez vous y documenter sur l'escalade, le VTT, la plongée sous-marine, la randonnée, la voile, le ski… Commande possible par Internet.

Bordeaux

■ LATITUDE VOYAGE

13, rue du Parlement-Saint-Pierre
℡ 05 56 44 12 48

Latitude Voyage possède de nombreux guides culturels, touristiques, de randonnée mais également des cartes, beaux livres et de la littérature de voyage. Si vous hésitez devant les rayons, sachez que la librairie présente ses coups de cœur sur son site Internet. Vous pouvez aussi acheter vos livres en ligne (1 € de frais de port par exemplaire). Latitude Voyage accueille régulièrement des expositions et organise des soirées littéraires.

■ LA ROSE DES VENTS

40, rue Sainte-Colombe
rdvents@hotmail.com
Ouvert du lundi au samedi de 10h à 12h30 et de 14h à 19h.

Ouvrages littéraires et guides de nature garnissent les étagères de cette librairie aux côtés de cartes et guides touristiques. Le futur aventurier pourra consulter gratuitement des revues spécialisées. Lieu convivial, La Rose des Vents propose tous les jeudis soir des rencontres et conférences autour du voyage. Cette librairie fait maintenant partie du groupe Géothèque (également à Tours et Nantes).

Caen

■ HÉMISPHÈRES

15, rue des Croisiers
℡ 02 31 86 67 26
www.librairie-hemispheres.blogspot.com
Ouvert du mardi au samedi de 9h à 19h sans interruption.

Dans cette librairie dédiée au voyage, les livres sont classés par pays : guides, plans de villes, littérature étrangère, ethnologie, cartes et topoguides pour la randonnée. Les rayons portent aussi un beau choix de livres illustrés et comprennent un rayon musique. Le premier étage allie littérature et gastronomie et des expositions de photos y sont régulièrement proposées.

Clermont-Ferrand

■ BOUTIQUE MICHELIN

2, place de la Victoire
℡ 04 73 90 20 50
www.michelin-boutique.com
michelin@mdsfrance.fr
Ouvert du mardi au samedi de 10h à 13h et de 14h à 19h, le lundi après-midi l'été.

Vous trouverez dans cette boutique toute la production Michelin, des Guides vert (en français, anglais ou allemand) aux Guides rouge en passant par les cartes France et étranger. Egalement bagagerie, articles de sport, vaisselles et tout le nécessaire pour vos voyages (du triangle au contrôleur de pression) et de nombreux produits dérivés.

ORGANISER SON SÉJOUR

Lyon

■ RACONTE-MOI LA TERRE
14, rue du Plat (2ᵉ)
✆ 04 78 92 60 22
www.racontemoilaterre.com
librairie2@racontemoilaterre.com
Ouvert le lundi de midi à 19h30 et du mardi au samedi de 10h à 19h30.
Restaurant « exotique », cette librairie s'ouvre sur le monde des voyages. Les vendeurs vous conseillent et vous emmènent jusqu'à l'ouvrage qui vous convient. Ethnographes, juniors, baroudeurs, Raconte-moi la Terre propose de quoi satisfaire tous les genres de voyageurs.

▶ **Autre adresse :** Village Oxylane Décathlon, 332, avenue Général-de-Gaulle, Bron.

■ AU VIEUX CAMPEUR
72, cours de la Liberté (3ᵉ)
✆ 04 78 60 81 00
www.auvieuxcampeur.fr
Ouvert du mardi au vendredi de 11h à 19h30, le samedi de 10h à 19h et le lundi de 11h à 19h.
Les magasins Au Vieux Campeur disposent d'une librairie dédiée au tourisme sportif. Vous y trouverez guides, cartes, beaux livres, revues et un petit choix de vidéos principalement axés sur la France. Commande possible par Internet.

Marseille

■ LIBRAIRIE DE LA BOURSE – MAISON FREZET
8, rue Paradis (1ᵉʳ)
✆ 04 91 33 63 06
Ouvert le lundi de 14h à 19h et du mardi au samedi de 8h45 à 12h15 et de 13h45 à 19h.
Cette librairie fondée en 1876 propose plans, cartes et guides touristiques du monde entier. Terre, mer, montagne ou campagne, tous les environnements se trouvent parmi les centaines d'ouvrages proposés. Si jamais l'idée vous tente de partir à l'aventure, rien ne vous empêche de vérifier votre thème astral ou de vous faire tirer les cartes avec tout le matériel ésotérique et astrologique également disponible.

Montpellier

■ LES CINQ CONTINENTS
20, rue Jacques-Cœur
✆ 04 67 66 46 70
www.lescinqcontinents.com
contact@lescinqcontinents.com
Ouvert le lundi de 13h à 19h et de 10h à 19h du mardi au samedi.

Les libraires globe-trotters de cette boutique vous aideront à faire le bon choix parmi les nombreux ouvrages des cinq continents. Récits de voyage, guides touristiques, ouvrages d'art, cartes géographiques, manuels de cuisine ou livres musicaux vous permettront de mieux connaître divers pays du monde et régions de France. Régulièrement, la librairie organise des rencontres et animations (programme trimestriel disponible sur place).

Rennes

■ ARIANE LIBRAIRIE DE VOYAGE
20, rue Capitaine-Dreyfus
✆ 02 99 79 68 47
www.librairie-voyage.com
Ouvert tous les jours de 9h30 à 12h30 et de 14h à 19h, fermé le lundi matin.
En France, en Europe, à l'autre bout du monde, plutôt montagne ou résolument mer, forêts luxuriantes ou déserts arides… quelle que soit votre envie, chez Ariane, vous trouverez de quoi vous documenter avant de partir. De la boussole aux cartes routières et marines, en passant par les guides de voyage, plans et articles de trekking, vous ne repartirez certainement pas sans avoir trouvé votre bonheur.

Strasbourg

■ AU VIEUX CAMPEUR
32, rue du 22-Novembre
✆ 03 90 23 58 58
www.auvieuxcampeur.fr
Ouvert du mardi au vendredi de 11h à 19h30, le samedi de 10h à 19h et le lundi de 11h à 19h.
Les magasins Au Vieux Campeur disposent d'une librairie dédiée au tourisme sportif. Vous y trouverez guides, cartes, beaux livres, revues et un petit choix de vidéos principalement axés sur la France.

Toulouse

■ AU VIEUX CAMPEUR
23, rue de Sienne
Labège-Innopole
✆ 05 62 88 27 27
www.auvieuxcampeur.fr
infos@auvieuxcampeur.fr
Ouvert du mardi au vendredi de 11h à 19h30, le samedi de 10h à 19h et le lundi de 11h à 19h.
Les magasins Au Vieux Campeur disposent d'une librairie dédiée au tourisme sportif. Vous y trouverez guides, cartes, beaux livres, revues et un petit choix de vidéos principalement axés sur la France.

■ OMBRES BLANCHES
48-50, rue Gambetta
✆ 05 34 45 53 33
www.ombres-blanches.fr
info@ombres-blanches.fr
Ouvert du lundi au samedi de 10h à 19h, le samedi de 10h à 19h30.
Cette librairie est la petite sœur de la grande Ombres Blanches d'à côté. Dans cet espace spécialisé dans les voyages et le tourisme, vous trouverez beaux livres, récits de voyage, cartes de rando et de montagne, livres de photos… Le voyage avant même d'avoir quitté sa ville !

Tours

■ LA GÉOTHÈQUE, LE MASQUE ET LA PLUME
14, rue Néricault-Destouches
✆ 02 47 05 23 56
www.geotheque.com
geotheque-tours@geotheque.com
Ouvert du mardi au samedi de 10h à 12h30 et de 14h à 19h.
Totalement destinée aux globe-trotters, cette librairie possède une très large gamme de guides et de cartes pour parcourir le monde. Et que les navigateurs des airs ou des mers sautent sur l'occasion : la librairie leur propose aussi des cartes, manuels, CD-ROM et GPS.

Belgique

■ LIBRAIRIE ANTICYCLONE DES AÇORES
34, rue Fossé-aux-Loups
Bruxelles – Brussel
✆ +32 2 217 52 46
On va dans cette librairie située près de la Bourse pour ses guides et ses beaux livres mais surtout pour son large choix cartographique. Cartes topographiques, de randonnée, cyclotouristiques, plans de villes, cartes et atlas routiers, globes terrestres : vous ne vous lasserez pas de vous perdre dans les rayons de l'Anticyclone des Açores.

■ LIBRAIRIE PEUPLES ET CONTINENTS
17-19, Galerie Ravenstein
Bruxelles – Brussel
✆ +32 2 511 27 75
www.peuplesetcontinents.com
Ouvert du mardi au vendredi de 9h à 18h et le samedi de 10h à 18h.
Cette librairie indépendante propose guides de voyage et de randonnée, cartes routières, plans de villes, lexiques de conversation, guides d'identification botanique, atlas animaliers. Parmi plus de 5 000 titres, vous trouverez

aussi des livres d'art sur les civilisations, des récits de voyage, historique, d'ethnologie, d'anthropologie et des beaux livres sur tous les pays du monde. Le tout en français, néerlandais ou anglais.

Québec

■ LIBRAIRIE ULYSSE
4176, rue Saint-Denis
Montréal
✆ +1 514 843 9447 / +1 514 843 7222
La librairie des guides éponymes. Vous y trouverez près de 10 000 cartes et guides Ulysse en français et en anglais.

▶ **Autre adresse :** 560, rue Président-Kennedy.

Suisse

■ LIBRAIRIE LE VENT DES ROUTES
50, rue des Bains
Genève *✆* +41 22 800 33 81
www.vdr.ch – info@vdr.ch
Le Vent des Routes réunit sous le même toit une librairie, une agence de voyages et un café-restaurant. Vous y trouverez guides, cartes, romans, idées de voyage et des libraires très disponibles qui vous feront part de leurs livres coup de cœur.

Cartographie et bibliographie

▶ *Bass Culture, quand le reggae était roi* (Lloyd Bradley, éditions Allia, 2000). Une superbe fresque de la musique jamaïcaine, peinte avec brio par un inconditionnel du genre. A lire absolument avant de partir pour s'imprégner du contexte musical de l'île.

▶ *Born Fi Dead* (Laurie Gunst, Jamaica Insula, 2009). Cet ouvrage de référence, écrit par une américaine en 1995, est pour la première fois traduit en francais. Le livre décrite le rôle des puissants gangs dans le système politique jamaïcain, et leur influence, des Caraïbes jusqu'aux Etats-Unis.

▶ *Le livre de la Jamaïque* (Russel Bank, poche, 1993). Un grand roman ethnographique, tendance polar. Cet universitaire américain s'est particulièrement intéressé aux Marrons, ces esclaves noirs rebelles réfugiés dans les montagnes, et en a tiré une fiction remarquable.

▶ *Kingston fever* (Romain Chiffre « Sherkhan », éditions Nuits Emeraude, 2011). Ce producteur français installé en Jamaïque raconte son aventure musicale et humaine dans les Blue Montains, puis à Kingston.

■ AVANT SON DÉPART

Le rôle principal de l'ambassade est de s'occuper des relations entre les Etats, tandis que la section consulaire est responsable de sa communauté de ressortissants. Ainsi, pour tout problème concernant les papiers d'identité, la santé, le vote, la justice ou l'emploi, il faut s'adresser à la section consulaire de son pays. En cas de perte ou de vol de papiers d'identité, le consulat délivre un laissez-passer pour permettre uniquement le retour dans le pays d'origine, par le chemin le plus court. Il faut, bien entendu, avoir préalablement déclaré la perte ou le vol auprès des autorités locales.

Ambassades et consulats

■ AMBASSADE DE JAMAÏQUE (RESIDENCE À BRUXELLES)
77, avenue Hansen-Soulie

Bruxelles – Brussel
(Belgique)
℘ +32 2 230 11 70

■ CONSULAT HONORAIRE DE LA JAMAIQUE
56, les Hauts de Monte-Carlo
La Turbie
℘ 04 93 41 28 00

Office du tourisme

L'office de tourisme jamaïcain n'est plus représenté en France depuis début 2003. Pour contacter un office de tourisme avant le départ, référez-vous aux délégations anglaises, allemandes ou canadiennes du Jamaican Tourist Board (www.visitjamaica.com).

■ SUR PLACE

■ ALLIANCE FRANÇAISE
Centre de ressources sur la France contemporaine
12b Lilford Avenue
Kingston 10
℘ +1 876 978 6996

■ AMBASSADE DE FRANCE.
13 Hillcrest Avenue
Kingston 6
℘ +1 876 946 4000

Voir page 110.
Sous la direction de Mme Ginette de Matha (ambassadrice depuis le 17 mars 2012)

■ JAMAICA TOURIST BOARD (OFFICE DU TOURISME)
64 Knutsford Boulevard
Kingston 5
℘ +1 876 929 9200
Voir page 110.

■ MAGAZINES ET ÉMISSIONS

Presse

■ COURRIER INTERNATIONAL
www.courrierinternational.com
Hebdomadaire regroupant les meilleurs articles de la presse internationale en version française.

■ GÉO
www.geo.fr
Le mensuel accorde une large place aux reportages photographiques. Il propose aussi des articles et actualités, l'ensemble étant désormais imprimé sur du papier provenant de forêts gérées durablement.

■ GRANDS REPORTAGES
www.grands-reportages.com
Le magazine de l'aventure et du voyage propose des dossiers, reportages photo et articles divers sur les peuples, civilisations, paysages et monuments. Chaque sujet est complété par un important volet pratique pour préparer son voyage.

■ PETIT FUTÉ MAG
www.petitfute.com
Notre journal bimestriel vous offre une foule de conseils pratiques pour vos voyages, des interviews, un agenda, le courrier des lecteurs… Le complément parfait à votre guide !

RANDOS-BALADES

www.randosbalades.fr
info@promo-presse.fr
Magazine mensuel sur les randonnées en France et à l'étranger. L'approche est thématique (sentiers du littoral, itinéraires sauvages, thèmes culturels…) et la publication est riche en actualités, trucs et astuces, tests matériels, fiches topographiques et, bien sûr, en guides de randonnée.

TERRE SAUVAGE

www.terre-sauvage.com
courrier@terre-sauvage.com
Ce mensuel est spécialisé dans la faune et la flore sauvages. Au sommaire : des aventures dans le sillage des expéditions scientifiques, la découverte des écosystèmes, des enquêtes sur la protection de l'environnement ou encore des rubriques plus pratiques avec, par exemple, des conseils photo.

Radio

RADIO FRANCE INTERNATIONALE

www.rfi.fr
89 FM à Paris. Pour vous tenir au courant de l'actualité du monde partout sur la planète.

Télévision

ESCALES

✆ 01 49 22 20 01
www.escalestv.fr
escales@groupe-ab.fr
Chaîne thématique.
Depuis avril 1996, Escales est une des chaînes dédiées à l'évasion et de la découverte par le voyage. Rattachée au groupe AB, la programmation est constituée de séries documentaires et de rediffusions d'émissions axées aussi bien sur le national et ses régions, que des destinations lointaines à travers de nombreux thèmes (agenda, bons plans, art de vivre, bien-être, aventure, croisière mais aussi gastronomie, loisirs, nature, patrimoine, culture, etc.). Escales s'est entre autres donné pour objectif de servir de guide aux touristes voyageurs ; objectif largement atteint.

FRANCE 24

www.france24.com
Chaîne d'information en continu, France 24 apporte 24h/24 et 7j/7, un regard nouveau à l'actualité internationale. Diffusée en 3 langues (français, anglais, arabe) dans plus de 160 pays, la chaîne est également disponible sur internet (www.france24.com) et les mobiles, pour vous accompagner tout au long de vos voyages.

LIBERTY TV

www.libertytv.com
Cette chaîne non cryptée propose des reportages sur le monde entier et un journal sur le tourisme toutes les heures. La « télé des vacances » met aussi en avant des offres de voyages et promotions touristiques toutes les 15 minutes.

PLANÈTE

www.planete.tm.fr
Depuis plus de 20 ans, Planète propose de découvrir le monde, ses origines, son fonctionnement et son probable devenir avec une grille de programmation documentaire éclectique : civilisation, histoire, société, investigation, reportages animaliers, faits divers, etc.

TV5 MONDE

www.tv5.org
La chaîne de télévision internationale francophone diffuse des émissions de ses partenaires nationaux (France Télévisions, RTBF, TSR et CTQC) et ses propres programmes.

USHUAÏA TV

www.ushuaiatv.fr
La chaîne découlant du magazine éponyme a un slogan clair : « Mieux comprendre la nature pour mieux la respecter ». Elle se veut télévision du développement durable et de la protection de la planète et propose nombre de documentaires, reportages et enquêtes.

VOYAGE

www.voyage.fr
Terres méconnues ou inconnues, grands espaces et mégapoles, lieux incontournables ou insolites, cultures et nouvelles tendances : Voyage TV vous propose d'explorer le monde dans toute sa richesse à l'aide de documentaires ou en compagnie de guides éclairés.

ORGANISER SON SÉJOUR

escales

IL N'Y A PAS DE GRANDS VOYAGES SANS ESCALES

olatropp.com

DISPONIBLE SUR :

www.escalestv.fr

Comment partir ?

PARTIR EN VOYAGE ORGANISÉ

Voyagistes

Spécialistes

Vous trouverez ici les tour-opérateurs spécialisés dans votre destination. Ils produisent eux-mêmes leurs voyages et sont généralement de très bon conseil car ils connaissent la région sur le bout des doigts. A noter que leurs tarifs se révèlent souvent un peu plus élevés que ceux des généralistes.

■ COLLECTIONS DU MONDE – LVO
✆ 09 50 82 79 19
www.collectionsdumonde.com
info@voyastore.com
Collections du monde propose des hôtels 3-étoiles ou de luxe pour vous permettre de profiter de la Jamaïque façon farniente, active ou les deux.

▶ **Autre adresse :** Agence en province ✆ : 04 73 93 94 17.

■ COSTA CROISIÈRES
2 Rue Joseph Monier Bat-C
Rueil-Malmaison
✆ 0 821 200 144
www.costacroisieres.fr
client.service@fr.costa.it
Le tour-opérateur organise deux croisières qui s'arrêtent quelques jours en Jamaïque (escale à Ocho Rios) avant de rejoindre le Mexique, les Bahamas, les îles Vierges ou Caïmans…

■ ILES RESA.COM
80, rue de la Roquette (11e) Paris
✆ 01 44 88 01 50 – www.iles-resa.com
Ce tour-opérateur en ligne spécialiste des îles vous offre la possibilité de consulter, de comparer et de réserver votre voyage sur mesure en Jamaïque. Des suggestions d'hôtels 3, 4 ou 5 étoiles sont faites sur toute l'île.

■ NOMADE AVENTURE
40, rue de la Montagne-Sainte-Geneviève (5e) Paris
✆ 0 825 701 702
www.nomade-aventure.com
infos@nomade-aventure.com
Nomade aventure propose un séjour intitulé « Nomade no cry » pour découvrir le pays des rastas et du reggae au volant d'une voiture. Un voyage en liberté pour faire le tour de l'île à votre rythme.

▶ **Autres adresses :** 10, quai de Tilsitt 69002 Lyon • 12, rue de Breteuil 13001 Marseille • 43, rue Peyrolières 31000 Toulouse.

■ VOYAGEURS DU MONDE
55, rue Sainte Anne (2e) Paris
✆ 01 42 86 16 00
www.voyageursdumonde.com
1 800 m² entièrement consacrés aux voyages ! Depuis plus de trente ans, Voyageurs du Monde construit pour vous un univers totalement dédié au voyage sur mesure et en individuel, grâce aux conseils pointus transmis par des spécialistes qualifiés sur leur destination (de cœur ou d'origine). Vous bénéficiez de leur aide pour la préparation du voyage, mais aussi durant toute la durée du séjour. Tous les circuits peuvent être effectués avec des enfants, car tout ici est question de rythme. Vous invitez votre petite tribu familiale, enfants et/ou petits-enfants, et VDM vous propose des tarifs étudiés au cas par cas, avec des découvertes pour les adultes et des activités ludiques pour les enfants. Choisissez parmi la centaine de voyages sur mesure proposés. En Jamaïque, vous craquerez peut-être pour le séjour itinérant « Caraïbes Cool » de 11 jours entre les Blue Mountains, Calabash Bay et Negril.

Généralistes

Vous trouverez ici les tour-opérateurs dits « généralistes ». Ils produisent des offres et revendent le plus souvent des produits packagés par d'autres sur un large panel de destinations. S'ils délivrent des conseils moins pointus que les spécialistes, ils proposent des tarifs généralement plus attractifs.

■ ABCVOYAGE
www.abcvoyage.com
Regroupe les soldes de tous les voyagistes avec des descriptifs complets pour éviter les surprises. Les dernières offres saisies sont accessibles immédiatement à partir des listes de dernière minute. Le serveur est couplé au site www.airway.net qui propose des vols réguliers à prix réduits, ainsi que toutes les promotions et nouveautés des compagnies aériennes.

■ AFAT VOYAGES

℡ 0892 230 141
www.afatvoyages.fr

En couple ou en groupe, des destinations et des prestations adaptées au budget et aux rêves de chacun. On passe le temps qu'il faut pour trouver la formule qui convient : vols secs ou clubs de vacances, les prestations sont variées. Les agents d'Afat ne se contentent pas de vous vendre un voyage, on vous aide à le préparer. D'ailleurs, il est conseillé de prendre un rendez-vous personnalisé pour instaurer une relation de confiance. La considération du client est capitale. Pour les plus pressés, l'idéal est de compléter le formulaire en ligne via le site Internet afin qu'on vous réponde dans les plus brefs délais !

■ AUCHAN VOYAGES

℡ 0825 001 825
www.voyages-auchan.com

Auchan Voyages vous aide jusqu'au bout dans votre démarche et vous proposant des locations en tout genre pour vous loger, ou vous déplacer sur le lieu de vos vacances. Les prix sont attractifs pour tout type de bourse. Des départs toute l'année partout dans le monde. Circuits, croisières et séjours sont également organisés.

■ AZUREVER

5 rue Daunou (2ᵉ) Paris
℡ 01 73 75 89 63
www.azurever.com

Azurever est un site internet dédié au tourisme et plus particulièrement aux activités que vous pouvez faire, lors de vos voyages ou chez vous. C'est un catalogue de plus de 7000 activités variées à faire partout dans le monde. Ces activités sont dénichées, comparées et sélectionnées par des spécialistes pour vous faire profiter au maximum des trésors cachés de chaque destination. A l'image de la visite matinale ou de la visite nocturne de la ville, plusieurs visites et activités originales sont proposées pour découvrir Séville.

■ CARREFOUR VOYAGES

℡ 0 826 822 822 – voyages.carrefour.fr

Un des spécialistes des voyages peu onéreux, vous pourrez ainsi partir sans dépenser trop. L'agence vous propose tout type de voyage, des croisières, des circuits organisés, des séjours sur mesure. Des bons plans sont aussi au rendez vous, comme des promotions, ou des départs de dernière minute. Carrefour Voyages dispose de beaucoup de destinations en Europe et dans le monde, comme l'Espagne,

le Sénégal, les Emirats Arabe, la France, Cuba, la Croatie… Le choix est large et tout cela à des prix attractifs.

■ CASINO VACANCES

℡ 0820 841 841
www.casinovacances.com

Avec Casino Vacances, souriez, les smiles que vous obtiendrez en voyageant se transformeront en cadeau. Des formules adaptées aux besoins de chaque type de voyageur, vous pouvez ainsi partir en Chine avec un circuit préparé, comme dans le Midi dans une résidence.

Avec des sélections de week-end et des tops destinations, vous pouvez facilement parvenir à un compromis.

■ CLUB MED

℡ 08 200 200 08
www.clubmed.fr

Des vacances à la carte qui feront la joie de petits et grands. Avec 80 villages dans le monde, vous avez la possibilité de partir dans l'endroit dont vous rêvez. Avec des formules en demi-pension, vous pouvez profiter au mieux de vos vacances.

Des villages écolos sont à votre disposition pour les plus verts d'entre vous.

■ E. LECLERC VOYAGES

℡ 0825 884 620
www.leclercvoyages.com

E.Leclerc a sélectionné pour vous les offres des meilleurs voyagistes. Un grand choix de formules, vous pouvez payer en plusieurs fois, l'agence s'adapte à votre statut, allant de monoparental, à jeunes mariés, ou encore à spécial enfant. Des conseillers vous aident pour voyager, et petit plus : un carnet de voyages vous sera donné avant le départ pour vos vacances. S'adaptant à chaque voyageur, il vous est proposé des destinations partout dans le monde.

■ EXPEDIA FRANCE

℡ 0 892 301300
www.expedia.fr

Expedia est le site français n° 1 mondial du voyage en ligne. Un large choix de 500 compagnies aériennes, 105 000 hôtels, plus de 5 000 stations de prise en charge pour la location de voitures et la possibilité de réserver parmi 5 000 activités sur votre lieu de vacances. Cette approche sur mesure du voyage est enrichie par une offre très complète comprenant prix réduits, séjours tout compris, départs à la dernière minute…

■ GALERIES LAFAYETTE VOYAGES
✆ 01 42 82 30 83
www.galeries-lafayette-voyages.com
Lafayette Voyages vous ouvre le monde à travers de somptueux voyages et des croisières autour des thèmes « grands espaces », « escapades romantiques », « culture et civilisation » ou encore « La fête continue ». Associées au service mariage du BHV, les Galeries proposent des séjours avec un accueil personnalisé, des circuits individuels, des combinés, des croisières, 10 % de réduction selon les hôtels, des excursions ainsi que de nombreux présents. Un questionnaire classique sur le site Internet vous permet d'être contacté par un conseiller en voyages dans les 72 heures.

■ GO VOYAGES
✆ 0 899 651 951 – www.govoyages.com
Go Voyages propose le plus grand choix de vols secs, charters et réguliers, au meilleur prix, au départ et à destination des plus grandes villes. Possibilité également d'acheter des packages sur mesure « vol + hôtel » et des coffrets cadeaux. Grand choix de promotions sur tous les produits sans oublier la location de voitures. La réservation est simple et rapide, le choix multiple et les prix très compétitifs.

■ HAVAS VOYAGES
✆ 0 826 081 020 – www.havas-voyages.fr
Avec plus de 500 agences, c'est le troisième réseau français d'agences de voyages. Havas voyages propose des séjours avec un bon rapport qualité prix. Des promotions toute l'année, l'exception de ce réseau est l'offre de « premières minutes ». Des conseillers sont à votre écoute pour des séjours exceptionnels.

■ LASTMINUTE
✆ 04 66 92 30 29 – www.lastminute.fr
Des vols secs à prix négociés, dégriffés ou publics sont disponibles sur Lastminute. On y trouve également des week-ends, des séjours, de la location de voiture... Mais surtout, Lastminute est le spécialiste des offres de dernière minute permettant ainsi aux vacanciers de voyager à petits prix. Que ce soit pour un week-end ou une semaine, une croisière ou simplement un vol, des promos sont proposées et renouvelées très régulièrement.

■ NOUVELLES FRONTIÈRES
✆ 0 892 237 700
www.nouvelles-frontieres.fr
Nouvelles Frontières, un savoir faire incomparable depuis 45 ans. Des propositions de circuits, d'itinéraires à la carte, des séjours balnéaires et d'escapades imaginés et construits par des spécialistes de chaque destination. Des agences expertes.

■ OPODO
✆ 0 899 653 656 – www.opodo.fr
Pour préparer votre voyage, Opodo vous permet de réserver au meilleur prix des vols de plus de 500 compagnies aériennes, des chambres d'hôtels parmi plus de 45 000 établissements et des locations de voitures partout dans le monde. Vous pouvez également y trouver des locations saisonnières ou des milliers de séjours tout prêts ou sur mesure ! Des conseillers voyages à votre écoute 7 jours/7 de 8h à 23h du lundi au vendredi, de 9h à 19h le samedi et de 11h à 19h le dimanche.

■ PROMOVACANCES
✆ 0 899 654 850
www.promovacances.com
Promovacances propose de nombreux séjours touristiques, des week-ends, ainsi qu'un très large choix de billets d'avion à tarifs négociés sur vols charters et réguliers, des locations, des hôtels à prix réduits. Egalement, des promotions de dernière minute, les bons plans du jour. Informations pratiques pour préparer son voyage : pays, santé, formalités, aéroports, voyagistes, compagnies aériennes.

■ SELECTOUR
✆ 0 892 239 238
www.selectour.com
Voyagez l'esprit libre, telle est la devise de l'agence. Les vendeurs de Selectour vous accueilleront dans l'une des 550 agences de voyages et mettront tout en œuvre pour satisfaire vos envies. Des options de voyages variées, des promotions, des dernières minutes tout a fait remarquables dans des lieux idylliques avec des formules tout compris. Un point important, vous pouvez vous appuyer sur des avis d'experts pour chaque destination sur le site internet.

■ THOMAS COOK
✆ 0 826 826 777 – www.thomascook.fr
Tout un éventail de produits pour composer son voyage : billets d'avion, location de voitures, chambres d'hôtel... Thomas Cook propose aussi des séjours dans ses villages-vacances et les « 24 heures de folies » : une journée de promos exceptionnelles tous les vendredis. Leurs conseillers vous donneront des conseils utiles sur les diverses prestations des voyagistes.

Sites comparateurs et enchères

Plusieurs sites permettent de comparer les offres de voyages (packages, vols secs, etc.) et d'avoir ainsi un panel des possibilités et donc des prix. Ils renvoient ensuite l'internaute directement sur le site où est proposée l'offre sélectionnée.

■ EASYVOYAGE

www.easyvoyage.com
contact@easyvoyage.fr

Le concept d'Easyvoyage.com peut se résumer en trois mots : s'informer, comparer et réserver. Des infos pratiques sur quelque 255 destinations en ligne (saisonnalité, visa, agenda...) vous permettent de penser plus efficacement votre voyage. Après avoir choisi votre destination de départ selon votre profil (famille, budget...), Easyvoyage.com vous offre la possibilité d'interroger plusieurs sites à la fois concernant les vols, les séjours ou les circuits. Enfin grâce à ce méta-moteur performant, vous pouvez réserver directement sur plusieurs bases de réservation (Lastminute, Go Voyages, Directours, Anyway... et bien d'autres).

■ ILLICOTRAVEL

www.illicotravel.com
commercial@illicotravel.com

Illicotravel permet de trouver le meilleur prix pour organiser vos voyages autour du monde. Vous y comparerez les billets d'avion, hôtels, locations de voitures et séjours. Ce site très simple offre des fonctionnalités très utiles comme le baromètre des prix pour connaître les meilleurs prix sur les vols à plus ou moins 8 jours. Le site propose également des filtres permettant de trouver facilement le produit qui répond à tous vos souhaits (escales, aéroport de départ, circuit, voyagiste...).

■ JETCOST

www.jetcost.com

Jetcost compare les prix des billets d'avion et trouve le vol le moins cher parmi les offres et les promotions des compagnies aériennes régulières et low cost. Le site est également un comparateur d'hébergements, de loueurs d'automobiles et de séjours, circuits et croisières.

■ KELKOO

www.kelkoo.fr

Ce site vous offre la possibilité de comparer les tarifs de vos vacances. Vols secs, hôtels, séjours, campings, circuits, croisières, ferries, locations, thalassos : vous trouverez les prix des nombreux voyagistes et pourrez y accéder en ligne grâce à Kelkoo.

■ LILIGO

www.liligo.com

Liligo interroge agences de voyage, compagnies aériennes (régulières et low cost), trains (TGV, Eurostar...), loueurs de voiture mais aussi 250 000 hôtels à travers le monde pour vous proposer les offres les plus intéressantes du moment. Les prix sont donnés TTC et incluent donc les frais de dossier, d'agence... Le site comprend aussi deux thématiques : « week-end » et « ski ».

■ PRIX DES VOYAGES

www.prixdesvoyages.com

Ce site est un comparateur de prix de voyages, permettant aux internautes d'avoir une vue d'ensemble sur les diverses offres de séjours proposées par des partenaires selon plusieurs critères (nombre de nuits, catégories d'hôtel, prix, etc.). Les internautes souhaitant avoir plus d'informations ou réserver un produit sont ensuite mis en relation avec le site du partenaire commercialisant la prestation. Sur Prix des Voyages, vous trouverez des billets d'avion, des hôtels et des séjours.

■ SPRICE

www.sprice.com
question@sprice.com

Un site qui gagne à être connu. Vous pourrez y comparer vols secs, séjours, hôtels, locations de voitures ou biens immobiliers, thalassos et croisières. Le site débusque aussi les meilleures promos du Web parmi une cinquantaine de sites de voyages. Un site très ergonomique qui vous évitera bien des heures de recherches fastidieuses.

■ VOYAGER MOINS CHER

www.voyagermoinscher.com
contact@voyagermoinscher.com

Ce site référence les offres de près de 100 agences de voyages et tour-opérateurs parmi les plus réputés du marché et donne ainsi accès à un large choix de voyages, de vols, de forfaits « vol + hôtel », de locations, etc. Il est également possible d'affiner sa recherche grâce au classement par thèmes : thalasso, randonnée, plongée, All Inclusive, voyages en famille, voyages de rêve, golf ou encore départs de province.

Agence de voyage

■ ALMA VOYAGES
573, route de Toulouse
Villenave-d'Ornon
✆ 05 56 87 58 46 / 0820 20 20 77
www.alma-voyages.com
Ouvert de 9h à 21h.
Voilà une agence de voyages bien différente des autres. Chez Alma Voyages, les conseillers sont formés et connaissent les destinations. Eh oui, ils ont la chance de partir cinq fois par an pour mettre à jour et bien conseiller. D'ailleurs, chaque client est personnellement suivi par un agent attitré qui n'est pas payé en fonction de ses ventes... mais pour son métier de conseiller. Vous pourrez choisir parmi une large offre de voyages : séjour, circuit, croisière ou circuit individuel. Faites une demande de devis pour votre voyage de noces ou un voyage sur mesure, comme vous en rêviez. Cerise sur le gâteau, Alma voyage pratique les meilleurs prix du marché et travaille avec des partenaires prestigieux comme Fram, Kuoni, Club Med, Beachcombers, Jet Tour, Marmara, Look Voyages... Si vous trouvez moins cher ailleurs, Alma Voyages s'alignera sur ce tarif et vous bénéficierez en plus, d'un bon d'achat de 30 € sur le prochain voyage. Surfez sur leur site ou contactez-les au 0820 20 20 77 (coût d'un appel local) de 9h à 21h et préparez vos valises... Bon voyage !

■ PARTIR SEUL

En avion

Prix moyen d'un vol Paris-Kingston : de 800 à 1200 €. A noter que la variation de prix dépend de la compagnie empruntée, mais aussi et surtout du délai de réservation. Pour obtenir des tarifs intéressants, il est indispensable de vous y prendre très en avance. Pensez à acheter vos billets six mois avant le départ !

Principales compagnies desservant la destination

▶ **Pour connaître le degré de sécurité** de la compagnie aérienne que vous envisagez d'emprunter, rendez-vous sur le site Internet www.securvol.fr ou sur celui de la Direction générale de l'aviation civile : www.dgac.fr

■ AIR FRANCE
✆ 36 54
www.airfrance.fr
Air France assure des vols jusqu'à New York et Philadelphie et Air Jamaica termine le voyage vers Kingston.

■ AIR JAMAICA
www.airjamaica.com
La compagnie jamaïcaine propose des vols tous les jours depuis les Etats-Unis vers Kingston. Les vols jusqu'à New York et Philadelphie sont assurés par Air France.

■ AMERICAN AIRLINES
✆ 0 826 460 950
www.americanairlines.fr
American Airlines propose un vol quotidien vers Kingston via Miami. Comptez environ 15 heures 50 de vol.

■ BRITISH AIRWAYS
✆ 0 825 825 400
(0,15 €/min d'un poste fixe)
www.ba.com
British Airways assure un vol quotidien et direct de Londres Gatwick vers Kingston.

Aéroports

■ BEAUVAIS
✆ 08 92 68 20 66
www.aeroportbeauvais.com
service.clients@aeroportbeauvais.com

■ BORDEAUX
✆ 05 56 34 50 00
www.bordeaux.aeroport.fr

■ BRUXELLES
Belgique
✆ +32 2 753 77 53 / +32 9 007 00 00
www.brusselsairport.be

■ GENÈVE
Suisse
✆ +41 22 717 71 11 – www.gva.ch

■ LILLE-LESQUIN
✆ 0 891 67 32 10 – www.lille.aeroport.fr

■ LYON SAINT-EXUPÉRY
✆ 08 26 80 08 26
www.lyon.aeroport.fr
communication@lyonaeroports.com

■ MARSEILLE-PROVENCE
✆ 04 42 14 14 14
www.marseille.aeroport.fr
contact@airportcom.com

ORGANISER SON SÉJOUR

■ MONTPELLIER-MÉDITERRANÉE
✆ 04 67 20 85 00
www.montpellier.aeroport.fr
rh@montpellier.aeroport.fr

■ MONTRÉAL-TRUDEAU
Canada
✆ +1 514 394 7377 / +1 800 465 1213
www.admtl.com

■ NANTES-ATLANTIQUE
✆ 02 40 84 80 00
www.nantes.aeroport.fr

■ PARIS ORLY
✆ 01 49 75 52 52
www.aeroportsdeparis.fr

■ PARIS ROISSY – CHARLES-DE-GAULLE
✆ 01 48 62 12 12
www.aeroportsdeparis.fr

■ QUÉBEC – JEAN-LESAGE
Canada
✆ +1 418 640 3300 / +1 877 769 2700
www.aeroportdequebec.com

■ STRASBOURG
✆ 03 88 64 67 67
www.strasbourg.aeroport.fr
information@strasbourg.aeroport.fr

■ TOULOUSE-BLAGNAC
✆ 0 825 380 000
www.toulouse.aeroport.fr

Sites comparateurs

Ces sites vous aideront à trouver des billets d'avion au meilleur prix. Certains d'entre eux comparent les prix des compagnies régulières et *low cost*. Vous trouverez des vols secs (transport aérien vendu seul, sans autres prestations) au meilleur prix.

■ BILLETSDISCOUNT
www.billetsdiscount.com
contact@cercledesvacances.com

■ EASY VOLS
www.easyvols.fr
contact@easyvoyage.fr

■ PARTIRPASCHER
www.partirpascher.com

Location de voitures

■ AUTO ESCAPE
✆ 0 892 46 46 10 / 04 90 09 51 87
www.autoescape.com
relation-clients@autoescape.com

En ville, à la gare ou dès votre descente d'avion. Cette compagnie qui réserve de gros volumes auprès des grandes compagnies de location de voitures vous fait bénéficier de ses tarifs négociés. Grande flexibilité. Pas de frais de dossier, pas de frais d'annulation, même à la dernière minute. Des informations et des conseils précieux, en particulier sur les assurances.

■ AUTO EUROPE
✆ 0 800 940 557
www.autoeurope.fr
reservations@autoeurope.fr
Réservez en toute simplicité sur plus de 8 000 stations dans le monde entier. Auto Europe négocie toute l'année des tarifs privilégiés auprès des loueurs internationaux et locaux afin de proposer à ses clients des prix compétitifs. Les conditions Auto Europe : le kilométrage illimité, les assurances et taxes incluses dans de tout petits prix et des surclassements gratuits pour certaines destinations.

■ AVIS
✆ 0 820 05 05 05
www.avis.fr
Avis est un loueur de voiture. Mais pas seulement ! Au-delà de la seule location de voiture, les agents d'Avis conseillent et renseignent sur le choix du véhicule, sur les services, les accessoires… De la simple réservation d'une journée à plus d'une semaine, Avis s'engage sur plusieurs critères, sans doute les plus importants. Proposition d'assurance, large choix de véhicules de l'économique au prestige (petites citadines, berlines équipée, 4x4, cabriolets, minibus, prestige etc…) avec un système de réservation rapide et efficace. Réservations sur avis.fr ou via un conseiller au 36 42 (0.34 cts TTC/min depuis un poste fixe).

■ BUDGET
✆ 0825 00 35 64
www.budget.fr
service.client@budget-emea.com
Budget France est l'un des principaux loueurs mondiaux, et il propose certainement le meilleur rapport qualité/prix. Les réservations peuvent se faire sur le site www.budget.fr, qui propose également des promotions temporaires. En agence, vous trouverez le véhicule de la catégorie choisie (citadine, ludospace économique ou monospace familial…) avec un faible kilométrage et équipé des options réservées (sièges bébé, porte skis, GPS…)

holiday autos

la location de voiture
en toute simplicité
une formule au meilleur prix,
tout compris et sans surprise.

→ roulez futé ! bénéficiez de 10%
de réduction avec le code promo
petitfute*

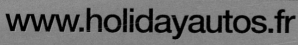
www.holidayautos.fr

* promo valable sur internet pour toute prise de véhicule jusqu'au 31/12/2011.
offre non cumulable avec toutes autres réductions.

■ DEGRIFAUTO
© 01 45 19 76 45
www.degrifauto.fr
Dégriftour – Location de voiture est une marque du groupe Last Minute Network Limited, spécialisé dans la location de voiture à prix dégriffé partout dans le monde.

■ HERTZ
© 0 810 347 347
www.hertz.com
Vous pouvez obtenir différentes réductions si vous possédez la carte Hertz ou celle d'un partenaire Hertz. Le prix de la location comprend un kilométrage illimité, des assurances en option, ainsi que des frais si vous êtes jeune conducteur. Toutes les gammes de voitures sont représentées.

■ HOLIDAY AUTOS FRANCE
© 0 892 39 02 02
www.holidayautos.fr
Avec plus de 4 500 stations dans 87 pays, Holiday Autos vous offre une large gamme de véhicules allant de la petite voiture économique au grand break. Holiday Autos dispose également de voitures plus ludiques telles que les 4x4 et les décapotables.

■ SÉJOURNER

Se loger
En plus de son hôtellerie haut de gamme, la Jamaïque dispose de toutes les catégories d'hébergement. L'offre est pléthorique et le Jamaica Tourist Board (JTB) publie chaque année une liste non exhaustive, mais à jour, des principaux hôtels et pensions. La haute saison, pendant laquelle l'affluence et les prix peuvent doubler, s'étend d'octobre à avril.

■ BEDYCASA
© 04 67 47 19 53
www.bedycasa.com
Ici, il est possible de louer une cabane, une roulotte, un château, un bivouac, un igloo, un tipi (la liste est encore longue !) ou tout simplement une chambre avec le petit déjeuner inclus pour une somme modique. Réservation en ligne.

■ BEWELCOME
www.bewelcome.org
Le système est simple : se faire loger partout dans le monde chez l'habitant, contacté auparavant via le site. Avec leur carte interactive, les profils des « *welcomers* » s'affichent, avec leurs disponibilités. Certains font part de leurs projets de voyage afin de pouvoir être aidé par les membres du site. La solidarité est l'âme essentielle de ce site.

■ COUCHSURFING
www.couchsurfing.org
Grâce au CouchSurfing, vous voyagez dans le monde entier en logeant gratuitement chez l'habitant. Il suffit de s'inscrire sur des sites Internet spécialisés pour accéder aux offres des membres prêts à mettre à disposition un couchage pour quelques nuits. Échange de bons procédés oblige, vous devez accepter en contrepartie (en principe) d'accueillir chez vous celle ou celui qui vous reçoit. Soyez rassuré, des systèmes de contrôle existent sur les sites : notation des membres, numéro de passeport exigé à l'inscription, etc. CouchSurfing est le service d'hébergement en ligne regroupant le plus d'adhérents. Les participants ont accès à des hébergements volontaires dans plus de 200 pays.

■ EASYROOMMATE
© 01 78 40 14 40
www.easyroommate.com
Un site de colocation plutôt sympathique pour trouver une coloc' d'une durée plus ou moins longue (par semaine ou par mois) triée par pays. La bonne alternative pour ne pas rentrer dans une chambre d'hôtel morne, et vivre dans une maison ou un appartement avec des personnes qui rendront le séjour plus agréable.

■ HELPX
www.helpx.net
Des fermes biologiques, des ranchs, des B&B, des hôtels où l'étranger aide tout en bénéficiant (selon les pays et hôtes) de cours d'anglais, de randonnées à cheval, de repas selon le travail fourni. Un panel de lieux, partout dans le monde, où vivre durant une année ou moins, afin d'améliorer une langue ou vivre une expérience hors du commun pendant une année de césure. Le prix d'adhérent est symbolique, seulement 20 €, et permet d'accéder aux offres.

■ HOSTELBOOKERS
fr.hostelbookers.com
Depuis 2005, cette centrale de réservation en ligne permet de planifier son séjour à prix corrects dans le monde entier. Afrique, Asie, Europe, Amérique… Hostelbookers est spécialisé dans les logements peu onéreux (auberges de jeunesse ou *hostels*…) mais proposant des services et un cadre plutôt soignés. Pour chaque grande ville, le site propose une sélection pointue d'enseignes partenaires et vous n'aurez plus qu'à choisir l'adresse la plus pratique, la mieux située, ou tout simplement la moins chère. Une plate-forme bien pratique pour les baroudeurs.

■ SPLENDIA
www.splendia.com
Des hôtels de luxe et de charme à des prix défiant toute concurrence. Des tarifs bas car vous bénéficiez ici du fait que vous êtes surclassé. Offrez-vous une chambre dans un hôtel incroyable, n'importe où dans le monde, pour un prix cassé. Les adhérents accèderont aux ventes privées du site.

■ TROC MAISON
1249, route de l'Eglise
Lalonquette
✆ 05 59 02 02 02 / 09 70 40 64 99
www.trocmaison.com
Le slogan du site : « Echangez… ça change tout ». Un site pour échanger son logement (studio, appartement, villa…). Numéro 1 du troc de maison, le prix est de 7,95 € par mois pour l'accès aux offres. Une aubaine quand on pense que 50% du budget vacances des Français passe dans le logement. Propriétaire d'un appartement, trouvez l'échange idéal qui conviendrait au propriétaire de la maison désirée. Le choix est large : 40 000 offres dans 148 pays.

■ WORKAWAY
www.workaway.info
Une opportunité pour consacrer quelque temps dans les études ou le travail pour voyager. Ici, le système est simple : être nourri et logé en échange d'un travail. Des ranchs, des fermes, des maisons à retaper, des choses plus insolites comme un lieu bouddhiste à rénover. Entre 20 et 30 € de frais d'inscription pour avoir accès à toutes les informations. Une expérience unique dans son genre.

■ WWOOF ASSOCIATION
2, place Diderot – Vincennes
www.wwoof.org – hello@wwoof.fr
WWOOF propose des fermes agricoles biologiques installées partout à travers le monde. Le contrat est simple : en échange d'une aide pour le travail agricole, les propriétaires offrent le pain et le logis. Ce site met à disposition le carnet d'adresse des fermes (pour 20 US$ environ) du pays désiré. Attention cependant, il y a un risque, le propriétaire peut parfois se montrer un peu trop exigeant. Mais généralement les avis des initiés sont favorables.

Hôtels
L'hôtellerie jamaïcaine revendique fièrement sa quasi-indépendance par rapport aux capitaux étrangers. Elle compte quelques-uns des plus beaux et des plus prestigieux hôtels du monde (Half Moon, Trident, Round Hill, Stawberry Hill, etc.). La formule tout compris rencontre beaucoup de succès, au grand dam des hôteliers indépendants. De grandes chaînes au marketing particulièrement efficace, telles Sandals ou SuperClubs, ont su tirer profit de cet essor et totalisent une vingtaine d'hôtels à elles deux. L'hôtellerie indépendante compte principalement des petits établissements (vingt chambres en moyenne) de toute catégorie, dispersés un peu partout dans l'île.

ORGANISER SON SÉJOUR

Travailler – Trouver un stage

■ MINISTÈRE DES AFFAIRES ÉTRANGÈRES
www.diplomatie.gouv.fr
Les informations mises à disposition dans l'espace culturel du serveur du ministère des Affaires étrangères sont également précieuses.

■ VOLONTARIAT INTERNATIONAL
www.civiweb.com
Si vous avez entre 18 et 28 ans et êtes ressortissant de l'Espace économique européen, vous pouvez partir en volontariat international en entreprise (VIE) ou en administration (VIA). Il s'agit d'un contrat de 6 à 24 mois rémunéré et placé sous la tutelle de l'ambassade de France. Tous les métiers sont concernés et vous bénéficiez d'un statut public protecteur. Offres sur le site Internet.

Chambres d'hôtes

Les guest houses, très répandues, sont de loin l'offre la plus économique. Elles présentent l'avantage de permettre de côtoyer la population locale, dans des lieux plus intimes et authentiques que les grandes chaînes hôtelières. Elles proposent des prestations très variées, du confort rudimentaire au plus sophistiqué, avec ou sans possibilité de repas. Elles se signalent au voyageur par de petits panneaux le long des routes.

Campings

Quelques hôtels proposent des espaces de camping à louer ainsi que du matériel, mais, dans l'ensemble, le camping n'est pas une pratique très répandue en Jamaïque. Le camping sauvage n'est pas recommandé.

Bons plans

La location de villas indépendantes se développe de plus en plus avec là encore une palette de produits de toutes catégories. Les villas de très grand luxe au charme indéniable, louées avec le personnel, sont une tradition de l'île. Les bungalows plus modestes sont présents dans toutes les zones côtières.

Se déplacer

Avion

Les vols intérieurs sont fréquents entre Kingston et Montego Bay, et de petites compagnies desservent les aérodromes des grands centres touristiques tels Port Antonio, Negril et Ocho Rios. Comptez 40 minutes de vol entre Kingston et Negril, 30 minutes entre Kingston et Montego Bay, 15 minutes entre Kingston et Port Antonio ou Ocho Rios, et 22 minutes entre Ocho Rios et Montego Bay. Chacun de ces déplacements vous coûtera au moins 50 US$.

Bus

Le réseau de transport jamaïcain est un peu complexe : on trouvera à Kingston de grands bus qui constituent le réseau public, ainsi que des minibus privés. Dans le reste de l'île, ce sont surtout des minibus, ou vans, qui relient sans cesse les différentes villes, nécessitant souvent des changements de véhicule. Une ligne de bus célèbre, Knutsford Express, fait deux fois par jour des trajets de Kingston à Montego Bay en passant par Ocho Rios. Sinon, il y a enfin les « route-taxis », des taxis collectifs qui font aussi des allers-retours entre les différentes agglomérations.

Train

Les 400 km de voies ferrées sont aujourd'hui fermées, et c'est bien dommage, car l'ancien train qui reliait Kingston à Montego Bay traversait des paysages sauvages de toute beauté.

Voiture

Plus de 14 000 km de routes sillonnent le pays, beaucoup d'entre elles étant seulement des pistes. Seules les routes côtières et les

© SIR PENGALLAN – ICONOTEC

Vue sur Blue Lagoon depuis une villa.

principales routes du centre sont en bon état et bien entretenues. Des autoroutes à péage ont ouvert récemment, permettant de réduire le temps de route vers les zones touristiques d'environ 30%. Les agences de location de voiture sont nombreuses, et présentes dans toutes les villes touristiques. Les tarifs sont comparables à ceux pratiqués en France, et donc plutôt élevés. Chaque ville dispose d'un terminal d'autobus où se donnent rendez-vous minibus et taxis collectifs, qui sillonnent l'île en tout sens et à toute heure. Bien que peu confortable, le minibus est le moyen le plus économique de découvrir le pays. L'auto-stop n'est pas recommandé.

▶ **Conduite automobile.** Tradition britannique oblige, c'est à gauche que l'on roule en Jamaïque ! Les routes sont en bon état sur tous les grands axes, le long des côtes, mais les routes de l'intérieur sont souvent en piètre état, sinueuses et escarpées. Les éclairages de route sont assez rares, il est donc conseillé d'éviter les longs déplacements de nuit. N'hésitez pas à utiliser votre avertisseur et à demander votre chemin, les indications étant parfois rares, y compris dans les agglomérations. Par ailleurs, un bon nombre d'automobilistes jamaïcains apprécient la vitesse et les fortes accélérations qui font crisser les pneus et vrombir les moteurs. Ne vous laissez pas impressionner ! La plupart des axes n'ayant qu'une voie dans chaque sens, et la densité du trafic de véhicules lents (camions, tracteurs, etc.) sont responsables de cette situation. Les contrôles policiers de routine sont fréquents sur les routes et en ville. La vitesse est limitée à 50 km/h en ville et à 80 km/h sur les routes. Kingston est souvent décrite comme difficile à appréhender au volant, mais quelle ville ne l'est pas ? Les locaux craignent de conduire dans Kingston, et certains craignent même de conduire dans la campagne jamaïcaine ; d'autres encore ont tenté l'expérience automobile à Paris et en reviennent en pensant que les Français sont des fous !

▶ **Temps moyen de déplacements inter-villes en voiture :**
Montego Bay-Kingston : 4 heures • Montego Bay-Mandeville : 2 heures • Montego Bay-Negril : 1 heure • Ocho Rios-Mandeville : 2 heures • Ocho Rios-Montego Bay : 2 heures • Ocho Rios-Negril : 3 heures • Ocho Rios-Port Anotnio : 2 heures • Negril-Black River : 1 heure 30 • Negril-Port Antonio : 5 heures • Negril-

Treasure Beach : 2 heures • Mandeville-Black River : 1 heure 30 • Mandeville-Christiana : 30 minutes • Kingston-Mandeville : 1 heure 30 • Kingston-Negril : 4 heures • Kingston-Ocho Rios : 2 heures • Kingston-Port Antonio : 2 heures.

Taxi

Les véhicules de transport de passagers officiels, en commun ou de place, se reconnaissent à leur plaque d'immatriculation de couleur rouge. La seule compagnie recommandée par les bureaux de l'office de tourisme jamaïcain est la JUTA, compagnie avec des chauffeurs et des véhicules en règle et, du coup, les tarifs sont les plus élevés. Mais d'autres compagnies, et même certains taxis indépendants, ne sont pas pour autant à rejeter. Le mieux est de trouver un chauffeur de taxi sympathique et honnête auquel on fera appel pour chaque déplacement. Les charters (prononcer « cha'ta ») sont l'équivalent des taxis de place tels qu'on les connaît chez nous. Seule différence, ils ne possèdent pas de compteur ; le prix de la course se négocie donc, de préférence avant le départ pour éviter toute mauvaise surprise. Il faut compter un minimum de 4 000 JMD pour un trajet supérieur à 100 km. Pour des déplacements locaux, on préférera les taxis en commun (route-taxis) ou les minibus qui s'arrêtent à la demande le long des routes et des rues, et dont le prix est largement plus abordable.

Deux-roues

De nombreux Jamaïcains circulent en vélo, dans les villes comme sur les grands axes. On se demande comment ils font pour ne pas se faire renverser, car les voies sont étroites, les véhicules roulent vite sans grande visibilité et il est donc assez risqué de pédaler le long des routes, ce qui est regrettable car l'île s'y prête... Louer un scooter peut se révéler très pratique dans des villes comme Negril ou Treasure Beach, mais à Kingston, mieux vaut se déplacer en bus ou à pied.

Auto-stop

Une pratique peu répandue en JAmaïque, et donc à éviter. Généralement, pouce levé, c'est un taxi qui s'arrêtera. Mais parfois, une âme gracieuse stoppera et vous avancera un peu plus loin, à l'arrière d'un pick-up par exemple. Mieux vaut prendre la peine de s'assurer du coût éventuel avant de monter dans tout véhicule.

Index

ORGANISER SON SÉJOUR

■ M ■

■ N ■

■ O ■

■ P ■

© JAMAICA TOURIST BOARD

Rose Hall Greathouse.

■ Q ■

■ R ■

■ S ■

■ T ■

■ U ■

■ V ■

■ W ■

■ Y ■

ORGANISER SON SÉJOUR